U0839889

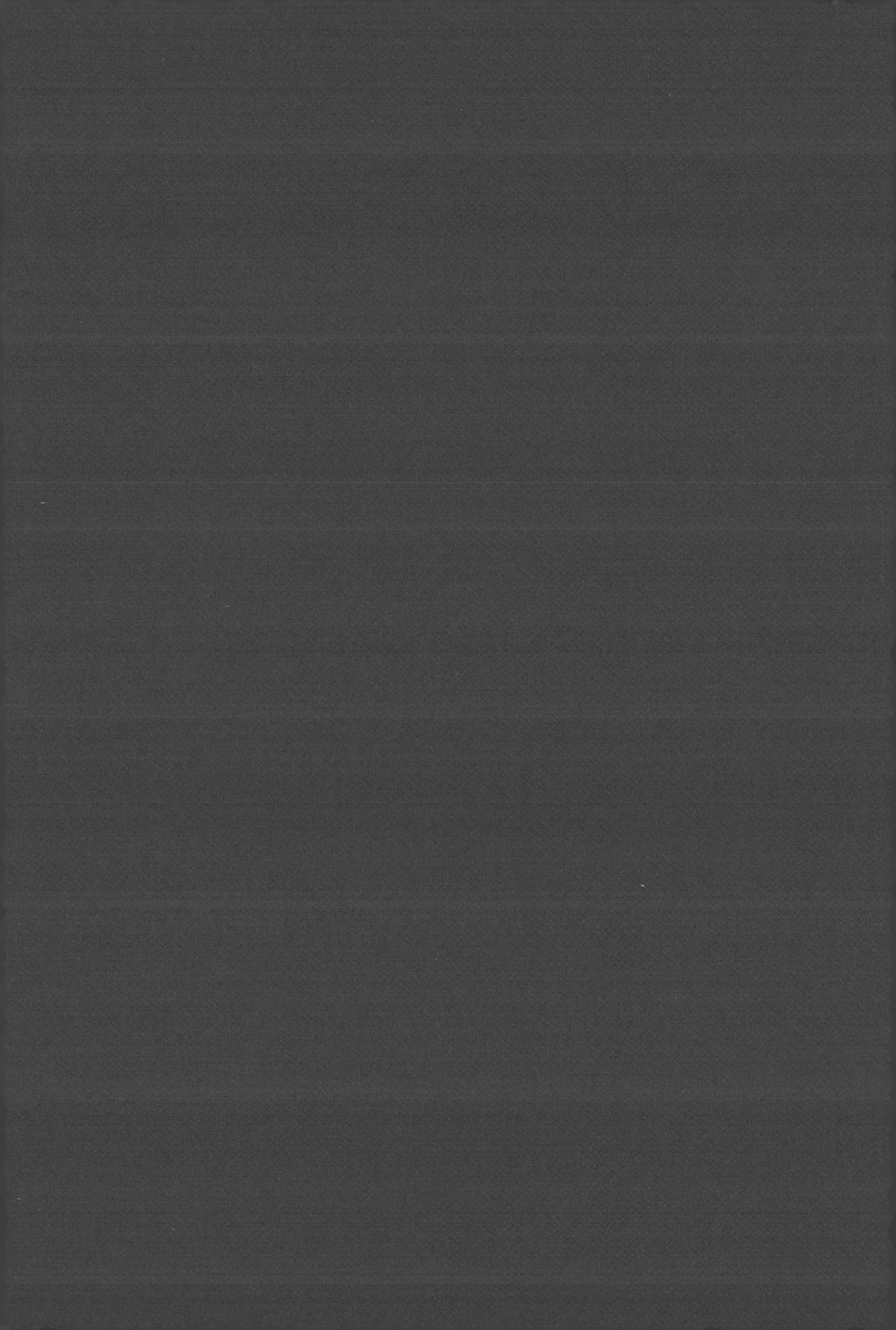

主编 郑电波

中篇小说系列（一九七七年至二〇一二年）

第二十八卷

中國鄉土小說名作大系

平凹题

中原出版传媒集团
大地传媒

中原农民出版社

图书在版编目(CIP)数据

中国乡土小说名作大系.第28卷/郑电波主编.—郑州:中原出版传媒集团,中原农民出版社,2014.12
ISBN 978-7-5542-1002-4

Ⅰ.①中… Ⅱ.①郑… Ⅲ.①中篇小说-小说集-中国-当代 Ⅳ.①I247

中国版本图书馆CIP数据核字(2014)第278567号

中国乡土小说名作大系

出 版 人 刘宏伟
总 编 审 汪大凯

总 策 划 刘宏伟
策划编辑 郑电波
责任编辑 郑电波 高燕燕
责任校对 杨 玲
装帧设计 吴丹青
装帧制作 董 雪
封面题字 贾平凹
插　　图 董 钺

出版发行 中原出版传媒集团 中原农民出版社
地　　址 河南省郑州市经五路66号　**邮　编** 450002
网　　址 http://www.zynm.com　**电　话** 0371-65751257
邮购热线 0371-65724566　**传　真** 0371-65751257
承印单位 河南省瑞光印务股份有限公司

开　　本 787mm×1092mm　1/16
印　　张 23.5
字　　数 455千字
版　　次 2014年12月第1版　**印　次** 2014年12月第1次印刷

书　　号 ISBN 978-7-5542-1002-4　**定　价** 98.00元

《中国乡土小说名作大系》
编辑工作委员会

原始资料搜集查询

凡 例

本大系全套共36卷，精选了1977年至2012年在中国国内公开发表、出版的乡土小说作品中的短、中篇名作。其中前6卷为短篇小说，后30卷(7卷—36卷)为中篇小说。其中包括荣获全国大奖的乡土短、中篇小说；被小说选刊选载且极具影响力的作品；在当时受到社会广泛关注、在读者记忆中留下深刻印象的优秀作品。

本套书的选编原则上是以发表、出版的时间顺序排列的，每卷从作品的品质考量前后有所微调，但大的格局不变。

上世纪整个80年代，是中篇乡土小说创作的黄金时段，名作灿若群星，该大系收录此时段的作品较多。短篇小说系列每卷分上、中、下三部分，而中篇小说系列不作界分。

每卷的字数大致相当。由于上世纪80年代及90年代初，一般中篇小说的篇幅比后来的较长，因此每卷的篇数较少，这也是全套各卷选篇数目不均的原因。

卷首语

三十多年来，中国农村发生了翻天覆地的变化，而中国农村题材小说的创作，正是对应了这段历史。它们是如此的丰富、瑰丽、饱满和激越，如此的斑驳陆离色彩纷呈。它们是心史，是一次不曾间歇的歌哭相随——过人的敏感，欣悦和忧郁，惊愕与绝望，大喜过望以及突如其来的沮丧，肤浅的赞许和陡峭的情感——这一切情愫一切境遇的全面记录和生动描摹。

张　炜

2013 年春

卷首语

中原农民出版社出版《中国乡土小说名作大系》，是当今文化界一个大事件。

中国现代文学过去多少年取得的成就主要是乡土小说。

现在我们国家的改革进入到了城乡一体化阶段，农民进城，小城镇的人到县上，县上的人到省城，省城的人到北京上海等大城市，中国社会已是迁徙的社会。我估计将来再过一两代人，乡土小说类型慢慢就要消退了，肯定不会再成为中国文学的主流了。但是，消亡我觉得是不可能的，因为大量的农村还在，更重要的是中国农村文明的思维还在，只要土地在，思维在，农耕的思维观念在，不管在哪儿，就是你在美国，到月球上去，你还是中国的，中国式的，写中国人的文学就不会消失，因此乡土小说也不会真的消失。

在中国，你想真正了解这个社会，获得一些更深层的东西，就去看一看乡土小说。乡土小说就好像馆藏一样，那里有丰富的宝藏。现在它已经不出现在街头了，就像庙堂或者说茶室一样，有闲时可以去坐一坐，静一静，慢慢品味它。

贾平凹

2014年春

前言

中国是一个乡土性很强的大国，诚如社会学家费孝通所说，中国是一个“乡土中国”。

乡土，几乎是每个中国人的精神家园。

在新时期文学中，乡土文学堪称最敏感的文化神经。新时期当代文化思潮的演进变化，许多是从乡土小说中透露出重要信息的。应该说，从中国乡土小说中可以读懂当代中国。

农民在我国的文学中，历来处于一个突出而显赫的地位。农民的社会地位不高，而文学地位不低。这是由中国作家的乡土情结、生活阅历、审美情趣及价值取向所决定的。在文学对民族文化心理的反思中，农民作为民族文化心理的主要载体，自然成为小说家关注和表现的对象，故乡土小说天然地在新时期小说中，有着举足轻重的地位。

改革开放的三十多年，这是一个伟大的时代，一个中国前所未有的大变革时代。农村生活的改变，农民心气的勃发，新一代农民在精神、意识、思想上的吐故纳新，新与旧在现实生活中的冲突与较量，以及对于腐败现实的理性批判，随后成为乡土小说在一个时期里反复吟唱的主旋律。作家成了这个时期乡村广大农民理想的抒发者和愿景诉求的代言人。农民在内心理想的感召下奋发向前，作家与之击鼓前行。

改革开放以来的文学，我们称之为新时期文学。新时期文学有三个相互联系的阶段:“伤痕文学”、“反思文学”和“改革文学”。许多作品系统地反映了农村农民生活命运的变化，社会的深层变革，抒写了自己的社会理想。有些作家把思想的锋芒指向乡土文化与农耕文明，以自己的眼光与理性来发现和表现乡土中国的浑重、复杂与嬗变。当然，也有不少作家在作品中多有对自身命运的描述和情感宣泻。

新时期文学初期，印象深、乡土味儿较浓的有何士光的短篇小说《乡场上》，高晓生的《陈奂生上城》《李顺大造屋》，张炜的《一潭清水》，贾平凹的《黑氏》，铁凝的《哦，香雪》，邵振国的《麦客》，张石山的《镢柄韩宝山》，王润滋的《内当家》，史铁生的《我的遥远的清平湾》，田中禾的《五月》，乔典运的《满票》等。中篇小说有郑义的《老井》，路遥的《人生》，张贤亮的《绿化树》，张一弓的《犯人李铜钟的故事》，叶蔚林的《在没航标的河流上》，莫言的《红高粱》，张炜的《秋天的愤怒》，映泉的《桃花湾的娘儿们》，王安忆的《小鲍庄》等等。

新时期文学的早期，是一个激动人心的时期，是一个重建希望的时代，人的内心如同枯木逢春，激情被时代精神所鼓舞并迅速地再度燃烧起来。人们在思想解放运动的昭示下又一次看到了未来的希望，并热情地期许这一切尽快变成现实。深怀理想主义文化信念的作家，无论用什么样的创作方法，骨子里都潜伏着浓重的浪漫主义基因，时代气氛使这浪漫潜滋暗长。那个时代的作家极少悲观，历经再多的苦难也不能告别乐观。作家几乎对未来用承诺的方式描绘着生活，读者的期待使写出好作品的作家一夜成名，自发阅读小说的人超过以往任何时代。人们最大的自由就是对美好的向往，人们在想象的话语中得到满足。

时间在飞驰，中国的变革在加深、加快。二十世纪九十年代引发的经济热潮、商业大潮席卷而来，文学受到很大冲击，一些作家纷纷下海弃文经商，文学创作受到了影响。然而乡土小说的创作，因与政治思潮、商品大潮都有一定程度的疏离，也由于作家的坚守，似乎并没有出现中断或萎缩的情形，无论是中、短篇小说还是长篇小说，都在坚守中有所拓展，且成就了乡土小说创作的特有景观，其作家创作形成了楚文化群落、吴越文化群落、齐鲁文化群落、燕赵文化群落、秦晋文化群落、中原文化群落、东北文化群落、巴蜀滇黔文化群落等，乡土小说内容丰富，五彩斑斓。

九十年代的乡土小说不再是单色的，而是多色的，很耐人寻味。如陈源斌的《万家诉讼》，李佩甫的《无边无际的早晨》，关仁山的《九月还乡》，余华的《活着》，迟子建的《雾月牛栏》，张宇的《乡村情感》，韩少功的《马桥人物》，杨争光的《公羊串门》，赵德发的《通腿儿》等等。

这一时期的长篇小说数量不太多，但质量很高，作家开始向家族、人生命运深处思考，审察人性、反思历史、反观传统，因此作品更显得有分量。长篇小说取得了重大成就。先有张炜的《古船》初现端倪，继有陈忠实的《白鹿原》，莫言的《丰乳肥臀》，阿来的《尘埃落定》的联袂冲刺，掀起长篇小说创作的第二个新高潮，是继八十年代古华的《芙蓉镇》，路遥的《平凡的世界》，贾平凹的《浮躁》之后第二个创作高峰。

新世纪阶段比之于前二十年文学文化领域，因面临着商业文化、传媒文化与信息科技的多重冲击，更由于人们价值观的变化，乡土小说读者的减少，作家浪漫情怀的式微，总体来说乡土小说创作出现了下滑和萎缩的趋势。然而，乡土小说并未到这部乐曲的尾声，不少乡土作家还在这片“土地”上耕耘，他们的笔墨自由而灵动，多元的叙事与多元化的观念已出现，令人感到振奋的是长篇小说的进一步繁荣，乡土长篇小说的创作出现了新的景观。贾平凹的《秦腔》，蒋子龙的《农民帝国》，孙慧芬的《歇马山庄》，铁凝的《笨花》，张炜的《你在高原》，刘震云的《一句顶一万句》，莫言的《蛙》等，其中有的作品的水平，已达到乡土长篇小说的新高。这是由于一些乡土小说作家一直在创作的深刻思考之中，他们甘于寂寞，其思考已抵达生活、社会、历史、人生甚至哲学的深处。

中国乡土小说可以说是新时期文学的精华与支撑，几乎所有的小说名篇都与“乡土”血脉相连，这不但有广泛的共识，也是不争的事实，它们占据了文学、文化、出版价值的制高点。

它是我们这个时代特有的文学形态，具有深厚的人文价值，就中国乡土小说而言，可以说达到了中国文学史上“前无古人”的思想和艺术高度，而且由于我们社会的深度变革，农耕文明的逐渐瓦解，这种形式的文学必将终结，因此可以说，它不仅是空前的，也是绝后的，它的辉煌如同唐诗宋词在中国文学史上的辉煌一样。

乡土小说植根于中华民族精神深处汲取营养，又表现并滋润着民族精神和意识，形成了新时期的文化景观。它不但被中国有识之士充分肯定和赞许，同时也被世界看重。“越是民族的，越是世界的”，莫言获诺贝尔文学奖，就是一个有力的证明。

多年来，从鲁迅到沈从文，中国作家无不有着共同的诺贝尔文学梦，可是直到去年，莫言才为中国作家实现了这个梦想。我认为，莫言获诺贝尔奖，不是他一个人的胜利，而是一大群中国乡土小说作家的胜利。这片热土，造就了这一批作家；这个时代的气候，滋润了这一批作家的成长。如张炜、贾平凹、陈忠实等一批作家，其文学创作的实绩和水平，也大都进入了这个层面。我们为中国乡土作家的成功而鼓掌，为中国乡土小说的辉煌而欢呼。

这是一套乡土小说的精选本，我们这套书重在推出改革开放35年（1977—2012）来中国乡土小说的精华部分，它们绝大部分是获奖名篇或被小说选刊选载、被评论家和广大读者所关注、极具影响力的作品。这些作品是时代的一面镜子，较深刻地反映了一个时期的社会现实。

本套书重时代感，所选作品的排序按照原作初次发表的时间先后顺延。选篇首重乡土气息、时代精神和文学价值，以作品品质为标杆（作家名气、地位作第二位考虑）以期展示35年中国农村变革、农民精神嬗变的文明进程，使内涵巨大的乡土小说所构成的文字画卷，具有以文学纪录时代史诗般的价值。

虽然过去也有一两家出版社出版过一些乡土小说选集版本，但大多是以作家为标杆选择篇目，规模小，不全面；而这套书以整个大改革时代为着眼点，登高望远，选篇宏观铺陈，将散失于长达35年间奇珍般的乡土小说，用一根乡土彩线串系在一起，这是对乡土小说的寻找与抢救，也是在打造我们中国人共同的心灵家园。

由于书的印张所限，有不少影响大、水平高的乡土小说未能选入，对此我们深感遗憾。我们希望这套书的出版，不但能让热爱乡土小说的读者喜欢，而且能让更多的农民兄弟读到。让农民了解农民，了解农村的变化，关心自身命运，关心社会变革，这是我们的初衷。

郑电波

2013年初春

目　录

天知地知

刘 恒

李来昆属虎，比我大四岁。五〇年夏天一个日子，他的双亲去玉米地里锄草，母亲说累了，父亲说再锄一垄，母亲说歇歇吧，父亲说再锄一垄！父亲锄得正欢，母亲却哎哟一声躺下了。然后，李来昆就从容地爬了出来。他躺在田垄里，沾满了泥土和草叶子，哭声像一只找不着家的老鸹。父亲把他塞进干粮袋儿，拎着挎着回了槐树堡，几只狗围上来。父亲就把干粮袋儿顶在头上了。路上跟人借火，烟叶太湿，费了两根火柴也点不着。父亲躲到树后头，用两条腿夹住李来昆。好不容易点着了，转过身来，发现几只狗在街里狂奔，裤裆里的干粮袋儿却不见了。父亲大声问，我儿子呢？没有人能够回答他。只有一个站在墙头上的女人嘻嘻笑着，说快看，狗嘴里叼的啥。父亲噢一声扔了烟袋追上去，乡亲们也跟着追上去，槐树堡顿时鸡飞狗跳，陷入一片少见的混乱之中。一只狗穿过牲口棚，不小心把干粮袋掉在马槽里。另一只狗叼起来接着跑，接连飞跃了羊圈和猪圈，见麦场上有人，一着急蹿上了粮食垛，又从粮食垛上了房顶。人们蹬梯子爬墙，追上房顶，那只疯狗竟然凌空跳了下去。李来昆在空中像老鸹一样哭着，露出鲜嫩的小脑袋，像一只刚刚剥了皮的粉色的兔子。他和狗掉在一大堆麦秸中不见了。

那个年代，男人和女人都很辛苦，也格外勤劳，把孩子生在地头，生在碾道旁，生在砍柴的路上，不是什么新鲜事。比较奇怪的是一群狗叼着一个刚刚生下来的孩子，房上房下地乱跑，一群人翻跟头打把式，却怎么也追不上它们。场面无法想象，接下来的情景更让人难以忘怀。人们翻遍了小山一样的麦秸，就差一根一根数了，却只找到了一条空荡荡的干粮口袋。父亲号啕大哭，像个老娘们儿。他已经有五个女儿，他唯一的儿子让狗叼走了。他说我不想活了老子不想活了！好心的人们拿着镐头，在麦秸堆四周寻找可疑的洞穴，不时象征性地刨几下，吓得老鼠们四处乱窜。妇女们围上来拍打父亲的肩膀和后背，说儿子丢了嫂子还在，好好干，不出一年又该你笑了。实际上，五分钟以后父亲就笑了。一个乡亲听到鸡窝里有老鸹叫唤，纳闷它是怎么飞进去的，伸手一掏便掏出来一块沾满了鸡屎的嫩肉。他不知道院子外面发生的事情，以为自己遇见鬼了，撒腿往街里跑，大叫不好啦快来人呐！

李来昆不承认老鸹的事。一有乌鸦飞过就急着辩解，说你们听你们听，怎么可能呢！我们也认为不可能。但是李来昆承认腿上、屁股上、后背上以及肩膀上的疤瘌是狗咬的，脑袋除外。他头顶上有一些细碎的白斑，很像狗的牙印儿。他说这是躺在鸡窝里让母鸡给鹐的，跟狗没关系。不管跟哪个畜生有没有关系，我们一群人光着屁股站在小河边的时候，只有他是伤痕累累的东西，别的家伙都显得过于光滑了。他整个人就是一条大疤瘌，横在水面上，像一条翻着肚皮的鱼。你不能不承认他是一个幸运的人，一个逢凶化吉的人。

这样的人怎么会死呢？

狗嘴余生之后，他没有遇到什么像样的危险，顺利活到九岁。不幸的是父亲馋上了白酒，母亲又生了三个弟弟，自然而然地需要一个出气筒。他既然有那么多疤瘌，再添几个也不要紧，酒瓶子、擀面杖、锅铲等等便不时落在身上。所以，给他造疤瘌的不光是畜生。他说这个是狗咬的，那个是狗咬的，就比较可疑了。但是他该不该揍呢？槐树堡的乡亲说该揍。我们清水铺的乡亲也说该揍。他几乎干遍了男孩子能干的调皮事，小到往别人头上放毛毛虫，大到往邻居家的腌菜缸里拉屎，拉完了还搅和，让人看不出来。山谷里经常响起父亲的骂声，瞎了眼的狗哇，你不嚼了他，给老子留着干啥呀！一边骂一边追，手里有什么扔什么。有一回扔出个蒜臼子，没打着李来昆，倒把街边一头毛驴给砸蒙了。

九岁那年夏天，槐树堡发了泥石流，死了几户人，剩下的逃到清水铺避难。有亲戚的投奔亲戚，没亲戚的住在小学校和供销社，李来昆一家找不着地方，又不太受欢迎，就住在操场北头的土戏台上了。操场一片汪洋，足有一腿深，戏台子像个孤岛，正在风雨中沉没。那是我第一次看见李来昆。他蹲在水边看雨，像一只呆鹅，黑黑的脸，凸凸的眼睛，一脸傻相。外祖母指着他叮嘱我，别跟他玩儿，千万别跟他玩儿！我问怎么了？她说他是个烂眼子货呀，小心他往你头上拉屎！李来昆拉屎不挑地方是很有名的，不过跟后面的事情比起来简直算不上什么了。

那天早晨雨没有停，远远的听见有人破口大骂，瞎了眼的狗哇，你不嚼了他，给老子留着干啥呀！我溜出去看热闹，发现李来昆正在操场上划船，父亲在后面追他，教室的窗口和门口聚满了哈哈大笑的人。水淹到腰眼儿，可能也喝多了酒，父亲怎么也追不上他。眼看要追上了，儿子举着笤帚一吓唬，手又缩了回去。李来昆缓慢地划过操场，兜了半个圈子，突然拐入街中的小河。他父亲跌倒在校门口，可能踩着树坑了，脑袋半天才浮出来。李来昆停了一会儿，见父亲呛得晕头转向也没忘了骂人，就放心地沿着满街的雨水顺流而下了。那是小学校的门板，漆着白字，我和另外七八个孩子纷纷爬上去。路上翻了一次。在拐弯的地方又翻了一次。翻了几次之后，船上只剩了李来昆、我和另外一个人。他用鼓眼睛瞪着我，让我很不舒服。他说你知道你娘为啥把你生出来？我说不知道。他又问另一个孩子，你娘把你生出来凭的是哪一条？那孩子也不知道。他说让我告诉你吧！我们的小船刚好漂过工作队的后窗户，里面有吹口琴的声音，呜呜的。那些话听起来很神秘，也很单纯。

“你爹往你娘屁眼儿里撒了一泡尿。”

他说完船就翻了。我爬起来回家去，把他的话向外祖母复述了一遍。外祖父在一边听着，抬手给了我一个大嘴巴。我五岁，李来昆九岁。他的启示给我留下了非常深刻的印象。不过事情还没有完。李来昆偷了工作队的口琴。人家打着手电查了半个村子，最后查到了小学校，把睡得迷迷糊糊的李来昆从被窝里揪了出来。他说我没偷，啥叫口琴，我没见过口琴，口琴啥样儿，没偷就是没偷！雨越下越大。工作队像一群落汤鸡，不知如何是好。父亲已经看明白怎么回事，大叫你偷没偷？李来昆一愣，胳膊和腿立即被揪住了。工作队连忙劝阻，越劝父亲越来劲，脑袋一热，就把儿子横着从戏台上扔到水里去了。瞎了眼的狗哇！工作队不明白这句没头没脑的话是什么意思。他们等着李来昆从水里爬出来。但是他再也没有从大家希望的地方爬出来，扑通一声巨响过后他就不知去向了。人们在水里摸他，在街里找他，在山坡上亲切地呼唤他，都没有用。不知何处传来口琴的呜呜声，再一听又不见了，过一会儿又呜呜地响起来。那一夜清水铺的人都没有睡好，雨下得太大了。后悔的父亲带着哭腔儿叫到天亮，来昆，回呀，来昆，回呀！给死人招魂一样。外祖父说回个屁，让大水冲走了小狗日的才好哩！天亮不久，从西边传来隆隆的声音，房子和炕都跟着动，接着锣声就响了。乡亲们撤到后山，站在雨里往远处看。原先淌着洪水的地方现在淌着泥石流，许多房子那么大的石头在泥槽里往下漂，漂得很慢。又听到了口琴呜呜哑哑的声音。李来昆的父亲在人群里找他的儿子，喝得红头涨脸，说见我儿子了没有，见到来昆了没有？泥槽越来越宽，村外那棵老槐树笔直地竖在泥里，慢吞吞地划着弧线，一点儿一点儿漂过来了。李来昆的父亲醉了，淌着眼泪，说来昆调皮是调皮，可从来不偷东西！他朝工作队的人大声叫唤，我们李家人祖祖辈辈没拿过别人家的东西！正在纠缠，李来昆的母亲尖叫了一声，孩子他爹！他在树上！天呐！

他确实在树上。他不仅在树上，他还吹着口琴。不知道是着了魔，还是吓傻了，他像骑驴一样骑着一根树杈，一点儿也不把正在发生的事情放在眼里。这样子使村里人受惊却激怒了他的父亲。他父亲怪叫着奔向泥槽，我们都以为他痛不欲生要拼死把儿子救出来。想不到他一下接一下地朝那棵老树甩起了泥巴。他气晕了。

“狗日的！真是你拿啦！你妥妥死去！把口琴扔过来！给老子扔过来！”

李来昆放下口琴，没有扔过来，而是学着父亲的样子朝岸上甩起了泥巴。父亲甩了十几下，连儿子的毛儿也没沾着，儿子只甩了一下就糊住了父亲的脑门儿。

李来昆一举成名。

清水铺的老槐树流到五岭峪的村口不流了，站住了，从此茁壮成长，成了人家的标志。五岭峪离清水铺三十里，李来昆从树上爬下来慢慢往回走，走进小学校的时候已经是后半夜了。两个搭伴上厕所的女老师用手电筒照着他，不知道这个满脸满身泥巴的人是谁。他吹了一声口琴，龇着白牙笑着，两位女老师就相继跌坐在操场的湿地上了。没有人相信他还活着。因为没有人相信那棵树会成精，竟然一直竖着不倒。父亲惊得说不出话来，连打他的力气都没有了。工作队出于同样的原因，不仅把口琴送给他，还教他吹出了动听的曲子。《我们走在大路上》《我们年轻人有颗火热的心》，等等。人们向奇迹屈服了。在李来昆坏得流脓的身上突然开出了鲜花，让别的孩子又羡慕又嫉妒。我们不明白这些奇迹是怎么回事。清水铺派人到五岭峪交涉老槐树的所有权，没有成功。派去的人说谈不拢就砍树，人家说砍树不行，有本事把树移回去。人们渐渐地不提这棵五个人也抱不过来的老槐树了。人们提的是另外一件事。一个正在被泥石流卷走的孩子，隔着七八丈远朝他父亲甩泥巴，一下子击中脑门，让老东西半天没有爬起来！这是怎么搞的？这孩子是什么东西？他是什么做的？他是怎么想的？他是人吗？这件往事勾起了乡亲们长久的兴趣，什么时候提起来都津津有味，却永远也找不到答案。那个坏小子是不可思议的人。

他击中父亲之后就吹着口琴远去了。

这样的人怎么会死呢？

李来昆十岁上学，十四岁就辍学了。其间死了母亲，是脑瘤，一种很高级的病。还死了一个姐姐，重感冒。先发了几天热，刚要治就抽风了，死得很不高级。后来一个弟弟也发热，赶快治，拼命治，却落了大脑炎后遗症，下场似乎比死还要差些。家里又添了一个白痴。整天醉醺醺的老白痴更贪酒了。那时候父亲给生产队放马，经常醉倒在山里，闹得不是自己下落不明，就是马下落不明。李来昆不止一次进山找他，看见他倒在自己的呕吐物中，满脑袋都是蚂蚁。一个儿子面对这种情景能有多少选择呢？李来昆叉开腿，往父亲脸上撒尿。尿毕竟是有限的，所以那张肮脏的脸从来没有干净过。这种情景让外村一个羊倌碰上了。

“干啥呢？”

“尿他。”

“尿你爹？”

“尿的就是他。”

“找死！”

“他找死！有尿么?”

“有。干啥?”

“帮我尿他!”

蚂蚁们一哄而散。那一回洗得比较干净。后来李来昆就厌倦了。对一个酒鬼来说,几泡尿顶不了什么事。既不能开导他,更不能解救他。尿无非是尿罢了。李来昆不再读书,顶替父亲进山放马,从此老白痴就不是醉倒在山里而是频频醉倒在村街里了。

李来昆不喜欢学校,却喜欢识字。他在这方面很有天赋,能够随意阅读手边的每一页带字的纸张,包括密密麻麻的报纸。他放马时背着带双袢儿的布口袋,里面装着干粮和换钱用的东西,季鸟壳、蛇皮、山桃、榛子,还有一个包着旧手帕的口琴和一本包着粉色点心纸的字典。字典很旧,用橡皮膏粘着。他说是语文老师送的,别人和家里人觉得更像偷的,但是也没有证据。不管怎么说,他坐在山坡上一边吹口琴一边查字典,似乎是与过去很不一样的一个人了。

我们很少见到他。他偶尔到清水铺来,在山边的小河里给马洗澡,也给自己洗澡。这成了我们小小的节日。我们乐意光着屁股跟他泡在同一条河里,因为他是名人,是一个与众不同的人。吸引我们的除了一身疤瘌,还有他的早熟。他给大家训话,先模仿鬼子的司令官,一眨眼又换成另一部电影中的老政委了。他说尸体的尸下面加一个上吊的吊,是什么字?我们不认识这个字。他说请打开字典第九十二页,我给你们配插图。

“在尸体上吊着,懂了么?”

他挺着小肚子的怪相把大家乐坏了。不管他认识多少字,不管他口琴吹得多么好听,他还是过去那个拉屎不挑地方的人。用外祖母的说法,是一个坏人。我们可不这么看。我们都盼着他出现在山边小河的岸上。他太有趣了。我们要像他那般有趣就好了。但是,我们命里注定是一些无趣的人。

六五年秋天,李来昆参加了民工队,去筷子岭修公路。不计工分,结现钱,每天一块两毛五。可以打三斤散装白酒。父亲让李来昆谎报年龄,又反复叮嘱他,一块二是我的,五分钢镚儿是你的,少一分我要你的命。父亲整天醉得不省人事,在钱上可一点儿不含糊。李来昆不动声色地答应了。他告诉姐姐们,一块二给家里,五分的零头儿赏给老白痴喝酒,说完就背着一把口琴、一本字典、一个圆珠笔芯和一双大姐给缝的布袜子上路了。

他平生第一次出远门。他自称十七岁,身高却不足一米六,体重只有九十斤。他在工地上像一只猴子,在工棚里像一只鸟。起初有人想欺负他,结果吃饭在饭盒里吃出异味儿,一钻被窝发现脊梁底下有水。当然不是水,那是英雄的李来昆故伎重演了。不久大家便知道,他就是那个在泥石流中漂了三十多里地并且击中他父亲的怪物。有善良的民工对他说,幸亏是一块泥巴,换一块石头就麻烦了。他说不知道能打上，要不换一块石头多好，哪怕换一块木头呢，不麻烦，一点儿也不麻烦！

“打上他就别想喝了。”

他一边说一边真的捡起一块石头。他的凸眼睛使劲瞪着，浑身的大疤瘌小疤瘌让人胆战心惊。那些打算拿他当猴耍的人睡不着觉了，他们怕睡着了让他把脑袋切下来。这种浑小子什么事情做不出来呢？

民工队的领导喜欢听他吹口琴，很器重他，不让他推石渣夯地基而让他看仓库了。别人看仓库老丢东西，他一来，仓库里东西越来越多，直到别的民工队找来，人们才知道这小子本事有多大。钢钎、安全帽、铁丝、油毡等等就不用提了，比较奇怪的是三辆手推车和一台三十五马力的柴油发动机，外带两桶柴油，每桶三十公升。他是怎么从人家眼皮子底下弄来的呢？没有任何一个人不感到奇怪。他起初不肯说，后来就笑了。他说别晚上去，得白天去，趁人多的时候去，好让他们帮着往车上抬，关键是别当回事，就跟搬自己家的东西一样。

“抬完了，他们还帮我往车上捆呢！”

领导们更器重他了。不仅让他看仓库，让他在仓库里吹口琴、翻字典，还让他出板报、敲钟，让他在喇叭里念广播稿。他在广播站的抽屉里翻出了一本“大跃进”诗歌选，对着字典翻了三天，就在喇叭里念起自己写的诗来了。

革命民工志气高，
开山修路上山腰。
白天黑夜拼命干，
一颗红心冲云霄。

考虑到他一个月之前还在山上放马，他的处女作几乎是一个奇迹。人们恐怕小瞧了那本缺了页的诗歌选。那时候，全县的有线广播站分区联网，清水铺的人和槐树堡的人都听到了这首诗。他父亲对儿子的声音感到恼火，认为儿子在放屁。老白痴在街里对着小喇叭跳脚，大骂闭你娘的嘴吧！开支了也不给老子送酒钱来！李来昆没有闭嘴。他念了三遍。念最后一遍时到了虚张声势的地步，还有点儿油滑。日后他用类似的腔调念了自己攒的不下一百首诗，过分的时候一次广播念三首。他榨干了那本诗选。他文字上的能量像火山一样喷发。通过一个个小喇叭隆隆作响，给人一种乌烟瘴气的感觉。他成了工地有名的诗人。他还差一点儿成为更加有名的诗人。不过那是后话了。因为套播的时间有限，只有不多几首诗传到清水铺和槐树堡。乡亲们发现酒鬼的儿子不光会写诗了，还成了油嘴油舌的家伙。他们一点儿也不奇怪。他过去拉屎不挑地方，现在仍然如此，只不过改成革命的顺口溜儿了。

飒爽英姿铁姑娘，
推车拉土工作忙。
两根辫子朝天甩，
一双眼睛放红光。

这叫什么玩意儿？乡亲们表面竖着耳朵，心里很愤怒。每天放狗屁能挣一块多，让人想不通。不能提，一提心眼儿小的乡亲会气得发抖，忍不住要把小喇叭捅下来，像捅马蜂窝一样。我的外祖父不生气，却非常刻薄。

“放红光？母狗才放红光哩！”

外祖父一针见血。工地上没有女工梳辫子。梳辫子的姑娘在广播室，就坐在李来昆身边，嗓音沙哑，口齿不清，一念稿子所有新旧喇叭一块儿加重噪音，听上去比诗人差得远了。她的脸是另外一副样子，漂亮，白净，不管看谁都带着惹是生非的笑容。她说弟呀，李来昆立即脱口而出，姐！她说吹个《洪湖水》吧，他把口琴往嘴里一塞就赶紧浪打浪了。她二十岁，跟二姐同龄，比二姐可快活多了。她是岭南人，名声不好，来到工地还是名声不好。李来昆不管这些。她轧不轧姘头，跟自己有什么关系呢？他很想得开。他想火候不到，火候一到，自己说不定也能轧一轧哩！

六六年十一月，一个雪天的下午，李来昆和大辫子念完了广播稿没有走，守着火炉取暖。火快灭了。一说话呼呼地冒白气。大辫子说，弟呀，随便吹个曲子吧。李来昆摇摇头说，不吹，手冷，今天不吹！大辫子就那个样子笑起来了，抬高了声音，呼出的白气像揭了笼屉一样，有一股甜味儿。

“敢不吹！吹个下定决心。”

“不吹。”

“不吹我拿手冰你！”

“我还冰你哩！”

“新鲜！你冰哪块儿？”

“你别管。”

“冰冰姐姐的脚指甲吧！”

“我不！我冰你肉多的地方。”

“反了你啦！”

“我冰你后边！”

“小崽子，你敢！”

“不让冰后边，我冰你前边！”

“小坏蛋！哎哟哎哟……别！”

她咯咯咯笑个不停。俩人坐在椅子上没动弹，李来昆张牙舞爪，手指头连她的衣服都没碰着。她假装很害怕，妩媚地缩着脖子，像个小姑娘。说不出为什么，这副样子让李来昆很过瘾，后脊梁有一股发酥的感觉。

“还吹不吹了？”

“不吹了不吹了！”

门“咣”一声被踢开，副队长铁塔一样的身躯堵在门口，攥着一把铁锹。大辫子突然不笑了。李来昆的两只手停在空中，一个念头闪电般划过，闹了半天，副队长是她的姘头！

“我揳你个肉多的地方！”

副队长大吼一声，举起铁锹就拍。李来昆来不及躲，屁股上结结实实挨了一下子。他抱头鼠窜，说什么也不明白自己有什么罪过。跑到外边他明白了，他忘了扳掉播音器的开关。副队长也灌多了醋，昏头昏脑地先跟相好的算起花账来了。

“没人摸你你就不舒坦？”

“逗着玩儿哩！”

“骚货！让你玩儿个够！”

“听我说……救命啊！”

民工们喜气洋洋地看着小喇叭。里面的各种声音很像一场正式奸污的前奏。不堪入耳。自己刚才跟她说什么来着？李来昆不懂什么叫不好意思，现在有点儿懂了。队长从采石场气喘吁吁地跑来，一边跑一边叫唤，来人呐，把副队长给我绑起来！队长扭头盯住了李来昆，脸色苍白，七窍生烟，一副要吃人的样子。

“把这小子也给我绑起来！”

李来昆束手就擒，心想闹了半天，正队长也是她的姘头！平时看不见，一下子都冒出来了，跟水蛇一样。他和副队长被扔进了仓库。仓库里关着从工地挖出来的牛鬼蛇神，两个地主，一个伪保长，三个小偷，还有一个不停说反动话的疯子。自己算什么呢？流氓犯？可自己干什么了？李来昆感到很委屈。除了摸烟筒自己哪儿都没敢摸，他认为自己是清白的。但是副队长不信。副队长被打折了一根肋骨，说话咝咝吸气，却死活不肯从醋坛子里爬出来。

“小王八蛋，你摸她哪儿了？”

“我摸她腚沟子了。”

副队长气得直翻白眼，可能又折了一根肋骨。李来昆很开心。过一会儿又不开心了。还有谁是她的姘头？可能只有自己不是她的姘头了。应该把她关起来。不过一想到她的笑容，他又不忍心了。何必呢？乱配对儿的蚂蚱到处都是，用不着逮，天一凉自己就蹬腿儿了。

第三天夜里，李来昆撬开仓库墙角的一块三合板，冒着大雪奔向家乡。棉袄里揣着口琴和字典，还有队长的打火机和两包绿叶牌香烟。那是他小小的报复。工地还欠他半个月的工资。他不要了。但是他顺手从仓库里抄走了一捆油毡。筷子岭离槐树堡将近五十里。小小的身影在鹅毛大雪中艰难跋涉，让沉甸甸的油毡压得弯下腰来，他心中浮出了怎样的诗句呢？不用费力想见，那情景也是很动人的吧？他走进了黎明的槐树堡。一个傻女人站在墙头上看着他，嘻嘻笑着。顶着一头雪花儿。

"大侄子，你摸我前边摸我后边？"

他两眼一黑就晕倒在家门口了。

是的，这样的人怎么会死呢？

六八年冬天，槐树堡成立了宣传队，队长是李来昆。找不到比他更有才华的人了。他用口琴为女声小合唱伴奏，用圆珠笔写诗，写三句半，还写话剧。他的诗很长，得朗诵老半天，中间有很多莫名其妙的停顿和感叹词。但是他的话剧很短，演起来超不过十分钟。角色通常是两个，一个做了错事，一个出来批评，俩人共同念一段语录，念完就收场。干净利落，一句废话都没有，非常受欢迎。他的诗却让人打瞌睡。不仅长，而且东拉西扯，有一种越来越不想押韵的倾向。他乐此不疲，经常把报上的文章当成写诗的材料，让一行行句子竖着排起来。他不是不想押韵，而是根本押不上韵，隔七八行插入一个韵脚已经很不错了。诗朗诵成了难度最大的节目。他们背不下来。李来昆发现自己也背不下来。他热爱自己的每一个句子，砍谁都下不去手。他熬了一小瓶糨糊，把诗粘在两个姑娘的后脖领上，演出的时候让她们站在前排。效果不错。姑娘们嫌领子脏，他就不用糨糊，改用两分钱一个的木头夹子了。她们高兴地站在前排，不出声，只做动作，像两支高级的乐谱架子。效果真是不错。这个蠢法子成了宣传队的常规技巧，用来对付某些新节目和李来昆的所有长诗。乡亲们很快就看出破绽，但是没有人计较。背不下来是正常的。酒鬼的儿子怪话连篇，都背下来倒不对头了。看节目是图个乐儿。姑娘们领子上别着夹子，后脊梁飘着白纸，眉毛上涂着臭墨，嘴唇上抹着印泥，还像傻丫头一样板着面孔！乡亲们除了乐得合不上嘴，还顾得上什么呢？李来昆深受鼓舞，让宣传队在本村连演三场，演到最后一场就没有什么人看了。谁都不想散伙，都有一个成熟的感觉，还有很不过瘾的感觉。他们跟着李来昆去了清水铺。出师不利。老天爷想毁他们。那天风很大，又停电，不等开演便飘起了雪花。操场上没有几个人。他们站在土戏台上，心灰意冷，手脚冰凉，不知道下一步该怎么办。他们最大的十八岁，最小的十三岁，只想出出风头，没想到会付出这么大的代价。有人要哭了，小声说咱回家吧？李来昆说谁也不许走，谁走日谁！他咬牙切齿，别人就不吭声了。他们敲锣，打鼓，喊口号，等着来电，也等着来人。等到伸手不见五指，连原先几个人也走了，操场上只剩了一些孩子，像小狗一样蹦来蹦去。绝望的李来昆宣布演出开始。

"槐树堡大队毛泽东思想文艺宣传队慰问清水铺大队全体贫下中农演出现在

开始！第一个节目诗朗诵……”

不等台上朗诵，台下先朗诵起来了。孩子们一边朗诵一边拍着巴掌，声音又整齐又干脆，让人在寒风中突然感到一丝温暖。

李来昆在广播站，
手上不干嘴上干！
李来昆在民工班，
摸了前边摸后边！
……

李来昆叫一声摸你娘，从戏台上窜了下去。演员们顿时愉快了，也模模糊糊感到诗的魅力了。有人用手电筒照着前排姑娘的后背，一边大声朗读一边翻篇儿。姑娘们哧哧笑着，说别挨着翻，跳过去，念最后一篇儿！大家不太理会念的是什么，只管自己快活起来了。李来昆灰溜溜地爬回戏台，像一条丧家之犬。孩子们还在街里拍巴掌，笑着叫着，令人苦恼。

李来昆在广播站，
闭嘴不干张嘴干！
李来昆在筷子山，
挖了前山挖后山！
……

诗朗诵结束了。效果很惨。李来昆在别人的诗中太生动，自己的诗反而一句也听不进去。漫天风雪，昏天黑地，没有电也没有人，宣传队像一群鬼影，手电光不时映出一张张青色的脸，像冻硬的生柿子。小学校的看门老汉朝他们嚷嚷，别在台上说了，有啥话回家说吧！见他们没有动静，又恶狠狠地说走吧走吧，今天亮不了，电工把闸拽啦！宣传队堕入一片悲愤之中。李来昆说我们不走，爱给电不给电，我们演够了才走哩！口琴声如泣如诉，槐树堡宣传队顶着雪花儿唱起“北风那个吹”来了。

“再来一遍！”

李来昆听出有人要哭。果然有人哭了。一些路过的乡亲停下来，站在不远不近的地方，似乎听到了某种危险。其中一个人走到台边，用手电照台上的人。他披着军大衣，眼泪汪汪，不停地嘬着烟卷。他是公社临时革命委员会副主任，平日凶得不行。看来也是个感情细腻的同志。李来昆想，这位同志要干什么呢？不是欠债还不上了吧？歌唱完了。口琴甩了个尾音，像叹气一样。

“狗日的们，唱得不赖。我受不了这个，听广播也一样，喜儿一出声我就完了。

娘的,太惨啦!"

"我们还有更惨的哩!"

"啥呀?"

"山梆子,李玉和的妈讲家史。"

"不听了不听了。天太冷了,鼻涕都冻住了!暖和了再唱吧。来昆,把口琴借我吹吹?你舌头上膏油了吧?"

副主任撸一下鼻涕,在戏台的砖上抹抹手。李来昆舍不得口琴,想说自己有口疮,牙床上流脓,舌头长疙瘩,嗓子眼儿发炎。终于没有张嘴,乖乖地把口琴递了出去。副主任吹了一声,哈哈,太妙了,借我吹两天吧?一行人连夜返回槐树堡。踏着山道上的薄雪,李来昆觉得下巴上正有一根一根的胡子长出来。他的心情像杨白劳一样沉重了。

不几天,宣传队又来到清水铺。不是自己来的,是召来的,让他们排练《沙家浜》。他们带着铺盖和粮食,用学校的锅做饭,在教室的桌子上睡觉,晚上排戏点着雪亮的大泡子。真是今非昔比了。但是很苦。他们愿意。打心眼儿里愿意。临时革委会改成正式革委会,想热闹热闹,庆典定在正月十三。公社穷,找不到人才,李来昆的队伍很不像样子,凑合用一用还是可以的。他们自己却不想凑合。他们到处借衣服,借帽子,借皮带,借玩具手枪,借胭脂,借茶壶,能借到的他们都借了,不能借到的用别的东西替代。李来昆饰演刁德一,借不到眼镜,用纸糊了一个,大大的,从远处看像蜻蜓一样。他还饰演郭建光。郭建光和刁德一的唯一区别就是不戴眼镜。俩人戴同一顶帽子,刁德一反着戴,不是区别,是花招儿,借分清敌我逗乐用的。但是,郭建光会翻跟头,李来昆不会。郭建光从胡司令家的墙头脑袋朝下翻过去,李来昆只能在一堆秫秸上来回打滚儿。副主任把口琴还给他,劝他别那么较真。

"撂个扁担得了,蹦过去就是跟头!"

"还用蹦?一迈不就行了?"

"连迈也不用迈,唱完了拉倒。"

"我就不信!"

口琴上一股大蒜味儿,刺激了心中的悲壮。李来昆不甘心。他会吹口琴,会唱山梆子,会写诗,什么都会,就差会翻跟头了。他把口琴泡在饭盒里,往水中放了半勺盐。还有蒜味儿!又多了点儿韭菜味儿!李来昆气坏了。他跑到月亮底下翻跟头,一直翻到后半夜。住在附近的乡亲听到操场的动静,以为来了一群毛驴,正吭吭哧哧地排着队打滚儿哩!

正月十三是李来昆露脸的日子。来了很多人。一大片脑袋,分不清谁的是谁的,但是一眼就能认出宣传队。他们的脸涂成了猴屁股,在戏台坎儿底下蹲成一排。李来昆东瞧瞧西看看,不停摸帽檐儿,像个烦躁的猴王。他父亲也来了,在人群里转悠，见人就笑。

“郭建光是我儿子！”

他搁一口酒，转向另一个人。

“我儿子是刁德一！”

人们都躲他。老王八蛋醉了。不过戏一开演，人们发现老王八蛋没醉，还真是那么回事。山梆子唱得不行，所有角色都跑调儿，阿庆嫂唱到高处发出公鸡打鸣一样的声音，引来经久不息的喝彩。演得不错，很不错，高潮一个接一个出现了。刁德一掏烟，掏了半天掏出来一个鸡蛋。胡司令连忙把烟袋锅递给他。他抽了几口说道，味儿不赖，是三块板吧？三块板是清水铺一带流行的旱烟品种，家家都种着。人们正笑着，胡司令把鸡蛋一磕，一仰脖喝下去了。好戏还没完。刁小三朝天放枪，怎么也抠不响，刁德一凑过去连摇带蹴，轰一下就响了。这支老套筒是从槐树堡借的，真枪。枪砂枪药也是真的。只见火光一闪，从革委会委员们的脑瓜顶上掠过，打在秫秸堆上，溅起一大片火花。李来昆张着大嘴，脸色陡变。谁也没有看出走火。人们吃了一惊之后，为李来昆的大胆设计欢呼，为他装傻充愣的滑稽样子开怀大笑。他拍一下脑门，开始演郭建光。真正的高潮逼近了。

在沙家浜最后一幕，郭建光登上墙头，指挥战士们翻腾而过。墙头不是墙头，是横在戏台右边的一条扁担。战士一一迈过去，郭指导员便心事重重地退到戏台左边，朝斜对面的扁担运气嘬牙花子。他想干什么？他连真枪都敢放，还有什么不敢干的？扁担上是不是拴了爆竹？再不然是屁股上拴了爆竹？人们等着李来昆亮出绝活儿。他助跑，头朝下，过去了，又过去了！两个侧手翻，翻得很窝囊，像蜷着腿的大猩猩。人们有些失望，但还是笑了，给他鼓掌。他们没想到他会不停地翻起来，从右边翻到左边，从左边翻到右边，像深更半夜独自练习一样。人们正准备笑着离去，李来昆突然改变了方向，从戏台上头朝下折下来了。众人齐声喝彩。他躺在地上装死，仿佛对蓄谋已久的怪招儿暗自得意。副主任嘎嘎嘎大笑，快上不来气了。

“狗日的！绝了！绝了！”

他跑到李来昆身边，揪着后脖领往起拎他，拎不动。演员们围上来，他还不动。有人说得了得了，别装蒜了。他还是不动。副主任发出了一声怪叫。

“来人呐！去卫生院！”

有人把这声怪叫也当成喜剧的一部分了。他们对李来昆的才能有一种敬畏，面对他尸体一样的身子，仍旧不敢相信他是摔昏了。一进卫生院他就会睁开一只眼，拿大家取乐儿。不信就等着吧。李来昆不到卫生院就醒了。

“我的口琴呢？”

人们把口琴递过去。

他颤巍巍地吹了一下。

“……蒜!”

说完又昏迷了。人们站在街上,像拎麻袋的四个角一样拎着他,不明白他是什么意思。算?什么算?算什么?算账?跟谁算账?算什么账?算了?什么算了?死了算了?!完了。李来昆说胡话了。看来不是装的,是真的实实在在地摔坏了!这时候,李来昆的父亲远远地走过来,笑着,很谦卑的样子。

“郭建光死了么?”

老王八蛋真的醉了。

是的,这样的人怎么会死呢?

宣传队很长命,一直活到七五年。它每年春耕咽气,秋后复活,跟冬眠的蛇一样,只是季节正好相反。直到最后它的节目都是低劣的,一种滚瓜烂熟的低劣。它体现了李来昆的个性色彩,也让他为此付出代价。他有两次险些丧命。一次是在千军峪。他演小话剧中的坏分子,看不惯大好形势,还调戏妇女队长,结果挨了一通扁担。剧情很逗乐,在别处演笑声不绝,千军峪的人却一个个绷起了面孔。李来昆以为不够卖力,就格外夸张,还是没有人笑。轮到妇女队长抄起扁担揍他,从台底下蹿上来两个后生,抢走扁担真的揍起他来了。

“别打别打!老子演戏哩!”

“让你演!让你演!”

“都是瞎编的!”

“让你编!”

李来昆开始还躲,后来就不躲了。他抱严脑袋,撅着屁股,扎在墙角一动不动。扁担飞上飞下,像打着一捆柴火,浑身的骨头咔咔乱响。冷漠的观众这时候才笑起来。队员们却抽搭了。李来昆一边挨揍一边琢磨这到底是怎么回事。坏分子真那么可恶么?自己的表演真那么逼真么?他有些糊涂了。千军峪是个偏远的小村,平时连电影都看不上。他用小节目给他们带来温暖,这些傻瓜蛋却用扁担回报他,实在是没有良心。两个后生打乏了,揪着他走了两丈多远,让他给一个瘦瘦的脏兮兮的中年汉子下跪。李来昆一下全明白了。

“给我们书记磕头!”

李来昆不想磕头,只想笑。书记不停眨眼,紧三下,慢三下,闭着眼长长地又一下,鼻子和嘴都跟着挤歪了。剧中的坏分子几乎一模一样,也是这个毛病。李来昆忍不住了,笑着说见鬼啦!书记说见你娘的小脚儿!

“你敢学我!”

“不是学你的,我亲叔也挤眼。”

“你没安着好心!”

“挤眼怕啥,你又不是坏分子。”

“狗日的毁我！”

“真冲着你，我就不挤眼了。”

“你小子出我的洋相！”

“我找死吗？书记你得醒醒！”

“你攮我心窝子！”

“笑话，你也调戏妇女队长了？”

话音刚落，扁担飞临脑门儿，像老鹰张开了翅膀。他哎哟一声就不知事了。日后他也觉得活该。他多嘴多舌，自作聪明，唯独没想到书记和妇女队长确实有些不伶不俐的酸事。他的节目简直是匕首，是投枪，是手榴弹。人家用扁担对付他真是太客气了。他修改了这个节目，把挤眼睛换成了结巴嗑子。不过在田家台又差点儿出问题。多亏那村的大队长很热情，早早地跑到村口接他们。

“热烈欢迎槐槐……槐树堡宣宣宣……”

李来昆毫不心疼地取消了那个节目。他们的演出安全了，很长时间没有惹麻烦。李来昆不想为演节目挨揍，但命里注定的事情是躲不掉的。在白庄子公社西河套大队。他不仅第二次挨揍，还第二次挨了扁担，整个人到了屁滚尿流的地步。演的是《沙家浜》，轻车熟路，按说不应该出问题。他们一个村子一个村子挨着往深山沟里演，演到哪儿吃到哪儿，演到最穷的西河套就没什么好吃的了。村里为他们煮了一锅萝卜，还热心肠地添了半斤大油。戏演得不错，但戏台子周围一片屁味儿，风一刮后面的人都能闻到。这不算什么。演到半途，阿庆嫂正跟刁德一逗贫嘴，突然不吭声了。李来昆耸耸鼻子，小声问道，你拉裤兜子了？阿庆嫂点点头，一下子泪流满面。观众只见刁德一把阿庆嫂搀下去，不明白发生了什么事。西河套的赤脚医生会演阿庆嫂，刚换上场，胡传奎的脸就绿了，紧接着沙奶奶也崩溃了。李来昆宣布学员身患急症，演出到此结束。现场臭气熏天，一片喜气洋洋的混乱，充满了乡亲们惊讶、怜悯而又幸灾乐祸的笑声。这是宣传队最黑暗的日子。李来昆到大队部取药片，发现赤脚医生老拿眼睛翻他。她一只眼大一只眼小，毛茸茸的，睫毛有半寸来长，每翻一下都让他心头一热。她把黄连素倒在手心里，一颗一颗往他手心里捺，嘟着小嘴轻轻数着，一片、两片、三片、四片，捺着他浑身发痒。

“你们阿庆嫂唱得不好。六片，七片。”

“她脑子不好使，数到十就不会数了。”

“我唱得比她好。十一片，十二片。”

“你不用唱，你说话都比她唱得好听。”

“真的？十五。”

“哄你干啥？”

“十六。我唱几句你给挑挑毛病？”

“不用唱，你连话也不用说。”

“咋啦?”

“你睁着眼就行了。”

“你啥意思?”

“你的眼就是阿庆嫂。”

“我的眼咋啦?”

“你的眼会唱戏。”

“瞎说!”

“不瞎说。”

“就是瞎说!”

“不瞎说!”

“瞎说瞎说瞎说!”

她两眼一翻一翻一翻,他心里哎哟哎哟哎哟,就不行了。她不小心碰了他的胳膊肘,药片像一窝跳蚤蹦起来,撒了一地。她蹲下身子捡药,美滋滋地笑个不停。他的表情跟心情一样痛苦,发现自己无论如何也蹲不下去了。这真是最黑暗的一个日子。李来昆惊慌失措地夹紧了两条腿,想夹住最后的尊严。赤脚医生一边捡药片一边继续拿眼翻他,翻着翻着目光开始凝固,大的那只眼变小了,小的那只眼更小了。李来昆暗自呻吟,这都是怎么一回事呀!

“你还能走不?”

“能走。”

“咋走?”

“不知道。”

“我给你找点儿纸吧?”

“不用。”

“我给你找个裤头吧?”

“不用。”

“就着暖壶的温水洗洗?”

“不用。”

“你想咋办哩?”

“先这么站着吧。”

赤脚医生回家了。大队部黑着灯,李来昆悄悄地拾掇自己。他的部下们也在拾掇自己。他们住在饲养场,用熬泔水的大锅烧了一锅开水,女队员排在男队员前边,哭哭啼啼的。赤脚医生又回来了。大队部还是黑着灯。她带了一条自己穿的花裤衩,摸着黑儿递给他,说把脏裤头给我,我帮你洗洗。脏裤头扔在地上找不着了。她笑着说算了,太臭了,我先走了。李来昆真舍不得让她走,又怕熏坏了她,就说走吧,别开灯。她没开灯,灯却亮了。门口堵着三个男人和两条扁担。三个男人脸是青的。一见李来昆的模样，脸就黑了。花裤衩不够大，紧裹着臭烘烘的瘦屁股。棉裤刚套上一条腿，另一条腿在旁边打哆嗦，白生生，瘦棱棱，像一条刚刚拔了毛的鸡腿。这条裸腿起了火上浇油的作用。

“狗日的荤到我们家门口来了！”

“大叔，别误会！”

“爹！你干啥呀？”

“不要脸的我让你浪！”

三个男人都跟赤脚医生有关系：爹，兄弟，未婚夫。爹兜头给了女儿一个大嘴巴，身后两条扁担立刻带着风声朝李来昆刮过去。赤脚医生一直哭叫着辩解，央求别打啦别打啦，他刚洗干净又脏啦！李来昆也想辩解，却无从谈起。他没想到穿的是花裤衩，灯一亮他就蒙了，颠三倒四怎么也说不清了。

那位兄弟很小心，只打腿肚子。未婚夫比较奇怪，不打脊梁，不打头，专打屁股。也可能不是打屁股。是打包在屁股上的让他怒火中烧的花裤衩。没什么新鲜的，打就打吧。李来昆心里发酸，觉得跟一股一股窜稀比起来，挨扁担要体面得多了。

三个男人看出了问题的复杂性，停下来喘气。从场面到气味儿再到做派，不像是入港的样子，再往下打有些吃不准。不过他光着半个屁股，又贼眉鼠眼，多少带些准备入港的迹象，不打就解不了心头之恨。李来昆听到没动静了，爬起来穿棉裤。刚把腿套上又脱了，绕到桌子后面扒那条惹祸的花裤衩。他一只手举着它，给谁谁也不要，就把它扔在窗台上了。他自己的脏裤头泡在墙角的洗脸盆里，像一块破抹布。他把它捞出来，拧干，用报纸包上，小心地夹在胳肢窝里。他看着他们，用眼睛问还有事么？没事我就走了。赤脚医生的傻瓜爹叹口气说，那是人家大队干部洗脸用的！狗日的也不把脏水倒出去！李来昆就笑了。

“这是偏方，给他们沏茶用吧。”

说完觉着还不过瘾，不足以挽回面子，就压低了声音。只让当爹的一个人听到。他认为自己终于说清了事实真相，挑明了蒙受不白之冤的关键所在。他把臭嘴对准那个臭耳朵了。

“大叔，我没拉白稀。”

“啥？”

“我没往你闺女的肚子里窜白稀！”

“你说啥？”

李来昆闭上臭嘴扭头走了。他不恨他们。但是他心头充满了熊熊怒火。他恨的是萝卜，那锅掺了大油的大白萝卜！

第二天，村民们希望重演一场。大队方面一边挽留，一边又煮了一锅萝卜。宣传队一分钟也不想待了。街上站了许多人，不像送行，可能想看看他们拉稀到底拉成了什么样子。赤脚医生也在人群里,走走停停,没事儿一样吐着瓜子皮,两只眼还是一翻一翻一翻地朝着李来昆乱翻。李来昆想不通,趁她走近了便大着胆子试探了一下。在僻静的街角,他把右手搁在她屁股上,露出献媚的笑容。

“两只眼睛要是一边大就不好看了。”

“你的手干啥?!”

她的背挺直了,嘴唇也白了,声音像蚊子一样。原来是个纯洁的货色,不是水性杨花的女人。险些错怪了人家。她很柔软,但是手不能再搁着了,再搁着美丽的姑娘就要哭了。李来昆的手稍稍馋了一下,身后突然传来咚咚咚的脚步声。昨晚用扁担擂他屁股的男人换了一把镰刀,正龇牙咧嘴地朝他杀过来。李来昆二话不说,撒腿就跑,像一只轻盈的兔子。他冲出村口,跳过河汊,绕开灌木林,飞上盘山道,卷起一团尘烟狂奔而去。根本不像挨过扁担的人,更不像吃多了萝卜和大油的人。西河套的乡亲补看了一出好戏。追他的人一看就是个死心眼子,但是追了二里地也不打算追了。

“老子宰了你!”

说这些气话有什么用呢?李来昆越跑越潇洒,像一头奔腾的野驴。他的生命力根本不需要任何草料,随手一提闸门或一解笼头就可以了。他是老天爷故意放纵的一个人物。

是的,这样的人怎么会死呢?

二十三岁那年,李来昆在八角岭找了一个老婆。她不会唱戏,不爱说话,不爱笑,不爱哭,身材比较胖。人们都以为他看不上她,结果只见了一面就相中了。她一只眼大一只眼小,眼睫毛像两把小刷子,喂鸡的时候也一翻一翻的,很深情的样子。李来昆哪儿受得了这个?姑娘随便一眨巴眼就把他摆平了。情人眼里出西施。李来昆的西施两只眼睛不能一样大,这不是凡人的趣味。婚后两口子很幸福。她不爱说话,不爱笑,但是爱听口琴,而且爱干活。她做饭、喂猪、洗衣裳、推碾子,手脚一刻也不闲着,他却蹲在一旁呜呜地吹口琴,不想吹都不行。他们的幸福让人莫名其妙。李来昆的样子总让人想起吹笛子舞蛇的人。

宣传队不久便解散了。没有太明显的原因。县里组织文艺骨干培训班,公社推荐了落马沟一个会拉二胡的家伙,没有推荐李来昆。大家都觉得不公平,他也咽不下这口气,他觉得自己不用培训,他培训别人还差不多。宣传队就此完蛋。人不能长大,一长大心就变小,心一小臭皮囊就沉重得不行了。李来昆居然写了一张告示,贴在公社大门口,声称要为各村培训口琴骨干。没有人报名。大家都觉得李来昆变成了另外一个人。何必呢?往邻居菜缸里拉屎的人哪儿去了?在泥石流里吹口琴的人哪儿去了?一个跟头翻到台底下的人哪儿去了?摸了前边摸后边的人哪儿去了?人们惋惜,觉得他不该像大家一样庸俗,不该不接着胡作非为。他也把事情当成事情，大家就没有最后一丝乐趣了。

只有一个人报名。邻村来的，四十多岁，拖着半尺长的口涎，跟李来昆说话的时候，眼球儿对着猪圈里的猪，说完了，眼珠儿又对着树上的柿子。

“吹口琴你管饭么?”

李来昆没办法，管了一顿饭。斜着一双眼的二百五还是不走，要吹吹李来昆的口琴。没给他口琴，给了他一根煮老玉米。吹了一通玉米棒，仍旧不肯挪窝儿，看样子要等着吃晚饭了。李来昆钻到厨房，举着一把菜刀回来，二百五嗖一下就窜到街上去了。他一边往村外跑，一边傻乎乎地摇着那张告示。

“还吹口琴哩！吹牛吧!”

口气一点儿也不傻。从此以后，李来昆彻底收拢了艺术的翅膀，他的全部演出就是摇头晃脑地给老婆一个人吹口琴了。老婆听不够，村里人却听烦了，不高兴了。呜呜的声音一响，街头巷尾便飘满了生动的讽刺，像美丽的歌词一样。

这是有才华的下场。幸福了让人难受，倒霉了，不光让人难受，还让人生气。横竖没吹他们的老婆和闺女，生什么气呢？真是没办法。县里又办培训班了。农校来公社招生，三个名额，果树嫁接，学期半年。大家争得血肉横飞。有关方面觉得对不住李来昆，这次拼命推荐他，惹恼了一个落选的竞争者。那人找到农校的人，说李来昆作风不好。人家问作风怎么不好，他一五一十说了，还念了几段顺口溜。可把农校的人乐坏了。

“这个同志……哈哈哈哈……本质还是蛮不错的嘛！工作还是很热情的嘛！……哈哈哈哈……很聪明的嘛!”

临走那天，李来昆在长途汽车站碰上了说坏话的人。那小子陪着怀孕的老婆遛弯儿，看见苗头不对想绕着走。李来昆拦上去，不看男的，只看女的，目光悲痛欲绝。

“我要走了，你多保重!”

夫妇俩给闹糊涂了。

“天塌了也要把孩子生下来!”

大肚子吓得直往后退。李来昆饶了她，用央求的目光看着她的丈夫。样板戏的熏陶全部迸发出来了，表演到了炉火纯青的地步。

“一定要原谅我。都怪我作风不好!”

李来昆带着哭腔儿跳上了长途车。汽车拐弯了，两口子还在街边面对面站着，隔了足有两米。那蠢货似懂非懂，脸色白中透青，用失神儿的目光盯着老婆的大肚子。李来昆长长地舒了口气，嗓子眼儿里青蛙一叫，接着就蛙声一片了。

培训班伙食很贵，李来昆带了一坛咸菜，放在铺底下，每天吃馒头喝粥。他喜欢果树嫁接。把一根树枝插在另一根树枝上，然后结出苹果或鸭梨，这种事让他忍不住想入非非。只要找到窍门儿，桑树可以长出黑枣，榆树能挂满山楂，野葡萄藤会结出真正的葡萄,又甜又大又紫。窍门儿在哪儿呢?暂时找不到。所以需要学习。他听课非常认真,脑子里却浮想联翩,觉得自己能做一些别人做不到的事情。关键是找到窍门儿。有人能在空中翻三个跟头。有人不能。他认为自己能翻五个跟头,只要有人教他。可惜时间不够用了。开班不到一个月,粉碎了“四人帮”。农校不上课了,天天游行,天天会餐。喝酒不掏钱,李来昆又一次开戒。农校在学生里挑了三男一女,简单化妆了一下,按王、张、江、姚的顺序走在游行队伍前面。一进县城,满街怒吼。“张春桥”拐入男厕所,死活不肯露面了。李来昆顶替了那人的位置。他脸太黑,看上去不太胜任。但是他借了一副眼镜,往头发上抹了两口唾沫,脖子稍稍一歪,就活灵活现地站在“江青”后边了。怒吼变成了咆哮,听起来像是最高级的喝彩。他被一枚臭鸡蛋击中,浑身上下都是口水,后脑勺上挂着一口淡绿色的黏痰。他凸着眼睛,用仇恨的目光瞪着看热闹的人群,完全进入了自己制造的境界。没有人出来保护他。三个同伴也惊讶于他的表演,与他保持着一定距离。他撇着嘴角,嘟嘟囔囔,仿佛在咒骂无知而愚蠢的大众。愤怒淹没了他。他成了真正的坏蛋,屁股上挨了两脚。半块砖头擦着耳朵飞过去。他露出了满意的笑容。“江青”却叫唤起来,像一只呻吟的小鸟。

“干啥?干啥?你们疯啦!”

“江青”是虎峪公社的人,口音很怪,在另一个班学习杂交育种。她脸很白,眼睫毛却不够长,李来昆平时没注意她。他有自己的原则。返回农校的路上,她用手绢儿擦掉他后脑勺的黏痰,找碴儿跟他说话。不论对“江青”,还是对“张春桥”,她的眼神儿都说不过去,有些过于温柔了。她含情脉脉地看着李来昆,仿佛要向他布置一个政治阴谋。李来昆却想着自己的老婆,琢磨能跟老婆嫁接一下就好啦!

“你做事太认真了。”

“我老婆说我干啥也不认真。”

“你的眼神儿很像张春桥。”

“跟新闻简报学呗。”

“你看我这个人咋样?”

“江青不如你,她嘴大。”

“你的眼睛其实蛮好看哩!”

“我的眼是死鱼眼。”

“谁说的?!”

“我老婆告诉我的。”

“江青”就不吭声了。农校的领导班子在食堂门口迎接“四人帮”,连说辛苦啦让大家受委屈啦,每人六块钱标准,随便点菜吧。李来昆要了一份红烧猪蹄,两份韭菜摊鸡蛋,灌了三两白酒。“四人帮”垮台改善了他的伙食,他不知道应该感谢谁。他舌头变粗了,身子轻飘飘地浮起来,眼前有两个江青在晃动,不一会儿又变成了三个。她也喝了酒,脸蛋红扑扑的,像一朵不停开放的牡丹花,越开脸盘子越大。她在桌子底下抓住了他的手。他用另一只手抓住了碗里的猪蹄子。他很痛苦,心想待会儿找个没人的地方跟她嫁接一下,也许不碍事吧?也许挺来劲的吧?她正等着他发话呢。舌头越来越粗,不知道该说什么了。

“猪蹄子太咸啦。”

她一听就把他的蹄子放开了。他错过了机会。他是一个不懂事的人,却是一个脱离了低级趣味的人。在她看来,他还是一个不太合适的人。她背过身子不理他,找“姚文元”说笑话去了。李来昆松了口气,对自己充满了敬佩。舌头越变越小,恢复了原来的模样。这就对了。只要舌头不长毛,他就忘不掉自己的老婆是谁,老婆一只眼大一只眼小,正蹲在槐树堡的门槛上盼他回家呢!他从心眼儿里想她了。

农校的三男一女在县城引起轰动。林业局开声讨会,借他们用了一次。畜牧局又来借,他们烦了,说什么也不去了。最后,县三小也来借,校长能说会道,胡搅蛮缠。他说别人不去算了,为了教育下一代,让“张春桥”跟我走一趟吧?同学们都等着看他呢,不去对不起孩子。李来昆说去就去吧,别扯那么远。一进三小的操场他就后悔了。学校的人用绳子挽了一个假套儿,把他活生生地吊在旗杆上了。他觉得很有意思,想哈哈大笑,却笑不出来。绳子穿过后脖领,绕过大腿,跟裤腰带拴在一起,坠得浑身难受。他一会儿装死,一会儿冷笑,有一搭无一搭地跟孩子们说话,突然明白了一个道理。这些当官的经常面带笑容,骨子里恐怕早就恨死老百姓了。一群见利忘义落井下石的东西!李来昆找到“四人帮”的真正感觉了。

“你是谁呀?”

“我是张春桥呀。”

“你家住哪儿呀?”

“我住在中南海。”

“你到底咋儿了?”

“我偷吃了别人的面条儿。”

“我拿笤帚打你一下行吗?”

“不行。”

“为啥不行?”

“谁敢打我我就掐死谁!”

他一龇牙就把孩子们吓跑了。他在太阳底下吊了一个多小时。校长把他放下来,摇着他的手,祝贺演出圆满成功:谢谢你!你让孩子们直观地看到了“四人帮”的下场,再一次感谢你!说完塞给他十块钱补助,扭头便走。

“不是说好二十块吗?”

“‘四人帮’来齐了二十块!”

校长头都没回。李来昆出了校门，哪儿也没去，直接走进邮电局，把钱悉数寄给了老婆。他在汇款单上深情地写道："我胖多了，整天胡思乱想，你等着我吧。"不太含蓄。读起来很像一句威胁。不知道老婆能不能看懂。他在街上走路，发现女人一个比一个丰满。这是一种很不健康的现象。他的目光得病一样下流起来了。他在校门口遇上了"江青"。她正在玩双杠，大大地张着两条腿，搭住两边的杠子，一副令人心碎的姿势。他不是一个纯粹的人。但他纯粹是一个一咬牙一跺脚一放屁就能彻底挺住的人。他目不斜视地从她身边走了过去。鬼才知道他在想什么。他的耳朵根子都憋红了。

终于到了结业的日子。会餐之后是欢送会，李来昆吹了口琴。在饭桌上灌大了脑袋，两只脚也踩不住地面了，却发挥得特别好，吹得天花乱坠。他攥着口琴来回猛锯，锯的好像是别人的嘴巴。他恨不得彻底把它锯开。吹了一首《翻身道情》，不让下台，又加了一首《打虎上山》。过门儿不好吹，眼看就倒不过气来了，观众呼啦一下朝门外拥去，仿佛突然受到惊吓一样。李来昆叼着口琴一动不动，心想这些土匪怎么了？又没扔手榴弹他们跑什么？他执意要吹完过门儿，却怎么也吹不过去，老噎在同一个地方。他很恼火。他舍不得咬口琴，咬了胳膊一下，挺疼，看来没醉，是水平下降了，嘴上的功夫不行了。他来到门外，发现教学楼四周聚满了人。"江青"站在楼顶的边缘，正做出展翅欲飞的样子。人群吵吵嚷嚷，来往穿梭，在楼底下扔了很多被子，像猛攻着一座堡垒。校长喊话喊累了，肥胖的大脸挂满汗珠，一只眼睛不住痉挛。李来昆愣了一会儿，自己的眼皮也跳起来了。

"哪班的？"

"杂交育种的。"

"咋儿了？"

"跟人杂交育种了。"

"谁干的？"

"教杂交育种的杂种。"

"那小子呢？"

"钻哪个旮旯配秏子去了。"

"让兽医班的骟了他！"

"费那事，他老婆就把他骟了。"

李来昆听着听着哧哧笑起来。人们并不紧张。他自己也不紧张，只是两腿发软，像踩着棉花。喝了足有四两。看来三两是个限度。教学楼只有三层，平时不高，现在特别高。她像站在云端的仙女。他吹了一遍过门儿，再一次卡住。有人骂他。他不管，接着往下吹。又有人骂他。吹到第三遍终于吹了过去。穿云海，跨雪原，后面就容易多了。他把口琴收起来，朝教学楼西墙的铁梯走去。这是登上楼顶的唯一通道。所有的人都失败了。每见有人爬到中间，她就让身子在楼边轻轻摇晃，做出再爬一格她就不客气的冷酷样子。在墙上吊久了很危险，人们只好退回去。李来昆说闪开闪开，都往边儿上站站，看我的。他打着酒嗝儿，笨手笨脚，目光却很清醒。第一格就踩脱了，没有人在意。第三格又踩脱了，众人吓了一跳。等大家看明白这是一个喝醉了酒的人，他已经爬到铁梯中间，正惊心动魄地继续往上抓挠呢。准备跳楼的人也适时地摇晃起来了。楼底下一片混乱。校长大喊大叫，嗓音变得像一个谁也不认识的人。刚才还是老生，一下子就改成花旦了。

“抓住！抓住！别动！别动！下来！下来！我求你啦！下来吧！我代表校领导求你啦！李来昆！你听见没有？她跳下来你负责！你掉下来你自己负责！我概不负责！我已经仁至义尽了，你们凭什么折磨我？你们凭什么！下来吧！”

校长一只手捂着胸口，慢慢倒在地上。人们抬着他，像抬走了一只放完血的猪。校长可能发了心脏病。不管真的假的，人家暂时离开这个鬼地方了。李来昆发现自己的处境很复杂。他在发抖。小肚子都在抖。这种现象从来没有过。下是下不去了。应该上去，可是上得去么？敢上去么？她的眼神儿像做梦一样，一闭眼就能掉下来，被子肯定起不了作用。千言万语也起不了作用。她已经聋了。她什么也看不见了。如果救不了她，至少别把自己搭进去。李来昆突然哭起来了。刚开始抽抽搭搭，很快就失去控制，发出哞哞的老牛一样的声首。这是真正的男人的哭声。低沉，郁闷，而又伤感。终于引起了她的注意。

“等等我！”

这句话让她浑身一震。李来昆一边哭一边往上爬，下巴上净是鼻涕。她眼圈红了。她犹豫了一下，离开原来的地方，走到铁梯的顶部。不知道是准备迎接他，还是准备跳下来，砸在他的头上。他哭得惨极了。

“你不能一个人走。”

她蹲下来，哭了。

“要走我跟你一块儿走！”

她哭着向他伸出了一只手。他也哭着向她伸出了一只手。只差两格了。楼底下闹哄哄的。他听不见人们在叫什么。他只听见自己的哭声，真实而又生动。他恍惚看见人们在奔跑着转移被子。白花花的被子小山一样堆在他的下方。他们害怕了。为一对儿准备赴死的狗男女害怕了。李来昆发出了最后的吼声。他抓到了。她的手腕。他的吼声在农校上空久久回荡。正如俗话所说，跟真的似的。

“让我们俩一块儿走吧！”

他一踏上楼顶就扑倒了她。动作尽量温柔，却把她按得一动不动。她一下子就明白了，张嘴咬他的耳朵，没咬着，又咬他的手指，也没咬着。他太狡猾了。她默默流泪，想一想觉得很可笑，就笑了，像疯子一样。李来昆没有笑。他一直很严肃，也很警惕。再说也哭累了。他只在自己编的一个小话剧中这样哭过。平时，他的哭是不出声儿的。他把脑袋探到楼边，轻蔑地看着那些目瞪口呆的人。

“我把她俘虏了！拿绳子来！”

他的手无意中碰了她微微隆起的肚子。他想幸亏跟自己没关系。不过一想跟自己没关系，又挺嫉妒。她在饭桌底下挠他的手心就像是昨天的事，想起来让人发热。

“为这种人不值。”

“男人都是骗子！”

“我得除外。”

“你是个大骗子！”

她说得一点儿不错。事情以喜剧收场。下楼的时候出了个小纰漏。李来昆借着酒劲儿，想试试那堆被子管用不管用，离得还挺高就往下跳，扭伤了右脚的脚脖子。校长满面红光地跑过来，心脏病不知飞到哪儿去了。

“去县医院！医药费找我报销！”

李来昆一瘸一拐地回到了槐树堡。他站在老婆面前，一只手拿着结业证书，一只手抱着咸菜坛子，脸上带着急迫的笑容。老婆说你让我等你干啥？他说我让你等着我收拾你！老婆拿长长的睫毛翻了他一下，就跑到屋里去了。他把她扳倒在炕上。嫁接？嫁接。他很从容，断断续续地讲了爬楼的事。她一直不吭气，挨到最后才叫起来。

“摔死你！摔死你！摔死你啦！”

“死不了！死不了！死不了呀！”

是的是的，这样的人怎么会死呢？

那时候，李来昆有两种前途。一种是到乡农技站，给几个没本事的人打杂儿，等着吃商品粮。轻闲，有薪水，但是受气，等到哪一天也说不定。这个前途不好。另一种是承包槐树堡的果园，拾掇一百多棵苹果树，等着发财。苹果树散布在山上，最近的一棵跟最远的一棵隔着有五里地。品系也不好，小的不如鸡蛋，大的像个大鸡蛋。而且不红，在树上挂到立冬也不红。在缸里捂到立春还是不红。永远懒洋洋地绿着。祖宗们叫它“愣头青”不是没有道理的。它能传下来全在三个字。甜，甜，甜。李来昆算了一笔账。一棵树结三十斤，一斤卖一块钱，一年得个小数。一棵树结五十斤，一斤卖一块五，一年得个大数。如果一棵树结一百斤，一斤卖两块钱，一年得的票子家里就装不下了，就可以煮着吃了。账算得很糊涂，得失却很分明。怕什么呢？各种各样的可能性都有，不发财的可能性没有。他向老婆起誓，挣不到钱不是人，是树。她可以把他头朝下栽在猪圈里。她说我把你栽在炕上。多么险峻的事，两口子嘴揉着嘴就定了。前途美妙。但是美妙的前途在半道拐了弯儿。李来昆兴冲冲地走到一个地方，到底是何种地方，连他自己也说不清了。槐树堡的人都说，他掉进了大粪坑。

第一年遇上了雹子。雹子不是特意为他下的，但是他特别生气。苹果树仅次于他的老婆。老婆可以躲在屋里。苹果树往哪儿躲呢？他的苹果只有鸡蛋那么大。雹子比他的苹果还大。他顶着洗脸盆站在山上，对老天爷产生了怀疑。多年不下雹子，他刚刚爱上苹果就下雹子，比棒打鸳鸯还要残酷。他接受不了。看见碧绿的苹果随着白花花的冰水往山下流淌，他的心就让雹子砸碎了。他把滚到脚边的苹果捡到脸盆里，脑袋又让雹子砸破了。他头破血流地走进家门，两眼发直，笑眯眯地啃着半个苹果，像在梦里一样。

"甜着哩，你吃不吃？"

从来不哭的老婆哇一声就哭了。

第二年遇上了虫灾。先是瘤蚜和黄蚜。随后是介壳虫，食心虫，卷叶虫。最后是红蜘蛛。虫子们好像搞清了这是谁的苹果。它们要联合起来吃掉他的苹果。它们不想让他发财。李来昆愤怒了。他卷入了一场怎么打也打不赢的战争。整整一夏天，他的后背没有离开过喷雾器。他把能喷的都喷出去了。他喷了石硫合剂，福美胂，敌百虫和敌敌畏。又喷了柴油乳，三氯乳，菊酯乳，螟松乳，乳乳乳乳！在一切都无效之后，他喷了自己的尿和家里人的尿。尿不够用。他拎着泔水桶敲响了邻家的院门。他的脸失魂落魄，一副走投无路的样子。虫子们在追击他。他的话不像人话，有一股虫子的味道。

"借尿用用。"

"啥？"

"有尿没有？"

"干啥？"

"杀红蜘蛛！"

"谁说的？"

"老巩说的。"

"他逗你哩！"

"试试再说。"

"没有。"

"少啰唆，拿尿来！"

"早起倒了。"

"现在尿，我等你。"

"真够呛！"

"你老婆要有也来一壶。"

"你没完啦？"

"急啥，我跟你借钱了么！"

邻居关上大门。都尿完了，又把门打开。李来昆挨家挨户敛下去。有尿的人嘻嘻哈哈，没尿的人也嘻嘻哈哈，都感到很有意思。李来昆不笑，皱着眉头，还一本正经地表示谢意。这就更有意思了。倒了霉的人总是很有意思的。说到底，那些苹果树上的虫子跟别人有什么关系呢！李来昆孤独地走在街上。他拎着尿桶，像一个挤牛奶的人，走近了又离开了一头头欢乐的大奶牛和小奶牛。他的喷雾器喷出了刺鼻的尿雾。但是虫子们更活跃了。它们有抗药性。它们还有抗尿性。槐树堡的百家尿是从天而降的饮品。聪明的李来昆没了办法。他早就不聪明了，甚至相当的傻了。如果告诉他血能灭虫，他说不定回家就把猪杀掉，也说不定会把自己的血管直接插在喷雾器上。他凸着两只眼，脸色黑中带绿，似乎能干出任何不能干的事情。他抱着一大瓶乐果在街上走路，惊动了整个槐树堡。有人恐惧地笑着，拦住他。告诉他人比苹果重要，人比虫子更重要，事情要想开一些。他在想别的事，也可能没听懂，像看虫子一样看着人们。人们知道不好办了。

“虫子比人强，打不过它不丢脸！”

“去你妈的！”

他掉头而去。他很快就倒在一棵苹果树底下了。乐果的兑水率是二千倍，他兑了不到二百倍。他想活剐了挨千刀的虫子们。虫子们还在动弹，他倒不动弹了。他先把自己熏晕了。乡亲们把他抬到街里，要热心地抢救他。他昏迷不醒。不像服毒。也不像没服毒。人们给他灌了酸菜汤。不管用，喝不够似的。又灌了一勺臭大粪。刚灌了一口就吐了。就睁眼了，紧接着不用扶就自己爬起来了。

“喂的啥？你们想咸死我呀！”

醒了也等于没醒。乐果的毒性太厉害了。人们把他抬到河里，用沙子搓他的皮肤，把汗毛孔里的农药滤出来。那些数不清的疤瘌又黑又肿，像爬满了四脚蛇。他一直在吐。吐出来的东西绿莹莹的，像菠菜汁儿一样。半夜醒来，发现沉甸甸的脑袋搁在老婆的怀里。老婆摸着他的头，很伤心，像摸着一个舍不得吃又不得不吃的瘪西瓜。

“虫子死了么？”

“死了。”

“都死了？”

“都死了。”

“真死了？”

“真死了。连落在树上的黄鹂鸟都死了！”

老婆的泪水打湿了他的脑门儿。胜利过于凶猛，不会不走向反面。他也要哭了。

第三年没有灾。适逢大年，苹果眼睁睁就压弯了苹果树，要给倒霉的人一个补偿。只要再挪半步就能发财了。李来昆一挪却挪进了公安局。老天爷确实饶了他。但是有人不肯饶他。他们偷他的苹果。他们天天偷他的苹果，从他的心上剜肉吃。他气坏了。他怕虫子，不怕人。都是两条腿的东西，你吃我，我还吃你呢！他借了一杆铁砂枪，四处放风，不要命的快来吃我的苹果吧！谁也没唬住。苹果照旧不翼而飞。他真的气坏了。他把临产的老婆送回娘家，在山上搭了个窝棚。他不停巡逻，绕着苹果树走来走去，像一个苦练梅花桩的人。他的眼睛出了毛病，经常在没人的地方看见人影儿，羊倌走到眼前却视而不见。他的耳朵也出了毛病，天一黑就听到满山叽叽喳喳，似乎爬满了小声说话大声嚼苹果的人。

"出来！我看见你了！出来！"

山上不时响起他瘆人的叫声。没用。苹果还在飞走，而且飞得更快了。他的脸色越来越难看，好像有一百人扇过他一样。他明白了一件事。虫子固然可怕，两条腿的虫子更可怕。他打不赢他们了。他继续拧紧闹钟，每天夜里爬起来三次，像野猫一样在草丛里散步。他喝石头缝里的泉水，啃硬邦邦的干粮，像含水果糖一样老是含着一块咸菜。他一天比一天瘦下去。他营养不良。体力不支，连愤怒的力气都没有了。最初想吃人的狼一样的目光，变成了想喝奶的婴儿一样的目光。没有人给他奶吃。只有人偷他的苹果。他们把他的心偷走了。他两只眼都长了针眼，红红地肿着，像永远浸着泪一样。刚好一些，又长了口疮，连咸菜疙瘩也含不住了。不久，一只耳朵开始流脓。他鼻子不通气，嗓子眼儿冒火，脚趾缝儿痒得钻心，拉不出屎来，尿的颜色发红，脑子里嗡嗡的关着蜜蜂。不行了。他要为他的苹果献出宝贵的生命了。一个声音躲在肚子里呻吟，苹果不是娘们儿，偷起来咋就这么大的瘾呐！他很寂寞。他向艺术求援。他躺在窝棚里呜呜地吹起了口琴。他吹《大刀进行曲》，觉得大刀砍在自己的脑袋上。他吹《游击队之歌》，觉得自己处于游击队的包围之中。游击队正在偷袭他的苹果！苹果是娘们儿。他是看不住娘们儿的乌龟。他吹不下去了。窝棚外面是漫漫长夜。窝棚里面是翻飞的蚊子。地铺上出没着成群的蚂蚁。它们咬他的皮。它们还嘬他的血。他的血灌满了一大群蚊子的肚子。他实在受不了了。他要放一枪出出这口鸟气了！

李来昆窜出窝棚，在果园里蹦蹦跳跳，满口污言秽语。他没有目标。整个黑夜就是他的目标。他抬手给了它一枪。黑夜发出一声尖叫便混乱了。在河里一摸摸到一条鱼，不是鱼太多，就是赶巧了。他睁着眼捉不到人，闭着眼放枪，竟然击中了一个女贼的屁股！不是赶巧了又是什么呢？黑夜是大海，多肥的屁股也是小鱼儿，一伸手就摸到了，不是鱼太多又是什么呢？女贼五十岁，柳庄人，领着两个儿子两个儿媳妇，一个女儿和一个未婚女婿。枪响之后，他们撒腿就跑，像一群乌合之众。老太太捂着屁股一叫唤，他们又回来了。他们包围了李来昆。他们每人都扛着半麻袋苹果，像扛着真理，一点儿也不感到羞耻。他们问他为什么开枪？为什么朝伟大的母亲开枪？为什么朝伟大的母亲的屁股上开枪？不就是吃了你几个苹果吗，又没啃你的蛋！李来昆遇上了真正的游击队。双枪老太婆的游击队。老太婆一只手捂着屁股，一只手指着李来昆，半天不说话，好像在瞄准儿，准备就地枪毙他似

的。

“你个氓流儿!”

“我不是故意的。”

“碎成八瓣儿了!”

“让我看看?”

“别看,赔吧!”

“你让我看看!”

“你个大氓流儿!”

“不看就不看。大娘,你的屁股不在炕头儿贴着,撅到果园来干啥?我又没请你。你说打着屁股了,我还说打着我屁股了呢!”

“狗日的,老娘脱给你看!”

儿女们费了九牛二虎之力,没让她把裤子脱下来。他们朝李来昆大喊大叫,要吃了他。他看出她的屁股在流血。他的心也在流血。他明白这一年又白干了,发不了财了。

“拿钱来!”

“没钱。”

“拿钱给我娘治伤!”

“要钱没有,要屁股有一个。”

“没钱也得拿钱!”

“你们给我一枪算了。打上边打下边,你看着办吧!”

“我们告你去!”

这一枪把他送进了公安局,把贼请进了县医院。医生从血肉模糊的屁股上取出了十八粒铁砂,声称幸亏脂肪极其丰满,否则就伤及血管、骨头或神经了。李来昆蹲了五个月拘役。消息源源不断。他由一个愤怒的人变成了一个沉默的人。筛子屁股的儿女们讨不足医药费,席卷了半个苹果园。老婆不幸早产。儿子不到四斤,据说很像一只粉红的嫩秏子。承包到期。果园易主。他的噩运告一段落。美丽的梦想苦苦挣扎了一通,终于被人七手八脚地埋葬了。李来昆到腊月才返回槐树堡。他踩着吱吱作响的积雪走近家门口,听到了儿子嘹亮的哭声。不像人,不像猫,像一种叫不出名目的鸟。真是太好听啦!他在墙根儿底下解了个手儿,不想动,站着听了半天。老婆来到台阶上,一眼看见了他。她脸蛋子红红的,像个熟石榴。睫毛更黑更长了,遮着两只眼,像雏鸽儿耷拉着翅膀。不爱哭的老婆比哪个娘们儿都爱哭了。她跳过来捶他的肩膀头,拍他的心口窝,杵他的小肚子,抓他的下巴颏,拧他的手指头,揪他的头发根儿!真是泪飞如雨。倒了血霉的李来昆一时糊涂起来,窃以为自己是天底下最有福气的人了。

“你咋儿不死呀!”

“我不敢回家。”

“我咋儿不死呀!”

“听说你养了只老鼠?”

“你咋儿不死在外头呀!”

“我嫌吓得慌。”

“你、你、你,咋儿不死在外头呀!”

“我、我、我想死,我、我、我死不了呀!”

是的是的,这样的人怎么会死呢?

李来昆深沉了。他蹲在台阶上抽烟,深沉地看着脚前的蚂蚁。他深沉地走出供销社,拎着半瓶酒或半瓶醋,轻手轻脚地走回家去。他在街里贴着墙根溜达,深沉地看鸡,看猪,看鸭,看人。他若有所思,让人感到陌生。槐树堡的人说,他做梦呢,在梦里天天忙着捡钱包呢!还有一个说法,认为乐果渗进了他的脑瓜仁儿,毒素出不来了。他的口琴也深沉了。他缓慢地吹着,从一个曲子不经意地滑到另一个曲子,经常戛然而止。他确实在梦想。做着某一天会突然发财的梦想。这些庸俗的念头符合时代潮流,与他的家境也有关。姐姐们已经远嫁。弟弟们也另立门户。他们给长子遗下了两个白痴。一个酒精中毒的父亲,一个大脑炎后遗症的小弟。李来昆有过力拔山兮气盖世的念头,以为这一老一小不在话下。苹果的发财梦破碎之后,他发现自己成了家里的第三个白痴,除了做梦就想不出该干什么了。父亲越老越没出息,喝酒不醉,不喝酒便不省人事。李来昆每天塞给他一瓶水,里面的酒不到十分之一,后来不到二十分之一,最后一滴酒也不搁了。老白痴照醉不误。他咕咚咕咚地灌着白开水,在街里来回晃悠,逮着谁骂谁,骂累了就在墙根儿睡觉,仿佛不胜酒力似的。他很丢人,但是比较省钱。小弟已经长大了。小弟会吃饭,会睡觉,会穿衣服,不会说话,也听不懂话。小弟比父亲费钱。他一顿饭能吃掉六个馒头。两个熬南瓜,外带半锅玉米粥。李来昆一看他吃饭就有气。一有气就想揍他。不等揍他,他就吓死了,筷子也拿不住了。李来昆就可怜他,连忙把凸眼睛瞪到别处去。他瞪着饭碗,瞪着房梁,瞪着窗户,瞪着窗户外面的远山,又梦到美丽富饶的地方去了。发财不容易。但是不能不发财。儿子会走路了。老婆也老了。老婆连一件像样的衣服都没有。不发财怎么行呢?别人的老婆都用香波洗脸,自己的老婆用肥皂洗脸,怎么能不老呢?这么俊的老婆真是太亏了。不发财无论如何也说不过去了。可是,钱在哪里?在猪食槽底下?在耗子夹后边?在喜鹊窝上?反正不在夜壶里。李来昆晕了,眼前一片渺茫。

他擦干了身上的血迹,停止做梦,又继续前进了。他养过长毛兔。喂了小半年,毛儿越来越短,发现品种弄错了,是肉兔。他喂过蝎子。在山墙旁盖了漂亮的蝎子洞。儿子把胳膊伸进去,想掏鸟蛋,蜇得小手跟熊掌一样。他就不喂蝎子,改喂土鳖了。土鳖不咬人。可是土鳖喜欢逃跑,喜欢悄悄越狱。终于有一天,纸糊的顶棚隆隆作响,一大队人马走了过去。他的土鳖竟然一个也不剩了。他跌倒了爬起来,再跌倒了再爬起来,又他娘跌倒了,他爬着就有点儿费劲了,有点儿懒得爬的意思了。这时候传来了好消息。乡里的兽医站分家。兽医站兼管的配种站也分家。种马正在招标,等待承包的伯乐。种马远近闻名,配一次种八十块钱,配中了再给八十块钱。钱在哪里? 钱在种马的小肚子里! 李来昆爬起来奔向配种站,心想我就是伯乐。我是缺钱花的伯乐! 种马让青白店的人标走了。伯乐不甘心,一时心血来潮,牵了一头没人要的种驴。种驴一进家门就吭吭地叫起来,吓得儿子大哭,母鸡飞上了墙头,像鸽子一样排成了一排。他们看着这个野蛮的畜生。老婆的眼神儿跟母鸡差不多,惊慌,沮丧,困惑,不高兴。还有点儿伤感。她说替配种站喂着它,一年得搭咱多少粮食啊! 他说驴日的还能给咱挣钱呢! 配母驴三十块,配母马五十块。它要配起来没个够,配一个中一个,咱家的钱还花得完吗?! 她说我不听你嚼舌头了,你又做白日梦了。他不让她走。他把她拽回来,揽住她的腰肢,想逗逗她,也给自己鼓鼓士气。

"它比马强。"

"说的吧!"

"它的家伙比马的还长半截哩!"

"看不出来。"

"揉出来给你看看?"

"不看不看!"

"看看咱的摇钱树吧!"

"不看!"

"出来了出来了!"

"就不看!"

"咦,咋又回去了?"

"真有本事,配种站还不自己留着!"

"真缩回去了!"

"让它美!"

"别是个痿子吧?"

"让你美!"

李来昆的目光暗淡了。怪不得没人要它。怪不得不要抵押金,只收提成费。原来不是棍子是绳子,是个银样镴枪头儿! 他想起全部倒霉事,感到又一次在劫难逃了。老婆见他变了脸色,连忙拍他的嘴,让他醒醒。她说痿子就痿子吧,咱使它干别的,给儿子骑着玩儿,我回娘家也不用走路了。他的脸色还是不好。老婆就忽闪着两只眼,悄悄捏住了他。

“愁啥？你不痿就行了！”

老婆真是好老婆。李来昆宽慰了。种驴的长脸似曾相识。他为它取名尼克松。不久，在文化站的电视里看到一张脸，撅着下巴，口若悬河，吭吭的样子更加传神儿。李来昆就给尼克松改名里根了。第一次出击是在四河口。那匹小母马摇着屁股转了三圈，尾巴撅到天上，白汤儿都下来了。里根却没有情绪。李来昆急得满头大汗，揉它拍它踹它，就差爬上去替它干了。母马的主人讥笑着说，是头骟驴吧？李来昆说你才是骟的呢，你的骚马太丑了！

“我们里根干就干漂亮的。”

“它真精，跟你学的吧？”

“没错！让它赏脸你得把嫂子牵来。”

“得了得了，牵个大面驴你倒有理了！”

“你没有面的时候？每天让你配两次你面不面？让人拿采精筒每天抽你几股儿你面不面？在配种站吃苦受累，我们里根容易吗?！我们里根是劳模，你敢说它面，大哥哎，我咒你今天晚上就面！”

“甭你咒，我面了八年了。”

“我看也是骟过了么！”

李来昆嘻嘻哈哈地离开了四河口，内心却十分不悦。里根太丢人。瞎耽误工夫，又没有挣到钱，而且不知道以后会不会挣到钱。他越想越沮丧，每走十几步脚就发痒，脚一发痒就跳起来踹里根的屁股，非常过瘾。里根太蠢了。两条前腿支起来，耸它几下子，事情就完了。多么简单！两条腿落下来就可以数钱了。又多么划算！况且它一向是干这个的。它连本职工作都做不好，不踹它踹谁呢！李来昆踹了里根一路，走进槐树堡的时候六个蹄子都踉跄了。它没脸见人，一进家门儿就把头扎在鸡窝后面了。李来昆躺在炕上吭吭叽叽，吃饭了也不肯动。老婆看看驴，看看他，又看看驴，觉得他的脸比驴屁股还难看。

“里根咋儿了？”

“你问它去！”

“来昆，我给里根买了十斤黑豆面。”

李来昆险些哭出来。老婆真是好老婆。有这样的好老婆，驴差一点儿就差一点儿了。他给里根订了一些新规矩。不吃干草，吃嫩草。不舔粗盐，舔精盐。不喝冷水，喝晒过的水。而且，不让它看见异性，母牛母猪都不让看。老婆除外，母鸡也只能除外。他要憋它，把它憋到大动干戈为止。治疗蠢驴的阳痿还有什么别的好办法呢？没有了。不在沉默中勃发，便在沉默中软化。它得憋着。在沉默中憋着。人可以吃驴鞭。轮到毛驴自己就没有什么可吃的了，而且吃什么也不管用了。

第二次出击是春天，在远村百丈坨，配一头两岁的小草驴。主人是寡妇。李来昆以为是老寡妇，一见面发现是个小寡妇。草驴不漂亮，很矮小，脊背贴不到里根的肚子,角度会出问题。小寡妇也不漂亮,翘鼻子,厚嘴唇。睫毛短短的,跟没有差不多。但是,她的腿肚子很好看。李来昆一眼就发现她的腿肚子很好看,像两根藕,比藕粗,是两根少见的大白藕。她一直不说话,笑着。李来昆说大姐。你的新娘子不够岁数吧?她还是不说话,笑着,笑得越来越妖媚,有点儿不太聪明。她牵着驴,他也牵着驴,两个公的对着两个母的,简单的事情复杂了,而且越来越怪异了。李来昆说给口水喝喝?寡妇的两只手飞快地比画起来。李来昆长长地呼了一口气,又盯住了她的腿肚子。白,真白,而且嫩,还有光泽,有肉弯儿,有豆子大的痣,诱得人眼疼,心里又酸又辣。他知道自己出问题了。

寡妇是哑巴。他不奇怪。他只奇怪她的腿肚子,怎么就鬼一样牢牢地抓住了他!人发不了财,连眼光也变了。不重视眼睛,不重视眼睫毛,光重视小腿骨上包着的两块肉了。老婆的腿上也有两块肉。他动过心么?没有。确实出了问题。从事色情的配种工作,人早晚会与下流的畜生们同流合污了。太危险了。但是,腿肚子多么好。肉滚滚的多么好。他早就怦然心动啦!

他明白了寡妇的意思。她在娘家看过《沙家浜》。她没想到又一次见到郭指导员,见到他牵着一头大叫驴。她和草驴深感荣幸。她不知如何是好。她太激动了。她要晕过去了。李来昆不懂她的手势,却认定就是这个意思。寡妇做出吹口琴的样子,伸出大拇哥。他伸出小拇哥,一边摇头一边走到水桶旁边,蹲下来喝水。喝完了用水浇头。寡妇走过来帮忙,雪白的腿肚子离他不到两尺。他想我太对不住老婆了,我要在别人的腿肚子上摸一摸了!

他没有摸。他说咱们工作吧。寡妇不想工作,想叙旧。她好像特别崇拜他。她的手势令人眼花缭乱,好像撕着一只看不见的小动物。一会儿掏心,一会儿挖肠子。李来昆也想动动手了。怎么才能让她明白呢?他拍拍里根,拍拍草驴,又啪一声拍拍手。她也拍拍里根,拍拍草驴,却做了个吹口琴的动作。什么意思?想让他为配种伴奏吗?李来昆把左手的两个手指弯成环,让右手的食指坦率地穿进去。寡妇立刻明白了,牵着草驴走起来。李来昆重复了刚才的手势,右手的食指稍稍偏了一下,从左手的手背擦过去。她又是马上就明白了,指了指吃饭的小矮桌。想让草驴站上去?还是她自己要躺上去?李来昆火辣辣地想着,做了个坍塌的样子。她就咕咕地笑了。她领他上了山道。她在前面。他在后面,牵着各自的驴,慢慢地往山上走。坡度弥补了身材的差距,小草驴却无精打采。里根更是心不在焉,走走停停,啃树上的叶子和路边的嫩草。寡妇朝草驴打手势,朝里根打手势,对不肯交配表示不满,脸上却挂着欣喜的笑容。这是配种吗?这是给毛驴配种吗?李来昆看着两条白嫩的腿肚子,越想越觉得他是入了梦了。他们踏上了山顶。里根和草驴分头吃草,谁也不理谁。寡妇却异常兴奋,指着远山的一个方向,手势复杂而零乱。李来昆自以为明白了她的每一个意思。她很爱他。她看他唱戏的时候就爱上他了。她没有男人。他就是她的男人。她愿意跟他睡觉。跟他睡觉是她的光荣。

他如果愿意跟她睡觉，必须抓紧时间。不睡觉也没有关系。他可以随便摸她的腿肚子。她的腿肚子是专门为他准备的。他把它们砍下来带走也不要紧。他应该相信她。他如果不相信她，她愿意为他解开自己的裤腰带。她现在就解。他同意吗？寡妇坐一块平坦的岩石上，一手撩着衣襟一手指着红色的布腰带，表情有点儿沮丧。李来昆不急于表达感情。他用隐秘的目光观察美丽的腿肚子，琢磨下一步应该怎么办。是吊儿郎当，像里根一样？还是扑过去，或者爬过去？春风拂面，到处都是青草的气味儿和小鸟的叫声。蝴蝶在交配。麻雀在交配。大大小小的昆虫都在吱吱地交配。他为什么不能……交配呢？天上的地下的，想交配都能交配，而且随便交配。他凭什么只能跟自己的老婆……交配呢？老婆固然是好老婆，这腿肚子不也是很好的腿肚子么！李来昆恍然明白自己应该干什么了。寡妇的手摆了个奇怪的十字形。她想横着？让他竖着？可以。没有什么不可以。都横着也行。都竖着也行。只要快活，头朝下又有什么不可以呢！寡妇着急了。寡妇拽了拽他的裤腰带。热血轰一下冲上了脑门。他不用代劳。他要自己来。

只要解开裤腰带就不会感到羞耻了。人发不了财，不光眼光有变化，连脸也不要了。不要就不要了！脸有什么用？这种时候脸还不如屁股有用呢！李来昆云里雾里梦里，真的把裤腰带解开了。他看见了寡妇惊恐的目光。里根不合时宜地吭吭地叫起来。寡妇指着他的小肚子，露出了让人无法理解的笑容。他突然明白自己大错特错了。寡妇牵着草驴匆匆离去，高兴得手舞足蹈。他再也不敢判断她的手势，只能揪着裤腰一动不动。她怕人看见？怕怀孕？她来月经了？她勾引他？然后要他？这个婊子怎么说走就走啦！

“我日你个腿肚子！”

他知道哑巴听不见，骂了足有一百句下流话。大部分下流话都转移了对象，是恶狠狠地骂着自己了。骂着骂着他盯住了远山，寡妇指点过的方向豁然冒出一件往事，爆炸一样轰倒了他。他裤子都不要系就想从山顶的崖头跳下去了。

她的娘家一定是囫囵坨。他为郭建光借过一条武装带，演完了没有还，走到坨口才想起这件事。还回去已是小半夜了。送他出来的时候，主人的一个女儿掉了眼泪。她站在台阶上，偷偷拽着他的袖子，一直没说话。他并不希望她说话，喜欢他的丑丫头已经太多太多了。现在想来，不是她又是谁呢？她怎么可能说话呢！她要保护她在他心目中的形象。她还长时间保护着他在她心目中的形象。一定是高大而完美的吧？现在，这个形象终于被一个脱裤子的流氓代替了。他简直不想活了！从这个悲惨的角度，他已经明白了她的全部手势。他为自己难过，为自己的老婆难过。他要给自己留一个改邪归正的机会。他没有从崖头上跳下去。他骑着里根回家了。

他为丑闻害怕。不知道有多少人能看懂她的手势。都像他一样看两岔儿就好了。他想出一个又一个理由，解释为什么松开裤腰带。蛔虫闹肚？虱子乍毛？蚂蚁咬蛋？老鼠钻裆？他想到更凶狠的爬虫，不敢往下想了。背叛老婆不是一件便宜事，迟早会遭到报应。寡妇的腿肚子是第一轮报应，它们像一对儿大棒槌，已经狠狠地捶醒了他。他骑在里根的背上，比过去干净多了，乖多了。

里根的欲火却在燃烧。李来昆修补着道德的破绽，做梦也没想到，蠢驴的道德在眨眼之间就崩溃了。里根跳下坨弯儿的公路，把他掀翻在河滩的沙地上。它扑向了一匹悠然吃草的母马。他不仅不生气，还为它欢呼。生锈的大刀终于出鞘啦！马倌连声尖叫，像死了亲娘一样。

“掉驹了！掉驹了！”

李来昆也追了上去。但是一切都来不及了。一道黑光已经淹没在孕马的肚腹之中。他揪着笼头把它拽下来。它奋力挣脱，又一次跨上去。李来昆大叫捅流了你替我赔钱呐！在强迫分离之后，里根六亲不认了。它把后腿的一只蹄子蹬在李来昆的腮帮上。就像用蒜臼子捣碎了几颗蒜，啪嚓一声，他就捂着掉出来的牙齿躺平了。他想这是报应，当即不省人事。

奸污代价惨重。李来昆赔了一百五十块钱，葬送了六颗牙齿，还得了重度脑震荡。他蜷在炕上说胡话，马主人堵着炕头要钱。窘况僵持了半个月。恰逢大弟给父亲送赡养费，顺便替他付了赔款，把准备镶牙的钱也垫上了。大弟不客气，说哥呀，你完了，你怎么越活越没劲了！又说嫂子你别伤心，踢坏了不要紧，三个傻子我都养着，你替我喂他们就行了。李来昆没说话，冲着大弟的脑袋扔了个玻璃杯，却击中了老婆的后腰。大弟说你看你看，我哥跟我爹没两样儿了！

大弟在田家台包了一口煤窑，一夜之间成了富人。二弟去石灰场拉白灰，从牙缝里攒出一台手扶，离翻身的日子已经不远了。到处都是神话。到处都是走了运的人和乐得合不上嘴的人。远近闻名的李来昆却狗屁不是了。老天爷禁止他找到发财的门径，只允许他牵着一头公驴在山坡上遛弯儿，还允许他有事没事都叼着一把口琴，吹别人听得懂和听不懂的各种曲子。他喜欢歌颂爱情。爱情使他忘掉人民币和有关的杂事。他的琴声如泣如诉。每逢此时，里根就静静地站在山冈上，渐入佳境，丑陋的家伙便徐徐地降了下来。里根喜欢民歌，不喜欢靡靡之音。它趣味高雅，比在镇子里跳扭屁股舞的那些毛孩子强多了。

那年冬天，毛孩子们偷走了里根，找个没人的地方把它宰了。配种站让李来昆赔九百块钱。他说没有。降到七百。还是没有。降到四百五。他说有，我认头了！他把准备买黑白电视机的钱给扔出去了。他如丧考妣，沿着公路往东走，见人就问看见里根了吗？不认识他的人觉得他是疯子。认识他的人都可怜他，劝他别找啦，丢就丢了，又不是儿子。他不听劝，接着问你们看见里根了吗？不可怜他的人就跟他开玩笑，里根任期届满了，驮着老婆回家写自传去了。

小寒那天落了大雪。他走过四合庄、齐门庄、盐水铺，在一家饭馆的屋檐上看见了里根的头。它悬在那儿，黑黑的，翻着鼻孔，眼珠儿上蒙着土，舌头也不见了。

他推门进去,要了一瓶二锅头和一盘驴钱儿肉。肉片是圆的,颜色发红,散发着五香的气息。他想这就是里根的根了。他吃着,喝着,又要了一盘驴钱儿肉。他说这是我的驴。人们都看着他。他说这是里根的大鸡巴。人们轰一下就笑炸了。

老婆半夜不见人,打着手电满世界找他。大雪淹了棉鞋,没有停的意思,她就哭了。大弟从窑上号了十几个人,撒在公路上,大呼小叫地往前走。没有影子,却听到了口琴的声音。他们在北山的老林子里找到了他。他明明喝醉了酒,竟然没有倒下,走得满头大汗,他反复吹着同一个曲子:《在北京的金山上》。把嘴皮子都扯破了。老婆叫一声来昆,哭在他的怀里。他傻乎乎地笑着,对大弟说,我吃了五盘!我找不着咱家了!

夜里,缠着老婆做事。他说驴根子吃多了,要憋死了。做了一次不够。天快亮了又做。老婆说你不想活了?他说我不想活了!老婆硬扳开他,发现他凸凸的眼睛里浮着一层灰。

"你别吓我?"

"我不吓你!"

"琢磨啥呢?"

"琢磨活不过人,死了倒强些。"

"来昆,想这个你是混蛋!"

"下坡路走起来没个完,没意思了。"

"你混蛋!来昆!"

"我逗你玩儿哩!"

一丝怪笑从黑脸膛上漾了出来。这就是死不了的李来昆走向末日的预兆了。可是可是,这样的人怎么会死呢?

李来昆怎么会死呢!

去年清明节,我一个人回乡下扫墓。父亲脱不开身,就用废纸剪了一大堆纸钱儿,让我带上。我一路风尘,不是想投入祖先的怀抱,也不是为了向祖先表示歉意,没什么大事,只想给他们送点儿零花钱。在这个世界上钱是很要紧的。他们那里也是如此。哪怕在地狱的最底层,也找不到一个鬼魂愿意过窘迫的捉襟见肘的日子。大家都理解这一点。我背着一书包废纸也就足以自慰了。

我在长途车上遇见了一位表兄。我向善谈的表兄打听李来昆的情况。表兄眉飞色舞地告诉我,李来昆几年前已经死了,我认为死人是正常的。但是他的死让我觉得有点儿意外。我没有悲伤,只有不舒服。这种不舒服语言无法说明。当你想说明的时候,它可能已经消失了,也可能变成一种可以说明的舒服了。

我把纸钱撒在祖先坟头的小树上。小树挨着小树,牵扯的坟头越来越多。我很可能把别人的祖宗也孝敬了。我不在乎给别人钱花。当然仅限于这个地方。在商店里我不会多给他们一分钱。对那些拖欠稿费的同志，我的原则是张嘴咬他们。

我住了一夜，临睡前大肆串门儿，还钻到一间屋子里打了两圈麻将。我看到了许多面孔，听到了许多语言。我提到李来昆的死。大家却更愿意说些尽人皆知的往事，提到他早年的聪颖和好运。我们谈笑风生，沉浸在往事的欢乐之中。我觉得在外面游荡的李来昆就要拍拍门微笑着走到屋里来了！

来昆，你好吗？

我在清明之夜失眠了。

李来昆死得很奇怪，也太窝囊。他给大弟的煤场看大门儿，贪酒，喝醉了能爬到传达室的屋顶上吹口琴。他不醉的时候也爱转悠，一转就转到半夜。这很像父亲。他越活越像没出息的父亲。但是他不骂人，也不在街上睡觉。他老丢钥匙。丢在文化站。丢在酒铺。丢在厕所的小便池里。进不了煤场的大门就翻墙头儿。不管醉还是不醉，他都能做到这一点。在夜深人静的时刻，人们经常看到他像野猫一样翻上煤场的墙头，坐一会儿，然后扑通一声跳下去。那天晚上他又喝多了，却没有爬墙头，而是笨手笨脚地爬上了煤场的大铁门。一个路过的人看见他滑下来，还跟他开玩笑，又把钥匙丢在谁家的炕头上了？

“拴你媳妇裤腰带上了！”

他爬得很高兴。大铁门又高又滑，顶端有一排铁刺。中间的一尺多长，两边的半尺多长，像一种杀人的古代兵器。不知道他几时才爬上去。十二点？一点？总之他爬了上去。他爬上去就没有下来。不知是脚下一滑，还是手下一滑，他把自己结结实实地串在大门的铁刺上了。没有人听到叫唤。煤场建在公路的南侧，他叫唤别人也听不到。不过有人听到了叫唤。他说他以为是猫头鹰，听了听又像老鸹，就接着睡了。四点钟才有人发现他。那人输了一夜麻将，跑到公路上散火儿，发现煤场的大门上担着东西。走到路灯底下看出是个人。门板上涂了一层血，像柏油一样闪闪发亮。

“不好啦！来昆给扎透啦！”

这声叫唤倒是让所有人都听到了。他们不明白扎透了是什么意思。跑到煤场，他们明白了。李来昆脑袋朝里，屁股朝外。趴在两根铁刺上。一根长的露在后腰左侧，有两三寸。另一根短些，没扎透。大弟红着眼，一边研究一边指挥人站在桌子上拔他。拔不下来。李来昆哼哼了一声。大弟跑过去，发现长兄的凸眼睛正温和地瞧着他，立刻抽泣了。他们在混乱中把大门从合页上摘下来，险些失去平衡。他像鱼叉上叉着的一条大鱼，弯过来弯过去，任由人们根据需要变换他的姿势。他们用焊枪切割起来，一团团火花溅在衣襟上，好像他本人在发光似的。老婆从槐树堡赶来，看见他晶莹剔透的样子，当场就昏厥了。他被抬上了运煤的大卡车，身上带着两根铁刺和一块月牙形的门板。老婆也上了车厢。她抓着他的两只手，目光呆滞，一语不发，跟停止呼吸了一样。卡车煤粉飞扬，像裹着一团黑雾。不到二里地便抛锚了。他们又把李来昆抬上了二弟开的手扶拖拉机。拉白灰的手扶拖拉机蹦蹦跳跳地驶向县城，倒霉的李来昆和他的亲属又笼罩在一片白雾之中了。他侧身躺着，一直没说话，也没呻吟，目光像老羊一样平静。老婆也不说话，不停地给他搓手，怕冻着他似的。大弟一腔悲愤，抓着挡板痛哭流涕，连连嘟囔，我对你怎样？嫂子对你怎样？大伙儿对你怎样？二弟说你别啰唆了，让咱哥踏实一会儿吧！

赶到县医院，李来昆的眼神儿就散了。他身上的铁器把医生吓了一跳，深入地看一看又释然了。医生说在走廊里观察吧，做好思想准备。李来昆卧在担架上，前突后凸的样子吸引了很多人。大弟给他盖了一条白单子。还有人凑过来看。他们看什么呢？急诊室在忙碌，救一个喝了敌敌畏的人，还有一个让花盆砸了脑袋的人。世界很公平，自找倒霉和倒了霉的人还是很多的。李来昆耗了半个多小时就死掉了。死前回光返照，跟老婆说了一生中的最后一句话。那是一句笑话。他到最后都是清醒的。他知道自己卧在从伤口淌出的污物之上。他一定闻到了那股熟悉的亲切的味道。他冲着老婆长长的眼睫毛露出了仅剩的一丝笑容。他在无比的满足中飞升了。

"……屎都出来了……"

大弟从他的裤兜里掏出了那把口琴。口琴上有血，有腹腔的液体，还有粪便的残渣。大弟躲到厕所长哭，把口琴对着水龙头。他哭得昏天黑地，又冲不干净，就把口琴随手扔在废纸篓子里了。老婆没有哭。老婆知道他走了，却继续搓他的手，像拽他，又像送他。喝敌敌畏的人活了。让花盆砸着的人却死了。李来昆在外人的哭声里鼓着两只眼，永远盯住了一个让他迷惑的地方。老婆拨他的眼皮。拨不动。她继续拨他的眼皮，让他把难看的眼珠儿藏起来。许多人看着他们。看着奇异的死者和他的亲属。他们的身上都有一层白粉。白粉之中还掺着一些黑粉。仿佛死者刚刚死去，活的和死的就一块儿发酵，发霉，眨眼就长出绿毛和白毛来了。死不了的李来昆就这样死掉了！

我不悲伤，但是我不舒服。

清明第二天下了小雨。表兄到车站送我，亲切地呼着小名，再一次让我感到不快。他希望我寄一本书给他。他还希望我写出更好的故事。我说你喜欢看什么故事呢？我没想到他会那样纯朴。他的脸红了。

"我喜欢看搞破鞋的故事。"

"镇子里有破鞋，不能亲自搞搞吗？"

"你嫂子还不拿菜刀切了我！"

"你还是看书吧。"

我的话他信了。我说我的书没意思。我说我要寄给你一本养猪知识，行吗？他有点儿明白了。他说行行！啥都行！是本书就行！表兄确实很纯朴。他的脸红了。

汽车经过煤场，我看见了那扇铁门。铁门顶端的缺口还在。那是李来昆的遇难之地，也是他不可思议地悬挂过的地方。他在上面独处的时候。心境一定是困惑的吧？斯人已逝，缺口上只补了一节铁蒺藜，像南瓜藤一样随便地攀缘着。他的大弟真是一个节俭的人。他为什么不肯换一扇门呢？可是，他凭什么要换一扇门呢？

我在长途车上沉思。我思考生活，思考欲望，思考各种乱七八糟的细节。我非常重视细节。比如一个眼神儿，一粒药片，一枚中号的避孕套，一个不长的句子，等等。这是我的长处。但是，我经常陷入细节的泥沼中不能自拔。在潮湿的清明节更是如此。我的长处便是我致命的弱点了。

我想起了几年前的一件事。我休创作假，在故乡的文化站小住。某天挤在人群里看电视新闻，突然发现自己出现在一部电影的首映式上。我并不得意，但心情是愉快的。我看到李来昆醉醺醺地朝电视走过去。那时候他已经完全颓唐了。他指着屏幕中间的人，取笑说我们想看公母俩配对儿，你们是一撮屌毛，呲在旁边干啥？我和大家一起笑着，脸色可想而知。他说我是屌毛。他不也看出自己是一根屌毛，不是正经家伙，所以才颓唐了么？我起誓要用一篇小说骗了他！现在看来，只能以胡言乱语来祭奠他了。事后我不得不承认，他对我的虚荣心的打击是正确的。他的下流话从哲学上摧毁了我。我发现自己必须谦虚地活在世上，把尾巴紧紧地夹起来。

我是一根平凡而恭顺的屌厢毛。

我换乘地铁回家，在车厢里昏昏欲睡。我的眼前有一扇门。门的绿漆刷成蓝漆。但是，门上的血迹还在。这扇门最后刷成了黑色。我自己像条死鱼一样挂在上面了。我不停琢磨明天和明天以后的日子。我要活得更纯粹一些，更成功一些。否则我会不舒服。我想出一百种比写书更有意思的事情。但是，我知道自己一件也干不成。除了必须写书，激励别人——激励表兄那样的人？鼓舞别人——想想什么事情能鼓舞我！——我还有别的活路吗？

在和平门地铁站，碰上了一个吹口琴的中年人。他双目失明，笔直地站在出口的拐弯处，吹着旋律熟悉却叫不出名目的一首情歌。如果没有那个扔着几枚钢镚儿的搪瓷缸子，这就是天堂入口的景象了。我平常不注意这种街头点缀，今天却停下来，听着，心头猛然一热。我感知李来昆游荡在地层深处的一个地方，呜呜地吹着他惯常吹奏的曲子，正愉快地追击那些永远难以实现的梦想呢！

我被自己的感觉感动了。我在心里说，狗蛋——真不好意思，这正是我的小名，它听起来多么粗鄙呀！我说狗蛋，李来昆的驴不是痿子，你的笔杆子也不是吃素的，你要攥紧了它好好干工作！你的笔喷着蓝墨水儿，是想扭秧歌呢？还是想骂大街呢？我说狗蛋，你要听领导的话，听老婆的话，你要做一个让方方面面都信得过的人呢！

我往搪瓷缸子里扔了一块钱,咬咬牙,又扔了一块钱。这可是破天荒的事。我很欣赏我的仁慈和道德感。不过,我知道不能再扔了。再扔一块钱,我儿子的剃头钱就没有了。

狗蛋从和平门的地底下钻了出来。

(原载《北京文学》1996 年第 9 期)

刘 恒

原名刘冠军,1954 年出生,北京人。1969 年应征入伍,历任海军无线电员,北京汽车制造厂钳工,《北京文学》月刊编辑,北京市作家协会专业文学作家。1977 年开始发表作品。1990 年加入中国作家协会。著有长篇小说《黑的雪》《逍遥颂》《苍河白日梦》,中篇小说《伏羲伏羲》《白涡》《虚证》《天知地知》《贫嘴张大民的幸福生活》,电影文学剧本《四十不惑》《红玫瑰白玫瑰》《画魂》《漂亮妈妈》等十余部,电视剧剧本《贫嘴张大民的幸福生活》(20 集)、《大路朝天》(10 集)等。电影文学剧本《本命年》获西柏林电影节银熊奖,《菊豆》获奥斯卡金像奖最佳外语片提名奖及庆祝建国 40 周年剧本征文奖,《秋菊打官司》(均已拍摄发行)获威尼斯电影节金狮奖及长春国际电影节金杯奖,《野草根》获台湾优秀剧本奖,其作品还获鲁迅文学奖、全国优秀短篇小说奖、全国文学新人奖、庄重文文学奖、北京市文学艺术奖等多项奖项。

狗皮膏药

贾兴安

一

在黄塔村最早制作“狗皮膏药”的，是一个叫姚长义的外乡人。

据村里一些上了年纪的老人说，姚长义是民国八年秋天落户到黄塔的。因为这一年村西坡地里过蚂蚱，铺天盖地、唰唰作响的飞蝗在那里滞留三日，才裹着大如西瓜的疙瘩团滚过长虹渠向南转移，使黄塔村遭受了自清末民初以来最大的一次蝗灾。而姚长义就是过完蚂蚱后第二天下午进村的，所以老人们对姚长义这个外乡人的到来记忆犹新。

当时，衣衫褴褛、蓬头垢面的姚长义挑着一副担子，身后厮跟一位形同枯槁的病秧子女人。他那副担子一头吊着个破箱，箱上放一卷脏铺盖；另一头挑着一只箩筐，里面坐一个眯着眼像是半死不活的黑娃娃。姚长义东张西望地沿街一路朝南走来，身后撵一群看稀罕的小孩儿和几只吐着舌头乱哄哄的黑黄花狗。到了街南快出村时，姚长义用袄袖蹭蹭额头上的汗，拽开怀里的衣襟，喘几口粗气，坐在酸枣岗旁一棵老榆树下，摸出烟袋“嗞嗞”抽起来。而黄脸瘦女人，则掏出箩筐里的脏娃娃，捂到怀里喂奶。待了一会儿，姚长义看看西山渐渐坠落的红日，就爬到大榆树上，折了几枝树杈，比画着在酸枣岗上搭起了窝棚。正干得起劲时，村里的郭保长来了，拿脚踢踢地上的几根树枝，瞪着眼睛道：“你只是要饭，我不管，你要是在这里住下，日娘不行，你不知道前几天村里过蚂蚱。把俺村快熟的庄稼啃了个精光吗？大秋收不上粮食，再添三张嘴，你不是硬往我黄塔几百口人嘴里抢饭，日娘不行不行！”

姚长义停住手脚，打量郭保长一眼，恐惑地问：“这里过蚂蚱了？”

“可不是咋的？多年不见的蝗灾，你往西瞧，那是刘家的豆地，光剩秃枯杈了。”郭保长拿手指指说，“你往东走吧，趁天还不黑，东边是长屯，离这里四里，还有个破庙闲着没人住，去吧去吧！”

姚长义朝西看看地里的庄稼，见茫茫一片被糟蹋得不成样子的禾叶，挠着头皮想了想，便端着烟袋往郭保长手里塞：“爷，你吸袋烟，吸袋烟再说。”

郭保长推开他的手，揪着眉心说：“我不是撵你，不想留你，秋里遭蚂蚱，秋后村里人肯定得外出逃荒。再说，你要是今夜住在这个窝棚里，西坡地的狼夜里叼了你和老婆孩子，我咋交代？走吧，远来的客，你快按我给你指的道，往东走吧。”

姚长义搓搓手，走到大榆树下，从脏铺盖卷里抽出一张山羊皮，卷巴卷巴夹在郭保长腋下，然后弓着腰拉住他的胳膊笑笑说：“爷，可怜可怜俺三口吧，俺跑了一天，又饿又累，实在走不动了，等歇一夜，俺明天再走，爷，求你老人家啦。”

郭保长斜眼看看胳肢窝里的羊皮，问他道：“你姓啥？”

“姓姚，叫长义。”

“从哪儿来呀？”

“俺从北边汤阴县王马湖来，那里春旱，地皮像瓦片一样，秋苗出不来，俺领着老婆孩子出来要饭，已经走了三个月了。”

“那逃到哪儿算一站啊？”

“不知道，四处要口饭，哪儿黑哪儿住，走到哪儿算哪儿吧。”

郭保长叹口气，看看在榆树下喂孩子奶的瘦女人，对他说：“姓姚的，明天得走呀，再鸡巴不走，我可来硬的啦！”

第二天，姚长义没有走，以后也没有走。当时，郭保长来撵他，让人把他搭的窝棚拆了，他不喊也不叫，就又搭起来，总之是不走。郭保长为此很奇怪，跺着脚叫道：“日娘邪门啦，你随便走个村也比黄塔强，这里有啥恋头，值得你像个粘窝窝似的粘在这儿。”

但姚长义挺犟，硬着脖梗儿说：“保长爷，你不管说啥，也不管你打我还是杀我，我就是不离开黄塔，不离开这个窝棚。”

郭保长见这个外来汉子的头挺难剃，再加上要了人家一张羊皮，便嘟囔了一句：“我在上边给你报了名，往后别给我在村里找事就行了！”

多年以后，人们才知道，姚长义领着老婆孩子初到黄塔的那天晚上，原来发生了一桩与他命运休戚相关的事情，才使他留在了这个小村子里。

姚长义在黄塔村南的窝棚里住了一阵子之后，就外出了半个多月，回来后，他便忽然有了钱。于是他拆掉窝棚，在原址上盖了两间草房，又托坯垒了个小院墙，并买了一头牛一只步犁，在酸枣岗上开出了一片荒地。这时，他把娃娃秋生改名为瑞生。瑞生吃胖了，满街活蹦乱跳；女人月霞也像久旱的秧苗遇了场透雨似的舒展起来，她个儿高，皮肤细嫩，脸红扑扑的，一笑两个酒窝，嘴里露一只小虎牙，样子很亮丽。据当时姚长义自己说，他外出那半个月，其实是回了一趟老家，老家在汲县比干墓那一带，是方圆十几里有名的大户，家里有父亲和哥嫂。到了老家后，哥哥偷偷给了他一些钱，于是，他带回来盖了草房买了一头牛，并把娃子的名也按老家哥哥孩子的字号改作了“瑞”字辈。但那时黄塔人不相信，因为姚长义既然家里是大户，为什么不回老家汲县，非要领着老婆孩子逃荒要饭，长年在外四处沦落呢？逢说到这儿时，姚长义就不再言语，只是红着脸，支支吾吾咧着嘴走开。

第二年春天，姚长义和月霞在新开的荒地里种麦点豆，精耕细作，到秋天就收了不少粮食。姚长义一家有吃有喝，有穿有戴，日子过得安顺而祥和。黄塔的土著没人再小看新来的姚长义，个个见了他都先打招呼。因为他不但比村里的一些老户过得好，而且人又十分豁达仗义，逢有人遇事揭不开锅来借麦借米，他看也不看，就让人去屋里的瓮里挖，并说："有就还，没有就拉倒，几升粮食，算个啥啊！"

冬天，街里常路过一些光着脚板要饭的人，这些人只要被姚长义看见，他就脱下来自己的一双鞋扔过去，而他则光着脚回家，让月霞给他做新鞋，可新鞋穿了没几天，就又让他扔给了没鞋的人。有人笑他说："长义兄弟，光扔鞋也得叫你把家扔穷了，穿不上鞋的人多了，你给得起吗？"姚长义摆摆手说："这算啥，钱财如粪土，仁义值千金，处富贵地，要矜怜贫贱的痛痒，入安乐场之日，当体谅患难时景况。看见那些没鞋穿的人，我就想起了两年前的我自己。"

姚长义制作"狗皮膏药"兼为人看病，是半年以后的事。

这年冬天，月霞突然得了一种大肚子病。开始，姚长义和月霞以为是怀孕了，但过了三个多月，月霞肚子不但没有动静，腹部反而又胀又硬，青筋暴露得如同渔网一般。春暖花开以后，姚长义用小木轮车推着她，到柳弯集去诊治。从村街上过时，人们看见月霞面黄肌瘦，眼窝沉陷，肚上像扣了一只瓦盆，女人们揭开她的皮袄，就看见了她胀起来如网状的肚皮。月霞的病没有看好，一个月后，就躺在床上不能动弹了，村里有人去看她，见她除了个大肚，瘦得只剩下一把干柴了，嘴里仅有一口游丝般的气喘着。有人埋怨姚长义，说快去给她看病。姚长义叹口气，摇摇头说这一带的先生都找遍了，不济事的。于是，人们就拍拍姚长义的肩膀安慰他，说心到了，你也别难过，后事弄排场些，也算对得起她了。半个月后，正当人们念叨着月霞很可能要在这几天断气的时候，月霞却奇迹般站在院门口笑吟吟地跟街上的人打招呼。她满面红晕，身条像从前一样苗条，纳鞋底的手轻快地飞舞，根本看不出在这之前她曾害过一场大病。

有人惊讶地叫道："哎呀，月霞，你咋突然好啦？你吃了啥灵丹妙药啦？"

月霞笑着说："是长义给我熬了一种膏药，我贴了三副，就好清啦。"

那人就更惊讶，说："你男人会做膏药？咋从前不知道？他做的是啥膏药呀？咋这么灵？"

月霞说："是一种狗皮膏药，贴上以后，我就往下屙一摊一摊的紫血块。"

那人说："这可稀罕啦，能叫我瞧瞧这种膏药吗？"

月霞闪开门，说："他做了二十帖，我才粘了三帖，剩下的没有用，在锅台上搁着，你想看就看看呗，有啥呀！"

于是，姚长义的"狗皮膏药"便像风一样在黄塔村传开了。正巧，村北路东长顺家三闺女也得了这种病，吃了几副药不见效，听说后跟姚长义要了三副。他按姚长义所嘱咐的那样给闺女贴在腰上，只用了两帖就痊愈了。这样一来，人们更信了，更觉得这种膏药神乎了。消息很快传到周围的邻村，患者蜂拥而至，将姚长义的十四帖膏药一抢而光。没得到膏药者不肯离去，苦苦哀求姚长义重新熬制，有的还将重金弃到他的桌子上。姚长义让来人收回钱财，看看满院子求药者那期待的目光，就跺跺脚，劝走求医者，从此开始了熬制“狗皮膏药”的生涯。

姚长义熬制的“狗皮膏药”，其实叫“阿魏麝香万应膏”，是由连翘、大黄、川乌、藤黄、阿魏、麝香、没药、儿茶、乳香、冰片、血竭、黄丹等六十多味中草药，放在小磨香油里用铁锅熬得滴水成珠后，摊到狗皮上制作而成，所以被称为“狗皮膏药”，主治男子血块、女子血块、胳膊、膀背、关节疼痛、胃寒、手足麻木等症。此膏药贴上之后，药力入骨，待病好后，膏药揭开，呈现出蝴蝶形状。因此，这种“狗皮膏药”很快被传为神奇，名声远扬于方圆几十里地。

随着神奇而灵验的“狗皮膏药”问世，人们对经营它的主人姚长义也产生了好奇。外面的人向黄塔人打听姚长义，问他：咋会做“狗皮膏药”？那药方是祖传吗？他从哪里来？其实，黄塔人除亲眼看见姚长义媳妇月霞起死回生之外，对于姚长义别的事情，比外村人知道得一点不多。有人仔细想想，也觉得姚长义挺神秘，猜不透他咋就忽然冒出个“狗皮膏药”来，于是便拐弯抹角问他。每当谈起这件事时，姚长义往往抿嘴一笑，未置可否道：“只要药能治病，别的事情都是次要的，这就像谁家失火了，咱得先去救火而不是先找是咋起的火，你说呢？”

披在“狗皮膏药”主人姚长义身上的这层神秘的面纱，是多年以后逐渐被揭开的，揭开它的人，不是姚长义本人，也不是黄塔村人，而是他的同胞哥哥姚长仁。在姚长义制作“狗皮膏药”的第四年初秋，姚长仁瘸着一条腿，领着老婆和两个孩子来黄塔村投奔弟弟姚长义，姚长义念哥哥从前对他的恩情和同胞之谊，便将哥哥全家收留了下来。于是，这才有个姚家“狗皮膏药”更新鲜更复杂的故事。

二

姚长仁来黄塔找弟弟姚长义时，也像当年姚长义进村时那样，担了一副挑子。但不同的是，这挑子的一头吊着一捆书，另一头是被牛皮纸裹着的木头牌子，老婆和两个孩子跟在他身后，拖拖拉拉，恓恓惶惶地走。他老婆叫爱菊，当时怀着孕，两个孩子大的五岁，是闺女，小的三岁，是个儿子。

哥哥姚长仁从老家带来一捆医书和一块“恩荣五召”的匾额，成为姚长义原本出身于祖传中医世家的有力证据。这就是说，逃荒沦落到黄塔村的姚长义，原来曾有过一个非常显赫的家庭。村里上了年纪的老人说，黄塔村唱坠子的老换，曾去过姚家兄弟的老家,听到了不少关于姚家的事。

黄塔村距姚长义老家汲县小庙村七十余里。姚长义和姚长仁的爷爷叫姚绍康,父亲叫姚忠泰,是姚绍康唯一的儿子。姚绍康自幼继承祖业,从小精习验方,洞晓脉理,少年时就中了秀才。成年以后,他领着姚忠泰在家乡小庙村悬壶行医,四方求诊者络绎不绝,名声远扬。戊戌政变后的 1898 年,光绪帝被慈禧太后囚禁于中南海瀛台,忧愤成疾,当时各省督举荐各地名医为光绪治病。姚长义的爷爷姚绍康因平时结识官场人物,并为他们治好过病,所在直隶总督荣禄的推荐下应召进京。这天,他被召到瀛台,为光绪帝诊脉后,便知其病乃是烦闷忧郁,火气过旺,加之久居内宫,食之不消而致,因此无甚大病,于是就开了一帖降火开胃之方。但不料方子开好呈上后却未审阅通过,原来,这位年轻的皇上过于迷信补药,每一剂药方中必加人参。姚长义的爷爷想:消化不良而再食人参,岂不是雪上加霜,万一皇上病情加重,弄得不好,我还会遭杀身之祸。正在左右为难之际,他突然急中生智,便在原药内加入人参,只不过是将人参煨成了炭,反而有了消食开胃的功能,当然对病情有利。光绪帝病体被医好后,姚绍康从此平步青云,每隔一到两年即被召晋京一次,到光绪三十四年共被召晋京五次之多,被誉为"国手御医",后来又挂了"恩荣五召"匾牌。姚忠泰行医马虎潦草,但却富有心智精于算计,他觉得"卖医不如卖药",于是便冲街开了一个名曰"宗善堂"的药店,几年工夫就赚得了一大笔钱财。他把父亲的五间瓦房的屋脊拆掉,接了五间楼房,将那块"恩荣五召"的匾牌,悬置门头上方,方圆十几里的人,只要提起小庙村的"姚家楼",都知道那是看病抓药的地方。姚忠泰有一个闺女,两个儿子。这两个儿子就是一前一后来到黄塔村的次子姚长义和长子姚长仁。最早离开小庙村的次子姚长义,放着雄厚的祖业不守,为何偏偏流浪在外,最后赖在黄河故道盐碱地的这个不足百户人家的黄塔小村不走?一直使黄塔人大惑不解。姚长义离家出走时十八岁,东奔西跑唱坠子的老换说,小庙村的人知道他曾娶过一个有羊角风病的瘦女人,过了三个月。后来不知什么原因便突然失踪了。

姚氏二兄弟出身名声显赫的中医世家,使黄塔人对姚家"狗皮膏药"的来源产生了误解和迷惑。因此,哥哥姚长仁的到来,使弟弟姚长义连同使用膏药的人均走向了尴尬的境地,而关于"狗皮膏药"是否姚家祖传,以及后来引起的激烈纷争,也是从姚长仁的到来开始孕育的。

当时,姚长仁按照村人的指点,领着老婆孩子一路朝南走去。到了村口,他放下挑子,问一位正从路东小院走出来的人,说:"哪一家是姚长义家?"

"这就是。"那人朝他刚出来的小院指指说,"你来也是白来,今天的膏药卖完了,等明天吧,我这是最后三帖。"

姚长仁一惊,好奇地问:"咋?他会做膏药吗?"

"呀!你这人,咋还不知道这里有句歇后语?"

"啥歇后语?"

"姚长义的狗皮膏药——名声在外。"

那人打量姚长仁一眼,摇摇头便走了。

姚长仁狐疑地走进姚长义的小土院,闻着满院子浓郁的药味,眉心不由拧成了一块疙瘩。

"哎呀! 这不是俺哥? 哥,你咋来啦!"

姚长义在屋里看见了姚长仁,又惊又喜地迎了出来。姚长仁尴尬地笑笑,黑着脸道:"老二,你真行啊,看你小时候大大咧咧的,原来是哑巴吃饺子,心里有数啊! 我整天围着咱爹转,到老了伺候他老人家,你整天调皮捣蛋,光跟爹别着劲儿,不正经学手艺,扔下病媳妇偷偷领了个姑娘拍拍屁股就跑了,没想到,你原来早把一手绝招弄走了。爹也真狠心,我跟他学了十几年医,他竟把做膏药的手艺传授给你了,叫你在外面发大财。可这么多年,竟连个字也没给我透露,我如果不来找你,一辈子我都会蒙在鼓里,看我真傻。"

姚长义接过哥哥的挑子,放到地下,笑笑说:"哥,瞧你说到哪去了,你一直在爹的身边,你啥时见爹会熬膏药? 爹看见我,就像眼里硌了沙子,对我带搭不理的,咋会教我真本事? 更何况,我对咱家的生意也不感兴趣,这你是知道的,哥,你想得太多了。"

"那你这狗皮膏药是咋回事?"

"这件事,一句话说不清,等以后有空慢慢给你细说,哥,你和嫂还有孩子都来了,咱爹咋办? 家里出了啥事了吗? 来,月霞,叫哥嫂孩子们都进屋,你快去烧水做饭,从咱老家来,得走好几天啊!"

姚长仁跛着脚,耷拉着脑袋,一瘸一拐进了屋,稍后便悲伤地向弟弟叙述了家毁父亡的经过。

事情最早由父亲姚忠泰去村南"大荒坡"打兔子引起。那是五年前秋后的一个傍晚,也就是姚长义离家出走的第二年。姚忠泰打发走病人,晚上想喝点酒,就拿了一杆单管猎枪,去距村子三里地的"大荒坡"打野物。从前,他曾多次在这里打猎,每次都要提回一只野兔、野鸡或刺猬什么的。这天有风,暮色也重,姚忠泰刚到这里,就见远处的草丛里摇动,他灵机一动,像往常那样扣动了扳机,随着枪响,草丛里传出了一阵凄厉的叫声。姚忠泰大惊,已经意识到很可能是击中了人。他飞奔过去,一看,果然有个十四五岁的孩子捂着血脸在草丛里打着滚叫唤。这孩子是本村田根家大儿子小黑。姚忠泰把小黑抱回家,经过治疗,伤好了,但面容却毁了。姚忠泰的猎枪里装着铁砂子,打得他满脸开花,使他落了一脸黑麻子。姚忠泰见祸闯大了,心里很紧张,就主动向田根提出说我赌钱赔地。田根生性憨厚,见姚忠泰挺诚恳,就接受了姚家十亩地和一百块大洋,并保证以后不再提这件事。当时,小黑十五岁,年纪小,一切都由父亲做主,所以也没说别的。但过了三年后,小黑十八了,往街上一走,就被村人奚落和笑话他那张大麻子脸。于是小黑就恨姚忠泰,并重新找他说理算账,怨他把自己弄成了人不人鬼不鬼的丑八怪,并提了许多苛刻的条件。姚忠泰觉得从前已给了他家钱财,就不理睬他,还说了许多难听的话。小黑大怒,说姓姚的,你等着。小黑后来便跑到西山当了土匪,两年后就带了一帮人,趁黑夜在"姚家楼"放了一把火。失火的时候,姚长仁把父亲姚忠泰抢了出来,这时,大火已经在楼上轰轰地窜出了一丈多高。姚忠泰不让姚长仁管他,让姚长仁去门楼上摘那个"恩荣五召"的牌匾。摘下匾以后,姚长仁又去药房抢了一抱医书。他抢着药书冲到门口时,一根烧断的檩条倒下来,砸伤了他一只脚。他拐着脚跳到街上,看见姚忠泰贴在街面的墙上,直挺挺地站在那里一言不发。姚长仁叫他,他也不理,待拖着伤腿凑过去一看,见父亲已经死了。埋了父亲以后,姚长仁见原来的大院和万贯家产变成了一片焦土和废墟,伤心地哭了一场,便领着老婆孩子,来投奔弟弟姚长义,因为,两年前弟弟回过老家,告诉了他在浚县黄塔村。姚长仁弃乡投奔弟弟的原因,除祖辈的财产丧失殆尽,全家生活难以维持之外,再就是怕以后小黑来祸害他,因为后来姚长仁经过打听,得知小黑在西山当了土匪"杆头",是个凶狠残暴、杀人不眨眼的家伙。

姚长义为亡父设立了灵位,上写"恭敬三叩首,早晚一炉香",带月霞和两个儿子祭拜之后,上前捉着哥哥的手道:"哥,从前我出走时,你帮我,后来我过不下去时,你又给我钱,使我在黄塔盖了房,买了牛,现在,老家被烧,父亲过世,小庙村已没了你的安身之地,哥,你和嫂还有侄儿们都留下来,咱弟兄们一块过吧,咱有稀喝汤,有稠吃馍。我如今做着膏药,虽不赚钱,但还能顾住咱一家八口吃饭穿衣,再加你跟父亲学了这么多年的医,道行高深,哥你如果愿意,我把做膏药的秘方给你说了,咱亲兄弟,就联手一块干吧。"

姚长仁看看姚长义,松开眉头说:"把膏药教给我,你不怕丢了你自个儿的饭碗?""咱同胞兄弟,谁跟谁呀,我的饭碗,还不是你的饭碗?何况,这两年,我也没靠卖膏药养家。你看,房子还是两间草房,我有一头牛,种着几亩地,做膏药只收个买药料的成本,不过,你来了,添了几口人,咱往后可以稍加些利润。"

"老二,你要是真心,你哥我也不推辞了,往后我一上手,咱肯定很快就发了。"姚长仁笑笑,拍拍姚长义的肩膀说:"老二,你离开家在外面闯荡了四五年,可脾气一点儿没改。"

于是,姚家弟兄俩从此在黄塔大张旗鼓地做起了"狗皮膏药"。

三

哥哥姚长仁一家四口来到黄塔以后,弟弟姚长义在自己草房的南头,盖了三间瓦房。新房落成后，姚长义叫姚长仁一家搬过去，但姚长仁执意不肯，说："你本来住的都不好，你应该住瓦房，我刚来，能有个窝就不赖了，我现在吃你的，喝你的，住你的。已经够连累你了，咋能抢新房住？老二，你的心意我领了，你跟月霞和孩子们搬进去吧。"

姚长义说："哥，咋能这样说，我现在的这一切，都是你给我的。当初，我带着月霞跑出来时，不是你鼓动我，帮助我，我能和月霞快快活活过日子吗？现在，我们有了孩子，会做膏药，能像个人活着，说到根儿上，都是那天晚上你帮我逃出咱家。哥，滴水之恩，当涌泉相报，咱俩哪有你我，别争了，我愿意住草房，草房住着舒服，这几年我已经习惯了，住进瓦房，我怕我睡不着觉咧。"

于是，姚长仁就搬进了瓦房。而姚长义一家连同熬药的作坊、药材则留在草房里，但这样就有了南院和北院之分。

"狗皮膏药"由弟兄俩合伙熬制，既要有分工也要有合作，姚长仁由于初来乍到，一切都听姚长义的。那时，哥哥外出采购药材，弟弟管在家制药；哥哥媳妇爱菊管账目，弟弟媳妇月霞管卖膏药。没事时，哥哥坐堂行医，弟弟在药房按秘方上规定的传统配方和工艺加工细料。每天早晨天刚蒙蒙亮，弟弟就把哥哥叫起来，然后一块儿在北院点火熬药。因为，秘方上说："一年之计在于春，一日之计在于晨，万应膏主治阴病，勿将阳气撷入，药中粗细之料，务于日出前下讫。"制药的时候，一般是哥哥烧火熬油，弟弟下药，后来，弟弟为了让哥哥学会，就让哥哥下药，弟弟连烧连指点，告诉他怎样掌握火候；用漏勺撩搅怎样才能不擦锅底，否则就会失火；各味药下锅的顺序如何；怎样用火将药熬到滴水成珠不散；膏药熬成后怎样在水中浸泡；往狗皮上摊时怎样用微火化开等等。但弟弟不知出于什么考虑，只有一样没给哥哥说，那就是在放第三十二道药料时，弟弟趁哥哥不注意，随手从身上摸索出个什么东西放进了油锅，熬时不加这种东西，熬出的膏药也能用，但不发黑，也不发亮。

哥哥姚长仁本来就精通药理和医术，对于熬制这种"狗皮膏药"，他经弟弟姚长义一点就透了，并很快熟练地掌握了熬制膏药的全套技艺。

有一次闲着没事时，姚长仁问姚长义："熬膏药这套本事到底是谁教你的？"

姚长义说："知道这个很重要吗？"

姚长仁笑笑，说："随便问问，我总觉得这手艺好像是咱爹偷偷传给你的。"

姚长义说："哥，绝对不是。"

姚长仁拍拍姚长义的头，说："老二，你挺有意思，那有啥，传给你传给我还不是一样？现在我不是也会熬了！"

姚长义说："不是就是不是，我啥时说过瞎话？你知道我的脾气。"

姚长仁叹口气，说："唉，不争这个啦，是不是都一样，你不想说，就算了。"由于添了哥哥姚长仁这个有力的帮手，"狗皮膏药"的产量比原来增长了一倍，即便这样，仍然是供不应求。膏药出售得多，影响自然深远，第二年秋天，浚县知事宋观民派人将一块“仁义巷”的石碑坊，树在姚氏兄弟俩南北院之间的路东，更是轰动了整个豫北地区。

“文革”期间，石碑坊被人拆掉了，后来，大队演样板戏垒戏台，就当作根脚垫在了下面，两边的柱子，直到前几年村里修公路影响施工，才刨开扔到了大队部院子里。村里上了年纪的老人说，宋知事给姚家立牌坊事先谁也不知道，连姚长仁和姚长义也弄不清咋回事。那天上午，一帮人赶着马车，上面放着一块用红绸包裹着的石牌坊。他们走到姚家南北院之间停下来，又是敲锣又是打鼓，还有一帮老响儿耍大笛。村里人和姚家兄弟跑出来，见那帮人已经七手八脚地在刨坑了。他们将牌坊树起来，找到姚长仁和姚长义，然后将一封信和两千块大洋交给了他们。人们这才知道，在姚家立“仁义巷”牌坊的，原来是县知事宋观民。

事后，人们才知道宋知事突然在姚家立“仁义巷”石牌坊的原因。一年前，宋知事的父亲得了一种风湿病，手脚麻木，膀背和关节剧痛，县城的名医看遍了，药吃了不计其数，病不但没治好，反而更严重了。正在无计可施之时，宋知事听说黄塔的“狗皮膏药”很灵验，就决定带父亲去试一试，但这时县境内西北的天来渠决口了，淹了二十多个村子，他必须立即前去巡视安排赈灾，于是，他便把给父亲看病的事交代给了弟弟。宋知事的弟弟是个纨绔子弟，他把父亲接到自己家，然后便派人去黄塔找姓姚的来家给父亲看病。因为他哥走时有交代，让他找人抬着父亲去黄塔聘请医生来家里。被派去请医生的人到了黄塔很气势，说是县公署宋知事有请。姚长仁看他其貌不扬，以为他是冒充的，便说：“知事大人请俺，也不抬轿，四十多里地，让俺地下走啊。你要没事，就一边歇着，我挺忙，没工夫跟你斗嘴磨牙，你家要有病人，就抬来，要抬不来，就拿轿来抬我。”那人急了，说：“别给你脸不要脸，宋知事的父亲病了，请你去看，是高瞧你，还得用轿抬你？你想得倒美。”正争执时，姚长义过来了，问清缘由，说：“哥，不管是谁，也不管是皇帝还是要饭的，他只要是病人，请咱，咱就得去，走，哥，我陪你去。”姚长仁说：“你知道我这腿瘸，四十里地，咋走啊！”姚长义说：“我不会看病，要是我会，就不用你去了，说不定，真是知事大人的父亲有病咧，如果咱给人家耽误了，可就招麻烦了，哥，看远点儿，走吧！”见弟俩到了县城，宋知事父亲的病正在发作，疼得在床上打滚。姚长仁见这是大户人家，就给他看病，并用手功在全身给他推拿。待了一会儿，姚长仁说：“老二，他这也是风寒湿气，可以用咱的膏药。”于是，姚长义就让主家派人跟他们回黄塔拿狗皮膏药。但这时，患者又喊起来，让姚长仁给他捏胳膊捶腿，因此，宋知事的弟弟就不让他们走，而是派人骑马去拿膏药。这时，天已经黑了，主人也不让他们吃饭，待膏药拿来时，已经掌灯了。姚长义告诉过主人使用膏药的办法，就准备和姚长仁回家。走时，他们觉得主人应该给钱，但主家只是嘴上感谢，并不提钱的事。姚长仁沉不住气了，就提出膏药钱和这四十多里地的出诊费。因为，他瘸着脚大老远跑来，为患者推拿出了一身汗，连顿饭不管不说，现在钱也得不到，太冤枉了。宋知事的弟弟冷笑一声说："让你们给县太爷的父亲看病，是抬举你们，咋还敢要钱，走吧，走吧，等俺爹的病好了，我自然会报答你，要是这膏药贴上去不治病，我就派人把你家封了。"这时，姚长义也挺气愤，就问："你这是知事吗？"宋知事的弟弟笑笑，说："我要是知事，早把你们吓死了，还敢给我要钱？我是他弟弟，叫宋小孬，你们可以在城里打听打听，谁敢跟我小孬闹不痛快。"姚长义捅捅姚长仁的腿，俩人悻悻地走了。路上，姚长仁气得破口大骂，还不停埋怨弟弟，说："我说不来吧，你非要叫来，跑了一天，累得半死，一分钱没挣不说，还弄了一肚子气，往后再出诊，让他们先出钱，不出钱，玩他妈的蛋去。"姚长义叹口气，沉默了一会儿说："咱的事，是管治病，别的事，不由咱，好人总是要得到好报的。"姚长仁走不动了，坐在黑乎乎的路边上，冲着满天的星斗吼道："好人？好人顶啥事？好人光受气，好人总叫人家当冤大头捉，好人永远都没好报！"宋知事赈灾回来，见父亲的病好了，又得知姚家兄弟在府上受到了冷遇，不由大怒，他把弟弟好一顿训斥，同时，也对姚家兄弟高尚的医德钦佩不已，说："浚县有这样的医士，是我们的骄傲！"他一方面出于向姚家兄弟赔礼道歉，另一方面出于对姚家兄弟的敬慕，便差人悄悄刻制了一块按姚家兄弟俩姓名最后一个字命名的"仁义巷"石牌坊。制作好以后，他派人运至黄塔村，并捎去一封谢罪信和两千块大洋，以补偿弟弟的无礼之举，并言若日后有暇定前去登门拜访。

"仁义巷"威名从此大震，远道来黄塔村求医取药者日益剧增。随着外来人口的流动，黄塔村一些眼皮活的人，开始沿街挖墙修门建店铺，开办了旅馆、茶馆、饭店、酒馆、小卖铺、杂货铺、当铺、钱庄、煎饼房、蒸馍店等，以备看病买药者歇脚、住宿或吃喝受用。"狗皮膏药"的产量虽然比过去提高了许多，但为了严格保证质量和疗效，再加上制作膏药的工艺十分精细和复杂，又须在每天早晨太阳未出之前熬制，早不行，晚不行，因此，那一会儿时间，弟兄俩每人支一个锅，也只能熬七十多贴膏药，更何况，还要外出采购药材，加工细料，狗皮又十分紧俏，所以，远远不能满足患者的需要。一些远路来的购药者，为了能在第二天一早拿上膏药，就只好住在黄塔，吃在黄塔等候。这样一来，旅馆和饭店等相应的店铺便生意兴隆、财源滚滚。据村里一些上了年纪的老人说，那两年，最富的不是卖"狗皮膏药"的姚家兄弟，而是开旅馆和饭店的王家，王家在村南有十间车马店，原来最穷的刘家，卖了一年蒸馍，还盖了三间里坯外砖的灰捶房。

卖膏药的没发家，不卖膏药的靠赚来买膏药者的钱却发了家，使姚长仁惊恐不已，他说："肥水流进外人田，大河无水小河满，这日娘不对头咧，世事颠倒着咧！"为此，哥哥姚长仁便跟弟弟姚长义商量改变经营"狗皮膏药"的办法，但姚长义执意不肯，于是，哥弟产生了分歧和矛盾，最后导致了分裂与对抗。村里的老人们说，姚家兄弟不和，记不清是从哪一年开始的，好像是民国十六年，因为，当时宋知事还在，曾调解过姚家兄弟的纠纷。第二年，河南督军冯玉祥主豫，废道尹，设专区行署，变县公署为县政府，废六房八班，县知事改称县长，宋知事离任后，朱震权为县长，朱县长上任后，强迫男子剪辫，女子放足，减免赋税，实行大赦，所以老人们印象很深。

四

其实，姚氏两兄弟的矛盾，并不是一天形成的。哥哥姚长仁刚来到黄塔后，见每天都有人来买膏药，不到半天工夫就被取光了，便说："老二，有人买，你咋不多做点儿？"

姚长义说："多了必然粗糙，那样有失膏药的信誉。"姚长仁说："你的膏药既然灵验，讲究质量，如果做不出那么多，何不卖贵点儿，将损失补回来？"

姚长义说："我从来就没有卖药，我是行好，迫于无奈，才收个药料钱。"姚长仁瞪大了眼睛，盯住弟弟道："哟，弄了半天，你是在当善人呀！"

"当善人有啥不对吗？"

姚长仁若有所思地自言自语道："怪不得你住这么个破草屋，家里除了锅饭瓢勺大床草垫子，啥也没有，原来你是有钱不想挣。"

姚长义说："哥，你这算是说对了。"

姚长仁捂着鼻子笑了，说："老二，你不是缺心眼儿吧！天下熙熙，皆为利去，天下攘攘，皆为利往，做生意赚钱，到了哪朝哪代，都是天经地义的事。"

从老家来时，姚长仁带个"恩荣五召"的匾牌，弟兄俩合伙做膏药后，姚长仁想把这个牌子挂到门头上面。姚长义不让，说："那是咱爷爷的荣誉，跟膏药有啥关系？咱爹都不该挂，现在，咱挂了更没有意思。"

姚长仁说："挂上后，说明咱俩都是门里出身，大家会高看咱，生意也会更好。"姚长义说："大家都是看药治病不治病，根本不是看你的牌子多大威风。"

姚长仁一家四口来了以后，姚长义将原来无偿施舍的膏药加上了一些利润，但很微薄，到半年算账时，姚长仁发现，除去买药的成本和一家八口人的吃喝，所剩寥寥无几，于是大惊，对姚长义道："老二，咱起早贪黑穷忙活，这不是白干了？"姚长义说："咱吃的，穿的，用的，还有几个孩子上学的花销，都是从哪里来的？这跟种地打粮一个道理，有吃有喝就行，还想咋着呀！"

"可是见不着钱呀！"

接着，姚长仁要求增加膏药的价格，但姚长义不同意，当时，姚长仁由于靠弟弟吃饭，所以拗不过他，但却憋了一肚子气。

宋知事给姚家树了个"仁义巷"牌坊，并送来两千块大洋，姚长义就把三副膏药钱按原价取出来，其余的全部退了回去。姚长仁大怒，瘸着脚在院子里乱蹦，大吼道："这是咋回事？老二，你鸡巴是不是真傻，人家白送咱，又不是咱要？更何况，我瘸着腿跑了一天半夜，累得屁滚尿流，就算不收那两千块大洋。你最起码要他个跑腿钱吧？日娘，我一点都想不通！”

姚长义拉着哥哥，走到门口，指着“仁义巷”的牌坊说：“哥，你别急，县太爷给咱立了仁义牌坊，咱再要人家的钱，还仁义吗？你说，人家为啥送咱牌坊？还不是因为咱跑了四十里地看他爹的病，如果咱收了人家的钱，两者一对消，牌坊不就没有意思啦？哥，你看远点，名声比啥都重要。”

姚长仁横着脸，鼻子里哼一声道：“不管你说啥。我也想不通，给钱不要，就是傻瓜！”

由于“狗皮膏药”的限量生产，一些外地人住在黄塔坐等买药，使黄塔村做其他生意者大发其财。买膏药者到黄塔吃住的花销，远远超出了买膏药的费用。有一次，姚长仁从街里过，碰见开旅馆、饭馆的王怀顺。王老板穿着绸大褂，叼着翡翠烟袋嘴儿，热情地拉姚长仁到茶馆里喝茶，并满面笑容地说：“姚大夫，多亏你的膏药，不是你的膏药蜚声四方，哪有我王家今日的风光，我那店里住的人十成有九成是拿不上膏药的，你如果一天不做膏药，我一天就能进一头牛的钱。姚先生，有句话，我早想跟你递过去，但可惜一直没有机会，今日遇见，实在是幸会。”姚长仁狐疑地看他一眼，皱着眉问：“想说啥话，你说吧。”

王怀顺凑到他的耳边，将鸡爪似的手比画着，低声道：“往后，你如果能把膏药数量压下来，甚至能停两天不做，住店人多了，我挣了钱，按这个数给你提成，但别让你弟弟知道！”

姚长仁羞得满脸通红，他将茶碗往桌上重重地一磕，冷笑一声说：“往后有多少人来，我就有多少膏药伺候，我要药等人，不叫人等药，不做到这点儿，我就不姓姚，日娘，你们这些人，是我肚里的蛔蛔虫，靠吃我姚家的食长胖发财！”

回到家以后，姚长仁没有急于向弟弟姚长义吐露憋在心中已久的想法。他平静下来，仔细地分析了一下“狗皮膏药”制作中存在的实际问题，然后心平气和地向弟弟姚长义提出了几点简明扼要的建议：

一、提高膏药出售价格。

二、取消早晨熬制膏药的规矩，这样才能真正提高膏药的产量，变现在日产七十帖为一百四十帖，白天只要有空，随时可以熬制。

三、增加诊断费、出诊费，废除“三帖膏药贴后未愈，再来拿膏药免费”的规定。

四、下料时减少几味药性类似的中药，比如阿魏与苦楝，功能都是解毒与除湿热，再比如香附与厚朴，功能都是理气，两者取其一均可，这样可降低成本，完全没有必要用六十四味中药增加不必要的投入。

五、筹划建造一座楼房，临街盖个气派的药店，除卖膏药外，兼营其他中成药或者西药。

六、雇一些佣人或学徒，提高制药规模，在制药的同时，兼制丸剂、药剂、片剂、酒剂、流浸剂。

听完姚长仁头头是道的叙述，姚长义轻轻说："哥，你说了半天，其实只有两个字。"

姚长仁问："两个字？哪两个字？"

"赚钱！"姚长义站起来想走。

姚长仁忍不住了，叫道："老二，赚钱有错吗？千里去做官，为的吃和穿，当官的还这样，我们一个平头百姓，谁不想过得好受一点，手头宽余一点，你瞧瞧街上那些靠骑在咱背上做小买卖的都富了，可咱还假装正经，四处行好当善人，可谁说你好了？谁说你善了？咱靠手艺靠本事挣钱，应该得到的你却不让得，我憋得实在受不了啦，老二，你说句痛快话，你是干还是不干？"

姚长义说："你那六个招，每一招都是赚钱，让我赚钱，我没有兴趣，因为百物皆可爱，唯钱最寡趣，营求使尽千般计，死去何能带一文？常言道，盖房置地招人累，攒下钱财是催命的鬼，哥，我老二就是这个脾气，你还叫我说啥咧！"

姚长仁不吭声了，但在后来制作"狗皮膏药"时，却背着姚长义偷偷摸摸做手脚，独自悄悄攒私房钱，其办法主要有四个：一、他坐堂看病时，悄悄收取诊断费，有人请出诊时，要得更多；二、外出采购药材时，除吃回扣收提成外，还故意便宜买假药，但回来报账时仍按原价计算，假药一旦被弟弟姚长义发现，他就装作吃惊的样子说被人骗了；三、逢他熬药时，他就偷工减料，甚至减少几味药不往锅里下，把余下的药再拿回药房，这样积少成多，将余出的药再加钱卖进来；四、低价购进小磨香油，从中谋利。平时姚长仁一家五口(爱菊到黄塔后又生了一个儿子)和姚长义一家五口(月霞这期间连生了两个儿子)都在一块儿吃"大锅饭"，费用开销平摊在一起，所以，姚长仁瞒着姚长义攒钱，只进不出，近半年时间就积蓄了一笔可观的钱财。看看快差不多时，有一次姚长仁突然对姚长义说："老二，我想盖房。"

姚长义一惊，说："哥，咱住得不赖，不是说不盖了吗？"

姚长仁说："我自己盖，不用你管。"

"你自己盖？"姚长义迷惑不解，"你从哪儿来这么多钱？"

姚长仁说："我借。自来到黄塔后，我一直住你的瓦房，但你却挤在那两间草屋里，让我很过意不去。咱孩子们渐渐大了，你该宽绰宽绰，我也该有自己的房，现在，咱都是有名望有身份的人，还弄得挺寒酸，叫人看不起，也影响生意，所以，你不盖，我自己盖，我盖好房后，把那三间瓦房腾出来，还给你住。"

姚长义心里"咯噔"一沉，想想最近出现的假药，劣质小磨香油，还有患者提出膏药不粘，贴到身上乱跑等现象，顿时明白是咋回事了。他无奈地叹口气，强作笑颜道："哥，我算服你了，你跟咱爹一个脾气，哥，我听听你想盖啥样的房子啊？"

姚长仁说："三间楼，一个药房，一个门楼，外加一道院墙，地方吗，就在瓦房的南头，老二，你瞧行吗？"

“哎呀!”姚长义惊叫一声,脱口道:“哥,你不是想跟我分家自己干吧?”姚长仁连忙接过话头,说:“唉,老二,这可是你提出来的,我可啥都没有说!”姚长义这时回过味儿来了,喟叹道:“对,是我提出来的,哥,我知道你跟着我受委屈,本来你就是哥嘛!一个槽上拴不住俩叫驴,咱不是一个脾气,分家就分家吧,哥,你同意吧?”

姚长仁笑笑,仰着脸说:“老二,我从老家来投奔你,一直靠你吃饭,现在你说了,我不同意也得同意呀!”

姚长义说:“这两年卖膏药,赚钱不多,又养这么多人,平时花费大,没余下多少钱,这你都知道,总之,家里有多少,你都拿去盖房,等房子盖好了,不潮了,咱再分开。”

哥哥姚长仁这时忽然觉得有些对不住弟弟,低着头动情地说:“老二,有些事我可能对不住你,但其实你也不该太死心眼。常言说,人敬有的,狗咬丑的,明摆着的钱你不去挣,人家不但不说你好,反而会看不起你,埋汰你,说你没本事,没能耐。你觉得低价卖膏药是行好,可人家都是以身为宝财如草,财散病除财还到,并不怕求医破财,相反,你把药卖贵点儿,人家会觉得你一分价钱一分货,千金才能求良方。老二,往后,你也要灵活点儿,钱要挣得巧,挣得妙,你看,前一阵膏药质量差点,不是照样卖出去,也治病了吗?所以,草无心不发芽,人无心不发达,爹都常说,用心不到不能富,计算不到不会发。”

五

姚长仁的新宅落成了,样子威武而排场,按黄塔村几位老人回忆时的描述,姚长仁的宅院大致上是这么一个样子:

一排三间平房,坐东朝西,冲着街面,是药店的门市,店名“继善堂”三个字,由浚县知事宋观民亲手所题;药店南侧,吊脚门楼高大豁亮,重檐迭脊,翼角飞举,脊饰仙人兽首,两旁放一对半人高的石头狮子;门洞左边挂一只鹿角,右边垂一只葫芦,朱漆大门上方,悬吊着姚长仁从汲县老家带来了“恩荣五召”匾牌;匾牌两边下面的墙壁上,挂两块条形木牌,上面雕刻着一幅凸起的黑字行草对联,曰:“医三山五岳病痛,集四海九州精华。”门楼南侧,一堵没人高的青砖花墙,行丈余远,拐着直角向东将大院围起来,院内青砖铺地,花池环绕,中央是一座秀丽的假山。宅院的主屋坐北朝南,是二三间高脊大瓦搂,瓦楼共有两层,曲形门窗,斗拱檐椽,出檐三尺,滴水是一色琉璃兽瓦。旁边东屋是加工膏药的作坊,开业那天,这上面的对联是:“拂去白云忙采药,引来明月静炼丹”,横联为:“遵古炮制”;瓦楼门旁的对联是:“救死扶伤人永健,除毒灭病岁长春。”横联为:“中医世家。”药店门口的对联是:“但愿世间人无病,何惜架上药生尘。”横联为:“济世活人。”店内的墙上挂着红布黑字横幅，上写："橱中广贮延寿药，堂上常坐济世医，经售地道生熟药材，自制精炼丸散膏丹。"

"姚长仁开业那天，请了许多有头脸的人去坐席，学堂里的先生也去了，把那些对联抄了下来，让我们小学生没事就背，所以，我现在还记得。"一位黑瘦的豁牙老头儿说，"那天我也去看热闹了，姚家请人在门前玩狮子，宋知事来剪彩，后来，姚长义和姚长仁突然吵架，宋知事后晌没走，调解他们兄弟俩的事。"

现在综合着看这件事，经过可能是这样的。

刚盖房的时候，姚长义熬完膏药，便过去给哥哥帮忙，但房子起到快一人高的时候，姚长义便看出了这栋宅院的规模。他从大致轮廓上预感到，哥哥盖的这幢院子的格局，越来越像老家小庙村父亲的"姚家楼"。那个弥漫着药味的灰色大院一闪现，姚长义的脑际便浮现出一个如同一节干树枝，每隔几天都犯一次羊角风的病女人。这个又疯又病的女人是父亲为姚长义娶的媳妇，在娶她之前，姚长义没有见过她，父亲说她是县城"豫光药财栈"靳老板的千金，娶了她家人赔送两千块大洋和四筐名贵的中药材。姚长义不同意，父亲就骂他，说医道你不学，药材你不认，站柜台光找错钱，是个啥也不会的饭桶，人家想嫁过来，是日他娘高看你。姚长义最终拗不过父亲，父亲就自作主张，定了拜堂成亲的日子。入了洞房以后，姚长义才看见媳妇原来是个头发稀黄，满脸枯皱皮，细脖驼背，胳膊腿又瘦又短的女人。这女人长得丑不说，没料到还有病。晚上吃饭时，突然端着饭碗倒在了地上，像一只没宰死的鸡满地乱攀腾，嘴里吐一堆如同豆腐渣的白沫儿。姚长义吓得在村外的庄稼地里坐了一夜，第二天就跟爹去县城找这女人的爹。不料病女人的爹却仰着脸说，我给你们那么多钱和药材，你还以为白送呀！我是叫你这"国手御医"的儿子给她治病。嫁出去的闺女泼出去的水，她是你媳妇，我不管。从此，姚长义就在这个大院里提心吊胆过日子，每隔几天都要经受一次这女人羊角风病的折磨。他不敢看她，不敢跟她说话，更不敢跟她睡觉。晚上，这女人蜷曲着干瘪的身子，像一只病猴子在床上昏昏沉沉，姚长义不想瞧着这团半死不活的物件，不想听她嘶哑的喘气，便抱着头在院子里苦熬长夜。那时，姚长义一刻也不想在这个家里待着，什么医道手艺，什么家业财产，什么爷爷爹爹，什么金钱银洋，让他伤心透了，腻歪透了。正是在姚长义心灰意懒、无计可施的时候，他认识了月霞。于是，姚长义结婚三个月后的一个黑夜，在哥哥姚长仁的帮助下，离开了这个令他心惊胆战、恐怖阴森的姚家大院。现在，想阻止哥哥改变模仿父亲那幢大院子的格局，已经来不及了，更何况，这是一件羞于启齿的事，姚长义实在不愿意再提起它。甚至连哥哥主动对他说那个病女人早死了，爹生前也总说在这件事上对不起他时，他只是"哼"一声，便主动岔开了话头。因此，随着姚长仁宅院的起升，姚长义的心里就愈加烦躁，等姚长仁的主楼要上梁时，姚长义就借故身体不适，钻在屋里，不想看见哥哥姚长仁从汲县老家把那幢令他厌恶的宅院搬到他眼皮底下，更不想用自己的双手在那上面增砖添瓦。

姚长仁的宅院落成了，里面泥抹的白灰墙也干了，并购置了柜台、药品和制药的工具。明天，他准备举行一个盛大的开业典礼，所以，前一天后晌，他去跟弟弟姚长义说，让姚长义明天来帮他的忙，并说县公署宋知事也来，一定要穿戴干净点儿。

这几天姚长义病了，不知什么原因，浑身软得像根面条，吃不下，睡不熟，躺着还累得不行，光觉得喘气不均匀。他从床上欠起身子，怔了一会儿，对姚长仁说："晚上，你来一下，我有点事想对你说，我知道，你这一阵忙，但你必须来一趟。"

姚长仁走了以后，姚长义忽然精神了，病好像是好了，他把月霞和三个儿子叫来帮他的忙，开始盘点剩余的药材。

月霞不明白咋回事，就问他这是干啥。

姚长义笑笑说："你瞧，咱哥弄得乌烟瘴气，咱还做啥膏药，叫他做吧。咱把货收拾收拾给了咱哥，从今往后就好生种地吧。我说这几天哪个地方不得劲，原来在这上头，让我才癔怔过来。"

刚才，姚长义叫哥哥晚上来，一是给他剩余的药材，二是告诉他膏药秘方配制中最后一味绝招。这味药不用买，在人身上，熬时放进去，才是真正的"狗皮膏药"，否则，膏药的颜色、形状和疗效均不算最佳。

吃过晚饭，哥哥还没有来，外面的风很凉爽，暮色也很浓，黑老鸹在西边的老榆树上呱呱叫唤。姚长义这几天一直没出院子，此刻心情忽然旷达起来，他披了一件夹袄，站到街面上，往南看看，见哥哥姚长仁大门楼旁边，有一帮人在七手八脚咋咋呼呼地栽一根两丈多高的长牌子。牌子树起来以后，正面正冲着街巷。虽然此时暮色很重，但由于牌子上有一排竖写的大字很工整，使姚长义还是看清了那上面的字迹：姚家国手御医祖传万应膏。在这行大字的下面，标着一个粗大的箭头，指向大门口。姚长义心里一颤，不由自主朝前走两步，想看看旁边的小字，却发现哥哥姚长仁抱着一块红绸布一甩手将牌子蒙了起来，并说："行了，就这样，明天宋知事来了再叫他揭彩。"

姚长义走过去，掀开红绸布的一角看看，见那上面的小字密密麻麻，写着主治的各类病症。姚长义正想仔细读，不料姚长仁在旁边开口了："老二，你看这块牌子咋样？在家里写时，看着挺大，可往街里一矗，就显得没那么招眼了，要不行，过几天再换个大个儿的。"

姚长义松开手里的绸布，回头冲姚长仁冷笑道："你这牌子不该这样写！"

姚长仁一惊，问道："咋不该这样写？"

"你这么写，好像这膏药是咱爷爷传下来的，这牛头不对马嘴的事，你不是明明说瞎话吗？"

"咱爷传给咱爹，咱爹又传给咱，还不是一样？总之这是姚家的祖传秘方，我这么写，一点都不为过！"

“啥姚家的祖传秘方？这膏药的来历，跟咱家一点儿关系都没有。”

“你咋这么犟，总是不承认咱爹偷教了你手艺，难道这膏药的配方是你自己弄出来的吗？老二，当着大伙的面，我不想说难听的话，走，你不是叫我有事吗，咱弟兄俩，到屋里好好说。”

姚长义想了想，说：“哥，那你答应我把牌子上的字换下来。”

姚长仁有些发火，但忍住了，说：“明天就要揭彩了，根本来不及了，更何况，牌子写得没错，也没有换的必要！”

姚长义急了，追问一句道：“这么说你是不换了！”

“不换！”

“那么，咱——咱明天瞧。”姚长义脱口吼道。

姚长仁大怒，冲姚长义气愤地说：“瞧就瞧，我看你能咋着？挂个牌子，咋写不行，好像这膏药是你自己发明的一样。我干点事，你不但不支持，还横挑鼻子竖挑眼儿。我是姚家的长子，跟爹学了一辈子的医，伸出个小拇指，也比你腰粗。老二，当哥的不是肮脏你，你从小吊儿郎当，不学无术，爹教你背《汤头歌》，你一年连读都读不通。你不懂阴阳五行，不懂八纲辨证；不知道啥是望闻问切四诊法，你还做膏药，装着很懂的样子，其实，你连‘用药七情’都不知道是啥，更别说‘十八反歌’和‘十九畏歌’了。你哥我才是门里出身的正宗中医。现在，你在这儿指手画脚，这不行那不行。你懂啥行？你哥我到黄塔村一上手，根本没你说话的地方。你还说明天瞧，我正想瞧瞧往后你咋卖药咧！”

姚长义头皮发麻，后退几步说：“哥，你咋说话这么狠？这么绝情？”

姚长仁歪歪脖子，说：“大家伙都在这儿，是谁先说明天瞧？明天瞧啥？你就是想给我下马威，咋？你想叫你哥我怕你呀？哼，老二，你看我势大了，看不下去了不是？这样反脸了正好，你哥我往后更能放开手脚大干一番了，明天我开业，你要来坐席，我欢迎，谁叫我是哥咧，要是你尥蹶子找事，我奉陪到底！”

回去以后，姚长义一夜没睡，想来想去，便于第二天上午，在宋知事为姚长仁开业典礼剪彩以后，当着众人讲了一个“死囚犯深夜弃秘籍”的故事。

当时，村里的许多人在场，至今仍有人清晰地记得，姚长义在中午的酒席上，突然站了起来，他慢条斯理地说：“各位客人，各位老少爷们，大家该吃吃该喝喝，边吃边喝时听我说个故事。这个故事就发生在咱们黄塔，是关于狗皮膏药的来历。原先我之所以一直没说过，是我觉得没有必要说，现在，我觉着有必要讲出来，证明狗皮膏药不是俺姚家的祖传，因为黑是黑，白是白，是是是，非是非，不能把张三的帽子戴到李四的头上，如果不这样的话，假的就永远变成真的了，世上瞎话就变成了事实了。”

六

“死囚犯深夜弃秘籍”的故事是这样的：

逃荒来到黄塔村的这天晚上，姚长义领着月霞和孩子，在村南酸刺岗上新搭的小窝棚里住了下来。夜晚，窝棚里的蚊子嗡嗡乱飞，姚长义借着月光，在乱草岗上摸索着摘了几颗苦艾，点燃着干树叶在棚里熏了熏，待月霞和孩子睡着了，他才蜷曲着身子躺下，但刚迷糊过去，窝棚外突然传来一声叫喊，好像说的是“里面有人吗？”姚长义打着个激灵坐起来，迷迷糊糊应了一声，棚口就“哗啦”飞进来一个东西，正打在孩子的头上，孩子便“哇”的一声哭了。姚长义很生气，叫道：“深更半夜你想做啥？”外面的人说：“好兄弟，东西你替我藏着，要是我不死，一定会回来取，这个地方我记住了，是浚县黄塔村南。”随后，一阵脚步声便远去了，紧接着，后面又跑来几条黑影，喊叫着朝那人追去。姚长义不知道发生了什么事，凭手感攥住那人扔进来的东西，感觉到好像是一本书。他拿到窝棚外，在月光下发现薄薄的纸页上写着字，但写的什么，却看不清楚。第二天黎明，姚长义醒来，才看清楚原来是一本用宣纸装订成的书，封面上标有“阿魏麝香万应膏”的字样。姚长义出身于中医世家，自幼对行医及药书不感兴趣。两年前，他之所以领着月霞弃乡而逃，就是想避开那个充满病态、死亡、古板、臭药弥漫，令人窒息，造成他心灵创伤的家庭。他鄙夷地将这个卷角发黄的破本弃至棚外，却被月霞捡了回来，她说：“人家不是还要回来取吗？你觉得这一钱不值，可人家说不定当宝贝咧！留着吧，回头人家来要，咋办？你给人家扔了，人家会跟你拼命的。”姚长义这才醒悟过来，因为，他知道喜欢医道的人钟爱这种东西如同珍惜自己的生命，这本秘方的继承者，不是在迫不得已的情况下，绝不会匆匆转给他这个素不相识的人托收。于是，姚长义决定不再继续往异乡漂泊，他不顾郭保长再三催撵，死死赖在黄塔村南头的窝棚里，悄悄等候着那人渡过难关之后，前来找他取走这本关于“阿魏麝香万应膏”的祖传秘方。但二十多天过去了，仍不见那人的踪迹。一天，姚长义去十四里外的半铺集讨饭，在寨墙上看到一张布告，他凑过去仔细看了看，见布告上说的是一个叫崔玉海的死刑犯，越狱后被抓获，于昨日午时被绞死正法。姚长义倒抽一口冷气，好像这个名字跟秘方后面的署名很相似，但由于当时没特别留意，记不清究竟是不是这个名字。他急忙返回黄塔，从窝棚的铺盖下抽出小本本一看，果然是“崔玉海”这个人。当时，姚长义和月霞考虑崔玉海不知死前是否告诉了他的后人，万一交代给了后人，那么，他们如果离开黄塔，崔的后人就无从寻找这本秘籍的下落了。为此，姚长义便在黄塔安家落户，长期等候这本秘籍的主人。黄塔村距姚长义的老家七十多里，他离家出走已经两年多了，现在距老家不太远，于是，为了生计，他独自回了趟老家。在一天夜晚，姚长义悄悄让村人把哥哥姚长仁叫出来，兄弟俩在村外的庄稼地里说了半夜话，哥哥便给了他一部分钱，这样，他又返回黄塔，盖了两间草房，买了一头牛，和月霞、孩子安安生生过起了日子。

半年以后，月霞的肚子渐渐大起来，开始，姚长义和月霞都以为是怀孕了，但又过了两个月，月霞肚里不但一点动静也没有，反而面黄肌瘦，腹胀如斗，饭量也渐渐减少，肚子还一阵阵发痛。姚长义领月霞去集上找医生看了看，说是腹内有痞块，便开了几副中药，回来吃后，一点儿也不见效，于是又换别的医生看，看后又拿了三帖膏药，贴了之后仍无济于事。这时，月霞的肚子胀得如鼓，腹部疼得在地上打滚，还伴有发热、呼吸困难、头晕等症，人瘦得只剩了一张皮，如果再不治，月霞眼看就不行了。急难之中，姚长义忽然想起了那个秘方，印象中好像是阿魏麝香什么膏。因为，在他去给月霞看病时，曾拿出三帖膏药，医生说是阿魏化痞膏，凭着直觉，姚长义觉得这个秘方肯定可以治疗痞块。于是，他抱着试一试的想法，从破筐里将那个皱皱巴巴的小本子翻了出来，从头至尾仔细看了一遍，发现这种"阿魏麝香万应膏"果然也治女子血块。在这本秘籍上，主人详细地记载了六十四味中药的名称，其中粗料四十二味，细料二十二味，一锅熬二十帖膏药，每味药需下料多少，每味药在什么时候下锅，火候如何掌握等，从准备药料到冷却后往狗皮上摊膏以及如何张贴，每个细节都讲得清清楚楚。为了医好月霞的病，姚长义借了一部分钱。按秘方所嘱，从集上把药材购齐，在灶火旁对着小本本细心地熬了一锅药膏，放到水里冷却以后，便摊在剪好的二十张碗口大的狗皮上。接着，他按小本本上所说的那样，分男左女右把膏药给月霞贴在右腰眼上，待过了一天一夜，月霞就觉得肚里咕咕作响，一天屙了三次大便，泄下许多脓样黏液。六天以后，姚长义按秘方上的规定，给月霞又换上第二帖膏药。三天后，月霞腹痛如绞，屙下一大摊黑紫的瘀血。肚子立即瘪了下去。晚上，月霞觉得周身轻松爽快，就向姚长义要饭吃。姚长义给她拿了两个菜饼，冲了一碗鸡蛋水，月霞一口气全吃了进去。显然，月霞的大肚子病被"狗皮膏药"治好了。姚长义大喜，为了巩固治疗，又将第三帖膏药给月霞贴了上去，过了几天，月霞面转红润，脚腿轻巧，身体已完全恢复如常了。一本秘方救了月霞一条命，使姚长义感慨万分，他把这本秘籍当宝贝一样珍藏起来，心里也多少转变了对医术的看法。月霞病好后，立即在黄塔引起了轰动，求药者蜂拥而至，于是，从那时起，姚长义便开始熬制这种名噪四方的"狗皮膏药"。

姚长义讲完这个故事，姚长仁"霍"地从酒桌旁站了起来，他哈哈大笑几声，说："你看，今天我开业，本来是好事，可是让大家见笑了，看热闹了，我真是觉得挺丢人，这说到底儿上，一是怨俺爹，怨俺爹养了个傻儿子，二是怨俺自己，谁叫俺有个混账不懂事的弟弟，大家别往心里去，俺家老二刚才说的都是胡言乱语，老二羞俺先人，辱俺祖宗，把俺爷俺爹传下来的膏药配方，硬编造成是一个犯人留下的，这叫我当长子的脸往哪搁呀！今天，大家都在场，我当哥哥的就替列祖列宗教训教训这个大逆不道、不忠不孝的二百五弟弟。”说着，姚长仁从脚上揪下一只鞋，便朝姚长义投去。

众人一片哗然，纷纷拉住了姚长仁和姚长义。

姚长义退到门口，红着脸说：“哥，你咋动手打人！我没别的意思，我只是想把事说清楚，你那牌子写得不对，这狗皮膏药的确是我从一个逃犯手里得到的，跟咱家的祖传没有一点关系。”

姚长仁光着一只脚在地上瘸着腿乱跳：“大家听听，他还死嘴赖牙，黄塔村的老少爷们，谁不知道我会做狗皮膏药。”

“那是你跟我学的，在你没来黄塔以前，我就做膏药，黄塔人谁不知道，不是我手把手教你，你咋会做膏药！”

“我跟你学的？”姚长仁冷笑一声，拐到屋里抱出一摞书，边往地上扔边说，“这是《素问内经》，这是《灵枢经》，这是《金匮要略》，这是《难经脉诀》，这是《本草四性》，这是《丛草集锦》，你见过吗？你懂经络吗？你懂脉象吗？你懂药性吗？你说你教我熬膏药，那么，你当着众人的面，给我背背‘十九畏歌’，你背呀！”

姚长义站在地上，脸上一阵苍白，嘟囔道：“我照着配方熬药就行了，背那玩意儿有啥用！”

“听听，真是天大的笑话，制药哪能不懂‘十九畏歌’哪？我知道你就不会，那你听着，叫恁哥教教你！”姚长仁拍着手掌，振振有词念道，“硫黄原是火中精，朴硝一见便相争；水银莫与砒霜见；狼毒最怕蜜陀僧；巴豆性烈最为上，偏与牵牛不顺情；丁香莫与郁金见；牙硝难合京三棱；川乌草乌不顺犀；人参最怕五灵脂；官桂善解调冷气，若逢石脂便相欺。大凡修合看顺逆，炮炼炙制莫相依。老二，以后好好学学吧，你先做膏药是不假，因为咱爹传给了咱俩，黄塔人都有眼看着，不是我来了以后，咱的膏药才名声大震了吗？现在你胡说八道，糟践爹的医道，趁宋知事也在，吃完饭，我非跟你打官司不可，看到底谁是谁非！”

于是，下午宋知事就没走，在姚长义的瓦房里调解姚家兄弟俩“狗皮膏药”究竟是否姚家祖传的纠纷，当时，院子里站了许多人看热闹。

姚家兄弟为宋知事父亲治愈过病，而宋知事又为姚家立过“仁义巷”牌坊。现在兄弟俩却闹矛盾，因而使宋知事脸上很无光。姚长义不收宋知事赠送的两千块大洋，使宋知事觉得姚长义挺仗义；姚长仁给宋知事父亲推拿过身子，后来又让他题字，上午还邀他剪彩，使宋知事觉得姚长仁这人很有情分，因此，现在宋知事不知道哪头轻哪头重。所以，在调解时，他让姚长义和姚长仁分别拿出证据，来证明自己的秘方是出自死囚犯之手或姚家祖传。姚长义的证据是那个用宣纸装订的小破本，但那个小本本，却不能往外拿，因为让大家一看，就泄了密。如果泄了密，传出去，家家户户都会做膏药了。所以，姚长义说：“我的证据是那个小本，但那个小本不能让任何人看。”

姚长仁也拿不出证据,但姚长仁却说:"我有'恩荣五召'的牌子,是过去直隶总督光禄亲手所题。光禄大家都知道,我出生于中医世家,爹传给我做膏药是很自然的事。"

一个说是死囚犯留下的,一个说是祖宗传的,但都是空嘴说空话,没有任何一张半字的证据,因此宋知事只好睁一只眼闭一只眼和稀泥。他把姚长义和姚长仁各开导一番,最后说:"常言道,兄弟俩吵了架,还是一个藤上瓜,小时是兄弟,长大各乡里,你们既然分了家,往后就各人干各人的。若要兄弟贤,明算伙食钱,谁也别掺和谁的事。更没有必要争求秘方是哪里来的。你们各做各的膏药,互相比试比试,谁的真,谁的假,不就比出来了?现在你们吵吵嚷嚷,能争出个啥高低呀!好了,往后你们别叫大伙看笑话了,安安生生把自己的膏药做好,老百姓眼里自然会有一杆秤的。"

七

前些年,姚长义开始在黄塔熬制"狗皮膏药"时,并没有提及自己的身份或药方的来源。这几年,自他的哥哥来到黄塔后,人们才知道姚长义出生于祖传的中医世家。如果说这样的人一点儿医道都不懂,恐怕没人相信。然而,在哥哥姚长仁开业剪彩的酒席上,姚长义连"十九畏歌"都背不上,他那尴尬窘迫、当众出丑的样子,实在叫黄塔人脸上害臊。因此,人们对他突然编出的那个"死囚犯深夜弃秘籍"的故事,更觉得耸人听闻。从前,使用过他膏药的人,从心理上不愿意接受自己或亲友病愈得益于一个死囚犯的事实,他们愿意说这是姚家祖传的秘方使他们起死回生。因为耳听为虚眼见为实,大家看见了从前总督光禄亲题的"恩荣五召"匾额,给皇帝治过病的后代如今能为大家妙手回春,是患者的荣誉和福气,而究竟治病不治病,有时倒成了其次。

"空口无凭,有字为证,小孩子都知道这个,可姚长义信口开河,瞎编了个故事,肮脏自己的老祖宗,真是坏了良心。"

"其实,想跟哥哥斗,用不着这样,宋知事说得对,管膏药是谁的配方呢,弟兄俩各人干各人的,各人挣各人的钱,没必要毁坏人家的名誉。"

"原先,只长义一人卖膏药,没人争,他哥哥来了,比他厉害,又是长门,所以才眼红,才出了这么个馊招。"

"从前,看姚长义怪仁义的,想不到,这人面善心恶!"

"日娘,仁义巷里不仁义,瞧吧,瞧这弟兄俩闹到哪儿是个头吧!"

原本想维系"狗皮膏药"秘方的正宗,但到头来却落得个满身臊气,是姚长义始料不及的,他的威信像秋天的落叶那样在地上任人踩踏。从前,村里人见了他都是

主动向他打招呼，而现在，他主动对人家笑，人家只是点点头就赶快走开了。姚长义不知道自己错在什么地方，不知道咋就突然得罪了这么多的人。那天，他讲的都是真话，说的全是事实。从前他之所以没有向公众说，是因为他没有机会说，没有必要说；是因为他压根儿就没有想用这个来路不甚正当的秘方做膏药；不想当自己压根儿就不感兴趣的大夫或郎中。他是被患者逼迫着无意之中走到这条道上的，只要是药治病，只要是为大家办好事，药方从哪里来无所谓，因为人们也没有过于操心打听，他也就没有过早张扬这种“狗皮膏药”的来历。而现在才说出来，却是哥哥逼的，哥哥不该打祖宗的牌子，不该说瞎话欺骗大伙，黑是黑，白是白，买个龟孙膏药，实在没有必要颠倒黑白。哥哥你想做生意想发财，没有必要挂那个驴唇不对马嘴的招牌。宋知事让兄弟俩比赛着竞争，姚长义更觉得没有必要。长兄如父，情同手足，自家人争什么呢？何况哥哥姚长仁并没有把秘方全部学到手。弟弟姚长义想告诉给他，可他总是那么执拗，那么专横，不给他说话的机会。姚长仁去做那种半真半假的膏药，咋会有人买？咋会赚钱发财？姚长义想到这里，不由笑了，他想：哥，你真是聪明一时，糊涂一世，老二我本想不干了，把膏药全推给你弄，可你非得往死胡同里撵我。

此时此刻，姚长义不想再说更多的话。他找来村西王木匠，潦潦草草做了个木头牌子，让在学堂念书的大儿子瑞生写了一行“正宗狗皮膏药”几个字，便栽到了小院门口的街边上，然后便精益求精地熬制膏药。但一个月过去了，他发现，自己的膏药越卖越少，有一天只卖出了三帖，而哥哥姚长仁门前，却整天车水马龙，人来人往，忙碌得就像赶集。这时，姚长义才猛然间意识到哥哥当初为何固执地不同意换牌子了，为何非要盖瓦楼和药店了。原来，“正宗”不如“祖传”，药好不如势大。姚长仁隆重开业以后，一切都按从前他跟弟弟姚长义建议的那些计划实施。他雇了两个长工，三个学徒，既加工药材，又兼制丸、散、片、酒等药剂，还在楼上设了十张病床，接待需要住下治疗的病人。在膏药生产中，由于他不知道熬制时须加人体上那味药，所以他熬出的膏药不黑不亮。开始，他以为是火候未掌握好，但经过多次实验，才怀疑很可能是弟弟当初给他留了一手。于是，他更加气愤，跟弟弟断绝了一切来往，就这样稀里糊涂地熬下去。再加他总想赚取丰厚的利润，不久便将狗皮换成了羊皮，减少麝香等名贵中药的数量，取消了几味他认为是药性相同的药料，熬药的时间也变换不定，啥时有空就让老婆烧火。虽然他熬制的膏药质量很差，但由于他医道高深，能说会道，膏药也成形，而药料减少后又降低了成本和价格，再加门面威武，广告醒目，又是姚长义的哥哥，药店的位置又在村头，所以，提起姚家的狗皮膏药，人们都以为两家是一家。此外，姚长义和姚长仁吵架之后，人们都知道姚长义连“十九畏歌”都不会，而姚长仁医术精湛，功底深厚，相比之下姚长仁的威信急剧上升，所以，患者大多数进了姚长仁的“继善堂”，而姚长义家“正宗”的“狗皮膏药”，却逐渐被人冷落了。

弟兄俩分家有了矛盾以后，双方的子女也分成了两拨。姚长义有三个儿子，大的叫姚瑞生，二的叫姚瑞民，三的叫姚瑞光。姚长仁有一女二子，大的是闺女，叫姚瑞芹，大儿子叫姚瑞财，二儿子叫姚瑞金。没分家之前，姚长仁和姚长义哥弟俩从外地请了个私塾先生，教几个孩子在一起读书识字，现在闹崩后，先生走了，于是，这些孩子岁数大的在家跟父亲熬药或种地，岁数小的则到八里外的董庄小学堂继续念书。姚长仁的生意红火，姚长义的膏药卖不动，这让姚长义十岁的大儿子瑞生看不下去，于是就找茬跟姚长仁的儿子斗气甚至打架。

有一天傍晚，瑞生和弟弟瑞民在村东放羊，看见大伯家的老二瑞金从董庄放学回来，就截住了他。瑞生说："你爹忘恩负义，不是东西，你说，你爹是不是东西？"瑞金比瑞生小两岁，比瑞民大三岁，他长得又瘦又小，头发稀黄，再加生性懦弱，所以见比他高一头的瑞生气势汹汹，就吓得不敢吭气，想低着头绕过瑞生走。瑞生和瑞民肩膀一并，挡住了他的去路："要想走，就替你爹从俺腿裆里钻出去，瑞民，给你瑞金哥支个架。"

于是，瑞民就在前面叉开了腿。

瑞金恐惧地看看五大三粗的瑞生，小声说："哥，俺爹是俺爹，俺是俺，俺也没惹过你，你为啥找俺的事？咱俩，原来不是挺好的吗？"

瑞生说："日娘，从前是从前，现在是现在。从前，你们从老家逃难过来，是俺爹收留了你们一家，俺爹还教会了你爹熬膏药。现在，你爹不是把俺爹的饭碗抢走了吗？这还不算，俺爹叫你爹换几个字，想把本事都教给你爹，可你爹理都不理，你是他儿，得替他给俺爹赔罪。好了，闲话少啰唆，你是钻还是不钻吧？"

瑞金见瑞生攥紧的拳头和那张黑脸，就吓得从瑞民的裤裆下爬了出去。这件事，瑞金后来偷偷跟姐姐瑞芹说了。瑞芹大怒，有一次见瑞民自己在村头放羊，就提了块半截砖，带着瑞金把他截住了。

瑞芹说："龟孙瑞民，俺爹药房开张时，你爹在俺家酒席上闹，说咱爷的秘方是死囚犯给他的，非得叫俺爹改牌子，把俺爹气得半死，今天你得替你爹受罚。"

瑞民比瑞芹小六岁，见她手里拎着个半截砖，还有瑞金在场，就胆怯了，说："是俺哥叫瑞金从我裆里钻，又不是我干的。"

"废话少说！"瑞芹举起半截砖对瑞金说："给你弟拿个羊屎蛋，叫他尝尝是啥味！"

瑞民怕挨砖头，就吃了一粒羊屎蛋。

回去后瑞民给哥哥哭着说，于是瑞生便设法再报复瑞芹、瑞财或瑞金。这样闹来闹去，打来打去，从未停止过，但双方的大人姚长仁和姚长义，一点儿也不知道。

八

收完小麦后的一天傍晚，姚长义从地里锄完落参苗回来。因为最近农忙，熬出一锅膏药，半个月还卖不完，所以，他把精力都集中在种庄稼上了。进了家门，姚长义见月霞在当院和一个四十多岁的汉子红着脸说话，就放下钩锄，问咋回事。月霞就指着这汉子说："他买了三帖膏药，说是咱家的，贴到身上到处跑，也不治病，非要退掉或者再换三贴，我看了看，这膏药根本不是咱做的，我叫他去南院，他去后，又回来了，说南院也不承认，这不，非要咱给他换。"

姚长义接过膏药，撕开一看，见又稀又黄，闻闻味也觉得不对，用手搓搓皮面，原来用的却是羊皮。他皱皱眉头，问这汉子道："是你来买的膏药吗？"

汉子说："不是，是我托朋友给孩子娘捎的，朋友跑外做生意了。我叫他从黄塔买膏药，据说黄塔做膏药的是兄弟俩。那家不承认，就一定是你的了，你们做这种膏药不治病不说，还弄得铺盖上到处都是，咋洗也洗不掉，这不是糊弄人，骗人钱财吗？"

姚长义安慰他几句，想了想，从屋里拿出三帖膏药，撕开让汉子看看，说："你瞧瞧这膏药，质量能一样吗？你啥也别说了，我给你这三帖膏药，你回去贴了，就别再声张了。"

汉子走后，月霞埋怨说："咱哥卖那种赖膏药，故意朝咱身上推，你不但不恼，还帮他遮丑，哪儿有你这样的冤大头！"

"咋说他都是咱哥。"姚长义默默吸着烟，想想说，"不过，我得过去跟他提个醒，他现在咋把膏药弄成这个样子了？再这样下去，坑人不说，这膏药非毁在他手里不可。"

吃过晚饭以后，姚长义走进了哥哥姚长仁的院子。这是他自跟哥哥翻脸后第一次进这栋宅院。

当时，天已经黑了，但在"继善堂"的药房里，姚长仁仍在点着灯坐堂行医。在他的身边，围了四五个求他看病的患者。姚长义绕到药架后面，走进里间的药房，看嫂子正在归拢新熬出的膏药。他跟嫂子打过招呼，嫂子就出去叫姚长仁了。趁这个工夫，姚长义顺手拿过一帖膏药，撕开看看，又闻了闻味道放下，正要拿第二帖的时候，姚长仁就掀开门帘进来了。

姚长仁说："稀罕，老二，你可是第一次来我家，咋？准有啥事吧！"

姚长义说："哥，咱分开半年了，有些事我想给你说说。"

姚长仁说："这么正经干啥，再吵再闹也是亲兄弟，你哥我不记仇，有啥事就直说吧。"

“哥，傍黑的时候，有个人拿着你做的膏药来退换，你说是我做的，我就没吭声，给人家换了。”

“有这事？我在看病，不知道，可能是跑堂的伙计瞎支应人家，老二，这可不怨我。”

“我不是这个意思，我是说你做的膏药麝香不足，还缺几味料，熬得火候不对，用的也不是狗皮。”

“不错，那又咋样？”

“哥，这样有失信誉，将来会把自己的路堵死。”

姚长仁指指门外，笑笑说：“老二，你看天黑了，外面还有人等，白天，这屋里的人成疙瘩，他们都是自己来的，这叫周瑜打黄盖，一个愿打，一个愿挨。”

姚长义说：“正因为来你这儿买膏药的人多，影响面宽，所以更应该把咱的膏药弄好。”

姚长仁瞪瞪眼，不解地说：“咱的膏药？”

姚长义说：“难道不是吗？你大门口的牌子，不是明明写着‘姚家祖传御医万应膏’吗？你我都是姚家的子孙，难道卖的不是咱姚家的药吗？”

姚长仁沉默片刻，皱着眉说：“直说吧，你这是啥意思，想干啥吧！”

姚长义说：“其实，你心里明镜似的，明知道这膏药不是咱姚家的，因为如果是姚家的，爹绝对传给你，不会传给我。现在，你打着祖传的旗号，粗制滥造膏药，才是真正败坏咱祖宗的名誉。哥，我还是那个要求，把姚家祖传御医这几个字抠掉吧，这明明是骗人嘛！难道，不标姚家祖传那几个字，就做不成生意了吗？”

姚长仁急了，说：“哎呀，老二，你去街上随便拉个人问问，谁不知道姚长义胡说八道诬蔑姚家祖宗，硬说秘方是一个死囚犯留下的。你真是咬住屎橛打滴溜，在我开业那天，你当着那么多的客人臊我的脸，给我架败兴。常言说，若要义，哥做弟，若要好，大做小。所以，我一直委曲求全，知道你不懂事，就不跟你一般见识。可现在，你还想来找我的麻烦。今天我明明白白告诉你，我就是靠这几个字赚钱。抠掉？石狮的屁股——没门！再说啦，即便这个膏药真是死囚犯留下的，我这样写了，大家也都信，信就是真的，不信就是假的，到最后，大家还不知道说咱俩的膏药，谁是真的谁是假的咧！”

姚长义说：“你把这几个字抠掉，我把那最后一味药告诉你，你正正经经做药，治病救人嘛，咱是亲兄弟，谁干都一样，加上那道药以后，你的膏药就灵验了。可现在，你的膏药又稀又黄，不成样子，咋拿得出手呢？”

姚长仁挥挥手，将脸扭到一旁说：“你留住自己那一手绝招吧，千万别告诉我，何况我也不想知道。你熬你的黑膏药，我熬我的黄膏药，我标我的祖传，你写你的正宗，我说我的爷我的爹，你说你那个死囚犯，咱俩井水不犯河水，大路朝天，各走半边，像宋知事说的那样，摽着劲比一比。你看现在混不下去了，想洗手不干，别介，我等着你那好膏药把我这赖膏药震下去咧，要不，你哥我没有对手就干得没劲了。”

姚长义惊讶地看着哥哥，脸涨得通红道：“哥，我这是诚心诚意来帮你，想叫你把膏药做得真，做得好，做得地道，想把我的饭碗全端给你，可你咋说这样绝情绝义的话！”

姚长仁说：“老二，我不用做真，也不用做好，更不用做地道，我就这样马虎潦草、稀里糊涂地瞎做。现在我把狗皮换成羊皮，等过些日子我不高兴了，还会把羊皮换成白布甚至牛皮纸。现在我少几味药，将来我还会再少十几味药，膏药劲小了，病人需要多贴几副。从前你规定三副一疗程，现在我规定五副一疗程，病人多贴几副，我就多卖几个钱。膏药如果不治病，但不是毒药，即便是毒药，不需入口，所以也药不死人，坏不了事，出不了人命，犯不了法。老二，你哥我就是这个脾气，不择手段，不放过任何机会，钱财从我眼前过，我决不会让它打个漂白白走了。所以，那味药对我来说是大年三十拾个兔，有它没它我都要过年，你留着做真膏药、好膏药、地道膏药吧！”

姚长义后退一步，哆嗦着嘴唇说：“哥，我咋好像不认识你了，你咋变得这么生分，从前你不是这样，难道，因为一个膏药，你就不当我哥了吗？”

姚长仁吐口痰说：“你才发现我不像你哥，其实，你哥我一直都是这个样子！”

“不，哥，你从前不是这样！从前你豪爽义气，帮我从家里逃走，还出主意成全我和月霞，我来到黄塔，过不下去时，回老家找你，你还给我钱，哥，你疼我，同情我，可怜我，我永远也忘不了你对我的恩情！”

姚长仁沉默片刻，突然说：“看来，我不断了你的念头，你往后会永远缠住我不放。好，老二，我就实话告诉你，你哥我一直都是个吃独食的人。你娶了个病媳妇不如意，后来相中来抓药的月霞，我撺掇你带她跑，是想你走了以后，我自己好独占爹的财产。那天夜里，我给你的蒙汗药，其实是假药，想让你偷月霞不成身败名裂，永远在家无法做人，分家时我好找借口多得一份，不料你小子走运，竟把月霞带走了。后来你回老家找我，我怕你回家分爹的财产，才给了你钱不让你回来。老二，就是这样，往后，你只当没有我这个哥，死了那份心，别再跟我哥长哥短，找我的麻烦。”

“你——”姚长义浑身战栗，恐惧地说不出一句话来，他踉踉跄跄跑出了姚长仁的药房，多年前的那幕情景，顿时浮现在眼前。

九

多年以后，姚长仁和姚长义先后相继去世，月霞变成了一个白发苍苍的老太婆，每当吃罢晚饭的黄昏，她总是拧着颤悠悠的小脚，拄一根拐棍走到家门前的井台上，然后坐在半堵墙根下的石槽上，裹着干瘪的露风嘴巴唠叨从前的往事。其中有一部分，是关于她男人姚长义的。在她说古时，旁听者有大人，也有小孩。对于姚长义从汲县老家带她跑出来的这段经历，黄塔村有些老人是这样说的。

初秋的一天后晌，月霞去小庙村"姚家楼"抓药，走到村头时，天上忽然下起了雷阵雨。月霞冒雨跑进姚家"宗善堂"药房，全身被淋得精湿。当时，姚长义在药房帮哥哥往药柜里装药，见有个满身雨水的姑娘闯了进来，就看了她一眼，这一看，竟把姚长义看呆了，因为，月霞头发、衣裤全湿了，紧紧贴在身上，使她身体的部位挺显露。月霞的脸红扑扑的，一层水汽在上面闪光，黑亮黑亮的大眼睛上，睫毛密丛丛的，像长满芦苇的湖水里含着一颗大珍珠；她的胸脯很高，乳房挺挺的，像一对肥实实的鸽子藏在湿衣裳里；卷起的裤腿，露着白生生像藕一般的小腿肚；她的个儿高高的，皮肤细腻，她用手拧拧长辫子上的水，水珠就顺着她细嫩的手指往下滴。不知为什么，姚长义这时不由自主地拿出一条毛巾，给她递了过去。她接过来，擦了两把，笑着对他道了一声谢，姚长义就看见她脸上的一对酒窝和小嘴里的一只小虎牙。姚长义心里嗵嗵跳两下，便想起了那像烂白菜帮似的羊角风病媳妇。月霞抓完药走了，姚长义就问哥哥这个闺女是谁。哥哥姚长仁说："这闺女是孟庄的，叫月霞，她娘半身不遂，已经抓过好几次药了，她家拿不起钱，每次都是赊账。"姚长仁说着，看姚长义一眼，"你打问她干啥？老二，你见人家闺女长得俊，可别瞎胡来呀！"

姚长义笑笑说："哪里话。"过了几天，月霞又来抓药了，正巧哥哥不在。姚长义给他拿药，拿后她要签字记账，姚长义就说："算了，我把你原来的账也抽掉算了。几副药钱对俺家来说不算啥，但对你家，可能就很了不得。"月霞惊叫道："这咋行，俺家虽穷，可抓药也得给钱呀！"姚长义不理她，把欠单两把便撕毁了。连着几天，姚长义有事没事，总在药店泡着，但一直不见月霞来抓药。一天后晌，爹让姚长义给他去八里外的集上买烧鸡，回来后，哥哥悄悄把一个烟荷包交给了姚长义，说："后晌，月霞来了，让我把这个交给你，再有两天，她就要出嫁了，往后，抓药有她弟弟来。看那样子，她好像哭过，眼肿得像烂桃。老二，你咋勾引招惹人家闺女啦？"姚长义接过烟荷包嗫嚅道："哪儿的事呀！"哥哥姚长仁说："我知道你把她的欠据给撕了，老二，你那点儿小心眼，还能瞒住你哥，你哥是过来人。"姚长义转过身，嘟囔说："人家闺女家穷，帮帮就咋啦，看你想到哪儿去了。"姚长仁走过去，拍拍姚长义的肩膀说："我再告诉你一件事。月霞是嫁给她村一个财主做小妾，那个财主我见过，五十多岁，胖得像老母猪，长个酒糟鼻子。""啊！"姚长义惊叫一声说，"日娘，这不是肮脏人！"姚长仁笑笑说："老二，我看你在家弄个疯媳妇，整天挺受罪的，看得出，你是喜欢月霞这闺女了。你要有啥想法，就不妨跟我说，你哥我会帮你的。"第二天，姚长义精神恍惚，出来进去坐卧不安，总有一对酒窝和一只小虎牙在眼前晃荡。晚上，他攥住烟荷包，听着那病媳妇半死不活的喘气声，似乎看见月霞在一个糟老头的怀里或撒娇或抽泣。他揪住自己的头发痛苦不堪，第二天实在憋不住了，就向哥哥姚长仁说了实话。姚长仁想了想，就给他出了偷走月霞逃跑的计划。当时，姚长义有点害怕，说："事先没一点准备，人家也不知跟不跟咱，要是出了事咋办？"姚长仁说："现在，你想要她，只有这个办法。明天，人家就出嫁了，你想呀，月霞是个俊俏的黄花大闺女，哪里想去跟人家做小妾？她给了你烟荷包，说明对你有意咧。事先没有通气，这不要紧，我给你一瓶蒙汗药，今晚半夜，等她睡熟时，你偷偷撒到她脸上，把她扛出去，先找个地方把她日了，生米煮成熟饭，然后带着她远走高飞，你不就脱离咱家这个苦海啦！"姚长仁为他描绘了一幅幸福美好的前景，使他心潮涌动。他沉思片刻，咬咬牙说："行，管它是吉是凶，不试试咋知道，日娘，我豁出去了，不出走是受罪。"姚长仁说："下午，你去孟庄认认她的家门，看好地形，我回头给你带上一些钱，准备好蒙汗药。"姚长义很激动，一把抱住姚长仁，哽咽道："哥，我若日后得到月霞，决忘不了你的恩情！"

半夜时分，姚长义喝了半斤白酒，被哥哥姚长仁送出"姚家楼"。他一路趺趺绊绊到了孟庄，悄悄潜入月霞睡觉的小东屋，按哥哥的吩咐，用指尖蘸着蒙汗药水，朝沉睡的月霞面部掸了一遍，待片刻后轻轻推推她，见她没有了知觉，便舒起双臂，将月霞扛在肩头，冒着漆黑的夜，深一脚浅一脚地沿着淇河大堤向北跑去。姚长义借着酒劲，扛着昏迷的月霞，慌不择路地一口气窜出了十多里地。渐渐地，姚长义体内的酒力过去，再加肩头压着一个人，于是脚下又软又斜，如同踏着一片软棉花。他实在支撑不住了，就咕咚一声歪倒在一片高粱地旁，月霞也随之滚到了地上。姚长义喘口气坐起来，见月霞平躺在草丛旁，一点儿声息也没有，心中大骇，怕是蒙汗药下得太多，把她弄死过去了。不料，月霞突然伸出一只手将他的手抓住，姚长义惊叫一声，吓得坐在了地上，又惊又喜道："娘哎，你原来没有死啊！"月霞用另一只手勾住他的脖子，柔声道："你个傻小子，不知从哪儿弄的假药水，一点事都不顶。""这么说，你都知道，那害俺背了你半夜？""俺就是要罚你背，看你有多大劲，对俺诚不诚，能背俺多远！""月霞，你愿意跟俺跑，往后，你就是俺祖宗。"从此，姚长义和月霞相依为命，一路向北逃亡。他们白天沿街乞讨，夜里就在破庙或墙角里栖身，最后在汤阴县一个叫王马湖的村子里留了下来。第二年，他们生了个儿子，后来，王马湖春旱，庄稼种不上，他和月霞就领着不满周岁的儿子，一路朝东南讨荒，最后沦落到了浚县的黄塔。

从哥哥姚长仁家里踉踉跄跄跑出来，姚长义突然病了，发烧，呕吐，说胡话。有时正睡时，突然坐起来吼："狼来了！狼来了！"或者叫："俺哥死了，快去瞧瞧！"月霞过去按倒他，像哄孩子似的坐在他身边，说："昨天还好好的，咋突然病这么厉害，昨夜你去找咱哥，他是不是跟你说啥话了？"

姚长义叹口气，躺下来说："没说啥，没说啥。"少顷，他扶着月霞的手，泪流满面地说："月霞，你说咱俩命好不？"

月霞说："都过去的事，还提那干啥，都三个孩子了，老大瑞生都十岁啦。"

姚长义说："月霞，要不是你，我不知道啥是女人，啥是享福呀，是你救了我啊！"

月霞说："是你救了我，要不是你把我偷抢出来，我跟上那个糟老头儿，得受一辈子煎熬。"

姚长义说："生死有命，富贵在天，咱俩攀扯到一块，真是天意。"

月霞说："咋好好说这？云天雾地的，叫人摸不着头脑。"

姚长义坐起来，吸了几袋烟，朝窗外看看说："恩恩怨怨，是是非非，真真假假，都没有啥，谁想叫谁咋，谁不一定咋。谋事在人，成事在天！等我病好以后，我把膏药试着变个法弄起来，叫老大瞧瞧，老二我这一辈子是不是非得垫在他屁股底下！就跟我当年去偷你一样，不咬着牙去试试，谁知道是吉是凶是福是祸是成是败是好是坏呢？"

十

过年前的半个多月，黄塔村来了一个写梅花篆字兼画中堂的。这是位敦实的中年汉子。他挎了个小包袱，拿着一卷红、黄、白纸。到了村南的大榆树下，这汉子解开包袱，把画笔墨盒酒盆及各色颜料摊开，将纸铺到地上，操一柄用榆木片剔成的排笔，先蘸过酒，再在两边的刷子尖上蘸了各种颜色，然后魔术般地在纸上写字作画。他在红纸上写春联，写福字，所有字的点、横、竖、撇、捺均由飞燕、蝴蝶、蜻蜓、小鸟、蟾蜍、蝈蝈等变形的图案组成，之后又用黄纸和白纸画关公、灶王爷、诸神仙图。为了显耀自己的手艺，他在一张白纸上，唰唰几笔画了一穗开包的玉米，上面爬着一只蝈蝈。此画惟妙惟肖，神态逼真。画好后，他拨开人群，将这幅画摆在街边上，拿四个砖头压着。少顷，一群鸡走来，竞相叼啄白纸上的玉米穗和蝈蝈。看热闹的大人和孩子被他精湛的技艺所倾倒，一个个不停地叫好，纷纷拿钱或粮让他写春联或作中堂画。姚长义抄着手，一直在看他作画。快中午时，求画者少了，姚长义将这位汉子叫到家中，拿白菜粉条炖肉招待他。吃完饭以后，姚长义领他站在门口，指着旁边的大榆树说了很长时间的话，过后又比画着看门前那块"正宗狗皮膏药"的小牌子。

这汉子在姚长义家过新年，姚长义好吃好住招待他，令他十分感动。按姚长义的吩咐，他先设计了一个"大榆树牌"图案，画了个高三丈、宽五尺的标牌，拿红、白、黄漆涂面，用梅花篆字书写了大如簸箕似的"大榆树牌正宗狗皮膏药"几个字，完成这些事之后，他便在姚长义做出来的狗皮膏药背面，每一张都画上"大榆树牌"图案商标、姚长义的名字及所治病症。

新年过后,春寒料峭。姚长义让月霞和三个儿子守在黄塔村的四个路口,凡是遇到要饭的、说书的、唱坠子的、玩把戏的、跑货郎的、耍拳脚的、锔盆钉锅的、拉洋戏片的、劁猪的、玩猴子的、踩高跷的、算卦的、相面的、吹响器的、剃头的、钉鞋的、割脚的等走街串巷的生意人,全部接到家里管吃管住,然后叫他们在自己家门前支上摊子,无论有没有人观看,或有没有生意,姚长义一律给工钱。如此这般折腾了五天,姚长义见院子里三教九流、走乡串街的等跑江湖者已人满为患,便准备挂牌营业。

正月十八这天,是个晴朗的好日子,春风轻轻拂过街面,太阳暖洋洋的,被邀请来的外乡人自南到北在黄塔街摆成两排,有手艺的耍手艺,无手艺者看热闹,熙熙攘攘,人声鼎沸。中午时分,一阵鞭炮炸响,五班响器队唢呐锣鼓齐响,一队跑马上杆的艺人,爬上长杆,吊起那块巨大的"大榆树牌正宗狗皮膏药"。此牌被一帮要饭的左右把握住,牢牢地栽到了姚长义的小院门前。除黄塔村的街坊外,一些外乡人也来看热闹。中午,姚长义让人熬了三大锅大烩菜,买了两车蒸馍,只要有碗不管是谁都可以舀着去吃。这便是民国二十二年以来,黄塔村正月十八庙会的起源。

黄塔村的老人们说,从这时起,每年这天四周做生意的人便不约而同来到街里,开始只为纪念"大榆树牌"膏药上市,白吃姚长义的大烩菜,后来便演变成了凑热闹做买卖。

后晌,姚长义把这些从各地邀集来的流浪者打发走了,走之前他给每人赠送一条画有"大榆树牌"图案的毛巾,发给三帖"大榆树牌"膏药,并言明此膏可以自己使也可以送亲友也可卖给他人。这些艺人、要饭的或跑生意的长年流浪在外,四处奔波,很快就将"大榆树牌"狗皮膏药传遍各地。写梅花篆字的汉子走时,给姚长义刻了一枚图章,用一块桃木制成,上面印有"大榆树牌"商标图案、姚长义的名字和所治病症。姚长义再生产出膏药时,就用这枚图章在狗皮的背面打上戳记。

由于姚长义的膏药质量好、疗效高,再加各地江湖艺人的传播,因此,远远近近的人们只要是来黄塔买膏药的人,只认准"大榆树牌",对别的一概不买账。

一张废弃的"大榆树牌"膏药皮放置在姚长仁的案头,他呆呆地坐着,已经一天没吃东西了。近一阶段,他的生意冷清而寡淡,虽然买膏药者须路经他的"继善堂",但人们却视而不见,都长驱直入地去买姚长义的"大榆树牌"狗皮膏药,真真应验了那句"好酒不怕巷子深"的老话。姚长仁几乎是在一夜间被姚长义揪下马来的,他目睹了弟弟姚长义膏药由滞销变畅销的现实,觉得老二无非是耍出了个"牌号"和"造声势"这两个花招。姚长仁看着姚长义的商标图案,冷笑一声,旋即便有了主意。

姚长仁请来个画匠,给他面授了"比着葫芦画个瓢"的机宜。画匠很快就设计出了一个"大槐树牌"商标图案,形状跟大榆树差不多,其中的"槐"字和姚长仁的"仁"字,故意模模糊糊,似是而非,以混淆"大榆树牌"和"姚长义"的名字。商标制好后，他便开始熬膏药，由于缺一味药，熬出的膏药不黑不亮，他就从半铺集雇来一个侏儒小矮人，这个小人儿不到一米高，三十多岁，大头猪嘴蒜头鼻，长得奇丑无比。他每天在“继善堂”门前忸忸怩怩晃荡着，手里还拿着膏药叫卖。外地来黄塔买“大榆树牌”膏药者从“继善堂”过，都忍不住停下来看稀罕。于是，他就走过来卖膏药。客户说：“俺买大榆树牌膏药。”小矮人就说：“你看这就是，我这是从后面进的，还便宜。”人家接过看看，见商标和上面的字跟那边牌子上的一样，就少走几步路买下来了。收完钱后，小矮人见是男人就从兜里摸出个小铅烟袋锅或两枚火石递过去，见是女人就掏出个木头梳子或两根针塞过去，说作个纪念下次再来。小铅烟袋和木头梳子上均印着“大槐树牌”商标，买膏药者满心欢喜，便说：“这倒不赖，买膏药还搭件东西。”小矮人儿每卖一帖膏药，姚长仁就给他两文钱，于是，小矮人儿积极性挺高，有时一天能挣两个大洋。

在假冒“大榆树牌”膏药截流顾客的同时，姚长仁不惜血本扩大“大槐树牌”的影响。他不像姚长义那样，靠江湖艺人扬名。他派一个有文化的药店伙计，外出一个月，奔赴浚县、汲县、滑县、延津县、汤阴县、辉县、内黄县等官府的豫剧团、大平调剧团、乐腔剧团、四股弦剧团，花钱让剧团或更名“大槐树”××剧团，或在戏中加上有关“大槐树牌”膏药的台词，当然宣传规模不同出钱多少也不一样。他还让学徒们提着糨糊桶，在车站、码头、集市、乡村等处张贴广告，在黄塔村东西南北四个路口，竖了四个大木头牌子，雇了本村或四周村子里一些游手好闲、能说会道的年轻人，除每月给他们工钱外，还低价给他们一些膏药，让他们去集市、庙会上推销。村里有位罗锅儿的老头，说他亲眼看见长屯过庙会时，有一位汉子推销“大槐树牌”膏药。

罗锅老头回忆说，那时，他才十七八岁，去长屯赶会，看见一堆人围着一个矮胖的汉子，听见那汉子在人堆里吆喝：“看呀！看呀！黄塔村的大槐树狗皮膏药。”罗锅儿老头听叫喊本村的名字，就好奇地钻进去。只见那汉子满嘴喷唾沫星，嚷嚷道：“大槐树狗皮膏药，这就是我们大槐树狗皮膏药，祖传八代，驰名豫北，誉满中华。那位说：你这大槐树狗皮膏药有什么好处？嘿！好处那可多了，凡是跌、打、伤、摔、错骨、伤筋、劳损、风湿、瘀血、积寒、膀痛、手痛、腰腿痛，贴上我这狗皮膏药，一贴去痛、二贴祛病、三贴除根、四贴保健、五贴延寿，有病治病无病健身。有人问啦：你说得怪好，实际咋样，有恁大劲吗？说得好，讲得妙，真金不怕火炼、好货不怕实验，一物降一物，卤水点豆腐，我就当场让大家瞧瞧。”说着，他把一帖膏药打开，将一块碗碴放在里面，合上以后，用纸火从外面烤，再打开一看，碗碴已经化掉了。众人一见，发出一片唏嘘声，纷纷掏钱买膏药。如此一来，这汉子更有劲了，故意不再卖了，大声道：“人多药少，有拿到的，有拿不到的，大家都是朋友。人过留声，雁过留名，我其实不卖膏药，我只是给主人传传名，我主人本名姚长仁，他祖上是大清国手御医，现在住黄塔村南。唉，请你认准了，大槐树牌狗皮膏药哟——”其实这都是假的，因为再好的膏药也不能把碗碴化掉。原来这碗碴不是真碗，而是用墨鱼骨碾成细粉末，用水和成泥，做成碗状，晾干后撺碎，泥到真碗碴中，表演时将假碗碴放入膏药内，稍一见热便化，用手一捏就溶入了药内。

在这一段时间内，姚长仁的"大槐树牌"和姚长义"大榆树牌"狗皮膏药平分秋色，不分上下。姚长仁手段多端靠坑蒙拐骗唬生人。姚长义踏踏实实，靠货真价实赢得回头客，但姚长仁并没有进一步红火，姚长义也没有进一步衰败，将近有四年的时间，俩弟兄各做各的生意，各挣各的钱财。

十一

这年盛夏的一个夜晚，县保安队三十名队员在韩队长的亲自率领下悄悄扑进了黄塔村。他们披着月光，背着长枪，从村北沿着街路朝村南长驱直入，准备强行查封姚氏兄弟的狗皮膏药。当这帮人气势汹汹地行至村中一口池塘边的时候，村南的上空忽然升腾起一片彤红的火光，那样子很像落日时的晚霞。韩队长不知道前面发生了什么事，便掏出手枪让部下停止了前进。

村南传来了一片喧嚣，村中也出现了骚动。一些村民揉着眼睛，打着长长的哈欠，癔癔怔怔站在街口朝村南莫名其妙地观望。这时，熊熊的火焰透过朦胧的树梢，冲天窜出几丈余高，紫绛色的浓烟，强疾地向北浮动，一股股刺鼻的烟熏味扑面而来，哔里啪啦的断裂声在村南隐隐约约传出，似乎那里正发生着一场激战。

"日娘，这肯定谁家失火啦！"

话音刚落，有个人影从村南飘忽而来，嘟囔说："是姚家，火好大，没法救，砖头瓦片烧得乱飞，人到不了跟前。"

县保安队韩队长松一口气，将手枪掖到皮带上，问村民道："是不是做膏药的姚长仁和姚长义家失火？"

"不是他们家，还能是谁？谁家的房也烧不成这么大的火呀！"这人说完，见池塘边站着黑乎乎一片背着枪的人，吓了一跳，惊叫道："哎呀，你们是干啥的？三更半夜在村里站着？"

韩队长说："我们是县保安队的，姓姚的强拉硬卖，今晚来查封他，正巧失了火，这回省了兄弟的劲了。"说完，他搓搓手，冲人群道，"走啊，弟兄们回去，要在这儿等着，不去救火挺难看。"

这场大火一直燃烧到黎明，焚尽那片庄园后不救自灭。起火的时候，有强疾的偏南风，风助火势，欲救不能，因此愈燃愈烈，松木楼板和全套飞檐斗拱的楼顶瓦片膨胀、断裂，嘶鸣着朝四周飞溅。因此，姚家和村人只好眼看着这座豪华的庄园在烈焰中渐渐化为灰烬。事后得知，火是从姚长仁家燃起的，燃起之后，火焰在偏南风的强烈吹拂下，扑着了姚长义家路北的瓦屋和草屋，于是村南路东这块属于姚氏兄弟的住宅便连成了一片火海。那年，日本人在卢沟桥发动“七七”事变，抗日战争在全国爆发。那天，是清明节的前一天，因此，黄塔村的一些长者清晰地记得，这是民国二十六年农历三月四日。

即便姚家不失火，县保安队也将查封他们的“狗皮膏药”，怎么回事呢？事情的起因是这样。最近一段时间，姚长仁的膏药生意有些滑坡，因为患者贴到身上光流黑汤，弄得皮肤上、被窝里乱七八糟的，挺埋汰人。时间一长，人们互相传来传去，就影响了生意，任凭你怎么宣传怎么折腾，人家就是不买。无奈，姚长仁突然心生一计，便搞起了“有彩”销售膏药，办法是在膏药后面编上号，卖到一年后，抓阄儿“摸彩”。“彩”分“大彩”、“中彩”和“小彩”：“大彩”奖给一栋三间瓦房；“中彩”奖给三亩良田；“小彩”奖给一头黄牛。其实，他是这样打算，并不准备兑现。只是想要个“花枪”，叫人们买他的膏药而已。所以，他不便大力张扬，只是派大闺女和大儿子瑞财到村口堵截买主，空嘴说空话，招徕吸引顾客买他的膏药。不料，他这一招很奏效，来买膏药者听说有这等好事，既买东西又中彩，如同推“牌九”赌博一样很刺激人，因此就想试一试，反正买谁的膏药都是买，何乐而不为呢？这样一来，上当者趋之若鹜，使姚长仁的膏药销量大增。姚长仁的膏药卖得快，姚长义的膏药就积压，因为来黄塔的就那么多顾客，去这边多去那边就少。消息传到姚长义的耳朵里，他淡淡一笑说：“膏药不行，出啥馊招只能是一时不能是一世，自不必搡理他。”但他的两个儿子瑞生和瑞民看不下去，就偷偷跑到村外的长虹渠桥头，提前堵截瑞芹和瑞财要拦截的顾客，于是姚家两股的后代就出现争抢买主的事情。有些客人本来不买膏药，只是从这里过，也被双方拽胳膊揪腿，硬往家里拉，结果闹得啼笑皆非。

一天，从桥头来了个青年人，他赶着毛驴车，车上坐了中年妇女，样子像是病了。瑞生和瑞民见状，就撵着毛驴车跟着青年攀谈，说要买膏药去他家，他家的膏药咋着咋着好。青年不理他俩，径直赶着毛驴车往村里去。于是瑞生和瑞民就跟着毛驴车走。到了村头，瑞芹和瑞财上来了，便说要看病到他家，他爹是名医。那青年见瑞芹长得挺水灵，就想跟她多说几句话，结果瑞芹认为他同意到她家看病，就和瑞财边说边动手，一人架胳膊一人搬腿，说话不及就将那中年妇女抬了下来。那妇女又叫又骂，站到地上时，他们才发现她原来是一个大肚子女人。瑞生和瑞民见是个大肚子病人，也上劲了，说俺家的膏药专治大肚子，最灵了，他们的膏药是骗人的，并架着这位妇女往自己家走。瑞芹和瑞财见状就去抢，这互相一夺，就将女人碰到了地上。赶毛驴车的青年急了，拿长鞭就朝瑞芹、瑞财、瑞生、瑞民身上乱抽，并高声叫骂道：“日你娘，哪有这样卖膏药的，俺嫂要有个三长两短，等着俺哥收拾你们这些狗杂种吧！”骂完，扶起那女人赶着毛驴车便跑了。这里双方的生意谁也没抢成，于是瑞芹和瑞财一拨儿，瑞生和瑞民一拨儿，便在村头大打出手。瑞芹被揪掉了一撮头发;瑞财鼻子出血,瑞生脸被挖了一道血印;瑞民左眼乌青。直到村人来拉架,他们才破口大骂着散开。

那赶毛驴车的青年,是县保安队长的弟弟,车上坐的大肚子妇女,是县保安队长的太太,已怀孕了六个月。她昨天觉得肚里不得劲,就让弟弟拉她到县里找她丈夫,看看是咋回事,结果路过黄塔,就发生了这件事。那女人哭哭啼啼向保安队长说了此事,保安队长大怒:骂道:“他妈个×,真是瞎胡来,哪有这样卖膏药的?怪不得这一阵子,老有人上告黄塔村姓姚的两家见生人就抢!这还了得,明天,我派人把这鸡巴歹人查封了,省得他们总祸害人!”第二天,保安队长领太太看了医生,医生说无啥大碍。到了晚上,就亲自带领三十名保安队员去黄塔村查封姚家的狗皮膏药,但他们到了村子以后,就看见村南头起了一片大火。

火是姚长仁老婆晚上熬膏药,油锅起火引起的。起火以后,姚长仁叫儿子瑞财去摘那块“恩荣五召”的匾牌,结果烧伤了一只胳膊;姚长仁老婆去瓦楼抢木头匣子里的金银首饰,结果烫瞎了一只眼睛。第二天黎明,村人在清明节起早上坟时,看见村南一片坍塌的废墟上,冒着一缕缕残烟,像是姚家的一片坟地。姚长仁和姚长义两家十口人蜷曲在春风习习的街里,谁也不说话,只是望着那片断壁残垣的家园出神。太阳出来的时候,姚长义领着月霞和三个儿子瑞生、瑞民、瑞光走到那片焦土的一侧,在一片空地上搭窝棚。姚长仁看看大儿子瑞财,见他抱着那块“恩荣五召”的牌匾打瞌睡,上去一把抽出来,垫到墙角旁“啪啪”几脚踩了个碎烂,然后走到“仁义巷”的石牌坊下,看看被烟熏火燎后像个黑色大门的牌坊,解开裤子撒了一泡尿,“哇”地叫一声,便像一匹惊马朝村里跑去。

姚长仁疯了,疯了三年以后死去。在姚长仁疯傻期间,他无论春夏还是秋冬,总穿着一件开花露裆的棉衣棉裤在村里、河堤上、庄稼地里四处癫逛徘徊。黄塔村的老人说,他逢人就念叨一段顺口溜:“南来北往走西东/看破浮生终是空/天也空来地也空/人生杳杳在其中/日也空来月也空/来来往往有何功/房也空来地也空/换了多少主人翁/金也空来银也空/死后何曾在手中/朝走西来暮走东/恰恰正如采花蜂/采集百花成蜜后/到头辛苦一场空/仔细思量世间事/恰似南柯一梦中/富贵功名皆是梦/不如回头早修行。”

失火后的第五天,有个操外地口音的中年汉子来到黄塔村,他是个烂眼圈的秃子,这个秃子从村北头进村后打问该村是否卖狗皮膏药。村人告诉他不知姚家还卖不卖,你可以去看看,村南有个窝棚,那里就是。秃头汉子满脸惊愕,自言自语嘟囔道:“二十年了,他还住窝棚?”在窝棚口旁,他见到了姚长义。姚长义刚把疯哥哥从村西的长虹渠边拉回来,此刻正坐在窝棚口黑着脸喘气,见有人问膏药,他头也不抬,没好气地吼道:“日娘,没有了,全鸡巴烧光了,往后再也不卖了,走吧走吧!我心里烦!”

秃头汉子蹲到他身旁,笑笑说:“我是崔玉海的孙子,从河北保定来,你如果不知道崔玉海这个名字,我只好走了!"

姚长义闻声大骇,便拉着他进了窝棚。

在他们俩坐在窝棚里说话的时候,月霞从街旁担水回来。她见有人在窝棚里跟姚长义说话,就没进去。这时,窝棚里突然传出了姚长义的惊叫声:"你说啥?你爷爷的秘方是假的?这么说,我日娘也骗了一辈子人!你说,这到底是咋回事?"

但秃头汉子的话音很低,月霞听不清究竟说些啥。

傍晚的时候,秃头汉子走了,姚长义趿拉着鞋把他送到坡下的长虹渠桥头旁。自那以后,黄塔村的"狗皮膏药"便没人做了,村里人说,姚长义死于民国三十二年,那年河南省旱、蝗、水三灾并发,延续三载,村里有一半的人口外出逃荒,死于瘟疫或被饿死者四十余口。因当时每家几乎都有死人,所以姚长义究竟是死于霍乱或者伤寒还是被饿死,没能给人留下很深的印象。但姚长义死时是否把一些事情告诉了他的三个儿子,这就无人知道了。须问他现在已六十多岁的三儿子瑞光,因为大儿子瑞生于抗战后第三年离家出走,至今杳无音信、生死未卜;二儿子瑞民"文革"时被批斗死。然而,呆板木讷的瑞光对关于姚家的任何事情都讳忌莫深,一概只字不提。

现在,姚氏兄弟两股的孙子有五六家仍住在黄塔。最近,他们想联手恢复"祖传"的"狗皮膏药",但苦于没有了秘方。一个叫姚怀旺的人说:用啥鸡巴秘方?咱关键是卖祖宗的名牌,我随便从哪抄个药方配到一块熬一熬,然后,恢复咱爷爷们的老牌子,照样赚钱,现在,全国各地假药有的是,况且咱这还不是假药咧!黄塔村的一些人如是说,但不知是真是假。

(选自《长城》1996年第6期)

贾兴安

1960年出生,河南浚县人。1987年毕业于河北师范大学中文系。1976年应征入伍,历任内蒙古集宁区51090部队政治处报道组组长,邢台市文联创作室主任,《散文百家》杂志主编,河北文学院合同制专业作家。1982年开始发表作品。1999年加入中国作家协会。著有短篇小说集《白云苍狗》,中篇小说《浮草》《家殇》《传说》《背景》《狗皮膏药》《一介书生》,长篇传记小说《王若飞的故事》,中篇报告文学《燕赵洪波曲》等。中篇小说《狗皮膏药》获河北省文艺振兴奖。

归去来

芳 洲

夕阳已经沉落到远山背后。灿烂的火烧云把兴隆屯染得一派绯红，袅袅飘缭的炊烟如梦如幻。这一刻，兴隆屯显得无声无息，异常平静。

村头上孤独地立着一棵老槐树。一个头发及眉毛胡须全都雪白的老者在围绕老槐树转圈子，步履迟缓却又飘飘然如同神仙下凡。后来老者大约是累了，便席地盘腿而坐，双手分别搁在膝盖上，双目紧闭，宛若一尊雕像。

我看见一个表情漠然的汉子从村外大路上走来。汉子身穿皮夹克，手拎皮箱，走到老者跟前立住了。汉子叫了一声“老怪爷”。老者缓缓睁开眼睛望着他。老者的眼珠是浑浊的湖蓝色，眼神散淡。我听见汉子又叫了一声“老怪爷”，老者毫无反应。

这时，从村里跑过去一个十来岁的小姑娘，拉住老者的一只胳膊往起拽。老者站起来又围绕老槐树转起了圈子。小姑娘愣怔了一下，似乎明白过来。她不声不响地仔细察看了一番，发现在老者和老槐树周围有个圆圈，圈线是用瓦片石块之类在地面划过后留下的刻痕。她便默默地用脚掌抹掉，之后老者才顺从地随她蹒跚而去。

汉子望着一老一少的背影，长吁了一口气。

兴隆屯是个不算小的杂姓村落，大概在若干年前的某个时期曾经兴旺发达过，所以才会有这么个响亮的名字。兴隆屯至今也还是方圆几十里有名的集市。但是，对于兴隆屯现在活着的人们来说，远古的祖先只是个抽象的概念，即便是近几辈故去的祖宗也只在冥冥中存在。唯有这棵老槐树能使人想到过去，把过去和现在联系起来，它暗示着生的短暂和生的永恒。也许。

老槐树确实很老了，布满疤痕的粗大的树身，空空的树心，显示着它存在的年岁古老而久远。谁也说不清它究竟有多少年岁，也许有几百上千年。据说它经受过多次雷击，可它依然活着，枝条弯弯曲曲地伸向苍穹，像在探寻着什么奥秘。其实它本身就是一个奥秘。这一带流传着许多关于它的故事和传说。在传说中它已经被人们神化了。在这个春天无风的傍晚,它默默地伫立着,宁静得像一个古老的梦。

汉子在树下默默地伫立了一会儿,就迈步朝村子里走去。

一

汉子是十多年前不声不响地离开了兴隆屯,从此不知去向的金亮。现在,兴隆屯对于金亮和金亮之对于兴隆屯同样都变得陌生了。街上新开设了不少店铺,有饭店、小百货店和各种修理铺。兴隆屯有一点兴旺发达的样子了。兴隆屯地处三县交通的交叉点上。据说县里的首脑们正筹划着在兴隆屯新设一个镇,不久后这里将成为镇政府所在地。

金亮靠着残存的记忆的指引朝冯骡子家走去。金亮感到恍惚。金亮弄不清自己是不是曾经在这地方住过,是不是离开过,弄不清离开过又为什么回来,怎么回来的。但这只是一瞬间的恍惚,他还是能够辨认出冯骡子家的院门和房子。那院门和房子都跟十几年前一模一样。金亮在院门前立住,现在他想的是要试一试能不能走进院子走进过去。接着,一个女人模糊不清的面孔在他脑海中映现出来,他心里随之滚过一阵颤动的灼热。

冯骡子比十几年前更显得老而丑陋。他望着站在面前的金亮,一双小眼睛里充满困惑。等金亮自我介绍后他才恍然大悟:“呵呵……这一说我认出来了,真是金亮兄弟啊!不说我还真不敢认了!”

屋里也没有女人的影子,只有冯骡子一个人在家。金亮有点失望。

冯骡子有祖传的木匠手艺,因了这门手艺,冯骡子家十几年前就是村里数得着的富裕户。可他却是有名的抠搜鬼、守财奴,除了他用得着的人外,谁也休想从他手里借走一分钱,他爱喝酒,但只有逢年过节才舍得喝。只有喝人家的酒他才能喝足。这么多年他肯定积攒了一大笔钱,可家里的变化却很小。

金亮在冯骡子面前感到了自己的不同凡响,感到了一种满足和自豪。看看冯骡子那张粗糙的脸和长满老茧裂开着道道黑口子的手,金亮心里不由得感叹:这个抠搜鬼活得真可怜,死了也算枉活了一世人。金亮这时还不知道也不可能知道,冯骡子活不长了。在未来的那个春天里,冯骡子死在野外,死得蹊跷。现在,金亮只是感觉冯骡子的整个面部表情中隐约透出一种死亡的意味,一种临近末日的惨淡的无精打采的神色。当然,这也不过是金亮在一瞬间内模糊而朦胧的感觉而已。

金亮很想知道女人的下落,但又不便直接问。“你们的孩子该不小了吧?”

冯骡子苦笑笑:“能有个孩子那敢情好。没那个福分啊!到今也还是俺俩过。”

这时，花脸福顺一步闯进屋来。福顺比金亮小两岁，两人从小就是伙伴。阔别十几年，两人的变化都不小，但细细端详还是能见出当年的影子。这个福顺头脑机灵乖巧，很有些小心眼儿，过去在生产队里也是个不正干的角儿。金亮记得，有一回他们用化肥追苞米，福顺直着腰洒，结果洒进刨坑里的化肥寥寥无几。后来让队长看见了要扣他的工分，他装痴装傻，说他只知道“飞天粉”就是飞天粉，就该洒得满天飞；说这不能怪他，只能怪队长事先没交代清楚，不知者没有罪。那时化肥一律被庄户人称为“肥田粉”。福顺一本正经地争辩，弄得队长哭笑不得。因为他脸上长有一些斑块，近乎女人脸上的蝴蝶斑，人们就叫他“花脸”。金亮出走前，他总是同金亮一个鼻孔出气，事事维护金亮。他佩服金亮遇事沉着稳重。他说他有些小心眼儿而金亮有大心眼儿。现在，两个从小一起长大的伙伴久别重逢，难免不大惊小怪地说上一通亲热话。说到后来福顺就问金亮：

“哎，怎么就你一个人回来啦？嫂子和孩子呢？”

金亮说：“我还是光棍儿一条。”

冯骡子说：“你是说笑话吧。凭你这一表人才，又不缺钱，哪能当光棍儿呢？我不信。”

金亮说：“一个人省心。自由自在惯了，不想要。”

福顺说：“话是这么说，可没个女人，这日子真难熬哩！”

金亮说：“你也是光棍儿？”

冯骡子说：“他兄弟俩都是。”

福顺说：“我哥算半个光棍儿，好歹还有个娘们儿给他解决困难。”

福顺的哥哥福来和外村一个娘们儿相好上了。那个娘们儿有男人有孩子，却偏偏愿意和福来纠缠。

说了一会儿闲话，福顺像有心事，终于坐不住了，把冯骡子叫了出去，两人在外间嘀咕了一阵，然后福顺就向金亮告辞，说：“金亮哥，实在对不住，我有点急事，回头咱哥儿俩再好好唠唠。”说完就匆匆走了。

二

花脸福顺匆匆忙忙是为了去赌钱。时势造英雄。福顺不久后也成了兴隆屯的一个人物，与曹麻子、金亮成为“三驾马车”，并列为兴隆屯的经济巨头，虽然现在还不是，但机缘到了。

天刚擦黑，福顺就往村西头的刘老七家赶去，刘老七家是个赌窝。赌场上是残酷无情的，一旦参与你就顾不得旁人死活。福顺昨夜输了一大把钱，他想在今夜捞回来，所以心情格外急切。

路过永乐家门口时，一个六七岁的男孩拦住福顺的去路。黑暗中福顺只看见两个白白的眼圈儿，低头细看才认出是永乐的儿子小虎儿。

小虎儿说："叔，俺娘叫你去俺家。俺娘说你要从这里走，叫我在这等着你。"

福顺吃了一惊，他不明白永乐的老婆秀芬怎么会知道他一定从这里路过。难道这女人会掐算？真他娘的活见鬼了！他跟随虎儿进了院子，就听见屋里一个女人模仿永乐的声调说：

"福顺，你来了？我知道你又要去赌钱，一准打这里走，就叫虎儿出去截住你。你不敢不来！"

福顺感到头皮一阵酥酥地麻，浑身暴起一层鸡皮疙瘩。天说黑眨眼间就黑了，女人是在屋里，相隔十几步远，再好的眼睛也看不清是他福顺。他赶忙走进屋里，看见永乐的女人阴沉着脸盘腿坐在炕上，耷拉着眼皮不理睬他。

"嫂子，你叫我来……"

"扯你娘的蛋，谁是你嫂子？我是你永乐哥！"

听声调确实有些像永乐。福顺冒出了一身冷汗。难道真有鬼还是这女人装神弄鬼？福顺摸不准吃不透，他硬着头皮问："大哥，你又回来了？"

"我要找你算账！这几年我待你不薄，到这里你吃就吃喝就喝。我不在你就不来了，看着虎儿他娘儿俩吃苦受累也不管，你这个忘恩负义的东西！"

"大哥，我是怕你不乐意，怕对不起你。"

"哼！说得好听。你这就对得起我了？"

"大哥放心，往后我好好照顾他们娘儿俩就是了。"

"小全子，你这个鳖蛋驴屌日的！你挣几个钱全都吃喝嫖赌了。你不孝顺你娘。我饶不了你！"

"大哥……"

"谁是你大哥！我是你爹！"

福顺傻了。他直觉到这声腔真有点像他那死去的爹。福顺眼瞅着坐在炕上的女人一会儿自称是永乐，一会儿又自称是他爹，从他进屋以来就没看他一眼。他糊里糊涂如坠云里雾里。

"全子你这个鳖蛋!"炕上的女人又开口说话了，提着福顺的乳名骂。"今日你娘好心劝你别再去赌钱，你就是不听，还骂你娘多管闲事，你这个杂种，真该叫老天爷打雷劈了你!"

福顺毛骨悚然，又给吓出了一身冷汗。女人说得一点不错，他今天下午真的骂过他娘。他输了钱心烦意乱，不堪老娘的絮叨，一股火蹿上来就忍不住骂了老娘一句。可是这女人怎么会知道？而且就如同亲眼所见，真他娘的邪乎！福顺心里这么寻思嘴上却不敢说。他嘴里说出来的是："我从今往后一定好好孝顺俺娘，再不敢了再不敢了。"

女人说:“全子你听着,今夜饶免你这一回,为的是叫你赢回你输掉的钱。你当我不知道?你这个鳖蛋连小买卖的本钱都输上了。往后再赌我饶不了你!”

昨天夜里福顺的确连本钱都输光了。福顺记得他没对任何人说过这事。这女人是怎么知道的?看来他真是遇上鬼了,他不由得跪了下去,连声说是。

女人无语,闭紧口唇和双目,一动不动,仿佛进入了睡眠状态。福顺注意到,在十五瓦的电灯泡照耀下,女人的面色红润神态可疑,而平日里女人的脸皮是黄色的。福顺灵机一动,忽然想起了什么,他的胆子立时大起来,随即站起身。他看见桌子上有个手电筒,顺手摸过来就往屋外走。女人在炕上声嘶力竭地叫起来。

“全子你个杂种你想咋你给我回来回来!”

福顺任凭女人叫喊,他硬着头皮只装没听见,径直走到南墙边的两个草垛间,打开手电照着寻觅。终于,福顺发现了只在传说中听到过的奇异景象——一只黄鼠狼趴在草垛下的一个角落里一动不动,福顺惊诧不已。他早就听人们说过这东西会用一种连科学也无法解释的神秘的方法对人施行催眠,叫人进入迷昏状态。他还听人说这东西迷住一个人后不会动弹。对这类传说他半信半疑,今天一见才信以为真。他找来一根木棍儿,正要拨动那东西,屋里的女人嘶哑着嗓子大叫起来:

“全子我把你个杂种看你敢动我看你敢动我!”

福顺犹豫了一下,然后把心一横,终于用木棍儿拨动了黄鼠狼的头。在拨动的同时屋里的女人嗷地叫唤了一声。随着这一声极其尖厉嘶哑的叫唤,黄鼠狼倏地弹跳起来跑走了。一阵浓烈的臊臭气差点把福顺击倒在地,福顺甩掉木棍儿软瘫在草垛上:“哎呀娘嗳,吓煞我啦!”

女人走出来,站在屋门口。她问:“虎儿,是谁来了?”

虎儿一直跟在福顺身边看景儿,他说:“娘,是俺叔。”

福顺走到女人跟前:“嫂子你好啦?”

女人不解地看着福顺:“我咋了?”

福顺说:“咋了?你刚才不是还在屋里吆天喝地吗?”

女人说:“你是说梦话吧,我在炕上打了个盹儿才醒了。你什么时候来的,咋不进屋?”

福顺说:“嫂子你忘了?不是你叫虎儿在门口截住我叫我来的吗?不信你问虎儿。”

虎儿说是。女人似有所悟的样子,说:“哦哦……”

福顺想起了赌钱的事,就心急如火,说嫂子我得走了,有空我再来说给你听。

福顺这一夜果然运气不错,在赌场上连连得手。他后来想起这天晚上碰到的怪事就禁不住倒吸一口凉气,跟着就暗自庆幸。从此他再不敢赌钱了。世事千奇百怪纷繁交错,许多人往往是因为一件不起眼的小事而改变了命运,这就是机缘。

三

这天夜里,金亮躺在自家的炕上翻来覆去睡不着。岁月显然已经流逝了许多。蓦回首却恍然如梦,他弄不清自己此刻究竟置身在何处。

金亮的父亲早年过世,是母亲把他和弟弟金明拉扯大。金亮是个具有初中文化的小知识分子,当过三年兵。是给大机关把门站岗的那种兵。复员回家后一年内就失去了两个亲人,先是弟弟后是母亲。金亮从此举目无亲。当兵前和他好过并且发誓要跟他过一辈子的玉环,竟心甘情愿地嫁给了窝窝囊囊的长贵。他曾经问过玉环,玉环流着泪说是父亲逼她嫁给长贵的。但他看见玉环嫁给长贵后却笑口常开,日子过得倒像蛮顺心。

在外面的世界里,金亮起初当过伐木工、装卸工,后来就跟一个哥们儿合伙倒卖木材,渐渐摸上门路后又倒钢材、倒汽车、倒彩电,由磕磕绊绊到老谋深算,由合伙到单干,上过当也受过骗,有赔有赚,赔是一大笔赚也是一大笔,总起来说还是赚得多。为了钱,他疲于奔波,在算计人家的同时还得时时提防人家的暗算。他时常感到喘不过气来,感到自己不是自己感到自己都不认识自己了,在暂时的满足之后内心深处却有着说不清的空虚惆怅说不清的希求。一晃就过去了十几年。金亮已经没有家了。家对于金亮来说早已变成了一个抽象的概念,他弄不清他为什么要回兴隆屯。也许是因为累了,又似乎是因为一些零乱的梦的指引,想回来的念头越来越强烈。据我看,他的潜意识里是想回来寻找他自己。

睡不着,金亮抽了一支烟,头脑清醒了些。他感到自己是实实在在地睡在这间既熟悉又陌生的屋子里。冯骡子告诉他,丽云一直在他家这三间屋里干裁缝营生,有时干到深夜丽云就睡在这里。但金亮明白冯骡子是有苦难言。看到这间屋里的摆设,金亮就断定两口子大部分时间都处在分居状态。金亮现在铺的盖的被褥连同枕头都是丽云的,散发着淡淡的人体的幽香。金亮家的旧箱柜和老式三抽桌都照原样摆放着,干干净净一尘不染。只是墙角处多了一台十八英吋的彩电。墙壁用白纸裱糊过,屋顶扎上了印花纸糊就的天棚。那些照原样摆放着的陈旧家具暗示出一种意味,好像住在这屋里的女人随时都在等待着金亮的归来。仿佛金亮只是出了一趟远门的丈夫,近日内就会归来。摆放在桌上的女人用的镜子梳子和高级化妆品也使金亮产生出一种家的温馨的感觉。屋里飘溢着优雅的馨香。这馨香和被褥枕头上的幽香刺激着金亮的某根神经,又传导到大脑皮层,使金亮想入非非。黑暗中他的眼前浮现出一个女人的脸和身体。那只是模糊的不规则的影像,让他怀疑是否曾真实地存在过,但却引发了他内心的热切渴望。

第二天，金亮在村里露面时整个像换了一个人，脸上干干净净，刮过后的胡茬儿闪着青白的光，西装革履，神采奕奕，走在街上昂昂然一派绅士风度，使得街上的人全都向他行注目礼。

他很随和地跟他认识的乡亲打招呼，说说笑笑。他不认识的人要比认识的人多。他认识的人也都说不敢认他了。他的心情是愉快的。他故意放慢脚步，以便让人们看看当年他们认为不起眼的金亮今天是什么模样。

四

金亮去村里的张家纸扎铺买来了纸糊的“小轿车”和“摇钱树”，还买了二十刀烧纸。吃过午饭之后，就准备去给父母兄弟上坟。花脸福顺来了，要陪伴金亮一块儿去。金亮答应了。

出了村，有条弯弯曲曲的小路通向岭坡上的那片坟地，阳光普照大地。春天的田野充满生机，树木和草都已经发芽，土百灵们成双成对，或擦着黛绿色的麦田追逐求爱，或在半空中迎风展翅婉转啼鸣，它们自由自在，拥有天空和大地。可是，当一只鹞子飞来时它们立刻噤若寒蝉，惊惶地从半空中一头扎进麦田里。于是天空便成为鹞子的天空。一只傻乎乎的土百灵没有意识到危险降临，仍在半空中炫耀自己的歌喉，结果眨眼间便丧生在鹞子的魔爪下。在充满生机的田野上也孕育着死亡。

在一座座布满枯草的坟墓前。生者与死者的距离似乎拉近了。这里显示着永恒的死和死的永恒，暗示着生的短暂，金亮和福顺停在一大一小两座坟墓前。大的里面安歇着金亮的父母；小的里面孤独地沉睡着金明。

金明是被拖拉机轧死的。金明老实孝顺能吃苦，村里人说好人不长寿。那天金明要到镇上去办点事，一出村就碰上了从后面开来的拖拉机，金明是扒拖拉机后斗时被轧死的，死相惨不忍睹，母亲一见就昏了过去，从此一病不起，半年后也死了。按道理讲，死亡不应该是人类这一高级动物的最后归宿。但遗憾的是死亡又毕竟是人的不可抗拒的最理想的归宿。

两个活着的人摆好祭品，点燃了“小轿车”、“摇钱树”和纸钱。金亮蹲在坟前沉默不语。花脸福顺嘴里念叨起来：

“大爷大娘，金明兄弟，俺金亮哥回来看你们了，请你们出来吃饭拿钱使。金亮哥还给你们置办了小轿车摇钱树，往后你们就不用走路了，钱也多多有了。唉！”

在福顺的念叨声中，金亮沉浸到阴森肃穆的气氛里，身上一阵阵寒冷。父母兄弟的模糊面容和身影零乱地闪现在他的脑海里。“小轿车”、“摇钱树”和二十刀纸钱顷刻间化为灰烬。一阵风吹来，便有无数只大大小小的黑蝴蝶在坟墓上空翩翩飞舞。金亮双手捧起酒盅，将满满一盅酒洒在父母坟前，又斟上一盅洒在弟弟坟前，然后同福顺双双跪地磕头。

这时候，在他俩身后爆发了一个女人的哭嚎声。一个白衣女人坐在一座黄土堆成的新坟前，头一仰一俯，哭声像唱一样婉转而奔放。女人的旁边站立着一个六七岁的小男孩。男孩也是一身白衣白裤，随着女人嘤嘤地哭泣。福顺对金亮说他过去看看，福顺走过去不知说了几句什么话，女人就渐渐止住了哭声。福顺把女人搀起来。女人又跪下去磕了一个头，也叫孩子磕了一个。然后女人就收拾起祭品，捏捏鼻子甩了一把鼻涕，领着孩子往坡下走了。

金亮不认识这个女人，他望着那个未成人的孩子，心里有点难过。刚才他清楚地听见女人哭“我的天儿啊”，就已经断定死去的是女人的男人。天是男人的象征，地是女人的象征，约定俗成。他问福顺这个女人是谁家的，福顺说是永乐的老婆，永乐才死了三个来月。

金亮吃了一惊：“永乐死了？他比我只大一岁，撇下这娘儿俩怎么过？”

“咋过？还不照样过。人哪，就他娘的那么回事！你别看这娘们儿刚才哭天嚎地，一转眼就没这回事了。平常看这娘们儿挺老实贤惠的，待永乐不错。可永乐死了两个月她就熬不住了，说想招夫养子。有人给她从邻村找了一个老光棍儿，来见面的那天，她就留下那男人困了觉，后来不知为什么也没成。”

“这也算不了什么。永乐死了，她还得活嘛。”

“话是这么说，可永乐才死了两个月，尸骨未寒，她咋就好那样？听说这些日子经常有男人进出她的家门。”

“那你去没去过？”

“不瞒你老兄说，女人倒是对我有那意思，可我想想永乐，心里不忍。你走后我和永乐走得挺近乎，兄弟一场，我咋好占他的老婆。这女人倒是挺会过日子的，可就是离了男人不中。弄不好永乐就是死在了这女人身上，不少人都这么嘀咕。”

五

回到村里，福顺要请金亮喝一壶接风酒。

金亮说：“你能有几个钱，省下吧。我请你。”

福顺说：“你别小看你兄弟，今非昔比，钱虽不多，可手头挺活泛。你离家这么多年了，理应我请你。”

福顺这几年当起了小二道贩子，的确赚了一些钱，但都被他吃喝嫖赌花掉了。福顺说他前天夜里连本都输光了，昨夜不但赢回了本钱，还额外捞了二百多块。福顺说他昨晚一进赌场就和在场的订下了君子协定：输赢他都只赌这一回，从此洗手不干。

“浪子回头金不换。该喝一壶酒庆贺一下。”金亮说。他从衣兜里掏出一百块钱,“喏,多了不花就花这些,全买现成的。你那俩钱儿留着吧。不是吹牛,我拔根汗毛也比你的腰粗。”

福顺自愧不如,只好依着金亮。他们买了酒和罐头,又到饭铺里炒了几个菜,拿到金亮屋里喝起来。

开始,福顺让金亮说说在外面的见闻。福顺活了三十多岁只进过几回县城。他伸着脖子听入了迷。渐渐地有了酒意,话匣子就打开了。他说了昨晚碰到的怪事,金亮也惊诧不已。乡下男人喝酒离不开谈论荤事。福顺说着说着就把话题溜到了女人身上。

“老兄,你一准想不到,当年和你相好过的玉环成了咱村的第一大名角儿。曹麻子是她固定的主儿,十几年一直不断。”

“长贵呢,他就……”

“咳!长贵是个窝囊废,他只有老老实实听从摆弄的份儿。有一回,半夜了,我打从他家屋后窗下路过,听到玉环那娘们儿在屋里哭哭泣泣地骂长贵:‘你不中用你个废物!’听动静像是连掐带拧似的。第二天我见着长贵,问他夜里是咋回事。他起初支支吾吾不肯说,我用话一套他才承认了,说他一上去就成了软蛋。也难怪,玉环那号娘们儿哪能受得了这个?你还没见她吧?那娘们儿调养得白白胖胖,像个熟透的果子,水分足着呢!你不知道吧?她骚劲大着哩,发起情来没个够!”

金亮笑笑,说:“我当然不知道,听你这口气,好像占过她的便宜。”

福顺嘿嘿地笑。“反正你老兄不会吃醋,不瞒你说,是有过那么几回。男人不怕长贵,都怕曹麻子,都知道她被曹麻子号下了,不敢去招惹她。”

金亮说:“看来你也不是个好东西!”

福顺说:“我本来就不是东西。我是人。曹麻子能得到的东西我也应该得到!”

金亮一笑置之。对玉环,金亮早已淡忘。既已淡忘,爱和恨便都不复存在了。金亮也不觉得玉环可憎。他只是感觉有点悲凉。他现在关心的是另一个女人的情形。

“那么,丽云她怎么样?”

福顺狡黠地一笑,说:“我就知道你会问她,我正要说还没说,丽云是咱村里有名的大美人儿,也是个名角儿。你知道,她是在你老兄身上出的名。这女人和玉环那娘们儿不一样。人家到底是出身于大城市里的书香门第,有股大家闺秀的味儿。尽管被赶到庄户地跟着冯骡子窝憋了这么多年,也还是有那股味儿。依我看,那是个顶聪明的女人,有头脑,下庄户地实在屈了人家。”

金亮问:“这些年,她是不是也挺风流的?”

福顺说:“风流是风流。不过,除了你,没听说她和别的男人有事。——哦,我想起来了，只有一个人，是镇上的什么委员，下来驻点，就住在你这屋里，住了俩月就走了。有人怀疑他们俩有点关系，也都是望风捕影。漂亮娘们儿没有事也容易招人议论。"

"她和冯骡子没闹过离婚吗？"

"闹过，冯骡子赖着拖着不离。她硬要离的话也就离了，不知为什么她没有硬离。"

金亮默不作声。福顺喝了一口酒，又说：

"她和冯骡子离婚只是早晚的事了。她娘家全家早些年就落实了政策，又搬回了大城市，这里就剩下她自己了。这些年她干裁缝挣了不少钱。她和冯骡子各自挣钱各自支配。她经常回家，穿戴打扮越来越洋派了。听说她有个姑妈在香港，都估摸着她在兴隆屯待不长了。"

金亮心里一动。昨天傍晚老怪爷转圈子的情景浮现在他的脑际，还有西天弥漫着的灿烂美丽的火烧云。他记得当年他出走的那个傍晚西天也燃烧着灿烂而美丽的火烧云。他被惆怅的情绪所笼罩，叹了一口气，说：

"来，喝酒，今晚咱兄弟俩来个一醉方休！"

六

吃晚饭的时候，长贵对玉环说，他看见金亮回来了。他赔着小心，像是怕触犯了老婆。

"金亮？哪个金亮？"玉环显然心不在焉。

长贵赔着笑脸说："你看你这记性。咱村还有第二个金亮吗？就是当年……"

玉环傻乎乎地看着打住不说了的男人。"当年咋的？"

长贵抬眼察看女人的脸色："当年……当年和你相好过的那个金亮呗。"

玉环这才想起来："哦，怪道觉着这个名儿耳熟，是他啊。他回来咋？"

"不知道。我往家走的路上看见的，没说话，差点认不出来了。不是当年那个金亮了。"

"看你说的，人还有不老的？我不是也变了嘛。"

"你是越变越好看。"

"你个不中用的废物，就光知道好看，饭也吃瞎了！你看你，吃饭老是吧唧吧唧响，像猪似的，真恶心！"

长贵一勾脖子咽下一口饭，咧嘴笑了笑："老毛病了，想改也改不了。天生的贱骨头。"

玉环并不关心金亮。金亮回来不回来与她没有什么相干，她只是一时好奇随口问问罢了。自从十几年前发生了那场她意想不到的变故之后，金亮就在她心里淡漠了，并且越来越淡漠，直至忘却。十几年来玉环偶尔也想到过金亮，但也只是在头脑里一闪而过。她也曾感到对不住金亮，但那是没有办法更改的事。玉环没有时间也没有精力去悔恨，道理很简单——她得过自己的生活。此刻她关心的是长贵会不会在家里过夜。

吃过晚饭，长贵在院子里没事找事地拾掇着什么，磨磨蹭蹭地不肯走。曹麻子承包了果园后就雇用了长贵给他看园子。长贵明知这是曹麻子让他腾地方他却不能不遵从，明知老婆被人家占有却不敢怒也不敢言。相反，他还得好好敬奉着。他觉着有个看不见摸不着却又无处不在无时不在的怪物强迫他非这么做不可。

长贵蔫蔫乎乎脾气好得不能再好。忍耐是他维持生存的主要手段。在忍耐中他常常安慰自己：一切都是命中注定的。这么一想，他的心理上便得到了平衡。

玉环说："天都黑了，你还不快走！"

长贵咧嘴嗨嗨地笑，说："今黑夜我不想去了。反正树上没结果子，不怕偷。"

玉环说："那也得去。你若不去，叫人糟蹋了树上的花儿就够你受的。"

女人说这话一半是吓唬男人一半是真的。去年树上的苹果长到像山楂那么大时，夜里被人用木杆儿打掉不少。当然，女人主要是不想让男人留在家里。过晌她看见曹麻子从城里回来了，她料定曹麻子今晚会来。

可是长贵却打定主意要在家里过夜。他有半个月没在家里过夜了。他的体内有股欲望不断地膨胀并折磨着他。等两个孩子在西间屋里睡下后，他就搂住老婆求欢。女人任他抓摸了几下就使劲推开他，说："中了中了你个废物，快走吧，等明日黑夜你叫柱子替你，你再留在家里困。"长贵仍不肯罢休，再次缠住女人，就在这时，曹麻子来了。长贵赶紧笑脸相迎。

"大叔回来了？"

曹麻子"嗯"了一声，大大咧咧地坐在一个方凳上。说这趟出去收获不小，做成了一笔生意，净赚五个大数。女人问五个大数是五万块吧？曹麻子得意地点头。

"恭喜你发财。"女人说，"这叫天上掉尿，狗儿有福气！"

曹麻子抬手在女人腮上拧了一下，说："我把你个……去！没大没小的，谁好对大叔这么说话。"

女人嘻嘻笑着送给曹麻子一个媚眼。曹麻子立刻就有点按捺不住的样子，转脸看看长贵。长贵耷拉着眼皮假装没看见，一副无知无觉麻木不仁的神态。

"长贵，喏，这是三百块，拿去花吧，别痛钱，夜里凉就喝点酒暖暖身子，只要你把果园给我看好，我亏不了你们一家。"

长贵伸手接过钱，笑得合不拢嘴。没有这东西就没法过日子，长贵比有钱的人更深知钱的重要性。曹麻子接着问谁在果园里。这一问提醒了长贵。他说："我回来晚了，才吃过饭。我这就走，这就走。"

七

长贵刚走，曹麻子就迫不及待地让女人去关院门，他自己则致力于准备工作。

曹麻子当过多年大队支书，又干了两年村支书。他承包了村里的果园，成了兴隆屯的首富。之后曹麻子就把村支书的位子让给了他的一个远房侄子。曹麻子是全县第一个在县城开办公司的农民。那几年买卖好做，赚钱也比较容易，只要能通过后门从计划内指标中弄出一批物资，就能赚上一笔，曹麻子的路越走越宽。接着，他又在县城开办了饭店，在兴隆屯兴建了一座小型的面粉加工厂，专给县里的粮食部门加工面粉。于是，曹麻子打出了"农工商贸综合公司"的旗号，很快成为当时全县赫赫有名的农民企业家。曹麻子虽是庄户出身，斗大的字也识不了几个，却能赶上时代新潮。他学海外商人的样子，成立了公司董事会，让一些有权力、有地位的人当挂名董事，他当董事长兼公司经理。他还雇用了两名女秘书，都是二十岁出头的妙龄女郎，轮流跟随他外出。给他读报纸、读文件是女秘书的工作之一。那几年，曹麻子的优秀事迹不断见诸报端，曹麻子的形象也随着不断高大。

兴隆屯的人们对曹麻子贬褒不一、毁誉参半。曹麻子的确为兴隆屯办过几件好事。在他的领导下，兴隆屯在这一带最早用上了电，还办起了大队面粉加工厂，解决了磨面难的问题。曹麻子是个孝子。他的老爹死前瘫在炕上一年多，他端屎端尿伺候了一年多，死后葬礼之隆重轰动了四村八疃。兴隆屯那些上了年纪的人一说起曹麻子的孝道都赞叹不已。曹麻子对村里的"五保"老人照顾格外周到，总是按时把钱和衣物送到"五保"老人手里。他富起来之后，逢年过节还从自己腰包里掏钱买些鱼肉之类亲自给"五保户"送上门去，并且还捐献出三万元改造村里的小学校。说起这些兴隆屯的人们都夸曹麻子通人情心地不坏。报上说曹麻子富了不忘乡亲，带头做扶贫工作，在他的扶持下兴隆屯有七八家贫困户翻了身不再贫困，其中最典型的是长贵一家。他拿出资金帮助长贵家办起了小百货店，报上赞扬曹麻子急贫困户所急想贫困户所想，把长贵一家的困难当成自己的困难，关怀备至等等。兴隆屯的人们承认这些都是事实，只是对曹麻子造就这些事实的动因持有异议，好些人都说，曹麻子扶持的贫困户家里都有个俊俏闺女或媳妇，其中数长贵媳妇玉环最漂亮、最放浪，所以他扶持长贵一家也最尽心最卖力。但无论如何，能扶持就算不错，总比一毛不拔好得多。

为了客观地评价曹麻子这个人物，我曾在兴隆屯走访过不少人。其中唯独老怪爷的观点与众不同。老怪爷说，食色者，性也。老怪爷的观点是：曹麻子想那么干是曹麻子的不是；曹麻子想干就干成了就不光是曹麻子的不是了。更大的不是在另一方，在顺从地听任曹麻子摆布的一方。这不是老怪爷的原话。老怪爷虽然博学，却不会使用“摆布”之类的新名词。这是我对他的原话的归纳和概括。我不能不承认老怪爷具有哲学家的头脑。我试图反驳老怪爷。我说另一方那么干可能是被生活所迫。老怪爷把眼一翻，说：“那曹麻子咋就能不被生活所迫？”我无言以对。这个世界到处都是人，但人与人又实在没法类比，我只能望类兴叹。

不过，眼下曹麻子已经开始走上了下坡路，面粉厂已经停了产，原因是没活干。

曹麻子五十几岁的年纪，身体壮硕，一张四方大脸略带几分威严，麻子不多并且很浅，麻子不但没有使他显得丑陋反而使他显得很有特点。他的整个外表特征显示出他是个具有征服力的男人。这正是让玉环这个女人着迷的地方。

玉环插上院门进屋后，朝着处在等待状态的曹麻子温软地一笑。每逢这种时候，曹麻子的脸就显得格外威严。看见曹麻子那张威严起来的脸，她浑身就酥酥地软。她知道这个男人越是迫不及待的时候外表就越发沉着冷静。她软软地笑着软软地倒在曹麻子怀里。

在玉环的视野里，任何男人都不能与曹麻子相比。她丝毫不觉得曹麻子年纪大。相反，她感到曹麻子是强有力的，让她觉得踏实有依靠，不是父亲又胜过父亲。除此之外，她和曹麻子睡觉总会有种心满意足的感觉。在她所接触的男人中，她最厌恶的是自己的男人长贵。长贵是最无能的男人，连干那事也不中用，总是弄得她很难受，说不出的难受，之后就多一层对长贵的反感和厌恶。但她又不能没有长贵。因为长贵是最适合于当她的丈夫的男人。没有办法。随着年龄的增长她对干那事越来越迷恋，她管不住自己，她对自己一点办法也没有。

作为一个女人，玉环喜欢上的第一个男人是金亮，是情窦初开时喜欢上的，也不知怎么的就喜欢上了。她跟金亮好的时候金亮亲过她摸过她。她渴望金亮有进一步的举动。但是没有。金亮不敢。不久金亮就去当了兵。

那之前，玉环的父亲因为腰痛病变成了罗锅儿，母亲得了肺结核，曹麻子当上大队支书后对她家格外关怀，每逢上面拨下来救济粮和救济款总有她家的一份，此外大队还以照顾特殊困难户为由每年发给她家两三次救济款。她全家人都对曹麻子无比感激和敬仰。玉环的爹娘经常对儿女念叨曹麻子的好处，叫儿女别忘记曹麻子对他们家的大恩大德。从那时起，曹麻子就成了玉环心目中很威风很了不起的人物，并对曹麻子产生了特殊的亲情。

金亮当兵后的第二年，玉环就被曹麻子占有了。再后来就觉着离不开曹麻子了。她怀了孕，曹麻子领她去县城的医院偷偷流了产。然后曹麻子便出面保媒要把她嫁给长贵。到了那一步，她更是六神无主，一切都只好听从曹麻子的摆布。她爹虽然觉察到她与曹麻子的关系不对头，听到了一些风声，但却有苦难言。他实在不愿把闺女嫁给长贵，却又没有办法改变已经发生的一切，就勉强同意了，条件是要长贵出一千块钱的彩礼。由于曹麻子从中调停讲情，最后说定只要八百块钱，为的是给玉环的哥哥娶媳妇。那年头的八百块人民币等于现今的一千美元。而长贵竟能知难而进，求亲告友借足了八百块钱，当面交给了玉环的爹。其中包括大队借给长贵的三百块。

婚后不久，为了还债长贵偷了生产队里的两包黄豆和一些树木。但很快就被查了出来。镇上的公安派出所来人要把长贵带走，被曹麻子保下了。玉环和长贵成家后，曹麻子进出这个家就如同进出他自己的家一样随便。村里的人们议论了一阵子，兴趣一过也就习以为常见怪不怪了。

这些都是孙旺家告诉我的，她说玉环跟她最能说得来，玉环什么事都不瞒她。

八

花脸福顺从外地赶集回来，一进家门就看见院子里蹲着一个黑脸的中年汉子。这汉子是翠娥的男人。翠娥是福来的相好。

汉子蹲在地上蔫乎乎的叫人可怜。他一看见福顺，连忙咧开嘴苦笑着打招呼，跟着就凑上来哀求福顺：

“兄弟，你能不能劝劝你哥，行行好，放孩子他娘回家吧。俩孩子还小，天天把着门口盼他娘，……我那家不成个家了啊!”

福顺娘长叹一口气，拾掇起缝补用的针线笸箩，进屋去了。福顺也叹口气，摇摇头。

“这号事谁劝也不中用，鬼迷心窍。有句老话说得好，能劝赌不能劝嫖。你等也是白搭，快回去照看家吧。”

汉子低头寻思了一阵，就无可奈何地走了。

福来和那女人不知躲到哪里去了。

福来是个镶牙匠，每到一个村就找户有闲房的人家摆下摊子安个据点，一住十天半月或一月俩月长短不等。福来流窜到史家甸子时碰上了缺一颗下门牙的翠娥。翠娥家有两间多余的临街厢房为福来提供了方便。翠娥三十出头，不算漂亮却也有几分姿色。尤其是那丰满的胸和丰腴的臀，让从来没沾过女人的福来想入非非。从这个女人把他领进家门那时起，福来就隐隐预感到要出点什么事。福来对我说这种感觉朦朦胧胧似有若无。后来这种感觉终于应验了。

半个月后，那汉子终于看出了一点蛛丝马迹，便以要用厢房为由撵福来走。福来离开不久，那女人就找上门来。有人给福来提亲，女人拦着福来不让他答应。女人要跟男人离婚，那汉子死活不干。这些日子那汉子草鸡了，跟女人说只要不跟他离婚怎么都行，就是别在福来那里待得太久。

福来镶牙赚来的钱几乎全贴在翠娥身上了。这引起了福顺的不满。兄弟俩虽然没公开分家，但是各人挣钱各自掌管，而地里的农活却多半得由福顺干，更叫福顺不能容忍的是，那女人一来就弄得他们全家不安。福来和女人经常在半夜里要吃荷包蛋，却又懒得做，每次都是喊他娘起来代劳。为这事前天夜里兄弟俩已经翻了脸。福顺和秀芬已经好上了，是秀芬主动留他睡了觉。秀芬要福顺帮她借一笔钱还债，福顺不能不答应。前天晚上他去秀芬家，因为还没有借到钱秀芬的脸色就不好看。福顺动她被她一把推开了，说你就知道干这个，凭你一个大男人家不痴不傻咋就不能想法去挣大钱！如今这年头没钱就不能活人！福顺被这话顶得够呛又觉得这话在理，夜里，福顺躺在自己炕上为钱的事翻来覆去焦灼不安。听见福来在西间里喊娘起来打荷包蛋，福顺的火气一下窜了上来，他按压不住就甩过去一句：“别不要脸，要吃自己起来做！”福来在那边说：“该你什么事！”福顺说：“咋不该我事？娘也是我的娘，你不能老是把娘当丫头子使唤！”福来没了话说。赌气自己起来做，结果洒了一锅台鸡蛋清。福顺也曾对那女人动过念头，趁福来不在家时他调戏过她。“嫂子，你闲着也是闲着，趁我哥不在家咱俩亲热亲热吧。”但那女人对福来的爱情好像很坚定，对福顺冷冷淡淡不理他的茬儿。

“兄弟，你再动手动脚，我可要翻脸啦！”

福顺气不过，觉得自己不比他哥差，想来想去找出了一条主要原因：那女人看不起他这个小二道贩子。这就促使福顺更加渴望赚大钱。

九

望着翠娥男人那愁苦的背影，福顺心里着实可怜那汉子。他由那汉子联想到自己，他觉得自己也够可怜，活得没有人样。他呆呆地站了一会儿，就想起来该去找金亮。

这几天他瞅上了一个挣大钱的门道。兴隆屯有不少泥瓦匠，福顺想拉起一帮泥瓦匠组成个建筑包工队，不需要太多的本钱，买上架子木板拉起队伍就能挣钱，等挣了钱再置办塔吊干大工程。但是细细一想，福顺又感到自己力不从心有点打怵，必须找个人合伙干。他在心里把几个可以合伙的人选掂量了一番，认为只有金亮最合适最理想，怕就怕金亮不肯留下来。

福顺忽然觉着自己开了窍。其实钱也不难挣，关键在于你有没有胆量。只要敢想敢干就能挣大钱。所以，这一回他决心豁出去，干他娘的一番！

福顺一出家门，就看见金亮从那边走过来，手里拎着一包东西。他赶忙笑脸相迎，说：“金亮哥，我正要去找你。你这是要到谁家去？”

金亮说：“我来看看你家大娘。这些天我走了几家亲戚，过来晚了，得请大娘多包涵。”

福顺说："你这话就见外了，就该先走亲戚。咱是自己人，啥时有空啥时过来，没有晚不晚一说。"

进屋后，福顺娘一见金亮免不了要说一番久别重逢的亲热话，絮絮叨叨问个不停。福顺在一旁沉不住气了，说："娘，你忙你的去吧，我和金亮哥有正经事要说。"

老人走后，金亮问有什么正经事，福顺就把他的想法说了。金亮沉思默想了一会儿，说："你这个想法不错，行，可以干。"

福顺高兴地一拍巴掌："只要你老兄说行，那就一准能干成！我就等你这句话！"

金亮说："你先别高兴，这事说说容易干起来难。要办营业执照，还需要贷一笔款，还得找施工技术员，更重要的是要有活干。另外，我干不干，还得考虑考虑。"

福顺有些失望。听金亮这么一说，他更觉得没有金亮不行，他说了不少叫人可怜的话，极力恳求金亮留下来同他一起干，金亮只是默默地吸烟。福顺看出金亮心里有点活动了。

"留下干吧，就算帮帮我。"他又说，"咱们从小兄弟一场，你就忍心看着我当一辈子穷光蛋，打一辈子光棍儿吗？"

金亮笑了笑，说："你让我想想，干不干，过两天我再给你回话。"

福顺点头说好，他想起了秀芬托他借钱的事，又觉着难以启齿。迟疑一下，终于还是吞吞吐吐地开了口。

金亮问："多少？"

"三百。"

金亮从衣兜里掏出三张面额壹佰元的人民币，递给了福顺，说："不用还了。"

福顺说："不不，还是要还的，就是得拖些日子还。"

金亮说："走的是走的，飞的是飞的。我说不用还就不用还了。这点忙我能帮得上。"

福顺心里高兴得不行。看看天不早了，他要出去买点东西，留金亮在他家里吃饭。金亮再三推辞，起身就走，说今晚他的远房兄弟金来请他喝酒。福顺见留不住，便不再强留。

傍晚，福顺怀着与往日不同的心情往秀芬家走去。他看见前面一个衣着打扮非同一般的女人袅袅娜娜朝冯骡子家走去，立时被吸引了，双眼直勾勾地盯在女人扭动的身腰和丰腴的臀上。那女人的身腰和臀扭动得舒缓委婉恰到好处，富有节律和韵味，极其美妙动人。福顺感觉嗓子眼里发干就使劲咽了一口唾沫。他知道这个女人永远不会属于他。他想到了金亮，心里不禁一阵酸溜溜的。他又想起了秀芬那粗壮的大腿，心里才平衡了些。操！好女人多得是，等着吧等老子有了钱再看！他想。

十

金亮说他的远房兄弟金来请他喝酒是托词。他除了不愿意给福顺添麻烦外，心里还在暗暗期待着丽云的归来。据冯骡子说，丽云回娘家已有二十多天，差不多该回来了。金亮后悔没有事先写封信告知丽云他要回来。

金亮回来的第二天，冯骡子就外出做木匠营生去了。当年，金亮临走时把他家的三间房子托付给冯骡子，说好在他没回来之前归冯家修理使用。冯骡子见金亮走后多年杳无音信，便把金亮家的院门拆掉堵死，在两家的界墙上开了一道便门，把原来的两家变成了一家。现在，这两家七间房子的大院内就只有金亮一个人。

傍晚，金亮正在冯骡子家那边使用冯家的锅灶和炊具烧菜，一个似曾相识的淑女从院门外走了进来，金亮一下子就认出是丽云。他一步跨出房门，和丽云迎面而立。丽云先是瞪大眼睛惊讶地盯着他，尔后欣喜若狂。

"金亮！是你！真是你吗？"

金亮无声地笑着，默默地点头。

两人相视含笑默然而立。金亮心中涌动着颤抖的灼热。一瞬间金亮的意识箭一般疾速地流向过去。他迷惘地感到又同过去的自己重逢并见到了过去。

"真没想到还能再见到你。"丽云说，声调沉郁。"这么多年，你怎么连封信也不给我写呀？"

金亮清醒过来，说："写信不如不写信的好。"

女人神色黯然地点点头。

进屋后，女人看见菜板上的肉和菜，便说："我来做。提包里有水果和糖，你先吃那个等着。"她边说边戴上套袖和围裙，麻利地动手烧菜，金亮坐在一旁，一边剥着橘子皮一边端详着女人。恍惚间金亮以为自己是沉浸在温馨的梦里。女人不时地望着他笑一笑，问他什么时间回来的，这些年都在什么地方干什么。金亮一一回答。

"怎么就你一个人回来呀？"

"我本来就是一个人。赤条条来去无牵挂。"

女人疑惑地看了他一会儿，然后微笑着摇头，"这不可能，你用不着骗我。"

"我命不好，命里注定我得过独身生活。"

吃完饭，天已经黑透了。丽云去插上院门，又回到金亮屋里。一时间两人都沉默无语。

"你回来，是留下呢还是想看看就走呀？"

"不知道，我也正在问我自己呢。"

“这么多年，想过……家吗？”

“我的家实际上就是我自己吧。”

“那，想过……我吗？”

“想过。你是使我成为男人的女人，一辈子也不会忘。在外面，我想回来的愿望很强烈，可动机又模糊不清，说不准为了什么，就是想回来。回来那天没有见到你，心里很失望。这些天，我天天都在盼着见到你，想象着你现在的模样，想象着你突然出现在我面前会是什么样子。我这才渐渐明白，我回来的目的大概是想重温旧梦。”

说着，金亮起身走到女人面前。两人对视着，几乎是在同时张开了手臂，去拥抱一个旧日共有的梦。

十几年前一个初冬的傍晚，金亮刚进家门，丽云就在墙那边喊他过去修理缝纫机。缝纫机只出了点小毛病。修好后丽云把饭菜摆上让他一块儿吃，他没有推辞就脱鞋上炕坐下了。丽云拿出一瓶白酒，说天冷你喝点酒暖暖身子吧。那时冯骡子平日吃住在镇上的铁木厂里，每逢星期天才回家一趟。他们结婚好几年还没生孩子。冯骡子这个外号就是因为这个而叫响了的。丽云过门前婆婆就已去世。平时家里只有丽云一个人。远亲不如近邻。金亮孤身一人，衣服被褥都是丽云给他缝洗。丽云家里需要男人干的活金亮就过去帮忙。于是就有人跟金亮开玩笑：“金亮你可要小心，别光图方便跳墙撞断腿可不划算。”“金亮你老实交代，你和那娘们儿有没有那回事。”金亮一笑置之。那时他心里还没忘掉玉环。那时的金亮经过部队革命大熔炉的锻炼，思想很单纯，对丽云就像对待自己的亲嫂子一般，有种一家人的亲近感，因此向来毫不顾忌。正所谓心底无私天地宽。但那天晚上丽云非同寻常，对金亮格外温柔体贴。那天是玉环和长贵成亲的日子，闹房的嬉笑声随风阵阵传来。金亮感到压抑得透不过气来。丽云也陪着他喝了一点酒。他不听丽云的劝阻自斟自饮喝个不停。终于支持不住了倒头便睡。后来他在朦胧中感觉到他是光着身子躺在被窝里，继而感到有人在动他。他伸手一摸摸到的是个光滑温暖的躯体。他怵然惊醒却以为是在梦里。他刚抬起身，就被两只丰腴的手臂紧紧箍住了。事后丽云说她早就爱上了他，说她现在才成了一个真正的女人。金亮也是从那一夜起懂得了女人也懂得了男人。

“想想真像是一场梦……”女人双眼迷醉，叹息着说。

十几年过去，两个人都已经不再年轻。他们沉着而从容地脱去衣服，互相端详着抚摸着，彼此都感觉到对方有些陌生。女人比当年丰满多了也比当年更疯狂了些。

“金亮……金亮……你真是金亮吗？”

金亮的意识混乱不堪，他不知道他还是不是金亮。

十一

福顺发迹的机缘到了。这几天福顺的内心深处时常有种兴奋的东西蠢蠢欲动。

金亮终于答应了福顺的要求，出任建筑包工队的老板。两人达成了利润对半分成的协议。福顺甘愿给金亮当副手，并提出他只要四成。但金亮不答应。金亮写了份协议书，两人分别在上面签名盖手印。

接下来的一切都是由金亮主持操办。他们俩一起去县农行设在镇上的办事处。想碰碰运气贷一笔款。没想到还真碰上了，办事处的主任是金亮当兵时的一个战友。战友重逢分外亲切。中午，金亮把他的战友请到镇上最好的饭店，边喝边吃边谈。战友说，贷款的事包在他身上，他还可以帮助他们批营业执照和联系施工工程，“镇上的单位头头我没有一个不熟的。你今天算来巧了，有家镇办企业想盖一栋二层办公楼，包工包料，还没找施工单位，这事也包在我身上。”

不服运气不行。在金亮战友的帮助下，事情办得很顺利。先贷了款后批了营业执照，接着就与那家镇办企业签订了施工合同。金亮到城里花高薪从建筑公司聘请了一名施工员。前后只用了一个多月的时间，他们的建筑包工队就开工了。

直到这时福顺才真正认识了金亮。金亮的确经多见广神通不小，他事先就把一切都谋划好了，因为成竹在胸所以干起来有板有眼沉稳老练。在这个过程中他们光请客送礼就花掉了五千多元。福顺开了眼界长了见识，禁不住感慨万端，觉得自己来到人世三十多年算白活了。他从此立志下半辈子一定好好地活，以补偿上半辈子的损失。也就是从那时起，福顺产生了要独立干一番事业的念头。

福顺自然非常佩服金亮。但福顺更佩服秀芬。他认为如果他能发迹的话就是得益于这个女人。福顺原来不知道秀芬居然是个有心计的女人。让金亮当老板利润四六分成都是秀芬的主谋。开始福顺想的是对半分成由他挑头当老板。那天晚上他把这个想法告诉了秀芬。秀芬寻思了一会儿说：“你这么办不中。你想捞钱也不能这么急。你得依靠金亮，没有他你办不成。”福顺说：“未必吧。”女人说：“你不服是不是？你觉着本事不小是不是？你算什么，井底的蛤蟆见过多大的天儿！人家金亮在外闯荡了多年，经多见广，一看那来派就看得出来。你要干就得老老实实依靠他。你让他当老板给他一多半，他能干就是你我的福气！”福顺听从了这个女人的劝告，一切都按女人的意思办了。经过一番实践验证，福顺才真正服了金亮也服了这个女人。但福顺对这个女人也多少有点后怕。

工程开工之后，眼看大把的钞票即将到手，福顺的精神一直处在亢奋状态。他把女人暂时抛到脑后，连续十多天靠在工地上没回家，直到女人捎信叫他才回来。

那晚，等孩子睡下他已经急不可耐了。女人推开他说：“慢着，我有话和你说。咱该打打谱了。”

福顺说：“打什么谱？”

女人说：“我不能老是和你这么偷偷摸摸地过下去。你得明媒正娶！”

福顺说：“这好办，我找孙旺家的保媒就是了。”

“你把手拿开！还有，你得过来。这叫‘招夫养子’。”

“中中。我全听你的。”

“这就好。这话可是你说的。若是你日后对不住我，神灵不会轻饶你！你这么顺当，就是沾了我的光，有神灵在暗中保佑你！你好好待承我你会成大气候。”

福顺感觉自己的心抖颤了两下，脊背上一阵嗖嗖地凉。

“你说吧，打算什么时候过来？”

“你说吧。”

“那就等钱到手吧。”

“是不是急促点儿了？永乐才去了……你不怕人家……”

“我不怕。如今这年头没那么多讲究。他死了我和孩子还得活。我不能干守着，我受不了那份罪！这也是神灵的意思。”女人边说边开始脱衣裳，不慌不忙脱得一丝不挂。仰躺在炕上眼望着屋顶。“你刚才急得像猴儿似的，这会儿咋了？还不快上来？”

福顺从恍惚中醒过来，一看见女人肥腴结实的肉体，精神立时亢奋起来。人的外表不真实。在福顺眼里，秀芬过去是个老实贤惠的女人。直到有了肉体关系，福顺才真正认识了秀芬。这是个不知餍足的女人，她总是睁着双眼始终一声不吭。福顺说他同这个女人睡觉有一种“死”的感觉。现在福顺意识到他又得“死”一回了。

十二

那天我正在屋里整理我的笔记，忽然听见街上传来一声清理嗓子的声音，那声音又尖又细怪里怪气。我出来一看，原来是老怪爷，老怪爷一年中能有三四次走出家门，其余的时间都在屋里修炼。老怪爷已经修炼成半仙。兴隆屯的人谁也摸不透说不准老怪爷究竟多大岁数，今年九十九，明年还是九十九。老怪爷的老牙全部脱掉后又长出了新牙齿，吃起胡萝卜来脆响无比。老怪爷知晓兴隆屯一百年以前的事，知道每家每户祖宗三代的历史和隐私。但对于兴隆屯的人们来说老怪爷却是个谜。老怪爷不轻易开口说话，但嘴里常常念念有词。老怪爷住的那间屋里除了他自己绝对不让别人进入。我去拜访过两次都碰了钉子。后来是我通报了我爷爷的姓名外号，老怪爷才走出屋来接见我。兴隆屯的人们都把老怪爷当痴人看待，几乎已经把老怪爷排除在人世之外。但我却不然。也许是因为我需要他，也许是因为他能为我提供一些素材我才需要他。总之，一个人的存在是由他的价值所表明所体现的，至少在某种意义上是这样。

我尾随着老怪爷往前走去。我小心翼翼地移动脚步，生怕惊扰他。老怪爷一直走到村头上的老槐树下才立住。在这个过程中老怪爷目不斜视。他立住后背对着我说，是谁跟在后边，莫非想暗算老朽乎？我赶忙走过去，站在老怪爷面前。我说没有人想暗算您老，我看见您一个人出来，我不放心，才跟在后面保护您。老怪爷不领我的情，眯着眼朝远处看了看，便席地盘腿而坐。我也在一旁蹲下来。过了一阵，老怪爷说，一百年前兴隆屯发生过一回地动，狗们猫们耗子们各自自相残杀，到处是死狗死猫死耗子。我问人类怎么样，老怪爷不理我的话茬自顾说下去。老怪爷说，又一百年后刮一场热风，刮得狗们猫们耗子们满世界跑，鸡鸭鹅在街上飞来飞去啄食人的眼珠儿。然后老怪爷就闭目缄口不再言语。无论我问什么他都一声不吭。

我怀着一种好奇心走访过几个老人，都说发生在一百年前的所谓“地动”事件及其后果是真是假已无据可考，只能听老怪爷胡言乱语。因为现在活着的人一百年前都尚未出生。至于一百年后要刮一场热风之说就更荒唐了，那要等一百年之后才能知道真假。

过了两天我又去见老怪爷。这次老怪爷显得很清醒，像个正常人。我问他记不记得他曾对我说过“地动”和“热风”的事。老怪爷笑了。老怪爷笑起来慈眉善眼飘然若仙。他说你信就是真的不信就是假的，世上的事无所谓真无所谓假，假即是真，真即是假，你经历过的事做过的事，回头想想都成了假的成了过眼烟云，你以为是真的就是真的，你以为是假的就是假的。我试图用唯物主义的观点反驳老怪爷，但这如同对牛弹琴，老怪爷听不懂我的话。后来老怪爷很谦恭地向我请教起来，说你看的是新书，我看的是老书，你说说人是什么？我发觉老怪爷说这话时神色不同寻常接近于现代人，这使我意识到老怪爷也是个血肉之躯。我说，人也是动物之一种，与其他动物不同的是，人有思想有感情会说话，懂得荣辱廉耻，是高级动物。诸如此类的道理我说了一通，老怪爷皱起眉头，一脸困惑状。他问我，那你能听懂了猫说话吗？我说我听不懂，老怪爷说，那你咋就知道猫不会说话？我苦笑着摇摇头，我觉得我和老怪爷对话很困难，我们之间存在着沟通的障碍，原因是我们俩不在一个层次上。

据说老怪爷看过《奇门遁甲》。村里一些老人说，那本书看不得，能看懂了的人就成为活神仙；似懂非懂的人就会变得疯疯癫癫。说老怪爷就是因为似懂非懂才变成这个样子的，一阵迷糊一阵清醒，迷糊的时候你给他周围画了个圆圈，他就决不走出圈外。这使我联想起西周时期“画地为牢”的传说。我觉得村里人的看法有失偏颇，而老怪爷迷糊的时候不一定是不正常，如果一定要说老怪爷迷糊的时候不正常，那么西周时期的人就都是不正常的人了。

十三

建筑包工队开工后，金亮就成了兴隆屯一带响当当的人物。金亮从未向任何人透露过他有多少钱。但不久兴隆屯一带就传开了。说兴隆屯有个闯外回来的光棍儿金亮手里有大钱，如今又成了建筑包工队的头儿，是个有能耐的人物。这么一传，金亮的名声就盖过了曹麻子。连曹麻子本人也对金亮另眼相看。两人在街上碰了面，曹麻子主动热情地和金亮打招呼，问长问短，第二天还让闺女上门请金亮去他家喝酒，被金亮婉言谢绝了。

听说金亮还是单身一人，就有不少本村和外村的热心人登门给他提亲，但都被金亮谢绝了。孙旺家的拿来一摞相片让金亮从中挑选，说："这些都是二十出头的黄花闺女，俏的俊的胖的瘦的要咋样的有咋样的，我是管配对儿的，保你满意！"金亮只是笑，对照片看都不看一眼。

"这么说你是不想要了。"孙旺家说，"我知道，你就只看着一个女人好，可她再好终究是人家的，你只能偷着吃口。露水夫妻不长久，好好寻思寻思吧。"

金亮笑着说："谢谢你的好意。我暂时还不想要。"

孙旺家说："那是没饿着你个鳖蛋。看来我这份心是白操了。"

金亮掏出二十块钱给了孙旺家的，说这是付给她的操心费。那女人喜出望外，对金亮恭维不迭，临走时留下话，说什么时候想要媳妇就找她。

我说过，金亮回乡没有明确的目的。若说有那就是给父母兄弟上坟。金亮已经厌倦了那种灯红酒绿醉生梦死的生活，他需要喘一口气，渴望平静地生活，以便松弛一下紧张的神经。然而，当他脱离了那个喧嚣的世界处于平静状态时，他又感觉若有所失。他的精神状态是麻木的慵懒的，像一只失去了风帆的小船在原地打转。他之所以答应福顺的要求，不光是为了钱。他主要是想给自己找点事情干，既可以帮助福顺，也能够为兴隆屯的乡亲开辟一条挣钱的门道，显示一下他的能耐。

现在他的愿望已经基本实现。因为身价倍增，他不免有点得意。但是，得意之余他依然感到迷惘，他对自己以及未来缺乏把握。也许是因为他早已经不再单纯的缘故，回来后所接触到的一切都使他觉得家乡已经不再是他印象中的那片平静的田园，人也似乎不再是他印象中的那些人了。

回来后不久的一天，金亮在街上碰见了玉环。玉环眼睁了一下，然后咧嘴笑着叫了一声"金亮哥"，说差点儿认不出他了。

金亮笑了笑，故作沉思状，然后倒吸了一口气，说："我也认不出你了。你是谁家的媳妇来着？你看我这脑子，怎么想也想不起来了。”

玉环咯咯儿地笑了两声，说：“你装蒜装得还怪像哩！你是贵人多忘事吧？”

金亮说：“我真的不认识你。”

玉环说：“到俺家里去坐坐吧。”

金亮说：“不了，我有事要去办。”

玉环朝周围扫了一眼，说：“你是混好了看不起俺啦。俺是对不住你。可俺当年好歹让你亲过摸过，你不该对俺这么冷冷淡淡的。”

金亮说：“你越说我越糊涂了，我连认识都不认识你，怎么能说亲过你摸过你呢？你是记错人了。”说完他就走开了，心里无端有点难受。

过了两天，玉环又借口找丽云来到金亮屋里，她说：“金亮哥，我想问问你，你到底是真不认识我了还是假装不认识。”

金亮说：“真假都有，这么多年过去了，你变化很大，说不认识也是真话。就是不认识了。听说你的日子过得不错，我很为你高兴，好好过你的日子吧！”

玉环的眼睛红了，泪汪汪的。她说：“当年我是对不起你，可没想到这么多年了。你还记恨着俺……”

“你想错了。”金亮笑了笑，“没有。我不记恨你。说实话，你没有什么可让我记恨的。我早就把你忘了，一点也记不得了，就像你忘了我一样。咱俩谁也不欠谁的，是不是？”

“可我心里有时还会想起你，想着你对我的好处，见了你觉着怪亲的……”

“那我谢谢你了。你还有什么事？”

“没有事。就是想看看你。听说你还是一个人过，我心里不是滋味儿。”

“多谢了，你不必可怜我。我一个人过是我愿意的，与任何人都没有关系。你别再来我这里了，免得旁人说三道四。还是那句话，好好过你的日子吧！”

玉环低下头转身走了。丽云从那边走过来，笑眯眯地盯着金亮，说：“看样子玉环又对你动情了，想跟你重温旧梦。”金亮笑笑说：“我倒是真想跟她重温旧梦。遗憾的是，我和她没有什么旧梦可温。”

春天是盖房和制作家具的最佳季节。因此，冯骡子成天在外忙于他的木匠营生，隔十天半月才回家一趟，住上三两天就又走了。冯骡子好像怀着一种不可告人的企图。丽云几次提出离婚，他咬住牙一声不吭。对于自己的老婆和金亮的关系，十几年前他就有所闻。现在风声更大，他自然不会听不到。他不痴也不傻，按说现在两家等于一家他又很少在家应该忌讳才是，但他却不闻不问像什么事情也没发生过，对金亮显得比以往更热情些，每逢回家都要到金亮的屋里坐一坐，有时还约金亮一块喝两盅酒。这使得金亮和丽云都感到莫名其妙，猜不透冯骡子葫芦里装的是什么药。

那天早饭后，冯骡子刚走不一会儿，丽云就来到金亮这边。她告诉金亮：“夜里他摸我的肚子，还把耳朵贴上来听。我醒了，吓了一跳，问他干什么，他只是傻笑。”

“那你看他是什么意思呢?”金亮不解地问。

“好像是想知道我怀孕了没有。”丽云说，“我怀疑他心理有些变态。”

金亮恍然明白了冯骡子的用心，他下意识地点了点头，叹了一口气：“他也真够可怜的啦!”

丽云也点头说道：“是够可怜的。”

沉默了一会儿，金亮问：“离了婚你打算怎么办?”

丽云摇摇头：“不知道。”

金亮看见女人的眼神迷惘而恍惚。他明白，是他的突然归来打乱了这个女人的思维。

“那你呢，打算长期留下来吗?”

“不知道。我已经干上了就得干下去。你不要受我的干扰，照你原来的打算办吧，到你想去的地方，哪里能发挥你的才能到哪里去。”

女人默不作声。

这时院门响了，是福顺来约金亮一块到工地去。现在，金亮忙得团团转，难得有一天空闲。

丽云的确已经怀孕了，但她没有告诉金亮，不久后她就回娘家去做了人流手术。

十四

到了夏天，县里新划分出一个兴隆镇。镇政府就设在兴隆屯，管辖周围二十几个村子。金亮和福顺又贷款购置了一台塔吊组建了一个施工队，承包了镇政府一座三层办公楼的建筑工程。这项工程得来不易。金亮早就听到了消息，幸亏有他那位战友帮忙，费了一番周折才争取到手，从此他们打出了“兴隆建筑公司”的旗号。

因为工期较紧，金亮让当会计的金来管理工地，他和福顺分头外出购材料，天天马不停蹄，忙得不亦乐乎。这么一来，金亮感觉充实多了，面对着那一摊子事，他没有心思想别的。为了赶时间，工地上经常夜晚加班，他也跟着熬到半夜以后才睡觉，丽云抱怨他把她忘了。

有次福顺外出回来，拿出一张饭费单据让金来报销。金来见钱数超过五百元，就说先放在他手里缓一缓。福顺很恼火，一拍桌子说：“你不报也得报！老子是二老板，我不信连吃顿饭的屁事也说了不算!”金来只好给他报了销，事后告诉了金亮，金亮想了想，感慨地叹了口气：“他说得也有道理，没有办法，这事就算过去了。”

临近春节时,他们承包的两项工程先后完工。金亮为了不让他的战友为难,还了一部分贷款。好借好还再借不难。其余的工钱,福顺的意见是全部由他们俩平分掉。金亮不同意,理由是还欠着一部分贷款,手里的钱不能全部算作利润;另外还必须留出一笔流动资金,这是经营的一般常识。在金亮的坚持下,他们俩每人只分得一万元。福顺明显地不高兴。

春节前的一天,福顺和秀芬结了婚。因为秀芬原来的男人永乐死去才一年,有所忌讳,所以他们只放了一挂鞭炮,摆了几桌酒席,就算结了婚。名义上是秀芬招夫养子,实际上等于福顺嫁给了秀芬。

正月初的一天,福顺又把金亮请到家里,摆上了酒菜,说兄弟俩要好好地喝一喝。

酒过三巡,福顺吞吞吐吐地说出了他的想法。

"金亮哥,我实在不好意思开口。可我总不能一辈子依靠你老兄,当你老兄的累赘。我想锻炼锻炼自己单干。这多半年里,我跟着你学了不少东西,我一辈子也忘不了老兄你对我的帮助。"

金亮一直默默地吸烟。福顺原来预备着接受金亮的训斥甚至辱骂,没想到金亮听他说完后却笑了。

"好!我赞成。你是该自己闯一番,天下没有不散的筵席。既然你想分开,那就越快越好!今天咱就商量一下具体怎么分,你看好不好!"

"好好!"福顺眉开眼笑,"来,咱哥俩把这盅酒干了,感情深一口闷!"

金亮没有上当受骗的感觉,从福顺拉他合伙起,他就料想到了会有这一天。他只是没想到会来得这么快。他并不怎么恼恨福顺的背叛,他更多的感觉是苍凉。

秀芬说:"福顺多亏了你才有今天,俺一家一辈子也忘不了你。"

金亮说:"忘不了就想一辈子吧!"

分家后,福顺打出了"昌盛建筑公司"的旗号,与金亮的"兴隆"唱起了对台戏。

金亮让金来当了他的副手。本来,金亮有个模糊的意念,干了一阵子他就退出来让福顺自己干。福顺的背叛使他欲罢也不能了。如果他眼下顺水推舟把摊子全部交给福顺,他的自尊心受不了。他不能让别人说没有福顺他干不了。因此,分家后他用心筹划了一番。和金来一起到几个地方转了转,跟石油部门的一家大企业挂上了钩,争取了两项规模适合他们干的建筑工程。因为施工日期尚未最后确定,所以没有马上签订合同。那是一家财大气粗的大企业,只要疏通好关系多付几万元的建筑费是小意思,金亮懂得这个。

但是,过了些日子金来去签订合同时却被顶了回来,对方负责基建的头头说已经同"昌盛"公司签订了合同。金亮受不了这种打击,连忙赶到那家企业,通过各种渠道采取各种办法费了九牛二虎之力,最后总算夺回了一项工程,同时也弄清了原因。原来是他内部的人为了炫耀把消息传了出去，让福顺钻了空子。金亮后悔轻视了福顺，大意失荆州。他没想到福顺拆了台之后还会来挖他的墙角。

金亮回来后正想找福顺算账，福顺却自己送上门来了。一见面，福顺就显出一副无地自容的惭愧相，说：

“金亮哥，兄弟我没脸见你了。这事是我的手下背着我干的，等我知道后也晚了。说到底，九九归一还是我不好，我是来向大哥负荆请罪的。”

金亮说：“福顺你干得真妙哇！神不知鬼不觉就挖了我的墙角，你在我跟前少耍这套油腔滑调，你真正出息了，而且出手不凡，但你也真不是个玩意儿！”

福顺仍然表白说是他的手下瞒着他先斩后奏。然后他从腰包里掏出五千块钱送到金亮面前。说木已成舟不可挽回了，这五千块钱算是给金亮的损失赔偿费，让金亮无论如何要收下。

金亮冷笑一声，说：“那我就不客气了。我不缺你这几个钱，但我应该收下，我要和你说的是，如果你感到有愧，那大可不必。没有愧更好。竞争是正常的，你不同我竞争别人就会同我竞争。其实都是一回事。机会是均等的。我当时一听说是你小子搞的鬼，确实很恼火。冷静下来一想，又觉着没必要恼火。这么一来反倒好了，以后咱们就可以不讲情面地竞争了！”

福顺耷拉着脑袋不说话。他有点惭愧，也有点后怕。同金亮相比，他是小巫见大巫，当时他曾考虑过这样做太不仁义，但有一种无形的力量支配着他非这样做不可。

十五

正月底的一天，冯骡子结束了他平常而又不平常的一生。消息一传开。人们议论纷纷。女人们说，冯骡子忙忙碌碌一辈子，身后无人，连个给他摔泥盆子指路的人也没有，真够凄惨的。男人们说，冯骡子死了也值了，搂着那么个大美人睡了一辈子，没白活，该知足了。有多少比他冯骡子好的汉子也没享过那样的艳福。那娘们儿越变越好看，简直就是个进口的洋娘们儿，叫咱睡一回也就知足了。

冯骡子老实巴交，一生与世无争，靠自己的手艺和力气挣饭吃，他的死却给人们留下了一个解不开的谜。

五十岁的冯骡子死得很简单。他姐的儿子结婚，请他去喝喜酒。他姐家在兴隆屯西北面一个村子里，与兴隆屯相距五里之遥，有一条大路相通，冯骡子是上午去的。据他姐说。因为离家近就留他多耍会儿，直到天黑时他才往回走，走的时候酒已经醒了。半路上有一眼大口井，在距离大路二十米外的麦田里。冯骡子就死在那眼大口井里，连人带自行车都在井里。

当天晚上，丽云不见冯骡子回家，以为冯骡子在他姐家喝醉酒住下了，便不在意。第二天上午，冯骡子的姐夫来兴隆屯赶集，到冯骡子家里来看看，才知道冯骡子从夜里到那时还没回家。冯骡子的姐夫和丽云都着了急，立刻请人帮忙四处打听寻找。有人发现在那眼大口井沿旁边有一顶帽子，很像是冯骡子常戴在头上的那顶。那是一顶带有死亡象征意味的黑色草帽。随后就打捞上了冯骡子的自行车和尸体。从车辙上可以断定，冯骡子是骑在自行车上从大路上斜插进麦田直接骑到井里去的。因为麦田里只留下了清晰的车辙而无脚印。假如冯骡子是推着自行车走进井里去的，一定会在车辙旁边留下脚印。那唯一的车辙说明冯骡子既不是他杀也不像自杀。如果是他杀的话，无论如何也不会不留痕迹和脚印。如果是自杀，冯骡子没有必要把自行车也扔下去。再说，冯骡子还存有近四万块钱的存折，存折是他死后从他自己掌管钥匙的抽屉夹层里找出来的，那是他一生积攒的血汗钱。如果他有自杀的念头不会不顾及到这一大笔钱，起码他会事先做些安排。总之，冯骡子死得蹊跷死得莫名其妙，除了他自己之外，没有人能说得清究竟是怎么回事。

面对着冯骡子的尸体，丽云忍不住放声大哭。丽云有种无名的悲哀。冯骡子活着的时候，丽云常常在厌恶的同时恨不得他立刻死掉才好。这种念头大都是出现在夜里冯骡子压在她身上呼呼大喘的时候。特别是近几年来，丽云越来越厌恶冯骡子。冯骡子身上因为长年不洗澡而形成的气味让丽云无法忍受。每当冯骡子碰她的身子时，她身上就会起鸡皮疙瘩，胃里难受得几乎要吐，她挺直僵硬的身体承受折磨的时候，感到冯骡子那带点沙哑的粗重的喘息很像一个临近死亡的人的喘息，她心里就会有种恶意的快感掠过：你死吧，死了我就好过了！冯骡子跟她干那事她从来没有感受到愉快，相反，干到最后她的下体就火辣辣地疼痛难忍。可是，冯骡子真的死了，看到昨天还是活生生的冯骡子今天就变成了一具尸体，丽云又禁不住深感悲哀难过和苍凉。丽云不由得回忆起冯骡子死的前一天夜里也是冯骡子活在人世最后一个夜里的情景。

夜深了，冯骡子见丽云仍然不想睡就脱衣躺下了。这几年，夫妻俩基本上是分居，丽云住在金亮那边，隔好长时间才允许冯骡子到那边睡一次，那事一完就赶他走。金亮回来后，丽云收拾了一下里间屋搬了回去。但通向里间的过道没有门，只挂有一条遮挡视线的布门帘。冯骡子在家里的时候，常常都是乘丽云睡下后溜过去，如果偷袭不成功就用武力，但武力的结果却更糟。于是冯骡子就改用软的，先是哀求，哀求不成就下跪。女人心一软只好接受，唯有冯骡子死前的那最后一夜，丽云顺利地接受了他。丽云正月里回娘家住了几天，返回来后就决心非同冯骡子离婚不可。这些日子她天天要拉冯骡子去办离婚手续，说冯骡子再不答应她就要去法庭起诉。那天夜里，丽云听到他睡了后自己才躺下。她刚拉灭了灯，冯骡子就溜过来在她身边躺下了。她呼地坐起来躲开了冯骡子，气恼地让冯骡子走开，可冯骡子赖在床上不动也不响。等她不作声的时候，冯骡子说话了。他先是悲凉地长叹了一声，然后说：

“咱俩的命都不济啊！我知道你从一起初就不乐意。这么多年我叫你受委屈了。可我也受了不少委屈，过得也不舒心，真是没法子啊！这是命里注定的。这两年你要离婚，我一直不答应。我心里也明白，能留住你人也留不住你的心。可我就是不愿意离。说心里话，我真是舍不得你。哪个男人都愿意有个俊老婆。你俊我看着心里也舒坦。你没生孩子是我无能。唉！我原来指望你有一天会回心转意，如今看来是没有指望了。我答应和你离，省得咱俩都活受罪，明日不中，明日我得去姐家贺喜，后日我就和你去办手续。没离还是夫妻，你就再让我动一回吧，就一回，啊？”

丽云心里一阵悲凉，眼睛潮湿了。她默默地脱掉内衣躺在了冯骡子身边。冯骡子急切地搂住了她。与过去不同的是，冯骡子并不急于压到她身上，而是异常急切贪婪地亲吻她。在他们十多年的夫妻性生活史中这是前所未有的现象。冯骡子像是突然有了灵性，知道她讨厌他的嘴臭，所以只亲吻她脸以下的身子。不明白为什么她竟也不由自主地动了情，这也是他们十多年来的夫妻性生活史中她前所未有的仅有的一次动情。她接受并主动应和着冯骡子，她感觉冯骡子似乎变得聪明了，居然懂得她的心思动作发生了微妙的变化，她不由自主地揽住了冯骡子的背的同时不由自主地呻吟起来，像当年金亮第一次同她做爱时一样，冯骡子听到她那变了调的呻吟就停止了动作，惊恐地问她，“你咋了你咋了？”她的心头掠过一丝悲凉，只说“大概女人就这样”。冯骡子仿佛猛然醒悟，显得激动不已，竭尽全力殷勤地应和她。在高潮中她紧紧地搂住了冯骡子，那一刻她感觉这个男人也是那么可亲。事后冯骡子说他像过了一回神仙的日子，有了这一回死了也不亏了；说他头一回知道女人是这么样的。他沉默了一会儿，又小心翼翼地哀求丽云：“叫我看看你吧，我想看看你的光身子。”女人感到没有必要也没有理由拒绝，就答应了。冯骡子拉亮了电灯，带着神圣而又肃穆的表情仔细地端详女人的身体，并用手轻柔地抚摸。现在回忆起那一夜的情景，丽云觉得那一夜冯骡子非同寻常，似乎是命运的昭示。她觉得冯骡子真够可怜的，她和冯骡子都很不幸。

十六

人不可貌相。兴隆屯的人们谁也不曾料到，一身寒酸相的花脸福顺竟摇身一变成了一个人物。人世间的事永远变幻莫测。人们如是说。

同金亮分开单干后，福顺的事业竟也日益发达。他不仅搞建筑承包，还在兴隆屯盖起了自己的饭店旅馆，他让福来当了饭店旅馆的老板。福来也找了一个黄花闺女成了家。但福来跟原来的相好仍然有来往，那女人纠缠得比以前更紧。福顺娘也精神焕发。村里的娘们儿夸她有福气，她就咧嘴自豪地笑开了："可不是咋的，当年我就觉着福气早晚会来，福来了就顺，算卦的先生也都这么说。还真灵哩！"

到这年夏天，福顺就成了兴隆屯的三大富翁之一，同金亮曹麻子并称"三驾马车"，但曹麻子实际上已经只剩空架子了。金亮则是稳扎稳打，只搞他的建筑承包，不显山不露水。相比之下，只有福顺显得最红火最得意，至少表面上看是这样。

得意就不免会忘形。这时候的福顺已无昔日的影子，抽上了"万宝路"，穿得西装革履，外出不愿骑摩托就坐客货两用的小汽车。福顺盖起了一栋二层的小楼，家里的摆设完全是现代化的，彩电冰箱音响录像机加整套组合家具带浴室。福顺经常宴请宾客，不在家里就在饭店，几乎天天花天酒地。福顺连说话的口气腔调都变了。有人说，你这个家庭城里人也没法比。福顺说："操！城里人有什么了不起，挣那俩小钱儿还不够老子抽烟的。"有人说，你比那些当官儿的还阔。福顺说："操！当官儿的在下级面前当爷爷，见了高一级的就当孙子，哪比得上咱逍遥自在。有了钱当官儿的也不敢小瞧咱。"福顺也学着曹麻子的来派，雇用了两个年轻漂亮的女秘书，轮流陪他外出。福顺已经是见过大世面的人了，他身上各方面的潜在欲望和能量都得到了充分的挖掘和发挥，会吃会喝会玩乐。他决心好好活他娘的一回，补偿上半辈子的损失。

福顺说他的长相虽然不怎么样，但是这对女人来说无关紧要，男人丑俊不在脸上。对那个巫婆式的女人秀芬，还在婚前福顺就腻味了。但福顺不敢不要她。福顺认为他的发迹是靠了秀芬的指引，没有这个女人说不定他只能靠当小贩儿耍秤儿赚俩小钱儿。只不过，他一直觉得秀芬古里古怪不太像个女人。他厌恶不太像女人的秀芬却又不敢休了秀芬。那两个女秘书是福顺背着秀芬找的。秀芬知道后就逼迫福顺辞掉。福顺说这是工作的需要，外出联系业务有女人在好办事。秀芬不依不饶，又哭又闹。最后就变成了"仙姑"，拿腔拿调地说，如果不辞掉那俩姑娘，两个月内就叫福顺垮台。福顺感到恐惧，"扑通"一声跪倒在女人跟前，说仙姑奶奶，您可千万别那样，我一垮台秀芬和孩子都得跟着吃苦受累。那俩姑娘不能辞，辞了我干不成大事。再说这世上到处都有女人，怕我搞女人就得把我关在家里。经过一番哀求辩白，"仙姑"发了慈悲，说你起来吧，就依了你这一件，若是你胆敢在外面拈花惹草，休想瞒得了我，我定叫你死活不成！福顺连声说是是是，我一定听仙姑奶奶的。秀芬并不就此罢休，她常常纠缠住福顺不放，叫福顺一夜不能入睡；而她自己则在白天睡觉养精蓄锐。女人常常恨恨地说："你的精神哪去了？装什么熊？你别想困觉！老娘非把你抽干了不可，省得你整天在外面拈花惹草！"福顺说："你折腾煞我你就好过了。"女人说："我不叫你死，只叫你发昏！"后来，福顺实在不堪折磨，就经常以外出为由躲起来不回家，并且威胁女人："你再折腾我就豁出去了！"女人这才渐渐收敛了一些，但仍然时常强迫福顺满足她那既像麻木又像亢奋的性欲，福顺说她那副样子说都没法说。

我后来见到福顺时他已经潦倒。我看到，因为过分沉溺于酒色，加上精神上的打击，正处在旺盛年纪的福顺已经显出干干巴巴的老相来了。

福顺发迹后，玉环自然对他另眼相看，有时见了面，玉环就朝他飞媚眼，含情脉脉地瞅着他笑。

福顺说："伙计，我没忘了那几回，我早晚会去找你。"

女人说："你可别去。别看你混好了，再去我就撵出你来！"

福顺说："我想再试试硬来中不中。"

女人说："你不怕吃耳光子就中。"

福顺心里一直念念不忘玉环。过去是因为畏惧曹麻子，后来是惧怕秀芬，福顺才一直不敢轻举妄动。老婆收敛了一些，福顺的胆子就又渐渐大起来。一天晚饭后，福顺果然就去了玉环家。见长贵也在家里，他就关心起长贵来。

"老哥，你别再替曹麻子卖力了，到我这里干吧，给我去看工地，一月给你三百块，干好了我再额外奖励你。"

玉环说："那好啊！福顺你不是说着耍吧？"

福顺一拍胸脯，说："本老板一诺千金，从来不说废话！"

长贵说："好是好，就怕曹麻子这边不放我。"

玉环说："福顺，只要你不亏待你老哥就中。这事我做主，就这么说定了。"

长贵直瞪瞪地看着老婆："咱欠曹麻子五百多块没还，怕他不答应。"

福顺慷慨解囊："包在我身上。我腰里只带了三百块，喏，拿去，明日我再给你送三百来。这钱我不用你还。过去我连自己都顾不过来，如今总算熬出头了，咱兄弟们不分你我。"

长贵咧开嘴满脸堆起了笑纹，嗨嗨地笑了两声，就盯住那三百块钞票，脸上的笑纹凝固不动。

福顺看着长贵，心里充满了复杂的快感，既有行善施舍的乐趣，又为自己的慷慨大方而自豪骄傲。福顺不看玉环，却能感觉到女人正在盯着他看，眼里含着倾倒的柔情和笑意。福顺感到自己的形象高大了起来。

长贵在女人的催促下到果园里去了。

女人含笑盯着福顺，眼里水汪汪的。"真没想到，你花脸福顺还会有这么大出息，才几天，你还是人模狗样的。你自己做梦怕也没梦到会有这一天吧？"

福顺一屁股坐到女人身边，把女人揽进怀里，说："我现在是人模人样了，所以才来报答你。我一直想着你，就是不敢常来，如今我不怕了，谁也不怕了！我要把你承包下来。曹麻子不行了，大势已去，快完蛋了！这叫风水轮流转，十年河东十年河西，往后你是我的。"

女人说："你能不能把我承包了，不是一句话的事。那要看你表现得好不好，我中不中意。”

福顺说：“这你放心好了，不论哪方面，我都保管你满意。本老板没有金刚钻，就不会来揽你这瓷器活儿！”

福顺一直到第二天早晨才离开。在经历过多个女人之后，福顺觉得只有玉环才是个女人味十足的女人，让他感觉妙不可言。他再三叮嘱玉环以后不要再和曹麻子来往，玉环答应了。

十七

冯骡子死后，丽云感到日子一天天过得特别快。

冯骡子一死，一了百了，丽云的婚姻自然消亡。她终于从冯骡子的羁绊中解脱出来，获得了重新选择的自由。这种自由是她多少年来梦寐以求的。然而现在，在真正的自由中她却感到更加惶惑而苦恼。她甚至觉得还不如在羁绊中好过些。

丽云在这人世的一隅生活了二十多年。这地方给予她的差不多只是无尽的烦恼和痛苦。她当初勉强同意嫁给比她大十多岁的冯骡子，是迫于环境出身和生计的压力而不得已。家庭给予她的一切，包括良好的教养和修养，都成了她的沉重负担，她必须同贫下中农结合，以便洗涤她身上的小资情调。冯骡子毕竟根正苗红，又有祖传的木匠手艺。她不想让父母为难。冯骡子的姐夫是当年丽云一家所在的那个村支书，也是丽云和冯骡子的媒人。

但是，她的小资产阶级情调是生在骨子里的，一有机会就要作怪。和冯骡子结婚后的两个月里，丽云都是穿着衣服睡觉，不让男人近身。男人软硬兼施也难以把她制服。后来，冯骡子受人唆使，趁她感冒时把安眠药碾成粉末让她不知不觉喝下去，趁她昏睡不醒时占有了她。事后她想开了，便不再当回事了。因为她实在无力抗拒命运的安排。后来她看上了金亮，并且终于如愿以偿。当年她太炽热了，压抑多年的情感一下子爆发出来，几乎要把金亮熔化掉。她一天见不到金亮就坐立不宁。她看出金亮有点害怕。她毕竟是冯骡子的老婆，和金亮根本没有结合的希望，金亮说他感到良心不安，害怕给她惹出麻烦，所以他不能不走。她曾希望怀上金亮的孩子，可是居然就没怀上，金亮一走她又变得心灰意冷了。

再后来，镇上有个宣传委员来兴隆屯蹲点，就住在金亮的屋里。那个男人外表文质彬彬有点派头，一张大白脸见面就向她展现笑容。感情空虚的她在大白脸的诱惑和频频进攻下，先是不知所措而后终于接受了他。因为有大白脸填补金亮的空白，那段日子她是快乐的。两个月后大白脸就回了镇上。她到镇上去找过大白脸两次。最后一次在大白脸的单身宿舍撞见一个有点妖气的女人正躺在床上。从此她就跟大白脸断绝了关系。

再后来，她就把全部精力投入到服装剪裁和款式设计上了。她回娘家所在的城市上过服装剪裁和设计方面的培训班，又看了许多服装设计剪裁方面的书籍，在本村和外村开办了几个服装加工点，她负责设计款式，指导裁剪，分发给点上缝制，然后将成衣卖给服装贩子，因此赚了一大笔钱。金亮回来之前，她与她娘家所在地的一家服装厂挂上了钩，并且设计出几套款式新颖的时装，在国内以及香港市场上很走俏。有位港商通过那家服装厂约见了她，表示要花高薪聘用她。她有个姑妈在香港，有一笔数目可观的财产。她写信征求姑妈的意见，姑妈回信说如果她去香港会更有作为，并且愿意为她在港提供一切方便。本来，去年春天她就是抱着跟冯骡子离婚的决心从娘家回来的。她没想到一进门就遇到了意外——失踪了十几年的金亮突然出现在她面前。

这些年，丽云一直拖着没跟冯骡子离婚不是因为离不了。如果她坚决要离的话早就离了。之所以没有离，一半原因是她心肠软，经不住冯骡子的苦苦哀求；另一半原因是她懒得离婚，她早已不再单纯，时常感觉到人生无常心灰意冷。另外，她在潜意识里盼望着金亮会在明天出现。金亮是她一生中真正爱过的男人，她想忘也忘不了。金亮的再次出现使她一下子坠入了旧日的梦里，坠入了情感的旋涡。眼前这个真实的金亮比旧梦里的金亮更成熟更有魅力也更让她满意。她欣喜若狂，压抑了多年的情欲猛然苏醒，她的决心和打算也随之动摇。她不知该怎么办了。她害怕离婚后所面临的选择。她希望的是离开这个让她痛苦了半辈子的地方到外面的世界里去；而金亮却从外面的世界走了回来。他俩的愿望背道而驰。

冯骡子死后，丽云和金亮成了实际上的夫妻。兴隆屯的人们都认为丽云肯定会跟金亮结婚。丽云和金亮却都极力回避这件事，两人在一起时总是小心翼翼地避免触及。丽云既害怕又盼望金亮提出来。但是金亮似乎无动于衷。现在金亮很忙，经常外出，有一半时间是在外面度过。

那天，金亮从外地回来时，把一个宝石戒指和一条金项链送到了她面前。于是，他们终于不得不面对那个敏感的问题。她笑着说："看来，你想用这两样东西永远套住我，是吧？"

金亮也笑了，说："有这个意思。不过，能套住更好，套不住也没办法。"

她收敛了笑容，走过去依偎在男人胸前，说："抱住我。"

沉默了一会儿，金亮说：

"你想走就走吧。你早就在这里待够了。现在，那个人一死，你就更不想在这里待下去了。至于我们俩，如果有缘分的话，还会走到一起的。山不转水转。"

"说真的，我已经习惯了有你在身边。我不敢想象离开你我会是什么样子。"

"那就试试看吧。"

丽云明白，金亮并非不留恋她，而是不想难为她，才显得无动于衷。历经风雨的金亮已经成为一个心胸宽阔的男人了。

日子在惶惑中一天天飞快地过去。初夏的一天，丽云收到了家里写来的一封快信。信中说她姑妈过几天要从香港来大陆，让她回去迎接姑妈。看完信，她哭了起来。她自己也不明白为什么哭，她想哭就哭了，只觉得哭着的时候心里好受了一些。她把自己关在屋里整整哭了一个下午。

十八

一个时期内，曹麻子、福顺和金亮这“三驾马车”占据了兴隆屯的舆论中心。人们时时都在关注着这三个人的动向。渐渐地，人们注意到曹麻子一下老了许多，走在街上也显得忧心忡忡、无精打采，叫人几乎不相信他就是一年前那个趾高气扬、笑声朗朗的曹麻子。相反，不久前还是一身寒酸相的花脸福顺倒显出一派不可一世的土财主模样。唯有金亮叫人摸不透底细，举手投足都显得沉稳老练，一看就知道是经过风雨见过世面的人。人们只听说他从外面回来时就发了财，搞建筑承包又赚了不少钱，但他从不显摆，谁也不知道他究竟有多少钱。

这时的曹麻子的确大势已去，他过去交的朋友不是调走就是下台或者退居二线、三线。有一个过去他没放在眼里的小卒掌权后，派人查了他公司的账，因为偷税漏税而罚了他一大笔款。曹麻子不懂财务管理，只知道大手大脚地花钱摆阔，一查账他才傻了眼，账面上有利润实际上已经亏空。贷款到期没钱还，只好拆了东墙补西墙，债台越筑越高。因此，曹麻子这架“马车”已经难以支撑，眼看就要散架了。他的日子很不好过。原来属于他的玉环已经被福顺承包了去，连长贵也脱离了他，投到了福顺门下，他气不过却又无可奈何。

一天晚上，曹麻子怀着一腔怨气去了玉环家。长贵被福顺派出去看守工地，家里只有玉环和两个孩子。玉环一见到曹麻子，神色就变得不自然，笑起来也显得很勉强。曹麻子阴沉着脸，死死地盯住女人。初夏的夜晚不热也不冷，女人身上的衣衫很单薄，胸脯高高地挺着，很惹眼。

曹麻子说：“我看得出，你不欢迎我！”

玉环说：“欢迎。坐吧。”

曹麻子就坐在了炕沿上。“上回我来你说头疼。这一回我来你该不疼了吧？”

“不疼了。可……我身上来那个了。”

“去你个屌吧！就凭你这号的能骗得了我？脱下来我看看！”

玉环咧嘴苦笑笑：“真不骗你。这号景儿男人不能看，看了掉时气。脏兮兮的，味儿大着呢！”

“我不怕！我偏要看！”

曹麻子扑上去采取强硬手段，玉环使劲扭动着挣脱开躲到一边。玉环并不是成心要和曹麻子过不去，她是害怕福顺会来，害怕福顺和曹麻子干起来。

曹麻子停止了攻势，气急败坏地说："看来你是死心塌地要跟我断了，是不是？"

玉环犹豫了一下，点头说是。曹麻子问为什么。她说什么也不为，就是不愿意了，够了。曹麻子愤怒地瞪着她，好一会儿说不出话来。然后便狠狠地数落起她来，说她忘恩负义、见钱眼开，骂她是个婊子。

"你说我是婊子，我就是婊子。"玉环说，眼里含着泪水。"我没有法子。当初是你硬把我嫁给一个窝囊废的，这么多年我都是你的人，你的恩我已经报了。我早就是婊子了，是你把我变成婊子的，我成了婊子不当婊子当什么？我这辈子就毁在你手里！如今我想开了，我不能再那么傻了。你顾不上我了。可我一家四口还得活，孩子一年比一年大，花销也一年比一年多。这年头钱不值钱，没钱咋活？那个废物能养活他自己就好！可有哪个好心人白白送给我钱花？你给我的那点好处还不是我用身子换来的吗？你要是真心对我好，是你的那几百块钱你就不该要！说一千道一万是你毁了我，才使我落到了这一步的，我恨你！你滚出去，从今以后再别登我的家门！"

曹麻子愣住了，哑口无言，像个泄了气的皮球。在曹麻子心目中，这女人像块棉花糖，又软又甜，多少年来都是老老实实听任他摆布，从来没这么强硬过。他感到理屈词穷。

就在两人僵持的时候，院门响了，随后花脸福顺闯了进来。福顺原是带着一脸笑容走进来的，一看见曹麻子，笑容便倏然消失，代之以傲慢和轻蔑的神情。

"哟！这是谁？"曹麻子上下打量着福顺，做惊讶状，"是福顺吧？"

"不错，正是本人。"福顺大模大样地走过去，一屁股坐在方凳上，"你是老眼昏花认不出了吧？"

"才几天工夫，你就人五人六起来了，像变戏法似的。你行啊福顺！"

"这叫长江后浪推前浪，革命事业后继有人。你这一辈快要倒下了，我这一代就该接上来，而且呢，还要高过你这一浪！"

两个男人唇枪舌剑你来我往地交锋，女人在一旁提心吊胆，生怕两人顶撞起来。她几次给福顺使眼色，但福顺不理她。她只好插进去说些闲话冲淡紧张气氛。半夜了，两个男人都已经无话可说，却都暗暗咬牙较着劲儿，赖在那里不动。女人看出苗头不好，就说她困了要睡觉，撵两个男人走。

曹麻子说："玉环，我有事要对你说。"

福顺说："玉环，我有要紧的事非得跟你单独说不可。"

女人两头为难，哭丧着脸说有事明日再说吧，都走都走。两个男人都说明日要外出没工夫。

女人说："那就到天井里去，一个说完了另一个再说。"

曹麻子说："我末了说。"

福顺说:“我最后说。”

女人说:“那我谁的也不听了,都走都走都快走!”

福顺说:“你叫他走吧。我不走,这地方我占定了。”

曹麻子说:“小花脸儿你别太张狂了,你他娘的才学会蹦跶几天!老子是这里的老主儿。你算什么东西!”

福顺“噌”地跳起来,骂道:“你娘的曹麻子你是什么东西!你是老不死的癞皮狗!你别他娘的做梦了!你说了算的时候已经过去喽!老子现在不怕你。后来者居上。这地方老子占定了,你识相的话就滚出去别再进这个门!”

曹麻子的脸立时扭曲了起来,嘴唇颤抖不止。多少年来从没有人敢对他如此放肆。他一边骂一边凑上去要动手,女人赶紧挡在了两个男人中间。

福顺说:“曹麻子,你敢动手我就叫你爬着出去!”

女人脸色煞白,苦苦哀求:“您俩行行好,千万别动手,都走吧都走吧!”说着就哭泣起来。

福顺一下抱住了女人,冷不防在女人脸上很响地亲了一下。女人扭动着想要挣脱,福顺就搂抱得越紧。看见曹麻子双眼冒火直瞪着他,他越发来劲,嬉皮笑脸地说:“宝贝儿别嚎别嚎,有我在你什么也不用怕。你不是说就乐意跟我睡吗,嗯?”

女人使劲地摇头,哭泣着说:“我谁也不乐意,都滚都滚,再也别来了!”

“小花脸儿,老子让过你这一回。往后咱们走着瞧!”曹麻子咬牙切齿地说,说完便扭头走了。

“曹麻子,你有什么能耐全都使出来吧!”福顺冲着他的后背不气不恼地说,“我等着。反正老子我死不到你前头!”

这场恶作剧以曹麻子败退而告终。福顺的话不幸言中,曹麻子的日子已经不多了。这年夏天,曹麻子听说东北三省杏子卖价高有赚头,便费了好大劲借款搞了两车皮杏子,结果等运到东北时两车皮杏子几乎全部烂掉。但曹麻子还算有福气,没过几天就因脑溢血而平静地死去,结束了他辉煌的一生。就在曹麻子死去的当天,曹麻子的孙子呱呱坠地,来到了人间。

而福顺也紧步曹麻子的后尘,后来的下场比曹麻子好不了多少,只是没死罢了。福顺告诉我,他只会铺摊子却不会管理,花钱如流水,挣的钱都让他挥霍了。他办的饭店只赔不赚。后来他承包了一项包工包料的工程,签订合同后原材料不断涨价,加上管理不善造成浪费,一下子就赔进去近二十万元。因为发不出工资,人都走光了,没有人愿意再给他干。他只好卖掉塔吊等机械偿还债务。他感叹道:“走运那阵子事事顺当,倒运时倒霉的事接二连三不断,叫天天不应、呼地地不应,千方百计终归还是倒霉。回头想想真像是一场梦!”我安慰他说:“你还年轻,还会有东山再起的时候。”他咧嘴笑了笑,样子像哭。

兴隆屯的“三驾马车”在不长的时间内相继倒下了两架。唯有金亮这架“马车”经得住摔打。福顺垮台后，金亮雇用了福顺。还收留了长贵，并且借给长贵五千块钱。嘱咐他让玉环把小百货店办好，“好好过日子，不要依靠别人。”金亮终究还是忍不住对玉环动了恻隐之心。

丽云离开兴隆屯一年半之后，金亮也离开了兴隆屯。他把摊子交给金来管理。那些跟随他干的人都舍不得他走。他们说多亏了金亮为他们开辟出一条挣钱的门路，跟着金亮干心里踏实能挣到钱。金亮说他迟早还要回来。临走前，金亮捐献给村里五万块钱，作为奖学基金，用于奖励全村每年考取了大学和高中的学生。

金亮离开兴隆屯的前一天傍晚，我看见他在村头的老槐树下伫立了许久。那时西天正燃烧着火红的晚霞。

（选自《当代作家》1996 年第 1 期）

芳　洲

原名郑海翔。1955 年出生，山东胶州人。1991 年毕业于北京师范大学、鲁迅文学院合办的文学创作研究生班，文学硕士。1971 年参加工作，历任胶州市乡镇企业局干部，胶州市文化局文艺创作研究室创作员，山东潍坊市文联专业作家，潍坊市作家协会副主席。1984 年开始发表作品。1991 年加入中国作家协会。著有长篇小说《背叛》，中短篇小说《热的冬》《晕眩》《多维空间》《红草》等数十篇。作品被《新华文摘》《小说月报》等多种报刊选载。

天道酬勤

星　竹

大营村太富了，走哪旮儿，哪旮儿金金银银挂响。年跟前儿利润，又近三百万元，肥猪般肥，小太阳似的晃人眼睛。大营村这几年，光小车子街上就摆起几十辆，村头巷尾，门前树下，拴驴日子，愣变成拴车，且官家私家都有，不分官家私家了。村人住房，尽两层小楼惹眼，齐齐般白，齐齐般亮，齐齐般高矮，人起名“统一牌”。

走进大营村人，抬腿迈脚，都不免一惊愣，随口骂句，妈的！

妈的大营村！

四邻村人，都这口骂，看着大营村就不顺气。恨不得一村人，一口气喘不顺溜，都一起弯回去。

富人招骂，是天经地义的一件事，富人让穷人恨，也是自自然然的一个天理。大营村老少爷们儿，倒也都知道，挡不住，只能忍下，勾了头，不出大气算球。

大营村附近的其他村，却都穷得叮当，破房烂街，瘦叽叽一片邋遢，和大营村两下比较，或上吊，或投河，倒也并不为过。

有村子如今还吃着救济粮，孩娃儿们上不起学，读不起书，也并不是多么新鲜的事，在街上耍到十几岁上，便扛杆小锄，随大人身后，迈沟过坎，下地抓挠儿生活去。

一个乡，十几个自然村，背一屁股债的村落，倒占了七八个，阴沉日月，背兴到家。啥时进村，啥时冰冰冷冷，缩缩叽叽那劲儿。

边上大营村，却是这样肥猪般肥，亮亮晶晶的灿，小光芒一村，且又离得穷村这样近，挨家，靠膀，临地，自自然然，就遭人痛恨。

大营村人，是因为被人恨着而不得安宁。

大营村人，走出村子时，不仅要勾下头来，嘴上还要说些软话，给人家客气着，像欠谁，该谁，做了多少亏心事。自然，这是为少招惹人家些忌恨，缓和一下无时不在的可能冲突。大营村人，也够窝囊。这理儿，没处去讲。

妈的，什么事！大营村人，自己也骂哩。

一

大营村的村边边上，有片果园，水足肥美，苹果桃子，鲜红旺盛，每年夏秋两季，却是遭殃地界，土匪下山般，要被人狠抢几次。算是集体行动，四村爷们儿娘们人，串通一气，少则五六十号，多则百十来人，背筐，提袋，一窝蜂儿奔来，像是给大营村帮工帮厨。

多则半个时辰，树上熟透果子，一个不剩。大营村人出来，摘果爷们儿脚踩树上，说句，顺路吃你几个烂桃子，你也叫唤，有钱人是抠儿哩，不兴我们兄弟尝尝鲜。

这片果林，大营村人，就算进贡了。

大营村这旮儿，虽属地地道道乡村地界，但近年却有一多半人家，学那城里人，安了防盗门，铁家伙一天到晚，扣个严实，家家笼子模样。是怕贼抢，怕抢的原因，是别家村子破筐烂缸，没啥惦念，四村八店盗贼，要是手痒，就都奔大营村来。大营村火热，一准都能捞到好油水。贼不走空，不到大营村，还能到哪旮儿？

就到大营村没错！

因此大营村治安，这两年不好。绳上新衣，旧袜儿，窗上布鞋，胶鞋，门边推车，地边手扶，猪崽儿羊羔儿……有啥算啥吧，贵贱不嫌，抓空儿，全都搂走，携带上。

大营村治安，就排在了乡里末尾，有名乱乎，其他村人，反都觉解气。说，就得去偷那杂种操！

因此，在精神文明这一块上，大营村就没有拿到县里那个红牌牌，因为一比较，别的穷村就把大营村比下去了。穷村安定且又无事，甚至可以提前做到夜不闭户，门朝大街，大敞大开，迎风。请贼，贼都不肯光顾，懒迈那脚。

更可气的，盗贼都是来自精神文明村，因穷困偷盗，反闹了红旗。妈的，他们做贼，还奖个文明！

其他村闹不了富经济，争不了第一，能被评上文明，县里，乡里，也算拐弯抹角儿，给了穷村一点儿安慰。上边抹稀泥，溜墙缝儿，倒也是地界。

除暗里盗贼，邻村村民，还想抓个机会，大伙儿一块来，好好抢大营村一次，像是总得到大营村一起吃一顿。这不是玩笑，特别现实心理，平日只是埋藏着。说是杀富济贫！

大营村的村长李大明，近来进村出村，望眼那边破烂穷村土房，总有深陷泥沼感觉，心上长草般，有事没事地不安。

穷人抢富人，倒也不光旧社会，哪朝哪代，都这德行，且还揭竿而起，一哄而上，举刀下叉怪狠，李大明没一次挡住。

近来事情就更不妙了，随年根儿靠近，想不到的事情一茬儿一茬儿发生。那是，大营村的货车路经小北村，车开村外，团团围住，扯嗓高喊，让大营村人留下买路钱！先还有些起哄，后就喊成真章。说你们见天借我们这路发财，没俺这条阳关道，你们鸡巴哪富去！

真个土匪了。

大营村司机摸不着头脑，颠下车，说车是大营村的，你们啥事，找村长李大明说去。

小北村人说，妈的李大明最不是个东西！甭提他，提他我们就来气！不定哪天，扒下他皮，砸烂他狗日骨头，碎锅汤喝了。好像和李大明有多大冤仇血恨。其实平常，彼此并无半点来往，更无任何过结，就是迷糊瞎恨着。

司机惹不起，把车子往回开。小北村村民，却来了劲儿，乱里有人吼一嗓，抢他狗日的！客气啥，就没客气。凡裆下长把的爷儿们，一拥爬上车子。车上是大营村人的一车生猪，被踩得嘶嘶嗷嗷。扯肺尖子般叫。几十条汉子，拽猪尾巴，揪猪耳朵，硬把生猪搬下车去。

大晌午，明晃晃地界，车来车往路上，四十头生猪，愣被小北村爷们儿全都拖下去，扛着打着，回家去了。

日奶奶，这就对了，自古就是穷人不怕事，穷人做土匪，做路贼。富人谁肯做哩。自古也就穷人先做了土匪，再去坐牢，自古也就穷人挨杀的多。小北村人，好像不怕挨杀。就这年头。

这年头事，越来越不好惹了。

小北村人浩浩荡荡，扛着生猪走回村去。还对村长张万庆说，你就当啥也没看见，瞎摸合眼得球。事情是我们干的，不关你村长蛋疼。

村长张万庆，立村口点点头，哼出一声舒坦，从嘴上拔下烟来，在脚下死踩住，我当然没看见！看见啥了，谁看我看见了！

大营村司机，空车开回村，净剩一车猪毛。听说是被小北村人抢了，村人都惊愣住，就炸了营，说，操他祖宗，翻天了。再不来点厉害的。狗日们还敢上房揭瓦！有人就抄了家伙。说做人总三孙子咋行，该横就横。是爷们儿就去夺猪。都是裆下长把，谁长谁短哩！

百十号人，提了棍棒，有人还扛了铁筒鸟枪，装足砂弹。街头巷尾，尘土风扬。狗也跟上汪汪，一村人，浩浩荡荡，开出村去。

生猪都是各户上交的，本是去统一屠宰，一头生猪，平均六七百块钱不止，哼哼叽叽，那就大了，咋能就这样让小北村那边白白飘一街肉香！啥社会，竟一下两下，到了剿匪程度。

大营村人，就去剿匪了。也实在是想借这机会，好好整它一场，让那边见血脱皮。事情不是一天半日了。不让外村人见识见识大营村人啥成色，日后他们还敢跑到大营村街上，脱裤拉屎哩！

干部们喝五吆六，却没有拦住村民的冲动。不是想真拦呢，心里也觉窝囊，是该到了破下这晦气的时候，村边，满是人堆儿，人包，气势汹涌。

看样，事情不死几口子没完。

村长李大明气急败坏地跑到村口，肩上也扛了把猎枪，叉裆立住，枪口冲天，扣动扳机，一铁砂打出去，枪口青烟一阵，枪声炸得好响，在村墙上，一波波荡着。一村人这才站下。

李大明吼一声，我看哪个敢带头闹这事！鬼哩，闹出人命谁管？是咱的命值钱，还是咱的猪值钱！

村人喊说，不打一场，狗日们还有完，蹬鼻子上脸，不定还敢来抢啥！李大明说，甭费话，都给我滚回去，还是不是社会主义，大白天抢劫，我就不信咱没地方去说理！都回，都先回！李大明端着枪，横在村口，赶羊般，把一村人哄回。

有人很不满，骂李大明，说李大明就是草包软蛋，支不起个裤裆儿！要是痛痛快快打一场，狗日们敢闹这出！

李大明听着，脸上厚起一层青白。

二

当天下午，大营村人就报了案。先是报到乡里，要求小北村人必须退回生猪，还要公开道歉。

刘乡长在电话那头哼哼叽叽，说，有这事？他其实早知道有这事，也打电话过去，批评了小北村的村长张万庆。让他不要露头，不要激火，蔫下无声，甭冒响屁。

张万庆那头，却拧歪脖子说，我冤枉啊乡长，我又没吃到猪肉，烂下水都没闹一碗，没听说过见了猪跑也算数哩。后来刘乡长就赶到大营村。当着大营村人抹稀泥。对李大明说，找小北村的村长来，那兔崽子，是欠揍一顿。又道，你们坐一起，不成喝一顿，牌越赌越薄，酒越喝越厚，我说就是欠酒。举杯动筷，隔地挨村，总还兄弟，真要走得近乎，咋能干出这没屁眼儿事。

李大明脸上冷石头，狞笑一下，心说操他妈，什么事情还让我摆宴招待那龟孙！

大营村的人有经验，知道乡里暗中向着小北村，净弄这边见血，那边过年的事。又想大事化小地糊涂过去，自然不干，李大明狠了心，当作案子，上报了县里，说是一伙歹徒，大白天劫了车子。

县公安接到报案很惊讶，当晚警车便赶到大营村，来龙去脉，清楚明白，接着到小北村抓人，回去法办。这事本该如此。

谁想，小北村村长张万庆，一步三摇晃出来，穷横到家那劲儿，对县公安说，要抓就抓我吧。是我没本事，闹得小北村这旮儿总穷困，让大家吃不起猪肉去抢人家，弄这丢人现眼事。

小北村人都站出来，人头攒动，老小堆了满街筒，哭爹唤娃儿，鸡狗都叫，年轻些人，堵枪眼儿般往上撞，说，就是抢了，许官家放火，不许百姓点灯咋？

这话明显不对了，像背后还有啥事情，窝在边边角角上。说要抓一起抓，人人有份，一碗水端平，全村搬进大牢吃喝没意见。

事情闹大了，像是另有枝节。县政府得到汇报，当即也下来人。

小北村人异口同声说，路是我们修的，大人孩娃儿都死受一回，当初县里让我们花了十几万元，我们是穷村，一分钱补助没有，大营村人倒落瓜，大爷大奶奶般过往。四十头猪才到哪，真没到哪，差得远哩！

大营村的经济在地方上发展很快，小北村的这段马路，自然最多的就是大营村的车辆。这种现象咋能怪大营村。小北村非要砍一刀，这算啥。

可小北村人也有话讲，说那我们挖沟断路总行吧。这可是我们自家的事。我们就屙在村里，吃在村里，窝村里，烂村里，总成吧。

县里觉这小北村人太不像话，个个都驴，准备严办。先抓村长张万庆，再抓挑头闹事人五六。事情尿不出二尺尿去！

可这时刘乡长却闪出来，拉县里主事人到墙根儿下，紧紧慢慢，嘀咕一阵，说县上本该拨给小北村人的救济款，都已驴年马月，还没到位，小北村人有怨气，并非生猪这码事。

来人有耳闻，愣下卡了壳。原来小北村人，就是想把事情闹大。县里人口气，接就软了软。忙向县委打电话，电话挂了，来人步子就稀松下，嘴一偏，改了调，说还是应该安慰一下过于贫穷的小北村。再说这么多人，抓谁不抓谁，都是问题哩。

就叫来大营村的村长李大明，又到墙根儿下叽咕阵，说给小北村村长一个处分咋样，生猪就算大营村人自家送来，由县上发面锦旗，再给你李大明戴朵大红朵。就当大营村人再次扶贫得了。

事情黑黑白白，拧了麻花，至尾，又成抹稀泥一件鸟事。

李大明鼓了眼珠子，脸阴得能拧下水来，不知咋个出火，气得不行，嘴上却说，就怕村人不答应，四十头生猪呢！

县上人拍拍他肩，多老深、老厚交情，笑说，你们大营村，别说四十头猪，就是四百、四千头也没问题。别太计较了，来日方长嘛。

来日方长这句，说得很重很实，自然不是说四条腿的生猪，是说他李大明活人——日后上上下下，左左右右那些，深不见底了。

大营村人没气死，说天根儿底下，能见到地，再没这么不讲理的事情！这时大营村人，就得到消息，听说了县上为小北村的扶贫款，一直没有到位，给挪作他用了。小北村人就是要闹事给县里看。大营村再一次成了牺牲品。这下倒好，县上也有了台阶，跟着一出溜，扶贫款子，就用大营村人的这批生猪给顶上了。算上两全其美。

话说回来，谁让大营村这样富来，刮你点油，抽你点血，算啥！这你也哼哼，太小家子气。事情就算是刮点油了。县里乡里，都出面调解，对李大明，笑佛般，齐刷刷一边倒，还让大营村人讲团结，学安定。说如今天下，安定才是最主要哩。

再闹，反而成了大营村人捣蛋。

李大明不敢抗上，只好蔫下，回去和村干部们做出挨骂决定，由村上集体出资，补偿村民这笔损失。

从古至今，富人就老是干不过穷人。

大营村人只好忍肚子疼。村里人又骂村长李大明，卡巴裆里老二，窝里充大。但骂得缺力短气，因为一村人也知道，李大明比他们更窝火。还一只眼急得肿起，蜂窝样红。

小北村人享受了大营村的猪肉，果然不领情，说县上答应我们的是现金票票，我们需要的是钱，不是猪蹄儿，猪尾巴，猪蛋包！谁还没有见过猪跑，都见过哩！

事没隔几天，大营村人气还没喘顺溜，另一辆货车，又被王庄村民抢了一次。

这一次纯属偶然，是大营村的车子坏在王庄的村口上，是傍晚，天刚擦了黑，昏昏暗暗看不多远时候。

王庄人本还想着帮助推车，可见是大营村的车子，就甩袖歇球，拉倒一边看笑了。接又想起小北村人抢了猪肉没有事，反闹一村肉香，提前过起大年。于是心里也痒，像是要跟着学习体验一下，觉得吃大户没啥了不起，又很像一时冲动，就冲动了一次。

那次车上，满满当当，拉的是大营村鞋厂的一车子皮鞋，价值七八万元，虽不比猪肉可口味香，但也是猪皮搬到脚上，耐时耐用。结果一双不剩，都成了王庄人的战利品。王庄人那日抢了鞋子极兴奋，还唱了一路革命歌曲《铁道游击队》。

这个唱，那个也唱，像是啥时报名，集体参加县里歌咏比赛——

西边的太阳就要落山了，鬼子的末日就要来到……扒上那飞快的火车，如骑上奔驰的骏马，我们在铁道线上，扒火车，那个炸桥梁……打得鬼子人仰马又翻。

县里再次来人，这次大营村人死活不干了，亲娘祖奶奶来，也这脸儿。李大明也青了脸，高嗓大声一通，说，再不能算作扶贫款了，明明是狗日们抢！不成把我撤了，这次无论如何，也要讨个公道！

县里来人没敢出大气，笑说，大营村人，一千一万在理，一丢丢儿都没错！是怕被大营村人撕巴了，更不能动李大明，咋能撤李大明呢，李大明是地方上的大菩萨，钟在庙里挂，音在外面响，净金银殿摆设，日后有事，备不住要来拜一拜，咋能断了这根香火。

就翻脸撤了王庄王书记的职。这次王书记够冤。总得冤一个。还公开抓了王庄的农民五六，一刀，一刀，摆给大营村人看。声势很大。

警车不是先到王庄，而是神经病，喝醉酒，走错地方那般，先进了大营村，弯一圈，才弯到王庄那头，还响了一路警笛，笛笛嘟嘟闹气，招孩娃儿妇女站了一街筒。可王庄被抓农民，在县城关了几天，就又放球，鞋子没有追回来，说是夜间被抢，百来号人，尽是妇女老人孩娃儿，没啥正经人，不好办，查不清楚是谁了。说等下回。

可事情过后，镇子上卖菜的农民，都改了卖鞋，鞋是大营村出的，厂名地址都清楚明白，却再没人来管了。更可气是，有人在街上买了鞋子，还拿到大营村来兑换，说质量问题，或大小号不全。

鞋盒子上写着三包，不换就找工商那头托人吵吵。问还讲理不？

大营村人，能让尿憋死，就是没处讲理。

王庄人拿着大营村人生产的鞋子，每家每户都换回百八十元大票，高兴，喜个洋洋劲，路过大营村时，还是高唱不止，改唱老歌《看见你们就觉格外亲》——

想亲人哪，盼亲人，你们是咱的亲骨肉，你们是咱的知心人，吃的是一锅饭，点的是一灯油，党的恩情说不尽，见了你们总觉得格外亲……还加上若干快板，格外——那个亲呀，亲！

有些故意挑逗。

这两桩事情，都是发生在离年前一个多月时候。似冬日里阴个沉沉的天气，让大营村人打够冷战，谁也不知日后还会发生什么嘎杂事。人都提着心，说操他奶奶大年底！一村人都不安稳，觉得今年比哪一年都乱哄。

村长李大明，心上更不踏实，为这事，专门开了村委会，还请来村里骨干三四座谈。会上大家由性骂街，大烟筒吐得云山雾海。有人建议，说往后村里再出车子，多跟些身强力壮爷们，刀枪棍棒家伙带齐，要打就打，要杀就杀，死一口子才好！再不能让自家嘬瘪。

有人却想得长远些，说，不忍咋办，谁让咱如今富得太快，人家太穷。出门又是人家地界，你总不能不走路吧。人家没事，闲到家那步，整天太阳地里晒屁股，墙根儿前蹲一溜，陪得起你，咱多少事哩，脚丫朝天忙乎。

会议没有结束，就散球。大家都说，这年头，就是杀富济贫的多。

“杀富济贫”本来是小北村和王庄人说的话。老想六十年前，打土豪，分田地那茬儿口，很想再来一场分田到户到家事。大营村人却深深记住了这一句，是确实感到有些可怕。

三

大营村附近的几个穷村，日子确都东倒西歪，太阳都离得远。这几年吃喝，其实都是靠大营村一瓢一碗接济。

如果没大营村来来回回，可劲儿铺垫，这些村子，怕更不好活。但事情怪就怪在，吃了喝了你，却没人念你好，反都仇恨着。好像有钱人就应遭恨该死，而穷困一些爷们儿，却永远在理，且可以胡作非为！

面对这种古怪现象，大营村人总是迷瞪，不知咋个行事好。

更让大营村干部深感被动的是，大营村人一向没有地方去说这个理儿。每次与邻村摩擦，乡里，县里，便准是向着些穷村，要不就是睁一只眼，闭一只眼，装着看不清楚。

大营村因自家富足，惹下四邻生出醋意，关系够上冰冷，僵硬得没了一丝热乎气，背下骂娘，操祖宗那口都有。可各村该来要钱时候，还是厚着脸皮，颠着屁股伸手。

每年下来，大营村人东疙瘩，西疙瘩，给四邻"扶贫款"加一起，最少得超过三十万元。数字且还年年增长。大营村的村长李大明，是个很精明能干人物，办企业很有路数，一拳一脚，都能打对地方。可对四邻情绪，却一筹莫展。邻村爷们儿，一见大营村人，就想找碴儿生事，挖点什么过去。目光狼般，放那绿光。凶凶狠狠恶恶。

大营村人，啥时都惊着，真怕被人挖沟放火，糟蹋气。

富人若是总活在穷人圈里，日子就永远别想过踏实，心里老有股遭罪感觉。这是股说不出口的滋味，要多难受，有多难受就是。

时下是又到了年根儿，天上白白茬茬，已经落了两场小雪，见天阴着，净风，吹得墙上和树，尽鸡皮疙瘩。李大明觉着，各村村长，这个时候，便要相继来大营村要款了，这个没错。大家就是来大营村杀富！心里藏刀般狠劲儿，嘴上却要拉个长声，堆一脸破烂哭相，办丧般惨兮兮，一准都说自家属那世上最穷，揭锅盖就见锅底。不然就一头撞死墙旮儿模样。刚还马瘦毛长，接就跟你闹英雄烈士那景。

这些，每年年根儿上，李大明都得认真领教，不然，不算过年！

这些日子，村长李大明又在犯愁。藏没处藏，躲没处躲。四村要钱借钱，手段又是层出不穷，软的真软，硬的真硬。大营村人被人抢的这两次，影响很大。这让那些没有来得及动手抄家伙的村子，都暗下眼红。好像更有理由，到大营村炕上，好好暖暖屁股。

这两天，乡里电话，铃声脆响，让大营村快些上报产值利润。而举刀下叉人物，都在暗里候着。大营村人硬着头皮，却只能照办。

乡里几个头头，拿到大营村的报表后，心都动了动，忽忽扇扇带响，看着报表上的一排大数字，也就看到了实实在在的金银大票，哪张应该归了自家，哪张应该分给兄弟，又哪张应该孝敬父母，算盘珠子，都已扒拉到家。

大营村处境，是堆干柴烈火没错。乡里几个副乡长，分别来自几个穷村，娘家兄弟一伙儿，总放心上暖着，自然就是穷村内奸。当天日子，便把大营村数字，一字儿不差，传到下面。

那时各村要紧人物，打仗那般，紧了裤带，挽了袖子。大营村人，能听到远近一片骚动，哗哗啦啦，伸拳展脚声响。今年惦念大营村这块肥肉人数，已不只限于大营村四邻，就连乡里，县里，也捉摸该去大营村走一走了，进桃花源般伸伸手，瓜熟蒂落，咋也能顺手拣俩儿。

大营村人年根儿前，明显地是处在一种危险中，铁器锈味味道，使李大明心上冰凉。

这天大早，李大明到县上开年终农业会，会上，难得地捞到一次发言机会，分管农业的副县长老陈也在座。各乡人都想听一听大营村这几年是怎么个闹富法，是让他好好摆话一下。没想到，李大明竟私自改了发言题目，说富了之后，左邻右舍，都恶狼般。一村人现在都怕。越年根儿前，越打哆嗦。李大明要向在座的各位讨个说法。下面人一通哄笑，像听笑话。

陈县长脸上僵起一层，斜眼瞥他。做总结发言时，就对李大明很不满意，说大营村情况，哪家企业没有！说富人就要帮穷人，富了要多做一点贡献，这叫什么问题！庙里和尚，还讲施舍呢，你李大明，富庙，富方丈，别人端碗到你门前，你咋能闭了门，反说人家不对！在县长嘴里，大营村人就该被人宰！该主动伸脖接刀出血才对头。

会后陈县长在厕所里遇到李大明，一边解裤儿，一边说，李大明你捣什么蛋，怎么乱张嘴！李大明想分辩，陈县长哗哗尿得很认真，头也不抬，尿完就走了。

李大明回村后，十分沮丧，心说，妈的，都说有理走遍天下，大营村却是有理寸步难行。而这个时候，各村村长已经把心中算盘，变成了具体行动，抬腿迈步，让李大明难受的日子终于到了。

先是大营村后面的那个赵庄，赵庄的村长叫赵德泉，赵德泉这人很老实，长个大头，方脸，秃顶，几根说落不落的头发，东一绺，西一绺，软趴趴随风倒伏，这人一脚踢不出个屁来。自然也没大能耐。

赵德泉早就不想干这个烂村长，可越穷困村子，越没人干村长这鸡巴事，一是个人没啥油水，属穷捞忙。二是不管谁干，干了准一身屎。所以村长这烂差事，就总灾祸般，连年落在赵德泉头上。

赵庄日子过得稀烂，一村老旧破房，缩肩靠背，挤成块黑疙瘩，村人和地，都一律瘦叽叽难瞧。赵德泉去年咬牙勒脖儿，办了一个棉花加工厂，却被人骗去十几万款子。这使赵庄人的生活雪上加霜。村长赵德泉，没啥能耐，便真心实意上吊一回，用绳子勒住自家脖子，还写下遗嘱。遗嘱说尽对不住众乡亲的烫心暖肺话，真够爷们儿受一场，谁看，谁想酸酸哭一鼻儿。

可惜他想死没死成，被村人及时发现，送卫生院一通折腾。

赵德泉被村人解救后，娘们儿家哭了一场，鼻涕眼泪吸溜老长，为这事，他被全县通报批评了一下子。县长说，该了钱就想死，还怎么搞致富，要这样，轮不到你赵德泉，第一个死的人该是我！

赵德泉想想真是这个理儿，天下该死的人多了，还轮不到他赵德泉，这样一想，也就踏实一下。好死不如赖活那劲儿，照吃照喝起来。

想死没死成的赵德泉，身上的包袱其实是更重了些。后来，县里出面，让大营村拿出几万元救济款给了过于穷困的赵庄。大营村一下子为赵庄拿了十万元，还弄车米面过去，车上插了彩旗，挂了标语，打了锣鼓，弄出星星点热闹。这是今年春上的事。

想不到这个年底，赵德泉又是第一个来大营村。人要是吃惯了谁，就老来吃谁，顺路习惯。

李大明并没感到太意外。只是赵德泉坐上半天，都不说正事。东拉西扯，说天气真暖，倒退二十年，冻肿卵子，地裂口子。这是大早上，李大明年根前儿忙成一团儿，跟这样一个整天没事、蹲墙根儿晒太阳村长，已经说不到一起去，就给赵德泉沏茶倒水，说喝水吧德泉。

赵德泉双手伸出接住，似接了大碗酒，一口气喝干，碗轻轻放下，又接第二碗。这当儿，还甩了鞋，盘腿扎实坐椅上，一副真诚叫喝就喝模样，一碗碗地接下去，还眨着眼睛对李大明说，你也喝，你咋不喝呢？仿佛天下再没旁的事，就是喝茶水。李大明只好也跟着喝，说年底真忙啊。是让赵德泉知道他忙。

这时村上人进进出出来找李大明，都是有事情。

赵德泉倒也知趣，知道李大明忙，说，你忙你的去，甭管我，又不生人，就摆出坐定了屁股架势，是等李大明忙回来再说，李大明怔了一怔，心说，赵德泉你没有搞错吧，怎么像是坐在自己家里！李大明就没有办法了，只好先陪着，心上却急得很，抓耳挠腮神态。

赵德泉看不出来，最少得装看不出来，赵德泉这人就会装傻，呆呆愣愣实在，天塌下，都不醒悟那劲儿，活就活个迷瞪，不然还有啥活头哩，就更没啥活头了。

他临来时，村里要紧人物，磕头碰脑儿，坐一炕热屁股，一支烟，又一支烟，吐到夜半，是在想怎么才能从大营村掏出钱来，说得极细，极方方面面，不留丁点闪失。一般不会挣钱人，倒都很有些要钱功夫。大家让赵德泉做厚脸皮，做狗皮膏药，能多粘就多粘。

村干部们对赵德泉说，要来钱，我们给你庆功，到时给你戴大红花，全村人轮流请你喝酒，流水宴给你摆到三月上，你这一冬，全家老小，不用开伙，挨家推门吃去。

还说，你去那边，先不要开口，就是没事到他大营村那旮儿坐坐。拖住李大明，让他够烦够厌，不到天黑，咱不抬屁股。人到天黑还不抬屁股，一般人就受不了。就是要让李大明受不了，让他主动领会咱的精神，让他开口问要多少。

告诉赵德泉，咱鼻子底下，也只剩下这狗皮膏药一条路。

赵德泉责任重大，背一村人期望，也装了一肚子烂心肺，尽量把腿盘得结实些，还带盒好烟抽起，一吐一吸，也还柔和，身子悠悠荡荡，也还稳当。其实心上，忐忑不安。肚里茶水咣咣当当见声，总想站起，放屁舒服，却又不敢，活受着。

穷人向富人要钱，真他妈不是好滋味，还得讲个计谋，赵德泉心里也骂。赵德泉老实，但却记住了村委会上大家的决议，死活不说正事，大意就是来坐坐，看看大营村咋闹的，咋就这么气吹的一样，说发就发。而赵庄为什么就不行。妈的死活都不行！

还对李大明说，你看，啥事都像钓鱼，非得是你这旮儿地界，挪一步都不行！

李大明知道这都废话，只好忍着，等着赵德泉开口要钱。两人都挺难受。可赵德泉就是不张那嘴，像来练那坐功。还道，我好长时间都没和你李大明喝一壶了，今个儿就在你大营村喝一壶怎样。还问李大明，你如今做了爷，不会撵我走吧？

李大明说不会不会，喝顿酒有啥，今儿中午。

赵德泉就靠在椅背上，专等喝酒了。

李大明和赵德泉打小一起耍过几年，挑杆子，打人家的枣树，解裤儿带，往人家大白菜上尿尿，都是穷孩儿穷家，有些感情。要说今年春天，大营村给了赵庄十万元，已经很够交情。想不到赵德泉年底又是这么黏，还这么坐着不抬屁股就是问题了。

李大明眉眼愁成疙瘩。窗外太阳，虽说冬天，也快爬上屋顶了。

赵德泉堆一脸笑，一团泥般冲窗，身子接住那窗上暖光，稳着一丝不动，是专等太阳下山哩。

李大明问，德泉，你有事吧？希望他快说快办，别这死熬。

赵德泉毕竟是来张嘴要钱的，有些不好意思，他突然想起来，十七年前，大营村也是一个穷村。大年三十，大营村人去向赵庄借过一口大锅，说是炖猪骨头。

就说起那事，说大营村那时和赵庄一般穷困，两村孩娃儿，都一街光着腚。赵庄多少还比大营村多了一口大铁锅。其实只一口大铁锅。大营村人说要借去炖猪骨头，赵庄人就发扬风格借给了。

赵德泉提高嗓音说，其实那时，赵庄人也是需要炖一炖猪骨头的，但不能不发扬共产主义风格。赵德泉说起这事，还感慨起来，说现在的人，再也不提倡发扬共产主义风格了。赵德泉说着说着，心里话就说了出来，是嫌富不帮穷，不共产主义。

李大明就不爱听了，歪着脸说，穷人恨富人不知道咋老那么有理！现在我们大营村，就老被人恨着，给多少都不知足！不是富人剥削穷人，倒是穷人老想刮吃富人哩。

赵德泉愣一愣，知道自己说了不该说的话，就又堆起一脸笑，一脸破破烂烂相，说，你看你看，就该扇我这嘴巴子不是！说着扬起手，还真不轻不重地掴了自己一巴掌。完了又恭敬地捧起茶杯，没完没了喝起来，嘴上还涕涕溜溜挂响，别提多认真劲儿。

李大明就看出来，赵德泉今来，是要死泡下去的，这一刀怕是很难躲过了，就深深喘口大气，把烟死死踩灭。

干脆说，德泉，这样吧，今年我们大营村搞得不错，不说金金银银，但红红绿绿总有几个，这个谁都知道，念在咱俩小时一起耍了几年工夫，过几天，我派人给你送去两万块，你看行不？李大明那模样，好像就是欠了赵庄什么，软软塌塌口气。

赵德泉听到这话，眼睛亮一亮，接又黑一黑，这才放下茶杯，抹一下嘴上茶叶，伸长脖子道，两万块你也拿得出手。你们张嘴就是上百万，别像打发叫花子样打发我，砖头瓦片，也有翻时候，将来我们赵庄富了，没准就富了，还你十倍！你拿五万怎么样？如今年月，物价涨到天上去，五万也就能当两万花，你手指缝里，好歹漏一漏事情。

赵德泉突然变得强硬起来，刀子越快越不嫌快了。李大明心里很不快，心说，遇到这号操蛋人真没法儿。可脸上尽量保持着笑，咬咬牙说，好，就五万块。算我们大营村人支持赵庄发展经济，可再不能来了。李大明的态度清清楚楚，让赵德泉别再来。这话当然不好听。

赵德泉并不嫌啥，来时就准备装驴孙哩，李大明这头，能骂他啥话，早反反复复，自己先在肚里骂过几十遍。要饭跑人家门上，就得什么都听哩。把人家的钱掏进自家兜里，还不兴人家说几句。骂娘操祖宗也得听哩！

两人说定了送钱的日子，赵德泉就走了，也不提喝酒的事了。临走回头，望眼桌上茶杯，揉揉自家肚子，说，这一早上，真够我一呛。

李大明望着赵德泉背影，心说什么人！不给，就跟你死泡。

赵德泉出门也骂一句，妈的，要钱的人老得装大孙子！我还村长哩，一副龟孙相没错！

四

赵德泉刚刚走出门去，李大明就听到锣鼓家伙声。他向远处望去，锣鼓声外，那头那边，是灰灰土土几个穷村。赵庄来了，接下来就是刘庄，张庄。李大明的脸色，灰成菜青。步子有些绵软。

李大明听了会儿，感觉声音不在村外，一阵好生奇怪，没听说今天村里有啥事，咋就突然锣鼓家伙齐响。没事瞎敲啥哩？

他正疑惑着，办公室的会计小刘和其他干部也从屋里跑出来。立在院里，说这敲敲打打咋回事？没听说村上有安排打鼓的活动呀。

这时天突就阴沉下来，太阳铁柿子样，说黄不黄，说绿不绿，似有似无，摆在头顶空气骤然冷起一层，人都感到冻手。有人抬头望眼，骂句，今年尽他妈怪事，好不了！

大家正在奇怪，锣鼓声反越来越近了，干脆就敲进了村委会的大院子。原来是小学校的一伙孩娃儿来送锦旗，一直把锣鼓家伙敲到李大明的脚跟前。

孩娃儿们是由马老师带队，马老师让孩娃儿们递过锦旗，小刘慌忙接住，锦旗上面写着“感谢大营村党支部，为培养下一代无私奉献”。

李大明这才恍然想起，村上曾为小学校捐款六万元。这是年初的事了，想不到小学校这才想起擦屁股。李大明声儿反淡下，对马老师说，你看，你看都是一个村上的，还弄这一套，鬼哩！

马老师就递过一封信，牛皮纸老大，皮上是毛笔大字，用尽气力那种，说是王校长让送来，王校长明天还要来亲自拜访。

李大明就把信撕开，抖平看眼，脸色顿时就难看起来，像被咬了一大口。原来又是张嘴要赞助费。信上说今年年底，小学校要添置冬季学生服装，除大营村外，其他村上孩娃儿，一律交不起，有些村子实在是拿不出，有些村子就是抗交。大概还需三万元。十年树木，百年树人，请李大明支持。

大营村的小学校，是六个村的孩娃儿共有的小学校，只是建在了大营村，并非只属于大营村人的，可事情却一桩桩都成了大营村人的事情，桌椅板凳，门窗修缮，有无开水茶炉，鸡零狗碎些事。每年大营村，光给小学校补贴，就得十几万元。百年大计，没完没了。

马老师并不知道信上说的啥，让孩娃儿们打起鼓，高高兴兴，走了。望着一片打鼓孩娃儿，李大明突然就有了怜悯之心。他想，拿就拿吧，各村孩娃儿，破破烂烂是够邋遢，都穿起校服，便像穷人出门，总有件好衣，走那旮儿，总也齐整些。可一想起小北庄和王庄抢劫的事，他又来了气，心想我里外里添了多少，你们还来抢！小学校又不是大营村承包，大营村又不是党中央，国务院。

听着远处七零八落，还未全息鼓声，李大明突然又感到一些茫然。刚才他恍惚看到打鼓的孩娃儿中，有两个是刘庄那边的，好像还和他沾亲，不是叫他叔，就是叫他爷。他不知咋的，就突然想起了结婚时候，娘对他说过的一句话，是说媳妇那边，是说刘庄太穷困，填不满个坑，让他退亲。娘的目光看得极远。

现在事情果然就是这样。李大明的女人是刘庄人，娘家人年年都来要钱，且剩衣剩鞋，旧裤旧袜儿，有啥算啥，全都提拎上，秋风扫落叶般，弄你个门里门外，箱里柜上，干净利索。还不只限于娘家人，一村姑嫂，叔父，有事没事，都蹬门槛子磨牙。

弄得李大明给人印象，总是艰苦朴素，多么廉洁，或就小家子气。诚心抠手，缩脚趾头，给人看哩。却不知，他自己每年也要为女人那边掏救济款，李大明深深叹一口，摇头苦笑一下。

管村企业的老朱走进院子，李大明瞄着他的步子，说，老朱，到我屋来一下。老朱进屋，他给老朱看了王校长那信，又说了刚才赵庄村长。赵德泉死泡不走，一壶壶喝茶要钱事。

他盯住老朱，见老朱脸色绷起，像块土坷垃。

老朱是主管企业人物，一年苦熬苦颠，骡马般给大营村拉来一车车干货，自家却麻秆瘦，一两肉都不肯长，他做人绝不多贪。村里要钱的事，得先和他打个招呼。

老朱瞟一眼李大明，张口一句，操他妈！就这个，咱就别想过富日子，一说这个我就气，大家一年苦干下来，年底几十万地白扔白送！妈的，就没个章程。今年赵庄比去年还来得早。后边还有张庄，刘庄……真够咱一呛。到时伸瓢，伸碗，叮当一气，我都愁死！

李大明眨眨眼，说今年咱不知得掏多少？对着窗外死瞅一阵。这话竟让自家脖上感到冰冰凉凉滋味儿。

老朱点了烟，腮帮子嘬得一鼓一瘪。

李大明拧紧眉，说，今年咱总得想个主意了。

当天晚上，李大明躺床上，黑里睁着眼，算了日子。按照往年，再有几天，各村都要分红，这是乡下人的老理儿，那些开不了支的村子，这几天大概就要到大营村来杀富，冷冷热热，闹到天上去。

想到这里，李大明身上直冒冷汗，被窝里又湿又冰那劲儿。他一个村一个村为人家打了算盘，刘庄今年情况，还比不上去年好，张庄也不咋样，夏天那场冰雹，还专砸了张庄玉米，别村无事，张庄确是穷到份上，村长张玉杰还贪，还乱搞女人享受，在村里民愤极大，这个年底，他要不从大营村拿到仨俩儿，大概无法向村民交待。

想到这里，李大明突然一阵心跳。是想，弄不好，今年怕是真会有来拼命的，他是想起了生猪和皮鞋被劫事件。

这一夜，李大明与小鬼结亲般难受。一会见刘庄人大团大团，从村北涌进，一会儿又见张庄人结伙，从村南涌来，打土豪般那劲。

次日早上，他爬起时，眼睛红红的，鼻子也不通气，天气干冷干冷，窗上有霜，淡薄一层，处处都不对他胃口。

他决定先把别的事情放一放，赶紧再开个会，让大家统一一下思想，事情虽然糟乱，但糟麻绳更得拧到一块去，说说穷村再来要钱，大营村该咋办？是红脸，还是白脸，是均拉给钱，还是软硬不吃，这日子，马上就到，等不几天。

会上，村里几个要紧人物，都是一副抬不起的眉眼，人人感到事情不好办。那模样，上门要钱人物，倒比上门杀人的主儿还要可怕。

老朱说，妈的人穷志短，什么事都干得出，不给几个肯定不会罢休！再说咱又是给惯了，乡里还老做咱工作，哗哗啦啦拿咱当摇钱树，脚下还帮忙，偷脚踹咱经常。不抖落下点像样沉货，都还不满意哩。

正这时候，张庄村长张玉杰，人已到了，真是时候，就在门外立着，临来时，换件老旧破棉袄，装孙子那劲摆好。

屋里一村干部脸上，顿时就阴冷一层。

老朱就出去了，屁大工夫，又转来，说，我给打发走了。对李大明道，我说你今天太忙，一会儿还要到县里，他说明个儿再来。

一屋子人互相看看，突然感到一阵紧张。李大明说，躲得过初一，躲不过十五！咱得赶紧想个办法了。完了也好安心过年。

干部王永旺翻下眼皮，说，要给也行，但得有利息，利息要高出贷款，谁不怕谁来借！

老朱说，你越说越老财了，还放起了高利贷！谁怕你这个。这两三年，哪个来。咱不是白填坑！谁还怕你放高利贷。要人头人脑都敢答应下你，到时你敢去割？

王永旺沉一沉，我是说这样总能给村民一个交代。不是咱干部私吞胡来，瞎送了人情。

几个人都愣愣，大营村村民，这几年一直有这看法。

一提这个，会议突然便被一股愤怒控制了，大家顺着王永旺这席话，咔咔嚓嚓就是几斧子，生是立下了几条章程，原则上谁也不借。像是修了一道老厚城墙，以此堵住洪水猛兽。李大明最后站起说，那就这样了，就是亲娘老子来，咱也这个章程，照死不认就是，爱谁谁了！咱不是观音菩萨，谁来磕头都行！

会就散球了，可暗下，干部们心里却都绷了弦，知道事情并非那么容易。李大明这一晚上又没睡踏实。后来他想，怕啥，钱是大营村自己挣下的，又不是偷摸了谁，凭什么给这个，给那个的。不给谁还能把你吃了不成！李大明是天蒙蒙亮时候才睡着，且一直做着噩梦，刀枪棍棒没离被窝儿，不是蛇咬，就是蝎蜇。

没想到，大营村头天定下的铁程章，次日早上就软蛋屁球了！

五

早上冬里太阳露了头，亮在东边一点红，县委办公室张主任，小车子突然驶进大营村。下车瞅眼太阳，像网鱼人，挑准了好天气，张嘴灿笑一下。

张主任在县里有位置，虽只是主任，但却老资格，脚步总呈八字，一步一步迈得沉实，张嘴闭嘴，能代表县委、县政府了。张主任来得突然，还带了县体委的刘主任。这不是啥好征兆。

李大明伴在张主任左右，心里忐忑不安。张主任对大营村的企业一通表扬。七好八好，都好，也不说有啥事，就那么边走边聊，始终挂一脸笑模样，软成水样。好像李大明用不了几天工夫，就要到那边去做县长，当县太爷坯子。

李大明心里慌慌似长草，预感到不祥。知道张主任绝不是来大营村喝茶水的。李大明甚至盼望张主任是来谈个人私事的，私事再大，也是小事，私人张多大嘴，也有边有沿儿，不会吓倒谁。就是买房子置地，也有个准数。

可张主任这人，偏偏不为私，全县有名，大公无私。这就够大营村人喝一壶。

大营村人只防了四邻，却没有防县里。防也防不住，村里干部更没有这个准备，事情太突然。李大明提着心，脸色始终不大自然。虽一再努力，那笑还是异常，间或流露一脸冰霜，咋也板不过来。

中午吃饭时候，张主任就突然严肃起来，一双筷子码得齐齐整整，说他今天到大营村来，县长也是知道的。李大明心里就轰了一下子。

张主任瞄眼筷，意思明明白白，是说下面他要说的那事，是经过了县长的，然后就说出一个五十万元来。李大明以为自己是紧张得听错了耳朵，可张主任说的就是五十万，没一点儿差。

张主任说，县里要发展全民体育运动，这是中央精神，要盖一所更大的运动场，三十、五十年不落伍。大营村人要带这头，做棵大树，且要苍天挺拔精神，给全县左右瞧瞧，也好让其他企业跟住。

桌上人都木头般，眼睛死盯住碗筷。

李大明清楚，地方上稍大一点的赞助，都是县里在背后鼓捣，没有哪一家真正自愿。然后县里再提出让大家效仿号召，管你苦脸、笑脸，总得插插红旗，戴戴红花。锣鼓家伙一通敲。

张主任说，条件是在运动场上给大营村挂块铜牌牌，也三十、五十年不长锈。让大营村人千古留名，子孙万代，绝不埋没了。

李大明脸色惨白，鼻尖上冒了汗水。五十万元，等于拿走了大营村人一年辛辛苦苦所得的五分之一，真个掏心抓肺了。李大明的脑袋嗡地大了一圈，心里一团乱麻。他下意识端起杯子，一饮而尽，脸就红了，哼哼叽叽不说给，也不说不给。后来他竟哇一声吐了，是心上堵得不行，突然胃里一阵恶心。

李大明经过多少场合，大营村走到今天，他李大明在酒桌上滚来滚去，举酒坛，钻酒缸，杀败过多少酒桌豪杰，从不曾出过一滴酒，今天他却哇地吐了，像条死狗。样子让大家吃惊，也让张主任吃惊。

李大明想到除这五十万，再加上各村和乡里伸手，大营村这几天，给人家吐出上百万元怕是挡不住。是这个数字扎了他的心窝子。

张主任说，李村长，你是天天喝酒的主儿，不是喝坏了胃口吧？李大明只好借坡下驴，说喝三天了，实在喝不动了。村干部都愣住，心想，什么时候喝了三天酒！看李大明使眼色，便都明白过来，借机把李大明扶回家。还说他吐了整三天，要不是您张主任，他绝不再陪。

张主任办事麻利，临走在车门前放下话，说那我回去就给大营村做牌牌了，千古留名第一个，大营村人，尽干金光灿烂、耀眼事情！

大营村四周的穷村，果然开始像大营村开刀了，刘村的村长刘旺来时，张嘴就借八万。张庄则打狼般模样，村长、副村长五六，一伙拥着。张嘴要借十万，都是狮子张大口，还说，村里果树，无论苹果、柿子、红枣，不记棵数，都归大营村。属拿孩娃儿套狼。

张庄人还下了保证，说如果还不上大营村债款，可以割地抵押，那话，够上砸锅卖铁，卖血卖肉，卖亲生孩娃儿。

一连几天，各村村长在大营村出出进进，一波一浪，涌得厉害，又像拜庙子般，来磕无数响头，烧无数高香。

李大明活菩萨忙。

乡政府老刘，是最后一个到的，摆出一副爷的架势。没说什么原因，直接让大营村人，今年再增加十五万元。说是全乡经济，就指望大营村，大营村不出血，谁出血，谁还有血！

大营村年根儿上，鸡犬不宁，昏昏沉沉。

其实每一个来大营村要钱人物，都够蛮横，够霸道。不管是软话，还是袄袖儿里藏刀，没一个心理平衡。不宰下这一刀来，谁都不肯罢手。大营村是个便宜，是一块节日大蛋糕，扶小敬老，且应人人有份。

大营村这几年，占尽好景，没受啥自然灾害，更没遭啥天祸。年年艳阳那劲儿，可眼下这景，却让大营村人感到，比那种灾难都更要人命，都更难让大营村人承受。李大明嘴上，已经起了两三个血泡。

李大明和村里几个要紧人物，坐下算了算，算得心惊肉跳，似闻到阵阵血腥气。要是都给，各路诸侯所要款子打在一起，真的超过百万了。大营村一年下来，到这个份上，本该是个人人欣喜热闹日子，不料，却突然陷在一场劫难里，走到这种田地。

今年的这个情况，比村干部们想的还要严重。事情一浪浪涌急，起伏跌落，整个村子都晃，犹如一场风暴突然卷到这旮儿不走。

大营村的村民，这几天人心惶惶，吃完分净呼声，水涨船高，群情激荡。也一波波涌着。村里村外，冷热对流，强烈地冲击着大营村的干部们，死死活活要命那劲。

李大明再没个退路。对几个干部说，咱们民主一下吧，钱是一村人的辛苦，咱开个村民会，让大家表表态。也许会有个好主意，不然一村人，也不会答应咱。

事情过于紧急，村民会说开就开了，是在鞋厂食堂里，人头黑压压一片，骂声从门里到门外，够上五六级北风，样子不像开会，倒像是来斗架，人人心里一团火。忽忽颤颤地烈。其实没啥好说的，村人就一个态度，让村干部们顶住，说都是裆下带把儿的爷们儿，支不起裤裆的，回家抱孩娃儿算球。

说挖沟让他们挖去，放火让他们放去！有本事再来抢，又不是没抢过！

李大明还算镇静，先说了几句今年全村的产值利润，然后说了一下关于各村都希望大营村人伸把手，支持一下的事，李大明讲得很客观，言辞也不激烈，接着就是发纸条，让大家表态，是给多少，怎么个给法，让村民们一起定个杠杠。

那意思清楚明白，是福是祸，是拼命，是装孙子，大家说个准。天要塌下，一村人接住。

下面一片不满声，说发啥纸条！又不是选村长，一个也不给狗日的。说大营村不是联合国，除管自家，管不了世界上的事。

纸条很快就收上来，结果只有少数人，都是在其他村子有亲戚的人同意给一点，大多数人主张一个子也不给。

有的纸条上写着，李大明，我操你妈要给！

有的纸条说，要给，我们先砸了企业机器！

下面一锅开锅水，哇哇响得没边儿。有人跳脚喊，大营村年年救济这事，要从今年打住！有人说李大明，要打就打，不打解决不了事情。门那边，突就有人举起杆双筒猎枪，吼声，要不要组织长枪队？

李大明用茶杯盖敲了桌子，下面一块一块静了，是骤然奇静，门口那风，嗞嗞啦啦都能听见，人们长长远远，听他咋说。

李大明清了嗓子，说，村委会同意村民的意见，就这办，一个子不给！真够干脆。

下面一片欢呼。噼噼啪啪掌声。

李大明和村上几个要紧人物，想得很是长远，就是要让村民表个态度。日后各村对大营村“制裁”的时候，大家就要有个准备了。外人是打是闹，内部就得讲个团结了。大营村的干部们，什么都想到了，富人多虑，觉老睡不安稳，边边沿沿些事，都得费番心思。

六

天下事，你不这样，就得那样，只是付出的方法不同。接下来，村里的几个干部便商量了更具体的方法，干部不同村民，做事总得想周全。扶贫救济的事情，总要做一些，不能真的一个子不给。但排了半天队，却排不出个名堂来，给了赵庄，张庄不会答应，给了乡里，县里不会答应。事情就是给，也给不出个好！

李大明一急，血压就上来了，开着会就匆匆找药。说，还不如我病呢，我病了你们就往我身上推。我病上一月，就能躲过几十万元的损失。要骂，骂我一个好了。李大明是在瞎说。

村里几个要紧人物，却都放眼一亮，说这倒是个法子。

李大明怔一怔说，真是的！那我就逃一回难怎样？

事情急转直下，有些突如其来，接就定了计策，并立马实施。是让李大明装死住院去，远远地躲开大营村。就算换个办公地点，反正时下有车子，有电话。

为了不让四村人跑到医院去缠磨李大明，一时间，大家给李大明身上安了百种病，肿瘤、败血、心梗、尿毒，要不就你自家服毒得了……

李大明脸色焦黄，心突突乱跳，扫视大家，人人一脸怪狠，他突就觉得委屈，说，你们不是真盼我死吧？我李大明没黑没白为一村人抓挠，竟这烂心肺下场！

大家一愣，才觉说得过重，咋都当真那般口气，恨他不死程度，就都蔫下无声。最后李大明给自家定下病情——黄疸型肝炎。

几个要紧人物说，这个最好，不怕染上死球人，你就去！

但这是大营村人自己的想法，不是医院的诊断。大家就让刘会计跑一趟。刘会计的姐夫在县医院说话有位置，拔牙特别利落，从村上一直拔到县医院。人越拔越高，人称县里一把钳！

隔日早上，刘会计便跑到县医院，姐夫听完刘会计那话，晃晃手中亮亮钳子，说，狗日的！真该拔下李大明几颗大牙，你们大营村人有的是钱，却铁公鸡，要住我们这旮儿装死躲债！亏他想得出。如今到哪儿不是钱，跑到天边去，也躲不过这一码！你们给医院一万块赞助费，病房单算咋样？

刘会计回村说了情况，村干部们说，到哪都是小刀子，一万就一万！次日早上，李大明便顺当儿住进医院，活人装死人那劲儿。

但李大明和村干部们还是想错了，要钱不要命的人，现在天下有的是。张庄和赵庄人，再来大营村扑了空，听说李大明突患急病，且病得要死，弄不利落，蹬腿翻眼咽气，马上工夫，反觉不好意思不去瞄眼，总要瞄一眼才对。

再说这个节骨眼儿上，去医院看看李大明，也是一种增进感情手段。要钱也许反会容易些。要死的人都手松，啥都舍得了，况且，现在谁都巴不得找个茬儿口，去给李大明烧炷高香哩，这不正是机会。

就抓着了机会。

赵德泉是个为集体办事舍生忘死人物。没事自家还弄根绳，往房上拴脖哩，这下反而来了劲，何况李大明已经答应下五万块。人真蹬腿死球，这时不去反太不够交情。

赵德泉一马当先，还提了水果，糕点三四，跑到县医院，扯嗓哭般，要看李大明一眼。说肝炎有啥可怕，黄疸就黄疸！一块下殡得了。

赵德泉这一带头不要紧，四村惦记和大营村要钱的村长们，唯恐让赵德泉先抢到手，拿了多少多少。就都到医院去表忠心，临走还带上手绢，看情况，该哭就哭场。人们漫漫长长，东边西边瞎扯，对李大明说些人生不易之话，叹气哭鼻儿，擦擦眼睛，总也不难做到。

医院这旮儿，倒比哪都清静。李大明躺床上，也有是闲工夫。你还忙啥，不是要死嘛，还往哪跑，尽情专注听大家哭穷吧。

事情全反过来，倒像是李大明专门为大家开了接待室。人们见他精神爽然，面色红润，就都放心了，又都转着弯子，希望大营村拉一把。趁他还有一口气喘着，再给四村爷们儿办宗好事，留个念想。

交了一万块钱的李大明，没住三天，又跑回大营村。说日他奶奶，这招儿倒把咱自家给治住了！各村人就看出，大营村人是在耍把戏。

那天大早起，张庄村长张旺，再次来见李大明，临行前，村干部们商量了如何才能要出钱的损招儿。有几出小戏，要给李大明放演，排得也还精细。

张旺见到李大明，掏出一堆欠债发票，惨个兮兮模样，脸能拧出水来，像刚死了亲娘老子模样，一笔笔让李大明细看，是弄个真实。说要债人逼得紧哩，村里钉子厂又彻底垮掉了。这些当然都是事实。穷人总是有事实可讲。

张旺先是叹声不止，说高的有树，矮的有井，娘们儿家声调寻死寻活，接就动情落下泪来，是大哭，是哭出了声响，下滑音很长，哇哇的那种，真够感人。这就和别的村子有了区别，有了质量，很让李大明受不了。

李大明说，你等我病好了，我们开会商量一下。心想事情总不能见死不救。

张旺觉得李大明差不多是被打动了，演完戏就走了。出村向后甩一句，我操你不给钱的人！

李大明觉得，事情咋也得帮助张庄人一把。就抓紧时间和村里要紧人物商量。结果大家都说不可以，说给了张庄，别的村子闻到风声都会跑来，张庄在乡里算不上最穷的村子，这时哭穷哩。咱总不能喂下一只狼，招来一群跟上，正好先从张庄开始，堵死这条路。都让他们歇息了得球！

话就传过去，说是不行，张旺一直以为是行，那天他哭得多好，一声是一声，有高有底，音音调调都真。活一回人，谁能哭到这个水平哩。李大明狗日就是被感动了没差，张旺没想到李大明会说不行。

张旺就气得要死。觉得自家老大一个人，在李大明跟前动情地抹了够小半碗泪，长长短短，娘们儿腔一通，多少人趴门缝儿都听到了。他亲娘死时候，都没这样号啕过。李大明竟如此铁石心肠，不给面子，他死活咽不下这口气，就生事，就在暗里做了文章。

大营村人确实把事情做过了一些，一夜之间事情闹大。

张旺把气愤散布给张庄一村人，一村人都知道大营村人今年变得怪狠，村长张旺为一村人，跑去当着李大明，给人家哭了一通，竟然没有哭出一个大子来！就是打发要饭的，也得剜一勺，装一碗下来。大营村人是太不拿穷人当人了！

张庄人就行动了，百十号人扛起家伙，黑里咔咔嚓，一夜之间通往大营村的主要路段被断成三截，沟够深，够宽，丑兮兮拧了麻花。说是改造地下管子。早上，大营村车辆，全被堵住只能绕行。

大营村人火起，扛起家伙，说还废啥话，就去填沟了。

填沟是一方面，打架是另一方面。两边都握着家伙，高嗓吼起。大营村人要填沟，张庄人则说你们填一下试试！

村里，干部们说，不成就打吧，不打咋办！打一下，也许能打出个办法，不然谁管。这一次李大明算是默许。最少是态度不明朗。

大营村人就像得到了暗示，不知哪个吼嗓，打狗日的们！多少日子火气，立刻搅成一窝黄土飞扬，血花溅闪，咔咔嚓嚓，尽铁器家伙。

等李大明赶到时，乡公安也到了。

乡公安一向对大营村有感情，有事总能尿到一壶里。平日吃喝发票，常拿到大营村去报账。但近来却不行。乡公安人一直想让大营村再给配备一辆小车子，大营村人却不爽了。乡公安也听说，今年大营村要紧缩，六亲不认，对谁都个屁味儿。于是乡公安抓住这个机会，自自然然，站到了张庄人那边。是让大营村人睁开眼，看清谁是谁！

双方虽然都破破烂烂了几人，都有人见血，乡公安却拘留了大营村这边人三四，而张庄没事。还让大营村出医疗费万块不止。

没有想到的事情一再发生，张庄有个叫于老万的人，打架时受伤，本来只是挨了几脚，却不料，隔日大早，人突然呕吐不止，抬到医院，眼就翻白，一口没喘溜顺，人就死球了。诊断是心梗。

大营村人都惊着，没想到死人。

死人事件，当天就被乡里上报到县上。乡里有意和李大明过不去。跟着，副乡长老周就到了大营村。倒背手，迈八字，对李大明说，等着处分吧，咋能弄得死了人！而张庄人挖沟堵路，却一字不提。

李大明心里乱乱麻麻劲儿，不知咋向县里交代。

那边，于老万的尸首，直挺挺躺在医院太平间里，他家人已经上告，价要到天上去，三十万不答应。大营村人却还要闹。李大明火急，村里几个要紧人物，挨家去做工作，谁要再乱来，就开除村企业，还要罚款千元。李大明让人把告示贴到村头村尾，墨书淋漓吓人。

然事情却比李大明想的还要严重，一波未平，一波又起。

七

小北庄那边也行动了，听说今年大营村人很绝情，开了村会，定下一分钱不给铁政策，还打死了张庄的老于头，为让大营村人知道厉害，改变一下这又硬又臭的态度，小北庄人够上凶狠，没说一句啥，便把通往大营村电线掐断了，是夜半，用车子推倒了通往大营村的电线杆。说是意外事故。大营村几家村企业，黑灯瞎火一片，整个村子，死了般。一天损失，总有几万块。

大营村村民，要集体到县里上告。李大明说，谁去我就死给谁看！他知道这都不顶用处。由于电线杆是在小北庄地界，大营村人只能干看，干等。小北庄人倒是派了人去抢修，却缓慢要命，不见动弹，几个人点了柴，大火熊熊够到天上，是守在地界上看护，拖延时间，不让大营村人插手，耗死谁做法。

一种明显的制裁，是谁都知道的。

杀富行动，终于形成了一个又一个要命的手段。本来一片瓦亮的大营村，这下全成了小蜡烛。一到夜晚，坟地般味道。邻村牲畜，或羊，或牛，或狗，只要跑进大营村，人就一律地追赶捕杀，也够野蛮。村干部拦都拦不住。这就使气氛更加紧张一层。

出大事征兆，有增无减。

张庄于老万的死是乡里出面调解，让大营村出价二十万元，十万给张庄，十万元给于老万家属。谁都知道于老万早就病病歪歪，一天到晚，晃得糟糠那般，这大岁数，要赔，也就块棺材板，张庄人却利用死人，咬了大营村一大口。

为防止更大冲突爆发，李大明和村干部们，只好咽下这口恶气，花钱消灾了。

乡里还说要给李大明处分，但却风大雨点小，始终没动真格。是留着情面，让李大明明白，无非要在赞助上找齐。而各村听说大营村已经开始给钱，政策松动，便又软软硬硬，向大营村进攻了。路也展平，电也通亮。又给个活日。

李大明相当被动。脸色整天灰灰黄黄暗暗，没一点好模样。倒真像得了黄疸。

就这要命刀口，大营村人又祸不单行，那日早起，女人开门，见院里地上，老大一黄信封摆着，拾起交给李大明。李大明展开，人就愣住。

李大明接到了真正要杀富的恐吓信，是绑票。信上有言：

三天之内，如果不把三十万元款子，老老实实送将北村大庙后坡上，就要他全家人性命，信中说，先绑他女人，后是他的孩娃儿。一句一刀割肉般字眼儿。

事情使一村人大惊！

李大明不知，这只是探个虚实，还是真的要来什么手段。村里几个要紧人物，都为李大明捏汗，信被送到了乡公安。这种做法已不再是四村村长们所为。乡公安知道这是正经案子，人命关天，不敢有半点儿戏。但却查不出一个头绪。

三天里，李大明一家人出出进进，神经般，前后拧脖子，或快步，或慢步，或急停下，一通四望，跳大神模样。

天一黑下，便早早关上房门，李大明下意识备了菜刀棍棒，放于枕前，门边，随手就能抓到地界。村里人也自愿保护。组织起一支队伍，在村中巡夜。手电乱晃，偶有狗叫，猫闹，人便跟上折腾，热热闹闹，紧张够劲儿。

一村人心上，大海大洋般翻腾。

人不能有钱，有钱真是祸啊！一村人现在，都是这般感觉。大营村先是被四村围攻，李大明一家，并没有发生什么可怕事件，但一村人都知道，歹徒不一定就从此不来。不知道什么时候，说不定就会大祸临头。

李大明心里烦厌。对一村人说，都该干嘛干嘛去，一封恐吓信，就把咱弄成这样，咱还干不干个事！

这时候，赵庄村长赵德泉，得知大营村人已经被张庄人敲去一大笔，就坐不住屁股了。他干不出挖沟断电那事，便匆匆再来大营村，还是用软泡法子，希望尽快得到那五万块干货。

李大明见赵德泉，劈头盖脸道，我还不如被人绑了票呢！撕巴了得球，那多省心！

赵德泉也听说了这个事，有口无心地说，那我绑你得了，不多要你，还是那个五万块怎样。赵德泉是急得胡说哩。

李大明的眼睛却突然亮起，愣怔老半天不动。

赵德泉说，你这样死瞪着我干啥。前几天你亲口答应的事。

李大明心想，真不如假戏真做，让赵德泉把他藏起来。既躲过了真要绑他的人，也躲过了年前那些要钱的村子。遭一次不幸，说不定反能使四村人放他一把，县里的那五十万块，也不一定还会再提。

通常来讲，人要真遇到点灾祸，磕磕绊绊难着，有些事，大概才能好办，最少能换个同情。

李大明真想被人绑票了，只要不死，其实这倒是一个好主意。

李大明眨眨眼睛说，德泉，你那笔钱，我可没说过不给，不过等我求你时候，你爷们儿也得替我撑一把！

赵德泉慌忙点头，那当然，你吭一声的事！

赵德泉走后，李大明就把这个突然的想法说给村里几个要紧的人物听。大家听了，都愣怔，说使不得，咱不是孩娃儿耍闹哩。可想了一阵两阵后，又说没准行，说不如咱自己选个绑票的，把你藏些日子得球。这些天，真够乱乎到家，本来也要藏你呢，只是没个好地方，更难找个好借口。

接下来，事情就像闹了鬼，村中几个要紧人物，竟然达成一致，都说让赵庄来做这事最妥。德泉那人老实蔫乎，装猫装狗可靠。说就让赵德泉充个土匪，当个大。

当天下午，大营村就去人，又把赵德泉请了来，好茶好烟，说待会上桌好酒。赵德泉听说是来签字拿钱的，自然高兴。哈下腰，不敢抬起，故意矮下半截，眉眼都曲着。一脸软软和和。

没想见了李大明，李大明当头就一句，你得绑我的票啊德泉，我求你哩！先在你庄上躲几天咋样？

赵德泉感觉到这不是戏言后，就吓了一跳，手都颤起。想不到，大营村人，真会让他办这种没屁眼儿事。脸就秋黄了，死瞅李大明一阵，说我赵德泉再不是人，赵庄那边再穷困，也不会干这缺德事。

李大明笑说，你看你看，咱就当小时候，做孩娃儿，瞎闹闹。

赵德泉苦着脸，脸上僵起一层苍白，似结了雪水，说落不落，好生沉一阵，抬起头盯住李大明，说你打死我，我也没这个胆儿，这是犯法哩！你们犯啥神经，非抽这疯。

李大明就叹一声，拉出肚肠子那腔儿，说德泉，上天入地，我是实在没有办法了。各村人都来向我张嘴，铁嘴钢牙，咬死我不成，我咋办。求你绑我几天，事情过去，我自己会跑回来，就说被人蒙了眼睛，整个一瞎个驴，不知哪是哪。你放心，不关你啥事。

李大明说着，就拿出一张支票，早填好了，写了二万五千元。塞给赵德泉，说，这是你绑票的代价，绑完了，我再给你那二万五。

天下竟然有人，自己请人来，让绑自己的票！

赵德泉咋也不敢想，他会被人请来做这个活儿。现在支票就在他眼前放着，村里老老少少，边边角角，年前年后，都张嘴小燕般，等着这笔款。钱是好东西，赵庄太穷困，太缺钱了啊。他不能不动心，他咬咬牙，歪下脸，好生痛苦一阵，脸都愁成干丝瓜。

后就抬起头，猛生说，好，我照做就是！到时候，你自家可得颠回来，甭再用我费劲。

李大明舒出一口长气，笑一笑说，咱就是玩个把戏。咱俩之间事情，又不伤害别人，也不损人利己。

赵德泉想想，也是这理儿，挺挺脖子，长三分硬气，对李大明说，借你点钱，多不容易，先得跟你装神弄鬼，你也真使得出！有钱人妈的够狠，自己敢卖了自己！

李大明说，我受屈，你拿钱，你还八百个不乐意！

为绑票时候，给人留下真实印象，赵德泉和李大明商量了细节。总不能用八抬大轿把李大明抬过去，要做，就得做得像个样子。

事不宜迟，大营村人不想再等了。逼着赵德泉快动手。人为了钱，是啥事都闹得出来，天下竟然有被绑的人，逼着绑主儿赶紧动手！

这案，公安那边也难查哩。

太阳就是打西边出来一次，没差！

当天夜里，黑得够深，不见一点星月。赵德泉带上赵庄人四五，肩上扛了家伙，猎枪里顶满铁砂，怕被人看出赵庄人，还蒙了面，绑票行动没有丁点儿声响，也不砸门，也不跳墙，一切畅通顺利。是李大明女人，吱一小声儿，主动把房门打开一条缝儿，等着绑票者进院。绑票的还偏不进来，就在院外候着。说不能留下脚印子。

赵德泉点着烟，站在门外，压低成哑嗓，隔门问李大明，啥时走？说我那边，已给你准备停当，可别嫌那头条件差，我们是落后村，但大鱼大肉，白酒整瓶，还是不缺你的。几天工夫，我们还能挺住担待。

李大明边往外走边说，你看，你看，这个时候，你还讲啥酒肉。饿不死就行了。身后，李大明女人，给李大明提了包袱，衣裤鞋袜儿，让李大明带上，很像落难逃生。李大明说，这是绑票，还带什么衣服！

女人说，又不真事，我说是绑票人抢去的，不咋。

赵德泉也说，带上，带上，那头没啥换洗。

李大明只好照办，娘们儿家扛个包袱，偷人般颠脚出村。

六七人于村口站下，赵德泉让人冲天，说放上两筒铁砂，话落，就放了两筒铁砂，枪声在寂静冷寒黑里，炸得有声有色，红光漫漫，有些放花意思，惹得一村狗汪汪。

赵德泉回头，最后叮嘱，那两万五千，咱可说话算话！

李大明说，人都让你绑走，不成你可撕票！

赵德泉说，倒是，该刮该剐，你在我手上。

八

李大明终于被人绑了，到底被人绑了！

这世界，如今真不好惹了！

这事没人怀疑是假，事先乡公安手里就有证据，那封歹徒恐吓信，说明一切，事情让乡公安震惊。

那夜，李大明被“绑”后，大营村要紧人物四五，反都沉住了气，听到枪响后，知道事已办妥，便回屋，呼呼睡去。

次日早上，一村人才知道李大明果真被人绑走，人们立在街上，嘴上咝咝啦啦惊着乍着，回不过味来。

李大明女人，本是准备夜半呼喊一气的，但并不见有人出来，也就回去睡了。天麻亮，她又去敲村干部王永旺的门。王永旺打开门说，知道了，知道了，昨晚儿听到枪响了。

李大明女人说，反正我告诉你们了，你们正式去乡公安报案吧！看你们弄得这叫什么事！说出真够砢碜。李大明女人，对这一套很不满意。但没办法，知道李大明是为一村老小，那边受屈去。

王永旺穿起皮衣，说，那我就去乡公安了，先挂电话过去。嫂子您千万得装一装，不能一点不流泪，你总得哭几天，骂几天才真。

李大明女人说，他去那边躲清闲，让我这边装神弄鬼，你还让我流泪，我倒流得

出来！

王永旺说，这是为咱大营村利益，支部决定，你是支书的女人，好赖咱村半个月亮，不听不行！

乡公安的人接到报案后，吃惊不小，带上家伙，火速赶到大营村。由于时间不对头，李大明早到那边几个小时，村干部们只好说李大明是天亮前一刻被人绑走的。又赶紧去通知李大明女人，说乡公安已经来了，绑架时间，要说是天麻麻亮那当儿。

李大明女人，知道这事得好好配合，不能过于儿戏。

于是，一村人也就听到李大明女人的哭声骂声了。她还果真流了一通泪，惨个兮兮那劲儿，她是一听到乡公安人要来调查，突然觉得这么闹，很可怕，她一个娘们儿家，竟扮了这么一个要命角色，才感到事情不一般，穿警服的人一来，她便连气带吓，又觉委屈。就真哇哇哭起。拍屁股打脸，嘴上骂的不知是谁，心里却是骂李大明没错！

乡公安人，在李大明家一通乱忙，照了相后，满处找脚印子，可却没有发现一丝丝可疑痕迹，只在院门口那当，拾几根踩扁大烟屁。

事情成风成雨铺开。

邻村几个村长，听说李大明果真被人绑了，都好一阵惊愣。纠缠李大明行动，果然得到抑制。张庄与小北村人，对大营村那股怒气，也顿时消减不少。还叫啥劲儿，人都完球！几个村的村长，开始为李大明捏汗，往长里思谋，他们很怕李大明真被人撕扒喽，日后倒了这棵大树，大家都要背兴受损。自然也有人说，让小子抠门，就该这下场！但这也只是说说罢了，没了那口狠劲儿恶相。

而大营村不明真相的村民，却受不了这个，当天自发组织起，带了刀棍和猎枪，明察暗访，寻找李大明下落。有人路上见一只烂鞋，也要拾起，拿回，小心对照。说，活要见人，死要见尸！就是人碎成渣儿，也要扒拉出来！一村人，再也干不下别的事。

李大明在赵庄，是在村长赵德泉家里，大爷般养神。外边乱乱哄哄，大戏般唱着，他却仰脚八叉，躺大炕上舒坦，真够平安日月。李大明发现，他有几年工夫，没这清静地界喘口气了，这真是一种难得，一种造化。

赵德泉则让女人给李大明炖鸡，炖鱼，小酒伺候，为五万块钱，哪儿哪儿弄得都不差气。

李大明来赵庄当天中午，便和赵德泉盘腿大炕上，两只大碗咣当碰下，一仰脖儿，嗓子到胃，一溜儿辣到肠底。天下爱咋闹咋闹，这旮儿风平浪静就得。赵德泉一通紧忙，说动筷动筷，别等菜凉。俩人就吃起喝起。

赵德泉说，李大明，你这主意不赖，去你们大营村要款人物，一准都会闭了嘴吧。

李大明说，这也是受了那封恐吓信的启发，因祸得福。德泉，你不知道，这富人也有富的难哩，原来四村八邻人，都一伙子穷交情，不分上下，现在我们大营村富了，别人还那模样，谁不红眼，可你说，我给哪个，不给哪个。我要充大，一个大营村，就被人拆扒了。哪还有今天。我容易哩，平常喝酒，我都得提着心，就怕被拐进去。这几年，今个儿我是第一次喝得这么轻松，踏实，顺肠流，平日可敢？

赵德泉也喝暖了身子，眼睛忽扇忽扇，伸脖诚恳地说，你要不是动真格，让我把你真绑来，我还不相信你的日子真会有这难过。往后我们自己争气吧。求人做三孙这口，也不是滋味哩，这你也不是不知道。比如我，连绑票这事都干了，下三烂到家，有钱我会干这事！赶明我有钱，也请你绑一回我。我看你被人绑了倒挺踏实。说得两人都笑。两碗咣当又碰下。

李大明望望窗外，突然有些放心不下，说，你家院门可得关好，万万不能走漏风声。现在我是属于遇险遭祸，过几天，我自己颠回，平平安安完事。又道，我这被你一绑，邻村人便能可尽解气，就让他们解解气吧。

赵德泉从窗子上看看院子，院里明明静静，几只母鸡悠闲，冷风一吹，全身毛起。说，这是东房，我平日住北房，来人也不往这旮儿迈步。更没人想到我会绑你，我多大胆子！撞枪子儿，找死哩，就为五万块，五万块真不多啊！赵德泉摇着脑袋，谁肯为五万块冒这大风险，也就我上你这当！赵德泉为五万块有些后悔。

李大明说，吃喝费用，都算我那边。到时补你。又道，你让大营村干部，今晚来趟，我得办公，村里一大堆事呢，我又不能打电话。

赵德泉想想说，一来一往，留下多少脚印子，可别让人捕住，你又让我冒风险，咱没说过这茬儿。再说天下谁个绑票，还给办公室哩，你再加五千怎样？

李大明怔怔，你看你看，你还真绑起票来！

赵德泉吐根骨头，我现在不是绑票，拿的啥钱？

大营村那边，已够乱乎。李大明被人绑票事件，惊得四面八方且颤且动。惊涛骇浪般折腾。说啥的都有，血哩哗啦吓人。县委办王主任，惦念那个五十万，急得拍桌子瞪眼，下死令，说李大明就是被人碎尸，也得找出几根骨头放我桌上瞧瞧！我有话对他说哩。

大营村几个要紧人物，没想到事情会闹得这样大江大海，浪来浪涌要命，都缩脖蔫下，也要死模样。更不料是，第二天大早，冷风寒地里，警车一辆两辆，后又三辆四辆开进大营村不走，说要“蹲坑”。长枪短家伙。亮亮锃锃街上净晃。

不但没有放了李大明，连他尸骨、毫毛也成了好东西，县里决心挖地三尺，不找到李大明不算完。李大明被绑一事，被列成县里今年最后一桩大案。要大获全胜，否则公安那头，没法动锣鼓家伙。

大营村几个要紧人物，知道失算，心里七上八下没谱儿，慌慌成一团。可生米已成熟饭，说啥都没有用处，就死命抗着，胡编海说一气，造那有头没尾故事，苦累活茬儿般较劲儿。

县委办主任也跑来，比比画画指点。心里早有算盘，他要是把李大明安安全全，全须儿全影儿找见，赞助款大概不是五十万了。李大明一条命呢！他王主任为李大明一条性命，连县长都搬动了，李大明兔崽子要是不感恩谢德，就撤了他狗日的村长和书记。他要懂得知恩善报，再加个十万八万不应算啥！

李大明被人绑走过四天，没有丁点动静。

县局开始疑惑，说李大明被人绑走四天，又不是请他去观光旅游，也不是摆啥流水大宴吃喝，怎么也得有个音讯了，要是为钱，更得有个说法，多大数目，咋个交法。恐吓信上说是三十万，现在真绑了，怎会反而一个子儿不提，全天下，没听说绑去就撕票的。

大营村几个要紧人物，听这话，都愣怔，当天晚上，村干部小刘，慌慌张张跑到赵庄，见李大明道，县局那边疑虑，绑你咋不要钱。

李大明说，这个我想到了，本想再拖几天。没想县局人这样火急。他对县局人进驻大营村很不放心。更没想到，上边这样拿他当事当人。动用这些警力，打保卫战般。他更担心自家女人露了马脚，那娘们儿经不住折腾。有事就会尿裤。

可事情已经这样，只能硬头皮往下走。李大明就对赵德泉说，德泉，你弄一张纸条怎样，让小刘带回去，塞到我家门缝儿里，写上要多少钱款，是替歹徒写，咱总要做得像一些吧。

赵德泉说，你看你还要往真里弄，我又不是歹徒，你净给我出难题。我要你三十万，你可给哩？你再加几千怎样。来前，哪这啰唆，这多事哩。李大明拧下脸，你看你这人，一刀一刀向我下手。

赵德泉剜他一眼，声音也冷成个硬石头，说是你自己弄这戏法，装神弄鬼，有钱折腾！

李大明思谋一阵，抬了眼皮道，我不和你计较，就再加五千给你。

赵德泉就又落下五千，脸上悠闲个劲。

背里，却为了难，要让人写这纸条，兴许就要留下手印笔迹，白纸黑字真章，县局那边一查，就有可能查到这边。直到第二天，赵德泉才想出一个主意，让谁写都不好哩，就让他弟那孩娃儿，做篇作文，条件说好，给那孩娃儿买只烧鸡，还带会哭、会笑一布娃儿。孩娃儿听说做篇作文，给买烧鸡和会笑布娃，自然答应下来。

李大明说，孩娃有功，奖啥都开票，我们不亏了你家。

九

这天，赵德泉与那孩娃儿头对头，趴桌上，赵德泉撰文。那孩娃儿执笔，两人一

块往里卷,老的念一句,小的写一句:

李大明家人,你们伸脖听仔细了,交五十万元来,换你家李大明一颗狗头,地点再定。

那孩娃儿说,老师留作文。都是好人好事,不写这些。

赵德泉说,虽说夜壶坯子,有时也要上桌哩。没坏人,哪来好人。

赵德泉把纸条拿来,给李大明过眼,李大明看了笑一下,说,行行,五十万,换我一个狗头真是值了,开价不低。

当晚小刘再来,纸条就由小刘带回村,被塞到李大明家门缝里。李大明的女人很无奈,知道这戏还得演些时候。次日大早,往眼角抹擦一片生蒜,逗点泪水下来,就把纸条交给县局人,说,来信了,昨晚黑里,塞到门缝儿上,五十万!说罢没忘眨眨眼,泪就自然下来。

她对纸条上说李大明狗头那句,很是不满。心说,赵德泉,都这个时候了,你还骂我们李大明是狗头!

女人就是女人,什么时候都是这样认真,分不出大小个儿来。

县公安很奇怪,李大明家,每时每刻,都有人监视着,送纸条人,竟如出入无人之境。真个闹鬼。

这几天,县长一再打电话给大营村这边,让公安们尽快破案。是担心日子一长。李大明真被人撕巴了。于是县局又往大营村派来人手,增加警力。像水井、暗沟之类的地界,都派人查找一遍,以免李大明已被碎尸,东块西块,扔哪旮儿没准。

县局还开始走访大营村相近邻村,进行调查。多方寻找蛛丝马迹。

那天就到了赵庄,赵庄是穷村,穷村没啥事情,尤其冬里,人都窝在炕头炕脚,搓麻打牌,穷闹气。村街上够劲冷清,狗都懒得叫一声,人似守墙根儿晒暖。

赵德泉这几天,除陪李大明吃喝,没别事,左一刀右一刀,已把款子整到七万上。靠山吃山,靠水吃水便宜。

县公安迈进赵德泉家院子时,李大明正躺在东房炕上养神。炕烧得够暖。人总迷糊,就迷糊过去。赵德泉听到动静,人立在门上,李大明也醒来,院里一切,听得清楚。县公安几人,向赵德泉布置任务,让赵德泉参加寻找李大明工作。说赵庄是绑票人必经之路,那晚有枪声,有狗叫,是往赵庄这方向。

赵德泉心虚,眼睛死瞅住地,心里颤得厉害,没想到,枪声会使公安员得出这个结论。嘴上却说,赵庄咋会是必经之路。

公安员走后,赵德泉就坐不住了,步子扭进东屋里,脸灰灰白白,肌肉疙疙瘩瘩,失了平展,对李大明半硬半软说,今晚你走吧,这样非闹出事来。刚才我险些尿了裤子。

李大明说,咋,这才几天。

赵德泉说,我怕担当不起。县上出动这些人,听说见到绑票人,准开枪哩,打伤打死无过。你是大款,大款敢情都不放哩。要是我被绑了,绝没你这爷的造化。

李大明心里也扑腾,嘴上却道,我看没啥,他们都跑到你家,不也没发现我。这才几天,不够火候,我这样回去,不定还会有多少人来磨我,过年钱照样省不下。德泉,我在你这里过年怎样。过了年三十我就回。那时就平静了,那时我们大营村能少损失七八十万。这是大营村人的血汗钱,不成我再给你加一万块怎样。

李大明被赵德泉逼得自己涨了价。

赵德泉撩下眼皮,狠了心。说,那我就真的绑票了,一天加一万块,多一天,你交一万。你住吧,随你,好吃好喝好招待!赵德泉狠下心,干脆就再咬李大明一口,说不定这刀下来,穷村变了富村。砖头瓦块,这就翻身时候。

李大明直了身子,没想到赵德泉是这口,说德泉,你真够黑的。

赵德泉冷声道,这可是你逼的,要不你走,我不留。

李大明叹声,突然怅然起,说德泉,我住北京五星级大宾馆,一天也到不了这数字,你一天就要一万咋行。再说我是党的干部,不能太奢侈了。

赵德泉说,可你却逼着我做土匪,做土匪总得有个土匪的样吧,我这也提溜着脑袋哩。那就一天六千,算个五星级,你写个条,现在办事,都得有个证据。过后你不认账不行,咱都是党员,装人装鬼,都为群众利益,得相互负责。

李大明只好写字据,住一天加六千块。边写边说,德泉。你这是什么宾馆,开这老高价。办黑店呢!你要事先说,我绝不住!

赵德泉嘿嘿一笑,说这叫杀富济贫!我赵德泉一个子儿不要,都分给我的穷乡亲。我们村里多少贫困户哩。我收了你的纸条。你李大明爱住多久,就住多久得球。反正一天六千块收成!

李大明听赵德泉说杀富济贫,顿感心被刀扎似的疼起来,脸色也现难看,粗着气说,德泉,你们哪里是杀富济贫,明明是敲诈嘛。

敲诈?!李大明你可把话说清楚!赵德泉喊了起来,社会主义不是要走共同富裕的路吗?你们富了,理该支援我们。

看赵德泉一副理直气壮的样子,想想大营村这些年的遭遇,李大明不觉怒从中来。不错,社会主义是要走共同富裕的路,但有个前提是要勤劳致富。天道酬勤,千古一理!你们看我们大营村日子红火了,可你们更应该看到,我们大营村的每一分钱,都是汗珠掉地摔八瓣挣来的!国家给的政策都一样,可你们不想着勤劳致富,却变着法儿在别人碗里抢饭吃,这不叫敲诈叫什么?要不是被你们敲诈敲急了,我能出此下策,贼似的躲在你这里?李大明越说越觉委屈气恼,竟捂着脸,呜呜地哭了起来。

赵德泉到底还算是个老实人,被李大明的一番话说得心里像翻了五味瓶,脸上渐渐起了愧色,把个头勾到了裤裆里。

但不管咋说,李大明还得继续在赵德泉这里躲着。

到了第九天，就出了事情，大营村的会计小刘，突然被县局人带走，是坐了警车，很突然。县局人说，就让小刘到县局坐一坐，问他点儿事情。大营村几个要紧人物，都愣怔无招儿，知道坏了醋，肯定在那旮儿露了马脚，赶紧给赵庄那边送信。

赵德泉听了，一阵失神，僵在那里，心要跳出嗓子，黑了脸儿，对李大明吼嗓，你再不走，我真得要吓得尿裤儿了。李大明也觉得。事情可能已经办糟，出了岔子，同意当天夜半，趁黑，回大营村去。

其实赵德泉那张纸条，还是留下痕迹。让人一看就是孩娃儿手笔。后来到学校一查，就查出了是赵德泉撰稿，让那孩娃儿带笔，烧鸡布娃奖励……小刘在那张纸上，同样留下了手印子。县公安以为，是小刘和赵德泉共同谋划，绑走李大明。一点没想到，事是李大明自家摆套，大营村这边主谋。

小刘在县里，死鱼不张嘴，是想，再有几天，一切就会真相大白。他要为大营村人利益承担一下，人也豁出去了。

这天下午，县局突然来到赵庄，直接闯进赵德泉的家，哗哗啦啦，站了一院子，长枪短家伙，端炮楼那劲儿。赵德泉慌忙跑出来，脸色苍白死灰，裆里一阵冰冷，顺裤儿冰到鞋根了，是尿了。

县局人不知道李大明就在东屋里，让赵德泉到县里走一趟，真个吼土匪那般。赵德泉两腿抖得不行，拧歪脸，突对东房哭腔儿大喊，李大明，你小子还不快出来，我都要替你坐牢了！

李大明迷迷瞪瞪，半睡半醒嘴脸，从东屋里冒出个头来，正披衣哩，见一院公安，一激灵醒了。那样儿，一点不像被谁绑票，县局人都愣住，闹不清咋回事情。

李大明几步颠过来，说，慢来慢来，我在这儿哩，好好的。老赵可不是绑票，那边太忙，我自家要来这边清静一下，脸上却够尴尬，红阵白阵难看。

十

县局人先把李大明带到乡里，连同赵德泉，都上警车，押解着。

大营村那边，几个要紧人物也爬上车子，赶去请罪。

乡长没气死，拍桌鼓眼吼，说李大明，你要是想演戏，自己搭个台子，爱扮人扮鬼随你！你这叫啥事。这几天，多少人为你提心吊胆！县长一天一个电话给我，我脑袋掖裤儿带上，你看看，我为你，都脱了层皮！

李大明低眉顺眼，矮下半截儿，说，乡长，咱有工夫，好好谈一下，你得理解我哩，百十万块啊！

乡长听不得他说话，就照直把事情汇报到县里，说李大明是疯子，成心捣蛋，装疯卖傻！判狗日几年不过。

县里听说，是李大明自家活腻，请赵庄人绑他票，先给人家五万，后住一天六千，还有七七八八开销不老少，尽管给报，离家舍业，就是不想回大营村，赶都不走。都弄不懂这叫啥事，像听笑话，不大相信天下会有这码事，就叫县纪委人下来，调查一下。

县纪委一行人到了乡里，费了好大劲，才弄明白事情的来龙去脉，不觉对李大明产生了同情之心。但李大明让别人绑自己的票，做得太荒唐，实属违法违纪。对这件事该怎么处理，几个人在回县城的路上议论起来，最后达成一个共识，向县里汇报时，要求对李大明的处分从轻，并建议县里就大营村的遭遇起草一个文件，要求摆正共同富裕和勤劳致富的关系，刹住自己不干活却抢别人碗里饭吃的什么“杀富济贫”、吃大户和变相乱摊派的歪风。

李大明当然不知道县纪委一行人在议论些什么。但他也做了思想准备，假如县里不能解决大营村的问题，那他就要向上告状，哪怕告到中央去。至于处分嘛，他当然也想到了，只要告状能引起重视，能让那些穷村自发起来走勤劳致富的路，受个处分也值。

好歹李大明也当了几年村长，还不会把事情尽往好处想。他也做了最坏的打算，要是大营村的问题得不到解决，这次绑票的事从严处理，让他去坐牢，他也认了。因为这些年靠着国家的政策领着村里人舍命地干，大营村人过上了好日子，走的是真正的勤劳致富、共同富裕的路，对县里、乡里、四村八邻也没少出力，他问心无愧。但尽管这样想他还是抬起头，望着蓝天，长长地叹了口气。

（原名《杀富济贫》）

（选自《青年文学》1997 年第 4 期）

星 竹

原名郭建华。1954 年出生，北京人。中专毕业。1970 年参加工作，历任北京造纸三厂干部，昌平工商局干部，昌平文化馆的理馆员、创作员，北京市作家协会合同制作家。1981 年开始发表作品。1998 年加入中国作家协会。著有中短篇小说集《癞花村的变迁》，报告文学集《京东硬汉》，小说《不容忽视的痴呆》《斗智》《瓷瓶》《秀姑》《在那个年代》《毛地之行》，报告文学《盲人吴续安》《风来雨往孙士兴》，中篇小说《杀富济贫》等。报告文学《大山之恋》获 1992 年中共北京市委、市政府好作品奖，小说《两粒砂子》《土沟沟演义》分别获北京市庆祝建国 40 周年、45 周年优秀作品奖，《人性的一种》获 1993 年文化部全国群星杯金奖等。

天上有个太阳

施祥生

星期六下午照例只上一节课，让住宿的学生回家背粮。下课铃一响，学生娃像兔子似的蹦出教室，快步奔到操场的旗杆下。

星期六下午照例要举行降旗仪式。

学生们个个显得训练有素，很快站好队，抬起头，望着蓝天。天很蓝很高，像是一块蓝色的水晶。旗杆很高，当时竖旗杆的时候，王校长说，旗杆高了，旗子就能碰到天，学生娃不管走到哪里，都能看到红旗，想到学校。为了接那根长旗杆，王校长费了不小的劲。学生们站好队，王校长走到队前，扫视了大家一眼，运足气，喊了一声“立正”，学生们就自动把队伍对齐。王校长看到一个孩子的红领巾歪到一边，走过去帮他扶正，其余的学生都低下头看自己胸前的红领巾。

山风轻轻吹着，王校长的头发被风吹得一飘一飘，像玉米秆上的黑缨缨。他清清喉咙，舔舔嘴唇，用很大的劲喊道：“降旗，唱国歌。”站在学生队伍边的张清宏老师吹起了口琴。学生就跟着口琴唱。歌声像一群鸽子，越过山巅，飞到蓝天上，钻进了云层。

降旗仪式一结束，学生四下散了。操场一下静寂下来，风轻轻地刮着地面上的树叶。王校长把旗双手托着送进了办公室，走出办公室时对张老师说，我今天要回去了。张老师说，快走吧，嫂子早在家等了。两个星期前，王校长的老婆让人带来口信，让他回去帮着收红薯。王校长说，学校马上要考试，这会儿离不开，让她一个人先收吧。就没回去。过了几天，家里又托人带来口信，说老婆的手挖红薯时让镢头挖了，等着他回去收红薯。王校长嘴里嘀咕了一句，马上就后悔了。幸亏带信的人没听清，否则传回去，女人又得抹泪水。王校长犹豫了一下，对来人说，再过几天要考试，实在跑不开。让她一个人慢慢挖吧，能挖多少算多少。带信的人说，王校长，你还是回去几天吧，她一个妇道人家，哪能挖得完呀。一年红薯半年粮，马虎不得的。到明年,就靠它填肚子了。王校长收起东西,准备跟着一起回去。刚走出办公室门,又退了回去,再过三天就要考试了,这一次考试非同小可,是一点马虎不得的。张老师见他退了回来,说这里有我呢,你还是回去几天吧。王校长摇摇头说,这种时候走不得。万一考试砸了,不好说呀。张老师看看他,没再说什么。

这学期,县里举行统考。这种统考,大家心里明白,表面上是考学生,实际上是在考老师、考学校。而且根据以往的经验,考试后,往往会有一批民办教师转正的名额,所以大家都害怕这样的统考,又都希望这样的统考。王校长想把这次统考考得前一点,能争来一个转正的名额。他当了一二十年的民办,天天都盼着能转正,要真能转正,站在人面前也不一样,老婆也就不会跟着自己吃那样的苦受那样的罪了。他和张老师白天晚上给学生复习,能用的办法都用上了。学生都很听话,学得很认真,他们像是知道校长和老师心里在想什么,各班都表了决心,保证考出好成绩,给老师增光,给学校增光。三年级的学生竟说,我们一定考出好成绩来,让老师早点转正吃国家粮。王校长听了这话,一个人悄悄躲在屋里,抹了好一会眼泪。

考试昨天结束。这次考试上面很重视,乡文教站专门派人来监考。试卷是考前 10 分拆封的。王校长见了试题,心里的那块石头才落了地。他估计学生都能做出来。考卷由乡中心学校组织人统一改,再送到县里核对。考完那天晚上,张老师让他连夜赶回去,王校长说,现在回去也没啥用了,还是等到星期六回吧。那一晚上两人谈了很长时间的话。谈得最多的自然是转正的事。张老师知道王校长很想转正,教了那么多年的民办,一直没转正,谁不想?何况再过两年,就是有名额也轮不上了。王校长说,这次题不难,我问了学生,他们都说考得可以。张老师说,我看他们从教室里出来都高高兴兴的,估计能考好。两人就都很高兴。张老师说,这次转正总该有我们的份了。王校长点点头,不知怎么搞的,竟又泪花闪闪。

学生们像一群羊羔,散落在山梁上。满山梁披上了一层黄,学生颈上的红领巾像天上落下的红光,在山梁上闪闪烁烁,显得扑朔迷离。一会儿那些红光全隐到了山梁后面。王校长站在操场边,回过头对张清宏说,张老师,明天抽空去乡上问问秀梅的事。张清宏有点不好意思。王校长说,快要结婚的人了,有啥不好意思的。秀梅是张清宏的对象,在陈家坳村住,跟张清宏高中同学,两人在学校就暗暗好上了。高中毕业,两人都回了乡。王校长想把秀梅要到学校里来教书,秀梅本人也表示愿意,张清宏自然是求之不得。可报告打到乡里几个月,一直没回音。王校长去乡里问过几次,乡里总说还没研究,王校长不知道他们要研究啥,可这话不好说出口,只好等。

偏了西的太阳像是有人拽了似的,一会儿就不见了影。王校长说该走了。张老师望着王校长的背影,心里酸楚楚的。他突然追上去,叫住了王校长,王校长回转身,吃惊地望着他。他竟然把要讲的话忘了。后来说了一句“你在家里就多待几天吧”。说完嘿嘿笑。王校长看看他,也笑笑,转身走了。

张老师不知道自己怎么会把要讲的话忘了。当王校长的身影在山脊上消失的时候，那句话突然在他的喉头冒上冒下。他咽了一口口水，把那句话压进了肚。

张老师回到教室看了看，关窗时，发现窗台上有一个大窟窿，到外边找了几块土坯，和了一点泥，把窗台重新垒了垒。然后关上窗，转到学生住的房子。学生住的是几间土坯房，是他和王校长带着学生盖的。那次盖房时，王校长从房顶上摔下来，跌伤了腿，后来走路就有点瘸。男娃娃住的房子的门已经锁上了，他把头凑到窗户边，透过塑料纸往里瞧了瞧，放心地走了。转到女娃娃住的屋子，发现门没有锁，他推门走了进去。屋里黑黑的，眼睛过了一会才适应过来，他看到有人在屋里。没看清是谁。问了一声是谁呀，这么晚了还不回去。

没有回家的是五年级的学生王小芳，王小芳是五年级的学习委员，学习成绩一直很好。王校长和张老师都很喜欢她，认为她是最有希望考上县重点中学的学生。去年王小芳家里出了事，他父亲上山打柴，不小心从山上摔下来，把腿摔断了，人就瘫了。山沟人家，倒下一个男人，就是塌了天。小芳娘四处借钱，要治男人的腿，拖了一身债，男人还是没站起来。就想让小芳停学，王校长和张老师做了许多工作，小芳娘只是哭，说是自个命苦，孩子也命苦。王校长是个感情脆弱的人，陪着掉眼泪。小芳蹲在墙角边抹眼泪，眼睛肿成核桃，王校长咬咬牙说，小芳上学的钱就不用交了。小芳娘依然哭。王校长说，你还哭啥哩？小芳娘说，我一个人哪能糊得住这四张嘴。王校长明白了，他很同情这个女人，但他更同情小芳。他眨了一会眼睛，说，小芳的嘴我们学校供。小芳总算没停学。

小芳，到底出了什么事？能不能对老师讲？张老师从铁丝上拉下毛巾让小芳擦脸，小芳没接毛巾，开始放声哭起来了。小芳，到底出了什么事？张老师见不得学生哭，学生一淌眼泪，他的鼻子就发酸。小芳只顾哭，全身抖得厉害。张老师终于掉下了眼泪，小芳一见张老师流泪，就不哭了。张老师擦擦眼睛，说，小芳，家里又出什么事了？小芳看了看张老师，哭着把情况告诉了张老师。

自上次小芳父亲摔断了腿，家里欠了一屁股债。人家上门要了几次，可家里什么也拿不出，人家就不高兴，说了一些难听的。后来村里有人给小芳妈出了个点子，说把小芳嫁出去，可以得一笔彩礼，可以拿这钱还债。开始小芳娘没松口，可上门要债的催得紧，小芳娘咬咬牙答应了。说的是邻村一家姓李的。那家人这几年做生意发了，赚了好大一笔钱。家里有一个儿子快三十了，人有些傻，一直没说上媳妇。这一说，人家马上把彩礼送来了。小芳娘觉得这样对不住孩子，没点这个头。小芳爹在床上说，女孩家，迟早是别人家的人。兴许去了还能过上好日子呢。小芳娘跟小芳讲了这事。小芳死活不愿意。弟弟蒙着被子偷偷哭。小芳爹一骨碌从床上滑落在地上，跪在小芳面前，哭着说，孩子，爹求你了，你这是救了这个家呀。小芳咬咬牙答应了。原来说好等小芳读完小学成亲，可后来人家担心小芳一旦考进了城，这亲事就要黄，就催着办事。说要是不办，就收回彩礼。那些钱小芳妈已经用来还了债，只好应下了。上星期回家，小芳娘叫她不要再到学校去了，在家准备准备，陪陪爹妈，过几天过门。人家送来了衣服，还有钱。小芳娘让她穿着试试，小芳不肯穿，只是哭。小芳娘说，孩子，你马上是人家的人了，以后不像在娘跟前了，自己要……小芳娘说不下去了，母女俩抱头痛哭。第二天，小芳要去学校，她要对王校长和张老师说一声。她娘不让她去，她坚持要去，娘拗不过她，就让她去了。到了学校，她进了教室就上课，她一想到自己以后再也不能来学校上课了，眼泪就扑簌簌地往下掉。她想把这事告诉张老师和王校长，希望张老师和王校长能帮帮自己，然而这样的事，连自个的爹妈都帮不上，叫人家老师怎么帮呀。

张老师听完小芳的话，心头像被针扎了似的，说不出一句话。这太突然了，这样的灾难怎么就降临到这样的孩子身上。

张老师决定自己单独去小芳家。他把小芳送到附近一个同学家里，一个人去了小芳家。

星期日下午，王校长挑着一担红薯到了学校。一担红薯压得他气喘吁吁。他对张老师说，真是没有用了。

王校长是想把那担红薯挑到镇上去换几个钱，家里连买火柴的钱都没有了。张老师说他认识镇上那个烤红薯的，明天他挑去卖，少吃点亏。王校长说，那就麻烦你了。他实在也不想自己挑到镇上去卖，自己总还是一个校长，让学生看到自己在卖红薯，那成啥样。

学生也都陆续来了，两人就忙着登记学生背来的粮。有四个学生没有背来粮，说是家里没有粮。王校长和张老师你看着我我看着你地看了一会，王校长说，不碍不碍，以后家里有了粮再背。有老师碗里的，就不会让你们饿。几个没有背来粮的学生点点头。王校长问他们都吃过饭没有，学生回答说是吃过了。就有学生从背包里掏出吃食，送到他们两个手里，说是家里的大人让带来给校长和老师吃的。王校长还没吃饭，张老师说我也没吃呢，咱们干脆煮红薯吃吧。王校长摇摇头说，那要卖钱的，卖不够数，我怎么交代。张老师说，这我就不管了，嫂子反正不会找到我头上。他挑了几个大点的红薯煮了。

一会儿，香气四溢，两人不停地翕动着鼻子。王校长终于忍不住了，首先从灰里扒出一个红薯来，张老师也扒拉出了一个红薯，来回倒了几下，从中间掰开，小心地咬了一口，说，真甜。王校长说，这么甜的红薯，明天你得给我多卖几个钱。张老师说，我就吃了你一个红薯，你就想让我给你多卖钱？王校长说，你吃，你吃，你想吃多少就吃多少，可你得给我记着，你得给我把钱卖回来。张老师笑笑说，你今天怎么就钻到钱眼里了。王校长摇摇头，说这次回去，被好好数落了一顿，人家一把鼻涕一把眼泪的，还真觉得对不住人家。想想也是，现在搞哪一样的都比我们当民办的强。说到这里，王校长觉得鼻子开始发酸。摇了摇头说，不说这些了。张老师就在这时把王小芳的事说了。王校长惊得目瞪口呆，一口红薯噎在喉咙口，上不上下不下的。他用了一下劲，那口红薯才咽了下去，他翻了一下眼问，现在王小芳人呢？张老师说，昨晚我没让她回去，送她去了一个同学家。王校长点点头说，好，好，不能再让她回去了。就让她在学校里，咱们再想别的办法。张老师点点头说，昨黑我去了王小芳家。还没等张老师说完，王校长连忙问，她家里怎么说。张老师说，她家里人没说什么，只是哭。王校长说，儿女是娘身上的心头肉，谁个不疼。张老师说，他家里拿了人家的彩礼钱。王校长看了看张老师说，拿了多少？张老师说有五千多元。王校长叹了口气说，他们拿钱干啥了？张老师说，拿去还债了。王校长说，去跟那家人说说，不能那样做的，小芳还是个孩子呢。张老师摇摇头说，听说那家人很有些势力，连乡里的领导都对他们敬三分，不会听的。王校长愣了一下，把刚咬到嘴里的一口红薯"噗"一下吐在地上，站起身说，我们的学生我们得管。谁有胆来抢人，我不敲断他的脊梁我不姓王。张老师看着他，心里踏实了许多。昨晚他去王小芳家，虽说了"我们大家一起想办法的话"，可心里还是不踏实，要是王校长肩头一软，就啥办法也没有了。王校长把手里的那一截红薯全塞到嘴里，说，你先稳住王小芳，让她一定不能离开学校。人在我们这里，主动权就在我们手里，他们要真来抢人，我也不怕。他让张老师赶快去看看王小芳。一会儿，张老师就回来了，说王小芳正在教室里做作业。王校长问王小芳情绪怎么样。张老师说，看上去还正常。王校长还有点不放心，他说他要去看看王小芳，跟她谈谈。张老师说，那我把她叫来。王校长问学生中知不知道这件事。张老师说，估计学生还不知道。王校长说，尽量不让学生知道这种事，免得引起混乱。

一会儿，王小芳来了，一见王校长就掉眼泪。王校长安慰了她一阵，说你从现在起就一直在学校里，一步也不要离开。我们会保护你的。王小芳点点头，深情地看着王校长，泪水扑簌簌地往下掉。

星期一早晨，天下开了雨，天灰蒙蒙的，雨越下越大，升旗手来问今天升不升旗。王校长说升。升旗手站在那里，一动不动地看着王校长。王校长说，你去把同学们都集中到教室门窗前，排成队，把门窗都打开，听我的口令。说完拿起那面五星红旗，往雨里走去。雨越下越大，雨雾朦胧，王校长把红旗抱在怀里，佝偻着身子直往操场中心的旗杆走去，走到旗杆底下，他用力拉动了一下绳子，绳子在空中发出很响的声音。他把旗子挂好，然后往身后看看，大声喊："立正，升旗，唱国歌。"随即响起了国歌声，红旗徐徐升起，歌声从教室的门窗里往外飞，穿过雨幕，随着红旗在空中飘扬的声音，飞进了千家万户。

升旗仪式结束，学生拿着碗筷去打饭，那几个昨天没有背来粮食的学生站在队伍的后面，王小芳也跟他们站在一起。王校长连忙走过去，把他们几个叫到前面，先给他们打饭。其余的同学给他们让出了一条路,王校长心头一喜。他给每个学生盛了满满一碗稀饭,又加了一个红薯。张老师回头看看,见昨天王校长挑来的那担红薯已经被倒在案板下面了,他站在王校长身后看了好一会。

几天过去了,一切如常。没有人到学校找麻烦。又到了星期六,照例是下午上一节课,举行完降旗仪式,住校的学生就回家。王小芳那天找到张老师,说自己也要回家。张老师对着她看了好一会,说你这时候是不能回家的。王小芳说她想妈妈。张老师对王校长说了王小芳要回家的话。王校长好一会没说话,他背着手在屋里来回走了几圈,孩子想爹妈,天经地义。但他还是说,你去跟她说,现在不能回去,等把家里的情况弄清楚了再说。张老师劝了王小芳一阵,王小芳含着泪点了点头。王校长就让张老师带王小芳到秀梅那里去玩。他突然想起秀梅的事,就问张老师去乡里问了没有。张老师摇摇头。王校长说,这事你得催紧点。现在上边办事,你不给他好处,你不催紧,他能给你办?王校长叫他明天去乡里问问,让他们赶快办。张老师说那天秀梅来过了,秀梅说,她家里不同意她来当民办。王校长一听,愣了好一会,他知道事情麻烦了,想说什么,嘴唇哆嗦了一阵,什么也没说出来。但他还有点不甘心,问秀梅自己啥态度。张老师开始不说,后来经不住王校长再三问,叹了一口气,说,秀梅说她听家里的。王校长一跺脚说,秀梅怎么也这样糊涂。我找她去。张老师劝住他说,你不用去了,去也没用。王校长长长叹了一口气,卷了一支粗粗的喇叭筒,连着吸了几大口,呛得腰弯成一张弓。张老师把烟从他嘴边拿下,说,不要抽了,要伤身体的。

一天,乡秘书来了,说乡长让王校长到乡上去一趟。王校长问是什么事,乡秘书说不知道。王校长说,我上完课就去。乡秘书说,乡长在那里等着你呢。王校长觉得今天的事有些蹊跷,他说你先走,我后面马上来。他还是把课上完了才走。走在路上,不知道咋搞的,身上直冒汗,眼皮还一个劲地跳,心口也憋闷得慌。他用指头蘸了点口水,在眼睛上揉了一阵,眼睛还是跳。他在肚里盘算着乡长要跟自己说啥事,是为转正的事,还是上次要求乡里拨钱修教室的报告批下来了?想到这里,他不由加快了脚步。要真是那事,下次一定把乡长拉到学校,好好请一请他。

乡长正在办公室里跟一个人谈话,他想退出来,乡长说,我们正在等你呢。站起身,给他倒了一杯开水。王校长有点受宠若惊,他为学校各种各样的事找过乡长许多次,都没这样的礼遇。他把那个玻璃杯不住地在手里转着,手微微发抖。

乡长朝他笑笑,说,我们等了你一会儿。王校长觉得实在有点对不住乡长。他微微弯着身子,说,课上到一半,不好停下来。乡长说,王校长工作一向是很认真的。坐在沙发上的那个人点点头。王校长脸有点红说,说不上,说不上的。乡长笑笑说,听说这次考试,你们学校考得不错。王校长心头一喜,乡长一开口就说到这次考试,看来今天的谈话就是为转正的事了。王校长双手捏紧那个玻璃杯,好像那就是转正指标。他将身子直了直说，成绩没下来，但估计差不多。乡长说，考好了就好，这次转正总该轮到王校长了。王校长笑笑，没说话，心里很高兴。

扯了一阵考试的事，乡长就问到王小芳的事。王校长把这事原原本本讲了，还说了一些自己的想法。他要乡政府出面，阻止这件事。乡长笑笑，对着王校长看了一阵，王校长觉得乡长的眼睛里有一种异样的东西，就把杯子端起来，喝了一口水，调整一下情绪。乡长从他手里接过杯子，又给他倒了一点水，说，这种事是人家家里的事，我这个当乡长的不好管呀。王校长听出了一些话音，乡长好像怪自己多管闲事。就说这是违犯婚姻法的，王小芳还是个孩子。乡长笑笑说，王校长是在给我上法制课呢。王校长脸红红的，连声说，不敢不敢。后来乡长说，王校长，你入党的事，李书记跟我谈过了，乡党委准备抽时间研究一下，你工作不错，群众基础也不错，这些我是清楚的。后来乡长把话锋一转说，王校长，王小芳的事是人家家庭内部的事，你们学校就不要硬出头了。这样的事，你们能管得了吗？有学生来，你们就好好教书，学生要走，我当乡长的也管不了，你们学校更管不了。王校长说，王小芳是我们的学生，家里出了这样的事，我们怎么能不管呢？我们不能看着孩子的一生毁了而无动于衷。乡长说，你们这些当老师的，就喜欢把事情说得玄乎乎的。怎么能说一离开你们学校，就葬送了前途呢。他指着坐在沙发上一声不吭的那个男人说，你说他有没有前途？人家没有上过学，可人家现在是企业家。王校长朝那个人看看，那个人朝他笑笑。王校长觉得那个人的眼里透出一股寒意。他心里明白那个人是干啥的，他终于明白今天乡长找自己来是为啥。他朝那个人看了一眼，心里说，别以为有几个臭钱，什么事都能做成。他把手里的那个玻璃杯放到桌子上，站起身说，王小芳受法律保护，她不愿干的事，谁也不能强迫她。我是她的老师，我们会帮助她的。乡长呷了一口茶，说，这种事，你们学校就不要卷进去了。那件事牵扯到好大一笔钱，你们没有能力帮她。我也没这个能力。王校长看了看乡长说，我们会有能力的。王小芳是我们学校的学生，我们不能在这种时候袖手旁观。这时那个从来没开口的人说话了，我想问王校长，你们准备怎样帮助她呀。一副盛气凌人的样子。王校长原不想理会他，现在他指名道姓地问，就不能不理会了，他看了他一眼，说，她需要什么帮助，我们就给她什么帮助。那个人冷笑了一下，说，她现在需要钱，她们家是用她换钱的。王校长说，欠债还钱，自古皆然。她们家欠你们多少钱，会如数还给你们的。那人站起身，走近王校长，眼睛斜着看了他一下，说，你知道他们家欠了多少钱？五千元！王校长知道五千元是怎样的一个数吗？王校长说，放心，五千元，会还你的。说罢，对乡长说，乡长，你找我就是为这事吗？没别的事，我就回去上课了。乡长说，你回去好好想想，这种事，不是你们学校能管得了的。王校长回过头说，凡是学生的事，我们总是要管的。

回到学校，王校长把在乡政府里的那场谈话告诉了张老师，张老师愣了好长时间说，看来乡长是站在他们一边的。王校长点点头。张老师说，现在有钱的人神通大着呢，没他们不能做的事。王校长卷了一根粗粗的烟狠劲抽，用劲咳着，脸涨得通红。张老师把烟给夺了。他红着脸说，你就让我抽几口顺顺气。张老师看看他，把烟塞到自己嘴里，用劲吸着，呛得直流泪。王校长一把将烟抢过来，说，不会吸，就别凑这个热闹。张老师望着他，两人都不说话。王校长还在一个劲地抽烟，房子里烟雾腾腾，突然王校长没头没脑地问，你们啥时办事？张老师看看他，说，不知道。王校长又低下头抽烟。他抬起头看着张老师，张老师把脸扭到一边。王校长觉得哪里不对，问，什么不知道？这样的事还能不知道吗？张老师转过头，小声说，秀梅说了，她家里人不让我干民办，要我到城里去干。他们在城里给我找了一个活，说如果还当这个民办，这婚事就算一风吹。王校长将手头那截烟头狠劲抽了几口，用劲在鞋帮上揿灭，站起身，望着窗外，突然回过头，凶凶地问，秀梅她真是这样说的？张老师点点头。王校长又来回走了几圈，望着飘在天空的红旗，说，我找她去。张老师在身后叫他，他头也不回地走了。

走到旗杆底下，他听到旗子在风中发出的哗啦啦的声音，就在旗杆下站了很长时间，他觉得这声音特别好听，像是在听一种优美的音乐。他抬起头深情地望着天空中的红旗，又回过头看了一眼学校，迈开步向操场外走去。

王校长在路上遇到了秀梅。秀梅见了王校长有点不好意思，秀梅原在这个村上的小学上学，王校长教了她好几年。后来才搬家到外村的。秀梅跟张老师谈恋爱，王校长很想促成这件事。要秀梅来教书，是他提出来的。不承想秀梅还看不上这份工作。他本来想问问秀梅为啥看不上民办教师，可话到嘴边却说不出口。你有什么权利让人家非得爱你一个当民办的。王校长见秀梅老低着头，就故意不点破，秀梅，好长时间没见你到我们那里去了，最近在忙啥？秀梅仍低着头不说话。王校长又说，秀梅，要你的那个报告估计马上要批下来了，你要早点做好准备，你一来，我们就更热闹了。秀梅抬起头看了看王校长，欲言又止。虽然秀梅始终没说话，但他看出她和张老师的事还有希望。他不相信这一对年轻人的爱情就那么脆弱，他不相信自己对秀梅的教育一点不起作用，他更不相信金钱真的能把所有人的心眼变黑。

离开秀梅，他心里一下轻松了许多。他决定到王小芳家里去看看，那次王小芳家里出了事，他去过。后来因为忙就一直没去过。他知道这家人的日子过得难，山里人家，哪一家的日子都过得不易。

走到一个山坳口，他突然犹豫起来了。自己现在去王小芳家能说些什么呢？他在山坳口站了一会，决定暂时不去王小芳家，得让事情有个眉目再去。他就朝通往自己家的那条路走去。山风习习，他张开嘴，让风灌进嘴里。他边走边问自己，我这样往家里走，到底是为啥呀。走到家门口，他才明白，自己是冲着屋里老娘那些寿木来的。

娘已经八十多了，一直在妹妹家里住。王校长觉得娘白养了自己这个儿子，一直想要报答娘的养育之恩，可就是人家说的心有余而力不足。那一年，村里有人家卖寿木，王校长看中了一副寿木，凑了钱，把它买下了。娘高兴得眉开眼笑，一个劲地夸儿子有孝心。那副寿木买的时候只有几百元，可放到现在，价钱翻了好几番，王校长几次对妻子说，幸亏那次买下了，现在到哪里去买那么好的寿木呀。即使有，也没那么些钱买。

妻子见他回来，吃了一惊，以为是学校放忙假了。就让他先在家休息一天，明天跟她一起下地干活。王校长拎起茶壶灌了一肚子水，用手背抹抹嘴说自己等会就要走的。妻子吃了一惊，那你回来干啥？眼睛不住地盯着他。王校长就把要卖那副寿木的事说了，妻子一听，连连摇头。王校长说，救人要紧，只能先这样了。妻子马上流下了眼泪，呜呜哭个不停。王校长好言相劝，说，你是个明白人，我只要有一点办法，也不会动这个念头的。妻子抬起头说，这样的事，你都要管，天底下的事，你管得完吗？王校长说，我是个啥人，我要管天底下的事？可这事出在我们学校，她叫我校长，你说我能不管吗？妻子抬起头，泪眼蒙眬，说，娘那里你怎么交代？王校长抬起头叹了一口气，娘那里我去说。他走到那副寿木边，用手在上面摸过来摸过去，泪水潸然，娘啊，孩儿对不起你呀！一下跪在寿木前。

很快找到了买主，现在有钱的人真不少。买家来运寿木的前一天，王校长用一辆独轮小车将娘推到家里，让娘最后看一眼那些寿木。老人在那堆寿木前站了一会，手在上边摸过来摸过去，王校长站在娘身后，泪流满面。老人拍拍这些寿木，回过头替儿子擦去脸上的泪水，说，老大，你让他们来搬走吧。说完走出了门，让儿子推她走。

一天，王校长和张老师正带着学生挖学校地里的红薯。村长从山路上来了，他随手拣起一个红薯，在衣服上擦了几下，咬了一口，说，王校长，今年红薯又丰收了。王校长直起腰，拍打着手上的土，笑着说，村长来了。掏出烟递给村长。这还得感谢你村长呢。前两年，王校长看到一些学生上学要走一二十里路，就提出让路远的学生住在学校，村长说这样最好，从村里派了劳力，给学校盖了几间土坯房，学生就算住下了。住的问题解决了，还有吃的问题。虽说学生都带着口粮来的，可是娃们都是在拔节的时候，得吃饱肚子。王校长就向村里提出来，要村里划一点地给学校，学校自己种点能吃的东西也好贴补贴补。村长二话没说，在靠近学校的阳坡上划了一片地给学校，为这事乡里还批评了村长，说把这么好的地给了学校，不是白糟蹋吗？村长说，让谁种还不一样种。兴许还能让学校种好了呢。这话传到了王校长耳朵，他发誓要把这地种好，不给村长丢脸。学生们见村长来了，都过来叫村长叔。村长拿起锄挖了几窝红薯，弯腰拾起一串红薯说，这下你们不会饿肚子了。学生们笑笑争着抓大的往筐里装。挖了一会红薯，村长对王校长说，你过来，我有话对你说。王校长见村长说话一脸严肃，心禁不住乱跳了几下。他们在离红薯地几十步的地方坐下了。村长坐下后只管“吧嗒吧嗒”抽烟，王校长看着他那张黑黝黝的脸，知道村长不好开口，就说，村长，有啥话你就说。村长从烟雾里抬起头，看了看王校长，像是看一个陌生人，王校长被他看得很不好意思，嘿嘿地笑笑，村长也笑笑，说，听说你为了一个学生娃，把乡里的头给得罪了。王校长吃了一惊。想要申辩，村长摆摆手，不让他申辩，说，得罪了就得罪了吧，不过你得受一些委屈。村长同情地看了他一眼，说，王校长，你要不是这个脾气，也就不是现在这个样了。一句话说得王校长鼻子酸酸的。村长叹了一口气，说，都那么一把年纪了，我也不劝你啥了，不图他什么，他还能把你咋了？他能拔了你一根尿毛？这脾气改不改也就是那么一回事。王校长没想到村长会这样说，泪水珠不听话地从脸上往下淌。村长站起身，说，那事办成啥样了？王校长说，我们凑了一点钱，可还不够。还缺多少？村长望望快要落山的太阳。王校长说，她家一共欠人家五千多，现在我们手头有三千，还差两千多。村长将肩头的破褂往上耸了耸，想了想说，这样吧，剩下的那些你们就不用管了。你让那个女娃好好读书，一定让她读出息。说完，转身走了。王校长望着村长消失在霞光里的身影，浑身暖烘烘的，他转身对学生喊，你们快看，天上的彩霞多好看。学生们都抬起头，看天上的霞光，一张张笑脸被霞光映得红红的。

一天下午，刚上完课，学生都在操场上活动。村长来了，他是送钱来的。这几天，他跑了许多地方，只凑到了一千元。王校长知道村长有难处，说村长，这事让你为难了。村长摇摇头，叹了一口气，说，这事还真有点难办。王校长说，还有一千元，就是扒屋卖房，我也要把它凑齐。村长摇摇头，看看王校长，说，这事不那么简单。王校长吃了一惊，问是怎么回事。村长抬头看看天，太阳这时正停在山顶上，红红的，把山梁染得金光灿灿。头顶上的红旗在风中发出哗哗的响声。村长问王校长，最远在什么地方能看到那旗子。王校长仰头看看飘动着的红旗，说这四乡八村都能看到。村长说，以后有了钱，买一面再大点的旗，再升得高点，让更多的人都能看到它。王校长点点头。两个人都抬起头，盯着旗子看。突然村长回过头说，王校长，你给我掏一句实心话，这么些年，你悔不悔？王校长看了看村长，不知道他为什么要这样问自己。村长说，我后悔当初把你留了下来。王校长笑笑说，这都是过去的事了，还提它干啥。那一年王校长念完中学，家里人让他跟城里的一个亲戚学做生意，村长去找了他，说村里想办一个小学校，让他留下来当这个娃娃王。当时的王校长说，怕家里不答应。村长说，只要你肯留下，家里就挡不住。后来他就真的留下了，一干就干了二十多年。村里的娃娃一批一批出去了，可王校长仍然是一个民办。村长为这事往上不知跑了多少次，可人家有人家的说法。人家把那指标捏得紧紧的，硬不给，你有啥法！村长叹了一口气说，王校长，是我对不住你，要是当年你走了，现在你也是一个人物了。王校长说，鸡吃糠来鸭吃谷，各人自有各人福。一个人有一个人的活法。这些事不说了，他朝天上望了望，这时的太阳已经挨到山尖尖了，王校长觉得这时的太阳特别好看。他对村长说，这太阳哪一天出来都是鲜亮鲜亮的。村长点点头说，你说这太阳是冲着我们这些人来的，还是我们这些人冲着太阳来到这个世界的？王校长说，是我们冲着太阳来的。村长摇摇头说，是太阳冲着人来的。太阳知道人种五谷杂粮，它就给我们送光来了。要没有我们，它还出来干啥。王校长觉得村长的话有道理，就说，那我是冲着这些孩子来的。村长笑笑说，这话不由你讲，这话该我讲。王校长说，你不讲，我就自己讲了。王校长知道村长还有话要讲，就让村长有话直说，村长对着远处黑黝黝的山看了一会，说了自己去乡里的情况。

村长是昨天去乡里的。他是去乡里提村小的事。他要让乡里知道，是到了该关心关心这些老师的时候了。乡长正好在办公室，他听完村长的话，说这些事村里看着办吧。村长看乡长对这事很冷淡，直着眼看着乡长。乡长把话题转到王小芳的事上，他让村长对王校长讲，像这样的事，学校不要插手，说学校插手这样的事没啥好处。说像这样的事，连乡里也管不了，你学校能管个啥。村长瞪着眼看乡长，说，按你的说法，他们学校是多管闲事了？乡长也看了村长一眼，说，这是人家家里的事，他们去管干啥？村长说，那是他们的学生，他一个当校长当老师的，能不管吗？后来乡长不高兴了，说，你们一定要管，你们就管，以后出了事，不要来找乡里。村长本来想讲学校这次考试的事，再具体讲讲王校长的情况，让乡里一定考虑王校长转正的事。他还想讲讲王校长入党的事。可话说到这种程度，这些话自然就讲不下去了。村长从乡里往回走，觉得这事很窝囊，他想开口骂几声，出出心头的窝囊气，就随手拣了一根柳条，对着路边的杂草乱抽一气，还觉得不过瘾，一边抽一边用脚踢。他就想不通，他一个当乡长的怎么就这样说话，他一个当乡长的说话怎么就没有一点人味。前一阵听人说，有人送了乡里一辆小汽车，乡长坐在车里到处转，可威了。他当村长的说不信有这样的事。你当乡长的有自己的两条腿，你还有自己那辆自行车，你坐人家的车干啥？你就不知道吃了人家的嘴软拿了人家的手短，这嘴一软手一短眼就歪心就不正处事就偏理？村长想到这里，就想回去跟乡长说说这些，转身走了几步又停了下来。他一个当乡长的连这些都不知道他还当什么乡长？但这些话憋在心里把肚肠憋得硬邦邦的难受。他就在路边的一块石头上坐了下来，眯着眼看天上的太阳。太阳圆圆地挂在空中，正盯着村长看，村长朝它笑笑，它也对着村长笑笑。村长就想把心里的话对太阳讲，村长说太阳你早上从东边出来晚上在西边落下，你该看到天底下的善善恶恶，你该帮帮像王校长这样的人。天冷的时候你就在他们身上多照照，天热的时候你就请来凉风多吹吹他们。村长说完这些抬头看太阳，他看到太阳还在对自己笑，知道太阳听到了自己的话，就很高兴，继续说，王小芳这孩子可怜呢，你也得帮帮这个孩子。村长这回干脆就看着太阳说。村长看到太阳越来越明亮，就一股脑儿把心里的话都说了出来。心里的话说完了，就觉得很轻松。站起身拍拍屁股往村里走。

到了村口，村长本来想直接到学校去的，可不知道自己该怎么向王校长讲这件事，就想等回去想好了再找他们说。可想了一夜还没想出个头绪，后来干脆就不想了，该咋说就咋说。

村长说着去乡里的情况，眼睛一直看着王校长。王校长听完，好长一段时间没说话。村长想说几句安慰的话。村长还没开口，王校长先开口了，王校长说，现在救人要紧，得先把钱凑齐，否则不知道那些人会做出什么来。村长听了这话，脸上热辣辣的，说，还短的这一千元我再去想办法。这时，张老师拿过来一叠钱，说把这拿去吧。王校长说你哪来的钱？张老师笑笑说，自己的。王校长明白了，生气地说，这钱不能动，我不能救了一个，再散一对。村长听明白了是怎么回事，也说，这钱万万不能动的。剩下的我想法去弄。张老师说，现成的，不要再去麻烦别人了。王校长看看村长，村长点点头说，那就先按张老师说的，以后张老师用钱，我算一份。

王校长觉得有必要找秀梅好好谈谈，张老师说这种事没必要勉强。王校长说，我一定要找她谈谈，她没有理由看不起民办教师。她可以不跟你好，但她不能看不起民办教师。要没有民办教师，她秀梅也不会像现在这个样。张老师还是不想让王校长去，她是怕秀梅说出什么难听的来，伤了王校长的心。王校长说，我还怕什么伤心，我什么话都能听得进。只要她说得出，我就能听进去，而且我一定不生气。

王校长找到了秀梅家里，看得出来，秀梅的父母并不欢迎王校长，但碍于面子，倒也没太给冷脸。倒是秀梅见了王校长显得很别扭。秀梅的父母给秀梅递了几次眼色，是叫秀梅明确表态，回绝这桩婚事。王校长看在眼里，但装出没看到的样。王校长跟秀梅的谈话还算顺利，开始秀梅一直不吭声，王校长就一个人说，他把想说的话都说了，不知咋搞的，说着说着，竟流出了眼泪。王校长抹抹泪水说，你看我这个人，没一点出息。秀梅低着头，牙齿咬着嘴唇不说话。王校长说，秀梅，今天是我自己来的，张老师他不让我来，但我还是来了，你应该知道我为啥要来找你。今天我想听你一句话，你要真的不爱张老师了，我转身就走，如果是因为别的什么，那你得认真拿主意。

秀梅掏出手绢来擦眼泪。

县统考的成绩下来了，王家沟村小学在全县考了第三名，在全乡排了第一，大家就对着王校长伸大拇指，王校长只是咧着嘴笑。乡里开了全乡教师大会，乡文教站主任上台露了脸，要大家向他们学习，考出好成绩，粉要往自个脸上搽。大家把巴掌拍得很响。王校长坐在底下,脸烫烫的,有点坐不住,就转身往厕所跑,走进厕所,一个人抹了一会泪水,把眼睛揉得红红的,这才又进了会场。文教站主任一见他,要他讲几句话。王校长把手摇得芭蕉似的,说自己没啥讲的。下边的老师说,你王校长就说,让我们学习学习,明年让我们也光荣光荣。王校长说,我哪来的经验。脸涨得通红。文教站主任说,王校长,你就说两句吧,都是自己人,你也不要谦虚了。王校长摸摸脑袋,说,真的没啥好说的。他见大家咧着嘴看自己,觉得这样也太不上台面了,想了想说,反正一句话,认认真真地教,不信就教不好。大家把巴掌拍得震天响,文教站主任说,说得好,就这句话,只要认认真真地教,没有教不好的。他在会上又给大家透了一个消息,说是县里马上有一批民办教师转正的名额下来,这次转正的条件跟过去一样,要从各方面考核,这次的考试成绩是一个重要依据。会场上顿时热闹成一锅粥,考好了的老师自然高兴,没考好的就很懊恼。张老师用胳膊捅捅王校长,王校长转过头朝他笑笑。坐在旁边的其他学校的几个老师笑着对王校长说,王校长,这次一定少不了你。王校长笑笑,没说什么,心里十分高兴。散会后,文教站主任让王校长和张老师留一留,大家知道乡文教站主任找他们讲什么,所以都用羡慕的目光看着他俩。文教站主任见大家走散了,说,王校长,这次你转正的事是木板上钉钉子,不会走样的了。王校长笑笑。文教站主任说,上次我去县里开了一个会,县里明年开春要开一个会,要表彰一批优秀的民办教师和好的民办学校,我对照了条件,觉得你们学校符合条件,你们回去先准备一个材料,我再加加工,弄好了就往上报。王校长抬头看了看天,天上的太阳张着一张笑脸也正对着他看,太阳很圆,王校长不由多看了一眼。文教站主任也抬头看了看太阳,太阳好像知道他们两人在看自己,显得有点害羞。王校长把目光从天上收过来,说,我们那里没啥好写的,真的没啥好写的。文教站主任说,你们平时咋整的就咋写,你们回去好好想一想,依我看,要写的东西还不少呢。

两人踏着山路回去了,一路上都没说话,走到一条三岔路口,王校长说,我要回去一趟。张老师笑笑说,快点回去,让嫂子也高兴高兴。王校长脸上露出微微的笑,对着大山看了一眼,心里说,总算等到了这一天。山风吹着他的脸,凉飕飕的,他张大嘴,大口大口吸着气,脚步迈得很大。妻子听到这个消息不知会高兴成啥样,他仿佛看到了妻子欣喜的样子,自结婚以来,自己还没有一件事能让妻子高兴的,这一次,总算能让她高兴一回了。

妻子见他回来,一下愣住了,对着他看了好半天。王校长看着妻子一脸的皱纹,心里泛上一阵酸楚,才四十出头,就成了一个老太婆。自己已经好长时间没有这样看她了。一年中难得回来几次,回到家也就天黑了,连话也来不及说几句就上了床,别人家的男人都会在床上跟自己的女人温存一番,可自己一到床上,就像一摊泥似的,一会就睡着了。有时高兴了,也有两人黏在一起的时候,可刚刚动作,就满头大汗,弄得自己心里愧愧的。

妻子问，今天怎么回来了？王校长竟然不知道该怎样回答，红了一阵脸。妻子知道他是有什么事才回来的，上次是为了凑钱卖棺木才回来的，这次不知是为什么。妻子张着一双惶惑的眼睛看着他，眼光里有一种明显的警惕。他被妻子看得浑身不好受，一步一步地走近妻子，妻子竟一步一步地往后退，他看到妻子害怕的样子，连忙停住脚步说，我今天不是来拿东西的，我今天是来告诉你一个好消息的。妻子停住脚步，像看一个陌生人似的看着他，眼眶里布满了泪水。王校长走上去，用手给她擦眼泪，这才小声地说，今天乡里开了会，乡文教站主任在会上说了，这次转正一定有我的。妻子瞪大眼睛看着他，泪水像断了线的珠子往下掉。王校长说，这回是真的了，乡文教站主任在会上说的，他是当着许多人的面说的，他当着我的面也这样说的。妻子用手背不断地抹自己的脸，脸上被抹得横一道竖一道的。王校长把她按坐到凳上，侧着脸看着她，他后悔在乡上开会时没有在供销社买一盒搽脸油。要是她也能像城里的那些女人一样经常搽油，她的皮肤也会像她们一样白的。当初她嫁给自己的时候，也是花儿似的。下次去乡里，一定给她买一盒搽脸油。

妻子抹了好一阵眼泪，然后就手忙脚乱地忙开了。她要给他炒几个菜，最好能弄点酒，可屋前屋后找了半天，也找不到什么好下锅的，就悄悄出了门。王校长在后面喊她，她头也不回地往前走。过了好一会，她手里拎着一条肉，还有一个瓶子回来了，脸上喜气洋洋。王校长说，干啥去了？别忙了，我一会就要走的。妻子一愣，放下手里的东西，愣愣地看着他，泪水顿时涌出了眼眶，嘴里喃喃地说，过一会村里的人要来看你。王校长一惊，你跟村里人说了？她点点头。王校长叹了一口气，说，八字没一撇的事，怎么好跟村里人说呢。妻子不解地看着他，说，你不是说乡文教站主任在会上说的吗？已经在会上说了，还不能跟村里人说说！王校长低下头不说话了，他理解妻子的心情，哪个做妻子的不想自己的男人在外面体面？男人身上的光也会折射到她们身上的呀！王校长说，说了就说了，也没啥关系。妻子破涕一笑，说，你这人，把人吓了一跳。

妻子就去做饭炒菜，屋里顿时溢满一股浓浓的油香。村里人果然来了不少，各人手里都提着一些吃的东西。村长也来了，村长一进门，说，王校长，总算盼到了这一天，也是老天有眼呀。王校长说，村长，我这二十多年，全靠了你和村里的乡亲呀。村长说，快不要这样说了，一说起这件事，我心里就愧得不行。王校长知道村长说的是什么，笑笑说，都是过去的事了，还说它干吗。村长说，王校长，你这么多年，为村里培养了那么多孩子，自己受了那么多的苦，大家在心里都记着你呢。一句话说得王校长泪水涟涟。王校长那年从城里中学读书回到村里，城里中学的老师要保送他上省城的重点高中，可村长把他留住了，村长说，村里早想办一个学校，就是没人教，一直就没办成。这些娃不能老跟在羊屁股后面转。那时的王校长只有十六岁，他听懂了村长的话，一声不吭。村长叹口气，说，我不该对你说这件事。

唉，可惜了这帮娃。村长问他到省城上学有什么困难，有啥困难就对村里讲，村里一定想办法解决。他含着热泪看看村长，一个人往山上爬。第二天，他对村长说，他不去省城上学了，留在村里教书。村长拍着他的肩说，我就把这副担子搁在你肩上了。他觉得村长搁在自己肩上的手重重的。

一会儿，妻子把菜端上来了，还拎上了一只酒瓶，她朝瓶子看了看说，隔壁老奎家就这么一点酒了，让我都拎来了。王校长把酒瓶拎在手里，看了看，瓶底只有几口酒，一张嘴就能喝完。他把瓶子摇了摇，朝里倒了点水，又用力摇了摇，把酒瓶送到村长嘴边，说，村长，你先喝。村长嘴对着酒瓶喝了一口，然后交到王校长手里，这回该你喝了。王校长接过酒瓶，喝了一口，又交到另一个人手里，一只酒瓶就这样转了一圈又一圈，大家的脸上、嘴边都湿漉漉的。

天黑了，大家这才各自回家。王校长等大家走了，看了看妻子，说自己也要赶回学校去。妻子让他明天一早走。他看了看她，说，还是现在回吧，天上有月亮，十几里路，一抬腿就到了。妻子不说话，只是痴痴地对着他看，眼睛里充满柔情。他觉得自己胸膛里的那颗心咚咚跳得厉害，他坐在凳上，说，那就明天早上走吧。妻子把头一低，转身往灶里添了把柴，火光顿时把屋子映得通红。

王校长用热水洗好脚，上了床，妻子的身子像一团火，烙得他全身热腾腾的。他听到了自己身体里血流的声音，他将妻子搂在怀里，妻子像一只小猫，软软的。两人一句话也没有，就那样紧紧地搂抱在一起，王校长觉得有一股力量在自己的胸腔里不断地膨胀，要把胸腔撑开。他没有想到自己还有别人所说的那种激情，他悄悄地对妻子说，看来我还没老。妻子不说话，用手不停地在他的背上抚摸着。他在心里说，今天一定要好好表现表现，让她高兴高兴。然而，那一晚上他并没使妻子高兴。他对这样的事已经很生疏了，还没进入状态，就不行了，他很懊丧。他对妻子说，我走得太急了，劲都用在走路上了，以后转正了，你就可以住学校了，我就能跟你天天在一起了。妻子一头扎在他的胸脯上，两行滚热的泪水在他胸脯上流淌，让他觉得十分舒心十分惬意。

妻子刚合眼，他把她推醒，说自己得回学校去。妻子让他天亮了再走，他说，天一亮学校要升国旗的，天亮了走要误事的。妻子没再说什么，连忙起床，把昨天剩下的饭菜给他热了热，看着他吃了上路。

赶到学校，学生也才刚刚起来，他到学生住房看了看，学生见了他，都笑嘻嘻地对着他笑。他觉得奇怪，悄悄问张老师，学生们知道了啥？张老师说，我没对他们说什么。王校长点点头说，这些事不要对他们讲。张老师说，他们好像知道了什么，昨天上晚自习，有几个就交头接耳，像在商量什么。王校长说，反正不能从我们嘴里说出去。

升旗仪式总是十分庄重的，学生们都很认真很严肃。王校长想过，要是这次上级真要奖什么，就先买一面又大又新的国旗，让方圆几十里的人一抬头就能看到这面飘扬在蓝天上的红旗。王校长等学生站好队，大声喊，立正，升旗，唱国歌。随即国歌响起，红旗徐徐升起。太阳也从地平线上冉冉升起，红旗在阳光的辉映下，显得光彩夺目。红旗升到了高空，发出哗啦啦的声音，王校长只顾仰着头看天上的红旗，忘了喊口令，学生们也都仰着头看天空中飘动的红旗。这时有两只苍鹰在天空中盘旋，它们在红旗的周围忽上忽下地飞翔。突然操场上爆发出一阵热烈的掌声，王校长这时才想起自己还没喊口令，连忙喊了声“解散”，同学们哄笑着回到了教室。王校长还在抬头看天空中的那两只苍鹰，一会儿，那两只苍鹰围着红旗转了两大圈，就向上飞到云层中去了。

第二节课刚下课，村长来了。村长一来，说，把你们的学生娃集合起来，我要给他们讲话。王校长笑笑，掏出哨子，用力吹了几声，学生就很快集合起来了。村长抬头看看天上的红旗，又看看站在自己面前的学生，说，你们都抬起头看，你们告诉我，你们看到了什么？学生都抬起头，然后齐声回答：我们看到了红旗。村长点点头说，好！好！你们的眼睛看得很准，以后你们不管走到哪里，都不能忘了这面红旗，要把这面红旗扎在自己的心窝里。是这面红旗保佑着你们，让你们有书念，让你们长大成人。村长问学生记住了这些话没有，学生齐声回答说记住了。村长接着说，要记住这面红旗，记住这个学校，记住你们的老师。不要看不起我们这个学校，不要小看了你们的老师。你们的老师是这个世界上最好的老师，他们比你们的父母还要亲还要好。学生用力拍手。村长又说，这次你们考得很好，给我们村争了脸，给你们学校争了光，也为你们老师争了光。谁敢再说我们乡村娃不行，就叫他们来比试比试。大家又拍手，村长接着说，昨天村里的人都到你们王校长家里去了，大家高兴呀。我昨晚一夜没合眼，你们考好了，为村里争了光，我当村长的该怎样奖励你们呢。我想了一个夜晚，到天快亮时，我悄悄爬起来，走到了你们种的红薯地，我就拿了主意。你们王校长几次盯着我，向我要地，说是你们要多种一些地，学校要搞一些收入。我当时没有应下来。因为我已经给过你们地了。我怕你们种不好，所以我就不敢多给你们。现在我放心了，你们的红薯长得很好，这说明你们是可以把地种好的。村长指着身后的一片阳坡地，说，这十几亩地，就都归你们学校了。这就是我给你们的奖励，你们这下满意了吧。王校长带头鼓起了掌，同学们又是拍手又是跳。村长说，你们巴掌也拍了，高兴也高兴了，你们可要记住啊，你们一不能忘了学习，二不能忘了劳动，三不要忘了你是这个山村里长大的，今后不管你做啥，都不要忘了这片土地。村长抬起头，盯住天上飘动的红旗，他的眼眶里噙满了泪水。

学生解散后，村长就回去了。王校长送了他一截路，村长问到王小芳的事，王校长说，我把钱都送去了，看来不会有啥了。村长点点头，过了一会说，那家人很有些势力，恐怕不会就这样善罢甘休的。王校长说，他们还能咋？欠他们的钱已经还给他们了，他们难道还真能来抢人不成？村长说，现在有的人仗着有几个钱，什么都敢做什么都能做，这事恐怕不会就这样完了。王校长看看村长，想听他说下去，可村长把话头转到那些地上了。村长要他们一定要把地种好，这样他才好跟村里人交代。王校长点点头说，村长你放心，我们一定种好这些地，不让你为难。他抬起头看着村长，说，村长，这事又让你为难了。村长笑笑说，没啥，人家爱咋说就让他说去，我也不在乎了。我也不想啥，让干就干，不让干就不干，没啥了不起的，乡里人，只要脚下的一亩三分地不丢，就没啥顾忌了。我还有一句话要说，这次的转正名额下来，你就再不要客气了，你不为自己想，也得为弟妹想，你说人家一个女人家，跟你一个大男人一辈子，你总得给人家一点什么吧。不能让一个妇道人家跟着你老吃苦受累，担惊受怕吧。王校长点点头，几滴泪水洒落到地上。

没几天，乡文教站主任来到了王家沟小学。他是来送转正表的，他把表慎重地交到王校长手里，说，王校长，我是专门来给你送表的。你赶快填，填好了我就带走。王校长从主任手里接过表，心情十分激动，两只手抖得厉害。文教站主任对张老师努努嘴，两人悄悄地走到外边去了。

王校长将表格摊开在桌子上，坐下，掏出钢笔，调整了一下坐的姿势，一行一行往下看。看着看着，他竟犹豫起来了，那上面有几栏的内容他好像不太清楚，他想问问主任，可主任在外边和张老师正说着话，他就没有叫他，继续往下看。看完了，他将表格收起来，放进了抽屉。一会，主任进来了，要把表格带走，王校长说还没填好，主任吃了一惊，看了看他，说，王校长，我今天是专门给你送表来的。这表关系重大，你可不能再三心二意了呀。王校长笑笑说，那上面有几项内容我不太清楚，我好好想想后再填。文教站主任说，有啥不清楚的地方，你现在就说，我来给你填。王校长说，你让我再好好想想，想好了我再填，填好后我就送来。文教站主任说，那好，你就好好想吧，我给你两天的时间，填好后你一定给我送来。

送走了文教站主任，王小芳的母亲来了学校。她一进学校，就要拉王小芳回家。王校长连忙拦住她问是怎么一回事，小芳娘说，王校长，这书我们不读了。王校长忙问又出了什么事。小芳娘把一叠钱交到王校长手里，说，王校长，这钱我们还你们。小芳的书不念了，我要带她回家。王校长急了，大着声问，到底出了什么事？小芳娘说，王校长，我也不瞒你，你们是一片好心，要让小芳念书，将来长大有出息，这我看得出来。可山里的女娃，能有啥出息？将来还不是找一个婆家生娃过日子。现在有人给她找到了一个好人家，那也是老天有眼，要是听你们的话，留在学校读书，以后就找不到这样的人家了。这不是害了小芳一辈子吗？小芳娘自顾自说下去。他们说了，以后两家成了亲家，他们会一直帮我们的。小芳过去后，他们要让小芳到他们的那个厂里干，还答应让小芳的弟弟也到厂里干活。这样，我们一家就有救了。这个书我们怎么也不念了。这个书念下去，以后照样没饭吃。王校长把小芳拉到自己的身边，说，小芳娘，你要为孩子的将来考虑，不能图眼前的一点利益，坑了孩子的一生。小芳还小，正是念书的时候。你就这样把她从我们学校拉走，我是不会答应的。另外，咱们这四村八乡，哪家人家是靠别人家帮着过日子的？别人帮得了你一时，帮不了你一世，这个道理你总懂吧。小芳娘说，王校长，我知道你们是一片好心，可你们的好心不能当饭吃，不能过日子。你们要孩子念书。可念出来又有啥用呢，就拿你和张老师来说，你们识了不少字，懂了不少道理，可你们还不是照样的穷，这书念下去到底有啥用。人家不念书的，照样赚钱过好日子。王校长，我求你了，你就不要再管我们家的事了。王校长的胸口像被人猛击了几拳，一时透不过气来，他没想到小芳娘会说出这样的话，他的脸憋得通红，身子摇晃了几下，差一点栽倒，额上布满虚汗。小芳娘吓了一跳，急忙说，王校长，你怎么啦？王校长一只手扶住墙根，笑笑说，没啥，没啥，我没啥。他将身子挺了挺说，小芳娘，小芳是你们的孩子，可她是我们的学生，她的事我们是一定要管的，谁也甭想把小芳从学校拉出去。小芳娘吃了一惊，突然大声地哭起来，王校长，你不能这样呀。小芳找到了好人家，你就成全了我们家的这桩好事吧。我求你了。王校长把钱交到小芳娘手里，说，小芳娘，你不要说求我了。我求你了，你就不要再吵了，学生在上课。以后家里有什么困难，我们学校一定会帮忙的。小芳娘手里掂着钱，迷惑地看着王校长，不知道该怎么办。

那天晚上，等学生睡下，张老师催王校长快把那张转正表填了。王校长拿出那张表看了半天，转过头问了张老师几个问题，张老师边回答边让他快填。王校长先在一张纸上照表上的要求填了一遍，再让张老师看，张老师指着奖励那一栏说，这栏怎么空着？王校长笑笑说，那些事填了也没啥意思。张老师说，要填，要填的。王校长拿起笔想往上填，可想想又不填了。那张表一直填到半夜才填好，填好后他还不想睡觉，一个人走到外边，在操场上转了好长时间。张老师一觉醒来，发现他还没睡，就叫他快睡。王校长坐在床沿上，低着头抽烟不说话。张老师说，王校长，我看你今天太兴奋了。王校长笑笑说，这天底下的事真怪，这转正的事，我想了几十年，可现在真的要转正了，觉得也就那么一回事。你说我太兴奋了，说一句实话，我一点也不兴奋，倒是觉得自己过去很可笑。好像这几十年自己就是为了这张表才活的，就是为了这转正才站在讲台上的。你说这事可笑不可笑？我刚才一边填一边想，这张表填了，上边给我转正了，我又能怎么样呢？我就配站在讲台上了？我就配学生叫我老师了？这不是鬼扯淡吗？王校长离开了床沿，推开窗，外边漆黑一片，只有旗杆上的旗子在风中发出很响的声音。他默默地站在窗前，一言不发。张老师看着他的背影想，他怎么就有这种想法呢？

乡里通知王校长，说是乡长找他有事。王校长对张老师说，你说乡长找我啥事。张老师说，这次我们学校为乡里争了光，他一个当乡长的自然要有所表示喽。

王校长微微摇摇头。

乡长找王校长说的还真是考试的事。乡长表扬了他们学校，说他们工作认真，让学生考出了好成绩。乡里对这事很重视，要拿出一点钱来奖励学校。王校长听了十分高兴。后来，乡长说到了这次民办教师转正的事，说乡里已经研究过了，像王校长这样长期在教学岗位上有贡献的老同志要特别照顾。为了照顾王校长的家庭，也为了让王校长发挥更大作用，乡里想让王校长到乡完小去工作，家属也可以一起过去。王校长好像没听明白乡长的话，看了一会儿乡长，站起身说，乡长，我哪里也不去，我就在王家沟村小学，我在那里惯了。乡长笑笑，说，王校长，一转正你就成了公办教师了，跟过去不一样了。那里的教务处缺一个领导，你到了那里能发挥更大的作用。王校长说，我不离开王家沟村小学，我在那里干了二十多年，那里的情况我熟悉，我还在那里干吧。乡长站起身说，王校长，这可是组织的决定，你不能刚刚转正，就不服从分配。转正后，跟过去不一样了，这个道理你应该是明白的。王校长听乡长这么说，就说，那我回去想想。乡长说，好，你回去好好想想，想好了给我回一个话。

王校长从乡政府出来，变得有点失魂落魄，走到学校，天已经黑了。张老师一见就问乡长说了什么？王校长说乡长表扬了他们，还要奖励他们的话。张老师一听，高兴地说，我就猜是这事。他问王校长，乡里能给我们奖励多少？王校长说，乡长没说。张老师说，估计不会少。他就扳着指头算账，算了半天也没算出个名堂来。后来干脆不算了，对王校长说，这次无论如何要买一把大算盘。张老师教珠算，现在用的那把算盘是他自己做的，上课的时候，老出毛病。王校长叹了一口气，看了张老师一眼，想说什么，话到嘴边又咽进了肚。

第三天，乡文教站主任来学校取转正表。王校长说还没填好。乡文教站主任说，你看你这个人，做事也不分个先后缓急。别人都填好了，就等你了。他让王校长立马填，填好了他带走。王校长说，我先把学生摇进了教室再来，就边摇铃边出了办公室。乡文教站主任看着他一摇一晃的背影说，没转正想转正，真正要转了，倒不慌不忙了。张老师拿着课本边往外走边说，这两天，王校长甭说有多激动了，夜里连觉也睡不好。乡文教站主任说，轮到谁都是一样的。

王校长出去了有十多分钟才来，他说他给学生布置了作业，不能让他们在教室里闲着。乡文教站主任让他抓紧时间快填，明天就要报到县里。王校长把头探到外边看了看，然后郑重其事地说，这表自己不交了。乡文教站主任吃了一惊，瞪大眼睛说，老王啊，你开玩笑也不是这样开的，我没有时间跟你逗乐，你快填，填了我明天好往上报。王校长态度严肃地说，我想过了，这表我真的不交了。乡文教站主任看了看他说，你这是干什么呀？王校长说，没什么，这表我不交了。你们给别的人吧。乡文教站主任问他到底为啥。他就是不说，只说这表自己不交了。气得文教站主任指着他的鼻子骂。他也不恼，就是不交表。乡文教站主任涨红着脸说，好，好，你不交，我让乡里领导来找你，看你到时候交不交。一边骂一边出了办公室。

张老师知道了这事，就问王校长这是为什么。王校长原来不想让他知道这事，后来想想，这事让他知道比不知道好，就把乡长要让他到乡中心小学的事说了。张老师说，他让你去，你去不就得了，为啥要放弃这样的机会呢？王校长不正面回答他，笑着说，你是不是也想赶我走呀。张老师笑着说，你走了，我不就能当校长了？王校长说，不开玩笑了。他把自个的想法对张老师说了，又把村长上次说的话也说了。张老师点点头说，看来这个葫芦里还真有药呢。王校长说，我也不是傻瓜，我会平白无故不要这个转正名额？我只要一要，他们就会让我离开这里，那小芳的事不就由着他们了。我不能为了自己的那个名额而毁了小芳一辈子。我这么多年都过来了。这转正不转正也就那么回事，可小芳还年轻，她的娘糊涂，我们要不挡着点，这孩子可就真的毁了。张老师愣愣地看着王校长，突然，抱头痛哭，说自己真没用，什么事也办不成。王校长说你不要这样责备自己，这事哪里能怪你。我要不站那么多年的讲台，我也不会这样干的。张老师抬起头说，这样做，你太吃亏了。王校长笑笑说，不说这些了，咱们还得把心提着，人家不会这样善罢甘休的。张老师点点头说，我也豁出去了。

乡长果然又找到了王校长，王校长咬定不交表，乡长也没啥办法，说这转正的事过了这个村就没有那个店。王校长笑笑说，我也不买啥东西，不急着赶村住店的。乡长一下愣了，说，王校长，这事可开不得玩笑，到时候后悔就来不及了。王校长说，你乡长一定要我离开王家沟村，我是想要也要不上呀，我只好当一辈子民办了。乡长看了他一眼说，王校长，你怎么狗咬吕洞宾，不识好人心呀。我是一心为你着想呀。王校长摇摇头说，有人给我算过一命，说我一辈子是受苦的命，看来人家还真说对了，我不认也得认。乡长想说什么，却没说出来。

王校长离开乡政府，一摇一晃走在山梁上，乡长望着他远去的背影，无奈地摇摇头。

又是一个星期六，下午举行完降旗仪式，学生又都回家了。张老师让王校长也回去看看，王校长摇摇头，说自己回去不得。张老师看了他一眼，把头扭到一边，默默地看着天上飘动着的云彩。王校长走到他背后问他想什么。张老师回过头，盯着王校长的脸看了一会，说，王校长，你该把那表交上去，否则太伤嫂子的心了。她这二十来年就盼着这一天，你不能让她再失望了。张老师的眼睛里布满了眼泪。王校长说，张老师，我何尝想放弃呀，可人家当乡长的要我拿小芳作为交换条件，你说我能这样做吗？小芳叫了我五年老师，我不能让人家白叫呀。说着话，他的眼睛也湿了。张老师说，你总不能一直不回去呀。王校长说，你以为我不回去是怕你嫂子呀。她知道了这事，最多哭一场，哭过了也就没啥了，她的脾气我知道。我是担心他们趁学校没有人时来抢人呀。张老师一下紧张起来，说他们真敢来抢人呀。

王校长说，要来就让他们来吧，兵来将挡，水来土掩，没啥了不起的。气氛一下紧张起来了。张老师看看他，把要说的话咽进了肚。这时小芳走过来，王校长说，小芳，晚上想吃啥？小芳说，想吃红薯。王校长笑笑说，小芳是看到学校收了那么多红薯，尽要吃红薯。小芳笑笑说，红薯好吃。王校长说，连我都快吃怕了，小芳还说好吃。王校长看看他们两个，说，今天咱们不吃红薯了，今天咱们吃面条。两个人吃了一惊，瞪大眼睛看着他。王校长一边和面一边说，小芳，今天是什么日子？小芳想了一想，摇摇头，王校长让她再好好想想，小芳又想了一会，说想不起来。王校长笑着说，丫头，今天是你的生日。小芳一听，呜呜地哭了，哭得很伤心。王校长一看，笑着说，你看你，哭啥哭，你再哭，我这面条就擀不好了。小芳擦擦脸，忙着给王校长卷往下掉的衣袖，眼睛里仍泪花闪闪。

王校长不知从哪里搞到几个鸡蛋，煮熟了塞到小芳手里。小芳捧着鸡蛋，眼泪止不住往下淌。王校长看着她，眼眶也湿了。孩子实在太可怜了。他悄悄地背过身，擦了擦眼睛。鸡蛋热热的，小芳在手里摸过来摸过去，舍不得吃。王校长让小芳趁热吃，小芳要王校长和张老师一起吃，王校长说，今天是小芳的生日，这鸡蛋只能小芳一个人吃。小芳还是不吃。王校长说，小芳要不吃这鸡蛋，我和张老师今天就睡不好觉了。小芳看看王校长，又看看张老师，将鸡蛋皮慢慢剥了，送到王校长的嘴边，一定要他咬一口，王校长只好咬一口，她又让张老师咬一口，张老师也咬了一口，小芳看着他们两人，笑了。

三个人坐着说了一会话，秀梅来了，自小芳星期天不回家后，秀梅就来学校陪小芳。王校长找秀梅谈过几次话，秀梅的态度有了很大转变，为此跟家里闹僵了。家里人看秀梅这样，也就不再管他们的事了，后来也改变了态度，但坚持要男方送足彩礼。秀梅说你们是卖女儿还是嫁女儿。家里人说，村里都这样的，没有彩礼，你就别想出门。王校长知道后说，彩礼的事，恐怕是少不了的，他们能转变成这样已经不容易了，彩礼的事，以后再想办法。

小芳跟秀梅很合得来，秀梅也很喜欢小芳。两人钻在被窝里，总要说好长时间的话。那天小芳将一个煮鸡蛋塞给秀梅，鸡蛋还有点热。秀梅看着小芳说，小芳，你真幸福，王校长这么疼你。小芳笑笑说，王校长也很喜欢你，说你懂事，还说你会体贴人。秀梅一把将小芳搂进怀里，泪水扑簌簌地往下掉。秀梅知道小芳今天生日，她打好了一双毛袜子送给小芳。小芳捧着毛袜子，激动得直流泪水，一边抹泪一边说，秀梅姐，你们都待我那么好！你是好人，王校长是好人，张老师是好人，你们都是好人。秀梅握着小芳的手，说，小芳，你说得对，他们都是好人。你要永远记住他们。小芳点点头。过了一会，小芳说，秀梅姐，你一来，张老师就高兴。秀梅看了一眼小芳，笑笑说，你瞎说。小芳说，我没有瞎说，我看得出来的，你一来，张老师就高兴，走路还唱歌呢。我天天盼你来，你来了，张老师就换了一个人似的，王校长也高兴。秀梅姐，你到我们学校来吧。你为什么不来我们学校？秀梅说，我来学校

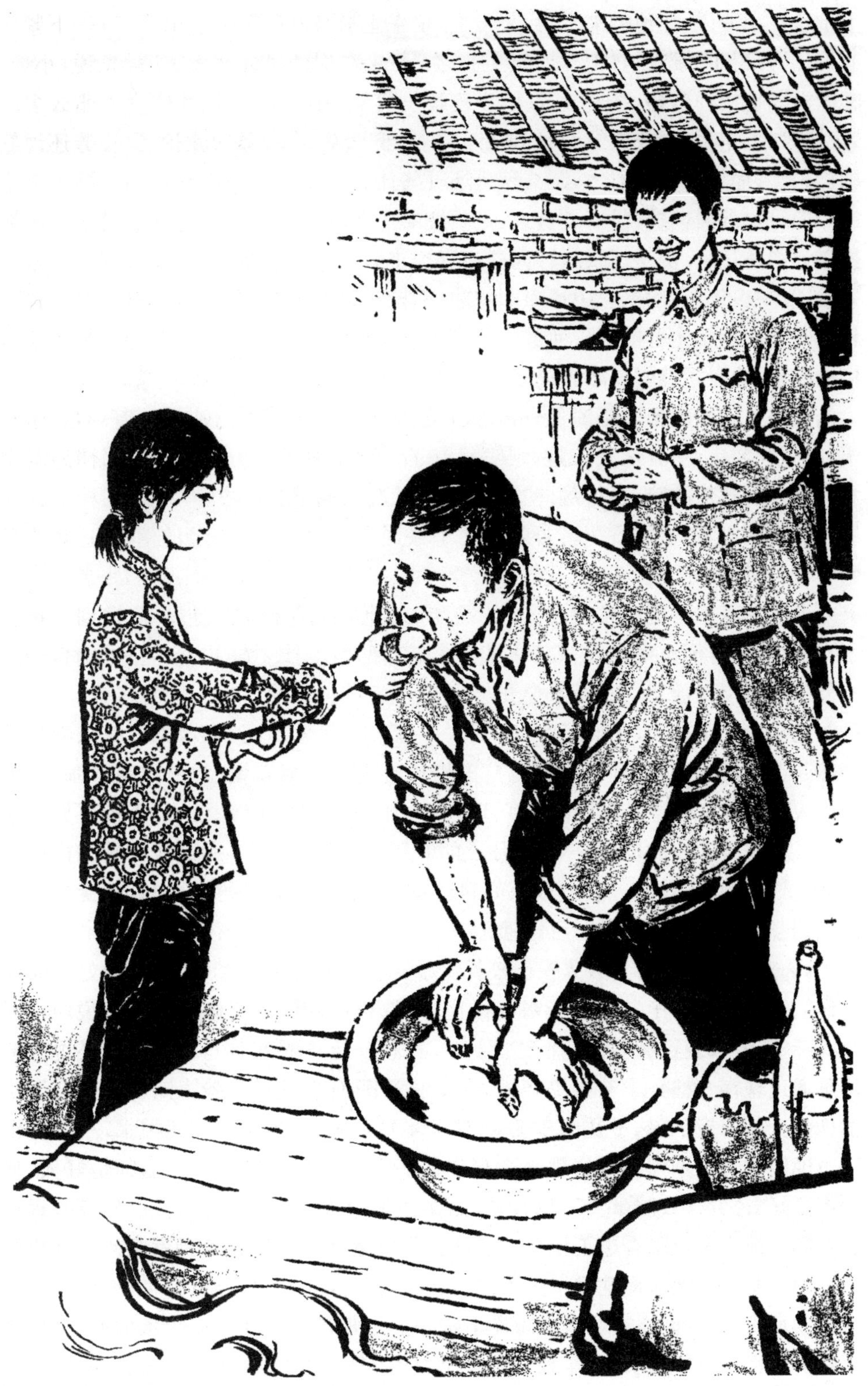

能干啥？小芳说，你也教我们呀，同学们可希望你来了。秀梅心里一热，将小芳紧紧抱住，弄得小芳透不过气来。隔了一会，小芳说，秀梅姐，你来了后，我还和你一起睡。秀梅说，好，好，我们一起睡，一起睡。两个人都哭了，泪水将枕头打湿了。

第二天早晨，王校长早早地起了床，村长昨天告诉他，村里把给学校的地已经腾出来了，他要去地里看看，想在秋里还种些什么。

山路上静悄悄的，没一个行人，走到坡梁上，他回头往后看看，学校的几间屋孤零零地蹲在那里，倒是那根旗杆高高地直插进云天，很有精神气。他在坡梁上站了一会，叹一口气，往前走。山风凉飕飕的，王校长眯着眼四下看看，一路想着往地里种些啥能填饱学生娃的肚。走到一个拐角处，发现前面有四五个人急匆匆地往山梁上走来，他看了他们一眼，都不认识。那几个人也看了他一眼，不说话，其中一个人的眼睛在他的脸上多停留了一会，眼睛里藏着一道凶光，王校长也就多看了他一眼，继续往前走，想着这些人这么早来到山上干啥，那个人为什么要用那样的眼光看自己？突然他的脑子里掠过一道阴影，连忙转身朝学校走去。

前面的人走得很快，一转身就不见了人影。王校长加快脚步往前赶。等他走到学校，事情已经发生了。

那些人原来是到学校抢小芳的。王校长赶到时，他们已经把小芳拉到操场上了，张老师和秀梅正用力往回拉小芳。张老师的脸上挨了好几下，嘴角正淌着血。小芳只是一个劲地哭。王校长急忙奔过去，大声喊，住手！你们给我住手，大白天竟敢到学校里来抢人，你们还有没有王法？那几个人听到喊声，都回过头来看。小芳挣脱了他们的手，扑到秀梅怀里。王校长走到那几个人跟前，厉声问，谁让你们来抢人的？其中一个人用眼睛斜了王校长一眼，说，你是干什么的？王校长看了他一眼，说，我是学校的校长，你是干什么的？那人斜瞟了小芳一眼，我们是来这里要人的。你们的人不放人，我们就只好自己动手了。王校长用身子护着小芳，说，她是我们学校的学生，你们凭什么要抓人？那人说，凭什么？她已经是我们老板家的人了，你们凭什么拦着不放人？王校长的眼光在他们脸上扫了一下说，她怎么就成了你们老板家的人了？你们老板是谁？你们知不知道，你们这样做是犯法的！那个人冷笑一声，说，我们不管什么法不法，我们今天只要人。王校长知道跟这些人讲不通道理，向前跨了一步，说，今天谁敢在这里耍蛮，敢动手抢人，我就跟他拼了。他把身子往前挺了挺，一副大义凛然神圣不可侵犯的样，这一下倒把那几个镇住了。他们换了一副嘴脸，说，你一个当校长的，管这些闲事干吗？人家当爹妈的都应下了，你还管什么闲事？王校长说，她是我的学生，这种事，我们一定要管，而且管到底。那人斜着眼看了王校长一眼，说，我怕你这个当校长的管不起。王校长回看了他一眼，说，无非是她家里欠了你们老板的钱，钱我们已经凑齐了，你们还想怎么样？那人说，那你去问小芳的爹妈，他们已经将小芳许给老板的儿子了，连彩礼都收下了，你还想怎么样？王校长把小芳搂在自己胸前，给小芳擦眼泪，说，小芳，不要怕。有我们在,谁也不能把你怎么样。他转过身,对那几个人说,你们回去对你们老板讲,不要以为有几个钱,就可以为所欲为,这天底下还有不吃这一套的。你们抬头看看,天上有太阳,太阳下面飘着的是五星红旗。说完,拉着小芳的手,说,小芳,咱们回去。那几个人连忙追上来,说,王校长,你要把人交给我们。否则你是没有好果子吃的。你刚才说的是什么太阳、红旗的话,对你们的学生去讲可以,跟我们讲没用。现在谁还信这一套。老实给你说,连你们的乡长坐的车也是我们老板给的,你去给他讲你那一套吧,看他听不听。王校长拍拍身上的灰土,说,我也给你说一句实话,你们不信那些话,我信,还有许多人信,我们的这些孩子都信。说完拉着小芳的手,向办公室走去,一会,拿着那面红旗出来,他把红旗庄重地交到小芳手里,大声喊,立正,升旗,唱国歌。小芳拉动绳子,红旗迎着太阳冉冉升起,王校长、张老师和秀梅一齐唱起了国歌。那几个人木愣愣地站在那里,不知道如何是好,站了一会,下了山坡,一边走一边回头看,其中一个问那个带头的,他们这是干什么?那个带头的看了看天上的红旗,迷茫地摇摇头,说,这家伙中了邪了。

下午,王校长去找村长,把有人来学校抢人的事对村长说了。村长一听,一拳砸在桌子上说,真是反天了,老子就不信这个邪,下次他们再来,你给我把他们绑到村里来。王校长说,乡里有人支持他们,否则他们没那么大胆的。村长看了他一眼,好半天说,你怎么知道?王校长就把乡长找他谈话的事说了。村长听了,缓慢地点点头,看着王校长,拍了拍他的肩说,王校长,你为这些娃们受苦了。突然他抬高声音说,你都豁出去了,我也豁出去了。下次再有人来学校闹,你就来叫我,看我怎么收拾他们。王校长握住村长的手,一句话也说不出。

那天早上起床,张老师发现小芳不见了,连忙报告王校长。王校长一惊,说,她会去哪里?是不是回家了?张老师摇摇头。王校长自言自语说,一个女孩儿家,离开家那么长的时间,会想家的。他让张老师赶快到小芳家看看,自己走到教室去安排五、六年级的学生自习。下午,张老师回来了,说是小芳没有回家。王校长这下急了,这孩子会去哪里呢?他让张老师好好找找,看小芳留下什么没有。张老师找了一会,没找到啥东西。张老师说,会不会是那些人趁我们不注意把小芳抢走了。王校长摇摇头,说,那也会有动静的。王校长让他再好好找找,他说小芳这孩子很懂事,她不会一声不响就走的。张老师想起昨天让学生做的作文,连忙去翻作文本。果然在作文本里找到了小芳留下的纸条。她在纸条上说,她到城里去了,她再不能留在学校给王校长和张老师添麻烦了。她说张老师为了保护自己挨了那些人打,流了那么多血,她心里十分难受。她一离开学校,那些人就不会再到学校找麻烦了。她还说,她把书本都带走了,她会抽时间学习的。她让学校不要去找她,她会永远记住老师和校长的。王校长拿纸的手微微发抖,站在窗前,重重地叹了一口气,说了一句,这孩子……再也说不下去了,两行泪水悄悄从他的眼眶边往下掉。

过了一会，他回过头说，一定要把小芳找回来，一定要把小芳找回来。张老师点点头，说，我去找，城里我有认识的人。王校长点点头，拉住张老师的手说，张老师，小芳是信不过我们才走的呀，我们一定要把她找回来，我们一定要保护好她，让她把书读下去。你说呢？张老师点点头说，王校长，你都已经做出了那么大的牺牲，我还有什么说的。我一定把小芳找回来！

秀梅那天送张老师到村口，让他一定要把小芳找回来。

张老师到了城里，找到了过去的一位同学，人家一听他是为找一个学生而来的，就很感动，答应帮忙。朋友为他印了很多寻人启事，张老师就在城里四处张贴。朋友让他在家里等，说是小芳看到寻人启事就会找来的。张老师哪里坐得住，大街小巷到处问到处找，每天回到朋友家，累得精疲力竭，连说话的力气也没有。朋友说，一般乡下来的女孩，到城里无非是给人家当保姆，那她就会每天上街买菜，照理会看到这些寻人启事的。她看到了寻人启事不来，说明她不想回去。这事看来还真有点麻烦。张老师低头不说话，第二天天一亮，又出去了。朋友说，真没见过像你们这样当老师的。

张老师每天一清早在各个菜场转，总不见小芳的影。朋友给他出了个主意。让去电视台做一个寻人广告。张老师犹豫了一下，问做一个广告要多少钱。朋友说，既然要找人，就不要问多少钱了。他塞给他钱，让他去电视台。电视台的同志很热心，表示这样的寻人启事不收钱。张老师很感激，给他们深深鞠了一个躬。当天晚上，寻人的广告就播出来了，一连播了好几遍。张老师在朋友家的电视里看到了广告，他想，小芳如果在这个城市，一定也会看到了，那么她一定会找来的。第二天一早，他就去了电视台打听情况。电视台的同志让他耐心等几天，他们说，他们把这个广告放在黄金时间播，那个时间收视率是很高的。她只要在这个城市，根据她跟你们的关系，她是应该找来的。现在有两种可能，一是她不在这个城市，二是她怕见你。张老师低着头不说话，一个劲地掉眼泪。电视台的同志见他这样，十分同情，商量了一阵，决定让张老师上镜头，让他在镜头里呼唤小芳，这样效果会更好一些。他们让张老师先试一下镜头，张老师刚开口喊了一声“小芳”，眼泪就断了线似的流下来，他一边说一边流眼泪，好几个地方都说不下去了，很让人感动，电视台的同志都流了眼泪。本来只是想试试镜头，但大家觉得这样的效果很好，就往外播了。电视一播，在社会上引起了强烈反响，许多人打电话到电视台，表示了对张老师的慰问，还有人找到了电视台，了解详细情况，帮着一起找小芳。连市里的领导也知道了这件事，亲自跑到电视台对张老师和王校长这种爱护学生的行为表示感谢，表示一定帮他们找到小芳。

小芳就在那个城市。她在一家人家里当保姆。那天她上街买菜，见到了那张寻人启事。回到屋里，蒙着被子哭了好半天，把做饭也耽误了。那家人夫妻俩都是教师。男的在一个大学里教书，女的是一个中学的校长，他们见小芳的眼红红的，以为小芳想家了，就说过了这一阵，等他们把手头的活忙过了，就可以抽时间自己做饭，让小芳回家去看看。

几天后，小芳看到了电视上的寻人启事，又偷偷哭了一场。过了几天，又看到了张老师在电视里哭着找自己，又偷偷地哭。一个人走到电视台，在门口徘徊了半天，却不敢进去。那天吃晚饭，电视上又播张老师寻人的那个镜头，小芳开始只是把头埋在饭碗里，后来忍不住放下碗跑到自己屋里哭，女校长见这种情况，跟了进去，问小芳出了什么事。小芳开始不说，女校长说，小芳，有什么事对阿姨讲，阿姨会帮助你的。小芳抬起头，张着泪眼，"哗"一声扑在女校长身上，把事情的前前后后说了。

小芳说完，张着泪眼，问，阿姨，你说我该怎么办呀？女校长看看她，说，小芳，阿姨会帮助你的。现在应该先告诉你们的张老师，让他知道你在我们这里。别的，等张老师来了，我们一起商量。小芳点点头，泪水一个劲地往下流。

女校长立即给电视台打了一个电话，告诉他们小芳在她家里。第二天，她就陪着小芳去了电视台。小芳一见张老师，一下扑了过去。张老师搂着她说，小芳，我们大家都想你呀。你要跟我回去，有王校长，有学校，不会叫你受罪的。小芳只是哭，一句话也说不出。

大家商量了一个办法，由电视台送张老师和小芳回去，并向社会呼吁，帮助小芳。电视台的领导说，我们准备对王家沟村小学进行重点报道，抓住这个典型，认真宣传，掀起一股尊师重教的热潮。并且让社会谴责买卖婚姻，谴责残害少年儿童，对违法乱纪的行为，要绳之以法。电视台派了一位记者跟张老师一起到王家沟村小学。那位女校长特地买了许多东西送给小芳，她让小芳回去一定好好学习，以后到他们学校上中学。她还要张老师代她向王校长问好，说她一定去王家沟村小学，向王校长学习。

走的那天，市里主管教育的一位书记也来送行。书记握着张老师的手说，谢谢你们，谢谢你们，请你转告我对王校长的敬意。书记说，学生是受法律保护的，教育是社会、人民的大业，各方面都要支持。张老师握着书记的手，激动得一句话也说不出来。

王校长知道小芳今天回学校，提前将学生集中在操场上，欢迎小芳回来。汽车刚停在学校操场上，小芳立即从车里蹦出来，扑到王校长身上，刚叫了一声王校长，就泣不成声了。王校长摸着她的头，连声说，回来了就好，回来了就好。他的眼睛眯成一条缝，被泪水糊住了。

王校长要送小芳回家，小芳不愿回家。王校长说，孩子，我送你回去，你爹妈再不会为难你了，我已经跟他们说好，他们答应让你继续上学，欠人家的钱已经还掉了，再也不会有人来找我们麻烦了。少年儿童受国家法律保护，有钱难道就可以犯法？小芳抬头看着王校长，刚要张嘴说什么，眼泪就掉下来了，一下扑在王校长身上，浑身发抖。

那位记者在王家沟村采访了十多天，文章很快在报上登出来了。乡文教站主任拿着一大沓报纸兴冲冲来到学校，老远就喊，王校长，你们上了报纸了，快来看。王校长接过报纸，刚看了开头，就木愣愣地站在那里，潸然泪下。乡文教站主任叹了口气说，总算熬出了头。王校长将报纸交到他手里，抬头望了望天，他拉着文教站主任的手说，我有事找你。

王校长对文教站主任说，天快入冬了，今年再不能让学生在冷风里上课了。文教站主任说，你要我干啥你就直说。王校长说，我知道你也难，心有余而力不足。你给我们到上边去催催，看那笔奖金什么时候能发下来。文教站主任迷茫地看了看他，欲言又止。王校长看出了一点苗头，想问什么，又把话咽进了肚。后来，文教站主任终于忍不住，说出了真相。乡文教站主任告诉他，这笔奖金上边早就发下来了，而且是好几千元，还专门给他和张老师每人奖了一千元。可乡里有领导说，这么多的钱不能装入个人腰包，就把这钱扣下了。文教站主任说，这钱上边指定是奖给王家沟村小学的。乡里有领导说，县里是县里，我们有我们的具体情况嘛。这钱就一直扣着，乡文教站主任催过几次，乡领导说，这钱乡里有统一安排。后来听说，乡里把这钱用来还欠饭店的账了。王校长听了，一言不发，眼睛里有一团火在转。文教站主任劝他忍一忍，胳膊拧不过大腿。王校长仍然没一句话，牙齿紧紧咬着嘴唇，一股血从牙缝中渗出来。文教站主任说，为小芳的事，你把人家得罪了，人家能让你有好日子过？王校长抹抹嘴角的血，说，还得你帮我们一把，你先帮我弄点塑料纸来，把教室的窗糊起来，挡挡风。文教站主任说，你让我从哪弄那些塑料纸？他把手伸到裤子口袋里，好半天才抽出来，说，我这里还有几个钱，你先拿去用吧。王校长没接钱，说，你留着吧，我另想办法。

张老师听了这事，愤愤不平，说要到上边去告他们。王校长没说话。张老师说，王校长，你说一声，我立马就上县里去告他们。我不信就告不倒他们。王校长看了看张老师，轻声说，算了吧。张老师涨红了脸说，不能便宜了他们。王校长叹了口气，默默地走了。

王校长找了村里的保管，向他要些旧塑料纸。人家很痛快，但要他请客。王校长点点头，说，一定，一定。保管说，王校长，这回你拿了那么多奖金，可要好好请请了。王校长又点点头，一定一定。

为吃饭的事，王校长苦苦想了几宿，后来半夜回家，从鸡窝里抓了两只老母鸡，捧了一抱鸡蛋回了学校，老婆站在他身后不说话。第二天，让秀梅褪了毛，秀梅问来多少人，王校长说我也搞不清。秀梅把鸡煮了一大锅，把鸡杂碎炒了两个菜，看上去很好看，让人眼馋。王校长夸秀梅好手艺。

村里的干部差不多都来了，坐了满满一桌。村长也来了，他坐下就没说过话。有人看了看桌上的菜，说王校长，你拿了那么多奖金，就让我们吃这些？要没村里帮助，你这学校能办成这样吗？王校长嘿嘿笑着，让大家动筷子。有人说王校长不够意思。村长听不下去了，说你们倒是给学校上过一节课还是改过一本作业？就张口要吃这喝那的。大家看看村长，觉得村长今天有点气不顺，这才缄口了，就把筷子往菜盆里伸。村长的脸始终板着，大家就吃得很沉闷。保管嘴里一直嘟哝着，村长放下筷子，瞪了他一眼，说，怎么，喝了人家的血还嫌不够，还想把人家连骨头带肉一起吞了？保管斜着眼睛看着村长一眼，从盆里捞了一根鸡脖子啃。王校长只是劝别人吃，手里捏着的筷子并不往菜盆里伸。村长说，王校长，你自己也吃，你跟他们讲什么客气。王校长把筷子伸到盆里，捞了好一会捞了一根鸡肋，笑着看看大家，有滋有味地啃着。一盆鸡三下五除二差不多捞光了。王校长只是讪讪地笑，说以后还有机会，以后还有机会。保管把杯里的酒全倒进了嘴，说，王校长，你得拿出点硬货来，不要光给我们玩空头支票。王校长点着头说，自然，自然。他们吵着要王校长来现的。王校长开始坐着不动，可后来架不住他们闹，就把秀梅拉到门口，悄悄说了几句话，秀梅仍然站着不动，王校长就给她使眼色，让她快走。秀梅刚挪步。村长把秀梅叫住了，他从口袋里掏出十元钱放在桌子上，说，今天咱们蜻蜓吃尾巴，自吃自。人家王校长又不是地主老财，用得着来吃大户？要吃，就自个掏钱，让秀梅去买，你们要吃啥，让她去买啥。大家一下愣住了，瞪大眼睛看着村长。有人将手伸到口袋，要往外掏钱，王校长一见，连忙说，村长，大家难得聚在一起，图一个高兴。村长看看大家，说，今天大家都在这里，我给大家说一个实话，上头是给学校奖了钱，可这钱一分都没到学校，更没进王校长腰包，你们红嘴白牙的要吃这要喝那，可你们知道不，这鸡还是王校长连夜从家里的鸡窝里抓来的，你们还嫌人家不大气。我们这是在喝人家的血呀。大家面面相觑，说不知道事情是这样的，就觉得很对不住王校长。身上带钱的，悄悄掏出钱放在桌上。有人问这奖金究竟到哪里去了，村长挥挥手，吼道，你问我，我去问谁。大家见这种架势，就都低着头走了，王校长要拉大家多坐一会，可一个也没拉住。村长说，让他们走吧。村长回头看了一下桌子，转身也走了。王校长看着他们一个个都走了，蹲在门槛上，抱着头，呜呜地哭了。

小芳从城里回学校后，只回过一次家。又到了星期六，举行完降旗仪式，同学们就四散回去了。小芳站在操场的角上，看着别人回家，心里怪不是滋味。王校长走过来对她说，小芳，我送你回家。小芳看了看王校长，低下头，一句话也不说。王校长说，我那天到你家去了，我跟你爸妈说好了，今天我跟你一起回去。小芳一听，脸上露出了笑容。王校长让她回屋去拿东西。一会儿，小芳拿着东西出来了，站在操场上等王校长。

自从小芳出走后，对她爹妈的打击很大，王校长又上门做了工作，他们觉得这样逼着小芳嫁出去实在也说不过去，就把钱还给人家了。可家里的日子实在过不下去。这些情况，王校长也看在眼里，他一个人跑了许多地方，找了许多人，想给小芳家找一条生路。可他能找能说得上话的，都是些连自己也顾不上的人，哪有力量帮别人。后来，县中的那位女校长来王家沟村小学，说是来向王家沟村小学学习的。其实人家是支援他们来的，人家带来了许多图书，还有一些教具，这些东西在城里是不算啥，可在王家沟村小学，都成了宝。那位女校长还要王校长到他们学校去传经送宝。王校长连连摇手，说没啥好讲的。那位女校长说，以后我们两个学校结成对子，互相学习，取长补短。你们有什么需要我们帮助的，尽管说，我们一定尽力而为。王校长一听，高兴地说，那敢情好，那敢情好。就把小芳家里的情况说了。那位女校长一时也没啥好说，她没碰到过这样的事，一时还真拿不出办法来。后来，王校长说，小芳的爸腿不能走路，两只手还很利索，我们这里高粱多，我让他扎些高粱扫把，你们就把它买下，这样也算帮了他家的忙了。女校长一听，连声说，好，好，不仅我们学校可以买，我还可以跟城里的其他学校联系，这样，需求量不会小的。王校长很高兴，送走女校长后，专门去了小芳家，讲了这事，小芳爹妈抹着眼泪说，王校长，你真是我们家的救命恩人。王校长赶忙说，快别这样说，一个村里的人，乡里乡亲的，哪家没一个难，能渡过难关就好，这样小芳也能安心学习了，这比啥都强。

昨天，女校长带信来，说她在城里联系了好几个学校，他们都愿意买小芳家的扫把，过几天就来车拉。

王校长走路不大方便，小芳边走边等，两人走着说着，路就不觉得长了。太阳刚从山顶上滚下去，就到了小芳家。

小芳娘见王校长送小芳回来，心里十分高兴。手忙脚乱地不知该做啥好。小芳爹正在门口扎扫把，屋里已经堆了许多扫把。王校长拿起扫把看看，扫把扎得很结实。乡里人实诚，做事向来是实实在在的。他把女校长捎来的话告诉了小芳爹，小芳爹听了，用手抹了几把脸，鼻涕眼泪一起抹了下来。他要站起来，可挣扎了几下，起不来，王校长连忙过去扶他。他一把抓住王校长的胳膊，跪在王校长面前，流着泪说，王校长，你是我们家的救命恩人，我们全家下辈子做牛做马，也要报答你的恩情。王校长连忙将他扶起来，说，小芳爹，你这样说，我受不起呀。乡里乡亲的，别说这些了。今天小芳回来了，我们都该高兴呀。

小芳娘要杀鸡，王校长硬不让，小芳娘说，不要说吃一只鸡，就是吃天上的天鹅，你王校长也该。王校长说，都是一个村的，我又是小芳的老师，你们就不要把我当外人了，家里有啥就吃啥。小芳爹还是不依，小芳娘就在院里把鸡撵得哇哇乱叫。王校长站起身说，你们要我多坐一会说说话，就听我的，你们硬要杀鸡，我就坐不住了。他们这才息手。

那天晚上吃的是苞谷菜团团，热腾腾的，苞谷磨得太粗，没去皮，嚼在嘴里毛拉拉的，菜也都是些老叶，茎茎拉拉，很有嚼头。一家人吃得很香。小芳的弟弟连头也不抬，一个劲地啃。

吃完饭，王校长要走，小芳的爹妈要留他住下，说天黑不好走，王校长说，这山里路，走了大半辈子，闭着眼也能走到的。小芳爹妈才不留。临走，小芳娘让小芳给王校长鞠躬，说王校长是你的救命恩人，以后你可以忘了我们当爹妈的，可不能忘了王校长。小芳点点头，恭恭敬敬地对着王校长鞠了一个躬。

第二天，城里果然来车拉扫把，王校长因为要上课，叫小芳领他们上家去。当时就付了钱，小芳回来对王校长说，她爸拿到钱的时候，激动得眼泪都掉了下来。王校长对小芳说，将来长大了，好好孝敬他们。

入冬前，山里又下了几场雨，把村里的一些房子压塌了。邻村几所小学的教室也被压塌了。王家沟小学抢在雨来之前将教室修过，所以没啥损失，可以照常上课。

雨停后的第三天，乡文教站主任急匆匆来到王家沟村小学，说这场雨下得真要人的命。王校长知道他是指雨把几个学校的教室压塌这事。赶忙问现在情况怎样。文教站主任说，还能怎么样，教室也没了，老师也住进了医院。那些娃娃又像羊群一样散得满山坡都是。文教站主任叹了一口气，为了拉这些散在山梁上的孩子进学校门，他费了多少劲！王校长看着他，不知该说什么才好。乡文教站主任说，王校长，我今天是来跟你商量事的。再怎么样，也不能让这些孩子没有书念。我想把陈家后洼小学的几十个娃分到你这里，他们离你们这近，你就把这些娃收下吧。乡文教站主任的眼睛一动不动地看着王校长。王校长不假思索地说，这还要商量啥，你让他们来好了。只要你当主任的信得过我们，我还能说什么。乡文教站主任拉着他的手，说，王校长，我知道你会这样说的。我知道你们也有困难，但我只能找你。我代表这些娃，谢谢你了。王校长连忙说，别说这些见外的话了，快让娃们来吧。两人又商量了学生来后吃住的事。王校长说，吃不成问题，多添几十双筷子，这住嘛……他的话还没说完，乡文教站主任连忙说，我知道你有困难，看有没有解决的办法。王校长想了想说，这样吧，我跟张老师住到学生屋里去，这样就腾出了一间屋，可以住十几个男娃娃。文教站主任点点头。王校长问有几个女娃？乡文教站主任说，也有七八个。王校长的手摸摸后脑勺，说，这样吧，秀梅这些日子也一直住在学校，就让这些女娃跟秀梅住一个屋吧。两人去看了看住的地方，看完，乡文教站主任就走了。临走说，明天我就把这些娃带来。王校长点点头，说，我们今天准备准备，明天开一个欢迎会。乡文教站主任说，还是你想得周到。

乡文教站主任刚走到操场边，王校长把他叫住了，说明天他去接那些孩子。乡文教站主任愣了一下，立刻恍然大悟，攥着王校长的手说，王校长，有你这样的人在，有再大的困难，我也不怕。王校长嘿嘿笑笑，说，看你说的，我有啥能耐？

第二天，王校长把陈家后洼二十多个娃接了过来，王家沟村小学一下热闹了许多，下午开了个欢迎会，两个学校的娃娃都站起来唱了歌，就不分彼此了。王校长对着花名册清点了一下人数，得知有几个学生受了伤还住在医院。那天中午，他赶到乡医院看了那几个受伤的学生。学生见王校长来看自己，激动得流下了泪水。他们要王校长去找医生，让他们出院，他们要跟王校长去上学。王校长劝他们安心养病，等他们病好了一定接他们去上学。学生们一个劲地抹眼泪，说这样会脱课的。王校长对着他们看了好一会，说，这样吧，从现在起，我每天晚上来给你们补课。几个学生你看看我我看着你，眼泪断线似的从他们的脸上往下淌。

张老师听说王校长要每晚去给住在医院里的学生补课，就要自己代他去。王校长说，你就忙你自己的事去吧，这事不用你操心。张老师和秀梅最近要结婚。秀梅的父母在王校长的工作下，终于想通了，不出来作梗了。张老师说，也没啥好准备的。王校长说，要办得热热闹闹的，把周围几个村的民办老师能请的都请来，让别人看看，我们当民办的不仅能娶到媳妇，还能娶到好媳妇。张老师看着王校长，点点头，脸涨得通红。

从王家沟村小学到乡医院有十几里路，每次上完课回到学校已经半夜了。张老师就要换他去。王校长说，我已经教了一阵，熟悉他们的情况，你就不要和我争了。张老师见说不通，就让他早上多睡一会，晚一点起床。他摇摇头，说，再有事，也不能不参加升旗仪式。张老师内心受到极大的震动，他看看王校长，又看看飘在空中的红旗，心里升腾起一股激情。

那天，吃过晚饭，王校长在凳上坐了好大一会才起来。张老师知道他这几天病了，让他今天不要去医院补课了。他摇摇头说，我昨天跟他们讲好了，今天给他们考试，谁考好了，我要给他们奖励。张老师说，反正是考试，我代你去。王校长摇摇头说，因为是考试，更要我自己去。我要看着他们答题。张老师曾听王校长讲过，一个当老师的，看到自己教出来的学生拿着笔在纸上唰唰地答题，那比啥都高兴。张老师想了想说，那我陪你一起去。王校长笑笑说，我又不是三岁小孩。张老师将他送到操场，让他早点回来。王校长回过头，看了他一会，说，你今天怎么啦？张老师转过身，头也不回地走到教室。隔着塑料纸，目送着他消失在山梁上。

那一夜，王校长没有回来。张老师半夜里把他从山梁上背下来的时候，他已经停止呼吸好长时间了。后来医生说是突发性心脏病，造成心肌梗塞。张老师说，我跟他在一起那么多年，没听他说过有心脏病。医生说，这个诊断是不会有错的。后来张老师忙里偷闲看了几本医书，确信医生的诊断没有错。只怪自己太粗心了，其实王校长心脏病的症状是很明显很典型的，可他自己从来没说过啥。有几次张老师看到他张着嘴喘粗气，没当一回事，他自己也没说，就这样过去了。

王校长出殡那天，四乡八村的人都来了。那天的太阳很大，天气格外暖和。山里冬天的太阳平时总是蔫不拉叽的。人们说，这太阳是专为王校长张脸的。乡文教站主任拿来了一面崭新的国旗，要盖在王校长身上。有人拦住了，说王校长连个党员也不是，让他别胡来。乡文教站主任不理不睬，自顾自地把那面国旗盖在了王校长身上。大家的眼光都落到王校长身上。王校长显得十分安详，像是太累了刚睡一样。

三年后，小芳从城里回到王家沟村小学当了一名民办教师，同时考上了市教师进修学校中师函授班。有人觉得太可惜了，说是像小芳这样好的成绩，应该上高中，将来考大学。小芳说，王校长当了一辈子民办教师，我也要当王校长那样的老师。小芳那天从城里回来，先去了王校长的坟地，在那里坐了好长时间，对着王校长说了许多话，可谁也不知道她对王校长说了些什么。

开学第一天，小芳将学生带到王校长的坟头，告诉他们：这里躺着一个好人，是他让我懂得了什么是祖国，什么是红旗；他教我们要爱祖国，爱红旗，他还教会了我写“人”字。小芳拿起一根树枝，在坟头前写了一个大大的“人”字。学生问，里面的爷爷会不会说话？小芳点点头，学生就说要老爷爷说话。小芳看了看天，指了指天上，说，你们听，老爷爷在上面对我们说话呢。学生仰起头，侧着耳朵听，只听到天空中哗啦啦旗子飘动的声音，声音很响很有力。学生的脸上漾开一种迷惑不解的神情，他们转过脸对小芳说，老师，我们怎么听不到老爷爷的声音？小芳笑笑说，你们刚来，听不明白，时间长了，你们就会听明白的。学生们似懂非懂地点点头，仰起脸，对着天上的红旗看。这时红旗的影子正好落在他们身上，他们的脸蛋显得格外红艳。

（选自《飞天》1997 年第 6 期）

施祥生

1942 年 8 月出生于上海。曾在新疆兵团农一师党校任教。长期从事教育工作。六十年代初开始文学创作，已发表小说、散文、报告文学二百余万字。小说《寻找徐老师》获“全国多金杯短篇小说大奖赛”二等奖，《离婚》《生日礼物》被编入《中国当代小说精品库》。作品多次被转载。

子 规

章世添

一

李小娟提着箱子，左冲右突，就是杀不出人的重围。人们常说，最拥挤不堪的莫过于车站，果不其然！重庆火车站在全国是不是首屈一指呢？拼命抓计划生育，人口还是在疯长，又穷人口又多，这种民族的失误，何时能让民族自身感悟呀？李小娟放下箱子，气喘吁吁，不，在无力地娇喘着。她在心里暗暗责备自己：八年前从家里出来，南下打工，也是在水泄不通的人群里钻来钻去，游刃有余，灵活得像一条小泥鳅，哪有这等娇贵！朋友们劝她乘飞机，说，乘飞机的人毕竟少，下了飞机打的，多高贵多潇洒！坐火车上车挤、车上挤、下车挤，一位如花似玉的靓女，挤压成一块人饼叫多少人掉泪！李小娟说，我晓得坐火车苦，但是我不是告老还乡，荣宗耀祖，摆阔。我是打工妹回老家，出来能吃得了苦，回去为什么就不能吃苦？坐火车还说受苦，过去没有公路铁路，出行走路骑马，那不是更苦吗？朋友们深知李小娟的性格，也不再多劝，只是坚持给她买了一张硬卧票，而不是硬座。

就是有了硬卧，一路上受的罪，也是苦不堪言。别的不说，光没有水喝，焦渴得嘴唇起泡，就折磨得你后悔不迭。想想在南方城市，时时被人呵护着，喝的是高级饮料和茶水，两相比较，才知道什么是富贵和舒适、什么是贫困和劳苦！李小娟认为自己虽不是什么哲学家、思想家，但她自认为有朴素的、符合上苍和天意的认识！只有从贫穷劳苦中走过来的人，他享受富贵和舒适，才不会骄奢淫逸。

望着拥挤的人群，李小娟忽然想起朋友们常常扯到的“目中无人”的话。中国人少教养，那“目中无人”也是一绝，今天何不一试？想到这里，李小娟提起箱子，咬着嘴唇，假闭着眼，迈开步大脚踹过去，她心里很紧张，尖着耳在谛听，是不是有人惊叫、怒骂？没有！她睁大眼一看，原来人们对她这种旁若无人地横冲直闯，纷纷退避，这“目中无人”果然奇效！咳，中国人呀中国人，为何这般欺软怕横、欺善怕恶呢？

退让的人起先是怕，转而是奇，继而是各色各样复杂的目光。他们怕踹，不得不让路，但每人都在心里骂一句最难听最讨厌的话，待抬头一看是一位打扮高贵、气度不凡的年轻女子，心里不免一咯噔，这女子有来头！再瞧一眼：光艳照人！羡慕的、贪婪的、惊讶的，一个个丢了魂似的。一大片黑压压的人群，一刹那分开一条通道，就像欢迎英吉利女皇。李小娟心里好不得意，她昂首挺胸，几年来在南方各种社交场合学来的那一套本事，被她淋漓尽致地表现出来。

李小娟这里正暗自得意呢，一个土气十足的男子，急煎煎跑到她面前："娟妹子，接你晚了，对不起，对不起……"

顿时，人们的目光从疑惑变成鄙夷，那让开的道马上又合了拢。好在他们也出了重围！

这男子接过李小娟的箱子，将她引到车站外一个破场子上，那里停着外地货车或拉客的车。他们走到一辆旧吉普前，那男子开了车门，放好箱子，叫李小娟上车，一边满脸的愧色：

"娟妹子，委屈你了，我知道你在那边坐的都是小轿车，真不好意思。"

李小娟很放松很舒适很惬意地坐在车上，两手拍拍坐垫，笑道："哎呀，家乡人怎么说这样见外话呢。这车是租的吗?"

"不是，咱村里的。"男子答。

"不错嘛，过去县长、县委书记才有得坐吉普车呢，现在你们村长村委也成了县太爷啦，也坐上吉普啦。"李小娟说得很真诚，绝没有半点揶揄的意思。在南方那个城市，本田、凌志、奔驰、林肯、宝马，哪种高档轿车她没坐过，但她今天坐的是自己村的吉普车，不是旧时代的滑竿和轿子，这就是变化，这就是进步呀！

车上路了，李小娟谈兴很浓，问这问那，那男子只是嗯嗯着，刚见面时那欢快的情绪没有了，陡然间变成一个木讷、沉默寡言的人。他叫李克斌，四十多岁年纪，李家堰村副村长。村长叫李大基。李小娟回来之前，和村长通了好几次电话，她是回家乡搞投资的，李克斌来接她，这在电话里也是讲好了的。

还没离家时，李小娟就知道李克斌的性格，一天到晚砸不出几句话，想到这里，她顿时失去了聊天的兴趣，而几天来一路上的劳累困顿，也袭了上来，她合上双眼，让自己很宽松地休息一下。

二

李家堰距重庆二百多公里，是个贫穷荒寂的小村落。李小娟因为是回来投资的，村干部说什么也要给她接风洗尘，她跟父母兄妹还没谈上几句话，就被拉走了。

回到萦思梦想的家乡，她多么希望家乡出现奇迹般的变化呀。可是，车子一进村，扑面而来的依然是七八年前那样低矮破旧的房屋，见到的依然是一张张淡漠的没有生气的灰灰的面庞。她心里不由一阵颤动。虽然家里人、村干部，给她的信中，多次叙述了家乡的贫穷和困顿，但她万万没有想到，家乡竟穷到如此地步。穷并不可怕，可怕的是对贫穷的麻木！她不敢注视那麻木的眼神，那灰灰的面庞。不敢和熟人打招呼。她低着头从村中走过，让村干部领进了一个酒家。

这酒家和城里一样，蒙着白布的酒桌，高靠背椅，摆得整整齐齐的玻璃酒杯，还有牙签之类。虽然只有几十户的小山村，酒家却有二三处。菜也是一道一道地上，不像过去摆好了满满的一桌。还有拼盘！这些菜自然都是到城里采办的。村干部们吃兴甚浓，而且满口子流行话。第一道菜是油炸全鲢，那鱼如活的一般，不是躺在盘上，而是作竖游状，两旁是红萝卜青椒陪衬装饰，大红大绿很抢眼，还撒了香菜。菜盘子刚落桌，有人想动筷，村长李大基一手擎杯，一手按住大家，道：

“这第一道菜，是鲢鱼，取年年有余的意思，我李大基无德无能，没能耐领大伙奔小康，但我还祝各位年年有余，干！”

“对对，年年有余，干！”大伙七嘴八舌，纷纷嚷道。顿时杯声四起，离座干了第一杯。李小娟不喜欢喝白酒，但不好拂了大家的兴致，也满脸笑容、很高兴地喝干了酒，向大家亮了杯底。

“娟妹子，好酒量！好酒量！”有几个人又嚷嚷道。

“小娟同志，不忘家乡人，专程回来投资，改变咱李家堰村贫困面貌，这是看得起我们在座的各位干部，看得起父老兄弟。”李大基举着筷子，说。

“对对！”众人附和。

李大基用筷子在两只鱼眼上一旋，让鱼眼朝天，道：“这叫高看一眼，从今以后，李小娟同志对在座的、对咱全村，要高看一眼啦，你是见过大世面的人，我们全仰仗你了，我敬你一杯！”说罢，李大基自己先干了。

李小娟暗自吃了一惊，李大基在部队混过，在城里干过包工头，花花肠子多。这几年李小娟有过多少应酬，见过多少社交场面，喝酒对她来说是不当一回事的。她回家乡是来投资，不是赴宴喝酒，但今晚看这架势，她要动一些心思了。心里这么想着，嘴上不吐一句话，依然笑吟吟地，举起杯很豪气地干了。“谢谢，李村长言重了，李村长言重了。”

李大基并不去理会对方，用筷子撬开两鳃，道：“这叫改革开放，李小娟同志回家乡，推动我们村改革开放，我们村今后就要出现一个新局面，来，为开创这个新局面，干！”

“对！为新局面，干！”

李大基用筷子从鱼头往后抹压鱼鳞，一边说：“这叫理顺关系，李小娟同志来投资办企业，从村到乡，到县上，都要理好关系，什么工商税务，都要打好交道，大家一定同心协力。和李小娟同志一道，把企业办得红红火火。”

“对，这话说得好！在李村长带领下，干得红红火火！”大伙一迭声地嚷叫，李小娟微笑着，那眉梢轻轻地拧了一下。

李大基最后把背鳍挑起来，筷子夹着尾鳍左右摆动，大伙忙嚷道："老大，最后这一道，留给我们来说好不好？"

"对对，我们也猜猜，说得对不对。"

"让娟妹子先说，她见多识广，肯定说得好。"有人提议。

"不错不错，娟妹子先说。"大伙又连声附和。

"不不，我对此一窍不通。"李小娟慌忙推让。

于是有人说，那尾鳍不是舵吗？远行靠舵手！

"你找死哟，大海航行靠舵手，全国只有一个舵手，你想篡党夺权？"

"对对，不能讲舵手。背鳍直，立场坚定，尾鳍是舵，方向明！"有人又说道。

"搞改革开放，又不是搞阶级斗争。要什么立场呀？"

"做生意也要立场嘛，不能吃里爬外。"

李大基见大伙争得也差不多了，便笑道："这些话，我是从北边学回来的，他们每说一道，大伙都得灌几大碗酒。"

"爱灌尿，就出这种穷酸招儿。"有人道。

"刚才大伙说得也有道理，他们说得更好，符合现代精神，叫乘风破浪，胜利前进！"

"好一个乘胜前进！这话大吉大利！"大伙喝一声彩，不待李大基叫声干，自个儿纷纷夺过酒壶，斟了就喝，有的连饮三四杯。李小娟在心里低低叹喟：这些酒徒，如此好饮，还有多少心思放在乡亲们身上，又如何能带大家脱贫奔小康。她注意到，内中只有副村长李克斌，不跟别人一起起哄，只顾自己低头喝酒。

上过几道菜，喝了几瓶白酒，村干部们向李小娟打听，外面世界如何精彩。李小娟避而不答，有意把话题引到投资上来。他们好像约好了似的，一讲到投资，马上把话岔开。李小娟也隐隐约约听出来，他们关心的是她拿回来多少钱。

他们葫芦里卖的什么药？拨的什么算盘？李小娟心里好生烦恼和纳闷。李大基佯装醉眼蒙眬，悄悄瞟了瞟李小娟，道：

"小娟同志，我们有的是时间，今晚不谈工作，喝酒，高兴高兴。"

"对，高兴高兴！"

这一高兴，闹腾到十点多才结束。

三

走过了一道山梁又一道山梁，蹚过了一条溪谷又一条溪谷。这李家堰，方圆二十几里，又是地处高山上，往前一看，眼前一望无边的茫茫云海，宛如波浪翻滚的无垠大湖。李家堰就像拦湖堤岸，是不是因此而得名呢？李小娟听人说过。从前李家堰青山绿水，两个人抱不拢的参天古树比比皆是，“大跃进”大炼钢铁，树砍光了，水干枯了。后来几起几落，种了砍，砍了种，李小娟走时，东一丛西一丛的松杉竹林，像瘌痢头似的，终不能成气候。村干部在给她的信中，一再说，这几年山林长势很好，毛竹资源丰富，发展竹编工艺品，大有前途。这也正合李小娟的想法。那天晚上吃饭，李小娟多么希望村干部们谈谈正经话题，把事情落实一下。李大基一句“不谈工作”，大伙也跟着起哄“放松”，李小娟只得忍了。

第二天李小娟去找村干部，他们一个个还烂醉未醒。

第三天李大基才让李克斌带了李小娟，到山上转转，让她看了再说。

山道弯弯，崎岖不平，不是大城市林荫小道。李小娟虽然换了一双登山鞋，脚还是磨出了血泡，她实在撑不住了，在路旁一块鼓形石头上坐下来。

“老李，歇一会儿吧。”李小娟叫道，心里说：好你个李克斌，你是哑巴吧，一路上怎么一言不发呢？说说话，轻松轻松，也能解解乏吧。

那李克斌也找块石头坐了，东张西望，不晓得在看什么。

“老李，林毁水枯，山地贫瘠，山林怎么长呀？”李小娟道。

“嗯。”李克斌不置可否，随便点了下头。

“老李，我们走了不少路了，还没看到大片竹林，怎么回事呀？”李小娟又道。

“有的有的，再过一个山梁。”李克斌道。

“真的？”李小娟眼睛亮了起来，忘了脚上的疼痛，“那不歇了，走吧。”

过了一个山头，站在山梁上，果然看到深深峡谷里一大片茂密的竹林，大约有二三百亩的样子，那竹子最小的也有茶杯那么粗，李小娟不禁惊喜地“哇”了一声。

山风过处，竹林飒飒作响，那响声不同林涛，如窃窃私语，轻柔缥缈。

“有这一片竹林，我们的生产线就有了靠山。”李小娟仿佛融进了如诗如画的美妙前景里了。

“这些山林都承包了。”李克斌冷不防冒出一句。

“什么？个人承包了？”李小娟想，你这个李克斌，真是不鸣则已，一鸣惊人。一路上为啥不早说呢。不，是你李小娟犯傻了，农村包产到户，山林承包，这在情理之中。几年城市生活，你疏远了农村，没有深入调查，凭主观臆断，哪能不出纰漏！难道你自己想不到这一层？

“村里没有留一点？”李小娟抱一丝侥幸，急切地望着李克斌。

“没有。”

村里没有竹林，竹林都是个人的，那你们这些村干部还叫我回来投资，和村里联合开发竹编生产，这不是在骗人吗？引人上当吗？原来你一路上不吭声，是心中有鬼。李小娟真想冲李克斌痛斥一顿。但她马上冷静下来了，她毕竟不是八年前的李小娟，生意场上虚虚实实、千变万化、刀光剑影，她见多了。个人承包拥有竹林，你难道就不能跟这些农民联合开发，那也是符合发展乡镇企业政策，村干部对你何骗之有？

“好吧，咱们回去吧。”李小娟说。

终于开始谈判。

村长、支部书记、村委，全部到齐。村长李大基说，像这样倾巢而出，在李家堰还是第一次，足见对李小娟回家乡投资办企业的重视。李大基说了不少欢迎感谢的话，然后叫大家献策，如何合作，开发哪些项目。

于是，大家争先发言。发言之前，对李小娟先表示欢迎和感谢。他们说得非常真诚，说李家堰太穷了，大家穷怕了，李小娟帮乡亲们脱贫致富，功德无量。他们有的建议买车跑运输，有的建议生产塑料制品，有的说搞人工栽培香菇、木耳，有的主张搞石材生意，就是没有人提到竹编生产。而且话中都旁敲侧击，刺探李小娟能拿出多少资金。李小娟还从他们的话语中听出一个意思：最好李小娟把钱交给他们，至于办什么企业，让他们去张罗，李小娟等着分红分利好了，省了许多心。都是乡里乡亲，难道信不过他们？

李小娟听得很认真，很仔细，从不插一句话。她心里暗自惊诧，以为家乡偏僻，山村人纯朴敦厚。她可是小看人了，时代和潮流也在冲刷着这一片土地。

大家都说完了，睁大了眼，齐刷刷地瞧住李小娟。是的，该是投资者表态了。

“搞运输？咱们村有什么货物往外贩运呀？”李小娟问道。

李大基绷得很紧的神经松弛了，这样的问话，太容易对付，他哈哈一笑，道：“小娟同志，隔行如隔山，可能你打交道的都是大买卖大生意，对这运输，不甚知情。我们成立了运输队，到城里替建筑队拉钢材水泥，运土方沙石，替公司运货，哪会在自己村里跑呀。”

“是呀是呀。”众人也连连点头称是，也跟李大基一样，心头一阵轻松。从自己村出去的妹子，就算混了几年，能有多厉害呢！

“那塑料厂怎么个办法？原料从哪里来？水电怎么解决？产品销路呢？”李小娟又问。

“原料一点也不成问题，城里人买什么东西都用塑料袋装，那袋子提回家就扔，捡破烂的一天不晓能捡多少。咱们不生产大家伙，向捡破烂的收购这些东西，回炉再生产，成本低，见效快。”一个管生产的村委抢着说。

“电可以到乡里去拉。”李大基抽着烟，补充说明道。

“搞香菇栽培，咱们村有这个自然条件？还有石材，去哪里开采？卖给谁？”李小娟问，那探询的目光，从在座的几个人脸上移过。

“哎呀，娟妹子，你可是对咱们家乡生疏了。”大伙七嘴八舌，纷纷回道：“四川的香菇，在外名气可大了，都是人工栽培。还有石材，四川的石头很有名，福建、广东都跑来购货，运回去加工成花岗石石板，出口日本，那狗日的特别喜欢四川黑色花岗石，好价钱呢。”

李大基待大家嚷完了，及时把话题引回来：“小娟同志，发展乡镇企业，改革开放奔小康，路子很多，就是缺资金，有了钱哪门子打不出一个天下来！”是的，这才是问题的关键！

“对对！咱们村穷，就是没钱，这回全看你了。”大家又异口同声嚷道，又一次把目光齐刷刷落到李小娟身上。

李小娟沉思着，让人觉得她在非常认真地考虑大家的建议：“大家说的，不是没有道理，也不是说不可行。但是，搞什么都要跟市场情况联系起来。现在不是提倡发展市场经济吗，市场经济就是要了解市场需求和市场竞争。比如搞运输，目前建筑业很疲软，搞运输的又很多，我在南方城市，好几家大运输公司接连破产，司机回家自己跑单帮，或者开的士。还有石材，向日本的出口额不断缩减，有人转向阿拉伯国家。”李小娟又看了大家一眼，发现刚才还喜气洋洋的脸，突然阴郁起来，个个低头抽烟。满屋子乌烟瘴气，李小娟皱了皱眉：中国人什么毛病，离了烟就不能活命了。老外跟我们谈判，就怕我们抽烟。

看到李小娟皱眉，李大基也有点沉不住气。显然，李小娟对他们的建议，没有表现出兴趣。钱在人家手里，人家要是不感兴趣、不热心、不投资，合作开发岂不扯蛋了？

他们的心思，躲不过李小娟的目光，李小娟赶紧笑了笑，缓和一下气氛：“我还是在信上说过的意见，搞竹编生产。我们为什么不利用自己村的有利条件，因地制宜，发展优势呢?”李小娟说得很恳切，她不希望被人误解成救世主，将自己的意志凌驾于别人之上。发展竹编生产，她是经过一番认真调查考察和分析谋划的。竹编产品各地都有，倘若没有自己特色，没有优越的地方，其销路也是打不开。但世间的事物，没有永远不变的道理，她之所以坚持发展竹编生产，也是因为有了意外机遇。平时她经常替老总跟宾馆、酒楼订饭局，认识不少宾馆酒楼的老板，现在时髦送鲜花，竹篮上插郁金香、玫瑰、菊花之类，鲜活、高雅、漂亮。餐桌、房间摆了花篮，提高宾馆档次，又增加了收费。到医院探望病人，也不像过去那样，只有罐头水果食品，送花能给病人怡情。这竹篮突然找到了自己的市场。李小娟也不简单，把全市的竹篮供货全拿下来了。当然，竹篮毕竟是小产品，利薄。正好，李小娟又认识几位搞工艺美术品进出口生意的外商，她聪颖过人，建议厂家，把石雕、玉雕、漆器、瓷器，和竹编相配，或点缀，或作衬，相得益彰，提高价位。这些人十分赏识李小娟的建议，决定试产。李小娟也够大胆，自己的竹编厂还没影呢，竟和人家签了合同。她还签了竹制屏风、竹制茶几出口合同。李小娟不愧是李小娟，她十分清楚李家堰的农民，搞竹篮还对付得了，竹编工艺品绝对没门。所以她一签了合同，就用高薪聘请了几位工艺师。

这些情况李小娟还没说完，村干部们一个个早傻眼了。事情正如秃子头上的虱子，明摆着，李小娟在回乡之前，已经做了不少工作，她是一条道走到底，没有回头路了。不发展竹编生产，她跟那些人订的合同怎么交代？要搞竹编生产，李大基这一伙人私下打的如意算盘，全得泡汤。李大基十分恼怒，但又不便发作。说实在的，李小娟固然处事太急躁，但人家多次书信、长途电话，一再讲了这个事情，双方有口头协议，有书信为证。李大基对人家也满口应承，要不，人家怎么凭空去订合同呢。你李大基可以不履行，可以不搞竹编生产，李小娟照样也可以到别的村、别的地方找生产基地，找合作者。现在关键要留住李小娟，说穿了，要哄住她，要让她把钱交出来。要达到这个目的，就得妥协，就得做孙子。想到这里，李大基反而表现出很大度、很见过世面的样子，一边抽烟，一边推心置腹地说："小娟同志的建议，我个人十分赞同，她很有远见，已经做了不少工作了，我听了十分感动，我们大伙要大大感谢她。"他把烟摁了，"不过，有个情况我瞒了她，为什么瞒她，我担心说了她不回来，我这番苦心，小娟同志能不能体谅呢？瞒她什么？就是山林已经承包了，那竹林也承包了，没有竹林，竹编生产就没有原料，这个项目就拉不起来。"

村干部们互相耳语，口里说着："是呀是呀。"

李大基又点了一支烟，他等待着李小娟吃惊，然后生气，然后责备他们。这样，后面就有戏唱了。

李小娟知道李大基在用什么眼光注视她，她没有抬头，也很平静地说："承包没关系，让承包户用竹林入股吧。村里算一个股东，承包户一个股东，我方一个股东。无非我们双方各让一点利。"

李小娟的话一下子使他们瞠目结舌，半晌说不出话来。李大基默默想了一会，道："这办法自然也使得，不过，我私下了解过，农民缺钱花，那竹林没长大，早就卖了，跟城里人都订了合同了。"

这情况倒真让李小娟吃惊不小，这是她始料不及的。李克斌带她逛山地时，也只讲承包，没讲毛竹有主。

心里是翻江倒海，脸上是一湖平静秋水。这种带着欺瞒虚诈的事情，商海里屡见不鲜，但作为家乡人来对待她一片诚心，李小娟不由从心底萌生一丝悲凉。她还是不动声色，道："能不能从城里人手里回购呢？"

"买不起，买不起。"大伙说。

"到底什么价，我们可以算算成本。"李小娟坚持道。

"说出来吓煞你，一根茶杯粗的毛竹，要卖几十元，比杉木还贵。"李大基说。

"不可能吧，前不久我到农贸市场走了走，一根晾衣服的竹竿，也才一两元钱。"李小娟道。

"那不一样，"一个村委笑了，"毛竹是出口货，它可以搭棚，搭脚手架，工程队都得用的，很紧俏呢。"

这么说，这个项目就算完了？大家都沉默着，李小娟也不言语，她似乎在思考什么，李大基瞟了她一眼，赶紧笑道：“小娟同志，不能灰心吧，天无绝人之路。山林虽然承包了，村里还有一定自主权呢，我们做点工作，总得想出一个办法来。”

大家也附和道：“要想办法，要想办法。”其实他们心里明白：那办法想也得想，不想也得想，他们怎么能轻易让这条大鱼溜了呢。李大基却在心里冷笑：城里人好纸上谈兵，一根毛竹几十元，一个竹篮才几元？自然，搞成工艺品又另当别论。

“小娟同志，我们是不是多讨论几个项目呢？”李大基学乖巧了，用试探的语气说道。

“这个，我还没有考虑。”李小娟说，笑了笑，那笑有点苦涩。朋友们告诫她，投资开发项目，要短平快，切忌花大把资金搞基地搞设备。就说成立运输队吧，买了汽车，那保修就是一个窟窿。车是人开的，那些驾驶员你能控制得住？

李大基看看大家都说不出什么好主意了，再谈下去也不会有什么好结果，赶紧来个圆场收兵，道：“咱们慢慢再议，今晚我请客，请小娟同志。”

“对对，村长应该有个表示。”大伙情绪又高涨起来。

李小娟没有拒绝，她笑而不语，这种过场戏，或者说下台阶，是免不了的。

四

回到家里，夜已深了。李小娟经过父母门外时，尽量放轻脚步，她怕惊扰老人休息。

“啪，”父母房里的灯拉亮了，随即传出老人沙哑的声音：“小娟吗？”

“是我，爹。”李小娟心里很不安，她还是把老人惊动了。李小娟对老人很孝顺，那深厚的感情里，不仅仅只是亲情。

“进屋里坐坐吧。”她父亲道。

进到屋里，母亲已经睡了，父亲坐在床沿，桌上放着一壶茶，杯里的茶水还冒着热气。

“爹，你还没去睡？”李小娟愈加不安。

“等着你。喝喝茶吧，解酒。”老人说。

李小娟端起茶杯喝了几口，说：“爹，我没喝酒。”

“小娟，爹有句话不知当讲不当讲？”

“爹，你说吧。”李小娟道。她十分敬重自己的父亲，父亲虽然没有文化，但老人饱经沧桑，给她讲的话，说的道理，细细琢磨，虽然很浅显，很通俗，但却渗透着人生的哲理，你简直不敢相信这是出自一个乡村老人之口。

“小娟，兔子不吃窝边草，穷汉不赚乡亲钱，这么普通的道理，你都不明白？”老人很慈祥，但语气非常严肃。

“爹，孩儿怎么会不明白。”李小娟道，她有满腹的心里话，怎么跟老人说呀。

“既然明白，为什么还回来投资？乡亲的钱不能赚，那不是福，是祸。你出生得晚，没见过土改，远则亲，近则仇，什么事都离不开这个理。城里的事也是这样。资本家怎么划出来的？你爹解放前在重庆、成都打过工，解放后又参加过农村土改。小娟，你经的世面还不多，处处要多加小心。”老人说着，双眼早潮湿了。李小娟见老人这样，晓得老人一定心事很重，不然不会这等动情的。心里一紧，忍不住一阵哽咽，眼里也早已泪花闪闪。

“爹，孩儿心里非常清楚。孩儿回来投资哪里是为了赚钱。孩儿见村里穷，是为了帮助村里……”

“唉，小娟，你越大越糊涂，过去一些有钱人，也搞赈济，做善事，结果人们怎么说？理是在人的嘴里，是非曲直也是在人的嘴里，可以正着说，也可以反着说。什么天理良心，实事求是，那是你的想法呀。有的人落到杀头，还糊里糊涂，喊冤屈有什么用啊，你看的戏文少，你还不知道这里面的道理呀。”老人说得激动，连连咳嗽几声，李小娟把茶水递给老人，一边替老人捶着背。她十分愧疚，觉得是自己惹老人担忧。

“小娟，爹不是反对你回来投资。爹只是希望你做事多三思三思。你说你是为了帮乡亲发财致富，人家也可以说你是来榨乡亲的血。遇到宽容的人，也会说你赚了大钱，发了大财，乡亲们只是赚小钱，发小财。你能跟他们算细账吗？就算有人帮你算细账，他们还会说，你们是同伙，是合伙糊弄他们。小娟，说不清的呀！”

李小娟咬着嘴唇，没有吭声。你能说父亲的话不对吗？父亲的肺腑之言，不是轻易说出来的，她深深理解父亲的一片苦心。而她回来投资的苦衷，又怎么向父亲解释呢？又从何讲起呢？

这应该从八年前说起。

李小娟南下打工，走过南方几个省，去过沿海几个大城市。她发现，四川在外打工的人非常多，从北京、上海到福州、广州、深圳。几乎沿海所有的城市，凡需要人打工的地方，都有四川人。人们把这些打工的四川人，号称强大的川军。川军干的都是粗活、重活、脏活。因为他们大部分来自农村，没什么文化，也没什么技术和专长。但他们靠自己的艰辛的体力劳力，靠吃苦耐劳，坚韧地奋斗着，为当地的经济发展，做了贡献。但有些四川人确实也不争气，打工耍刁，有的找不到活干就行窃，弄得名声很坏。

当地人一提到四川打工仔，那鄙夷不屑的眼光，那轻蔑的语气，李小娟心里就一阵阵地绞痛。她哀怜自己的老乡，吃了那么多的苦，却得不到人们应有的敬重。她对当地人歧视四川人，也愤愤不平。有次她看到扫大街的几位妇女，嘁嘁喳喳满口川音，不由停步问道：

“你们被招工当了清道夫？”

“哪有这样好运气，我们是被雇用当替工的。”她们回道，用嘴朝那边努努，“清道夫在那儿。”

那儿果真站着几个袖手旁观、监工模样的人。连清道也雇了四川人，李小娟怅然若失，良久黯然无语。

一天，下着大雨，李小娟撑着一把伞，路过一条小胡同，听见前面一片喊打声。她紧走几步，看到几个人围住一个人往死里毒打，那人在雨地里翻滚，地上流了一摊血，血让雨水洇开了，手脚、衣服血糊糊的。那人竟然没有喊叫，只是用双手紧紧护住头颅。围打的人非常愤恨，边打边骂：“打死你这四川仔，打死你这四川仔！”那一脚脚、一棒棒似乎是打在李小娟身上，打一下，她就闭一下眼，咬一下嘴唇。后来那个人不动弹了，八成是死了。这时有个人举着半块砖头，要砸那人的头，李小娟突然怒喊一声：

“你们还打！人都死了！”

这一喊，把在场的人都惊怔住了，他们看到一个圆睁怒眼的美人，好生疑惑。

“他是装死，对窃贼决不能手软。”有个人拿了根绳子把那人反手绑了，那人一脸血水，眼珠子果然在动，没死。

“小姐，他们来偷我们自行车，一天就偷了五六部，今天好不容易逮住一个。我们工厂效益也不好。买一部自行车也得三四百元，哪儿弄钱呀！”

“没了车，叫我们怎么来上班？”

几个人说着说着，又气恨了起来。李小娟怕那人再遭打，忙拿出二百元钱，递到一个人手中：“你们放了他吧，这钱就算赔你们的。”

“今天他们倒是没偷成，也不用你小姐赔了。”对方将钱退还给李小娟。

“不能放，送派出所去！”有人余恨未消。

“我看，给这位小姐一个面子，放了。”接钱那个人说，他去解绳子。李小娟鼻头一酸，心想，世上还是有好人。她又将钱递给这个人，他不收，双方推让着，那钱掉到了地上，大家望着两张百元钞票，都没有去捡。突然，地上那个人伸手抓过钱，一骨碌从地上飞快地爬起来，乘大家还没回过神，早一溜烟地跑了！在场的人反而不知所措，李小娟的脸一下子煞白下来……

一连几天，李小娟一见到四川老乡就骂。

就在李小娟渐渐把这件事情淡忘的时候，她又经受了一次更为残酷的打击。

有一天，她陪杜总经理跟宝鑫公司徐总进行非常艰难的谈判，突然接到一个陌生的传呼。在谈判中，她恪守规矩，不轻易接传呼，这样既尊重主人，也尊重客人。但那传呼很执拗，连续不断，显见对方的焦急。李小娟横了心，把机关了。

直到天落黑，谈判勉强取得一点进展，杜总经理历来好客，设宴招待对方，李小娟少不得又要作陪。他们在拿破仑酒家订了席，李小娟将他们领进皇后厅，然后返身到服务台，跟酒楼经理商量菜单。这时，一个满脸淌汗的姑娘，跌跌撞撞地冲到李小娟跟前：

"娟姐，康华出事了……"

来人叫陈英妹，和李小娟、康华几个人，都是出来打工后认识的好朋友。李小娟忙把陈英妹拉到一旁，低声问："出了什么事？"

"康华被公安局抓了。"

"为什么？"

"抢劫……"

李小娟头脑轰的一声炸了，她失神地喃喃自语："怎么会呢，怎么会呢，他是一个那么老实的人……"

"是呀，我们几个都不相信，但是公安局在他住的地方搜出赃物，来了好几部警车，吓死人了。我们都没了主意，呼你好几次，你又不回……"

"英妹，我现在走不开，你回去跟他们商量一下，找找熟人，先把事情弄清楚再说。"李小娟只能这样吩咐对方。

"娟姐，我们几个人，除了你本事大，熟人多，别人有什么办法。"陈英妹几乎要哭出声了。

"英妹，你别紧张，不会有大事的，你先回去，我应酬完了就来。"李小娟把陈英妹打发走了，回到皇后厅，杜总经理一眼就看出了她的失态，悄然问：

"又遇到什么烦心事？"

"没有。"李小娟嫣然一笑，尽量掩饰心中的慌乱。人们都说李小娟的笑解语，格外有魅力。

酒宴的气氛和谐而宽松，如多年故交相聚，没半点谈判桌上的那种剑拔弩张和尴尬。对此，李小娟开头很不理解，甚至心生厌烦。后来悟出了其中奥妙，也就周旋应付自如，且又善解人意，帮总经理赢得了谈判桌上争不到的许多东西。人们都说李小娟是个奇才，杜总经理很是得意，也格外看重她。

今晚，杜总经理当然希望李小娟又能帮他出奇制胜。岂料，不论劝酒布菜，或者调侃应答，李小娟都连连失误。杜总经理见她这般神不守舍，又一次悄然问她：

"你好像有什么心事？"

杜总经理观察人有过人之处，李小娟晓得瞒不过他，轻声地把事情如实说了。杜总听罢，不以为然地微微一笑，道："为什么不早说，这位徐经理有通天本领，他一句话的事！"说罢，对徐总道："老朋友，我们李小姐有一事求你帮忙。"

"什么事？我非常愿意为李小姐效劳。"徐经理趁着酒意，十分夸张地向李小娟献殷勤道。他早听人说过，李小娟是杜总经理很宠幸的人物，在李小娟身上下功夫，比在杜总经理身上下功夫更见效果。只是你很难有接近她、向她下功夫的机会,也可能是这个缘故吧,所以她愈益得到杜总经理的器重。

李小娟说了康华的名字和事情,那徐经理哈哈笑道:“小菜小菜。”他连一碟也不说了,拿起手机拨了几个电话,大家也停杯谛听,听着听着,大家感觉事情很不妙,李小娟心里更紧张。那徐经理打完电话收了线,面有难色地对李小娟道:

“李小姐,这事情看来有点麻烦,公安局的朋友说,是一起恶性抢劫案,连上头都震怒了。”

看到李小娟难过的样子,他马上又宽慰道:“李小姐,你也别急,想想办法,想想办法。”

“对,徐经理,你费心想想办法。”杜总经理恳切央求。他哀叹一声,不由脱口:“咳,你们四川人……”看到李小娟眉梢一挑,他立即把后头的话缩回去。李小娟最忌恨别人说四川人怎么样怎么样,每每听到这话,她会勃然大怒,劈头盖脸地吼你一顿,跟平时的温文尔雅判若两人,弄得很多人常常下不了台。

一个多月后,康华的案子审下来了,正好撞上了严打时期,结案快,处理得也重,虽然不到一万元钱,因为康华是主犯,据说作案手段恶劣,所以康华被判了死刑。

在这一个多月里,李小娟跟疯了一样,到处托人,还是无济于事。她整天失魂落魄,人也瘦了一圈。

公判那天,李小娟去了,她一直盯着康华,眼里竟然没有悲伤,只有愤恨,恨他不争气。别的死刑犯,一个个视死如归、好像在闹着玩儿的样子,只有康华蔫蔫地垂着头。

康华被两个刑警押出大厅时,偶然扭头看到李小娟。刹那间,康华的眼里露出了惊慌、羞愧和悲怆,他没有停步,反而往前奔去。

李小娟到这时,泪水才夺眶而出……

大厅里的人都走光了,李小娟还呆呆地坐在那里,神情恍惚。

“小姐,你……”

李小娟抬头,见是审判长。她忽然冲动地:

“审判长,如果不是严打时期,不是从重从快,康华会是死刑吗?”

审判长没应声,沉思地望着门口。

“我晓得你不会回答,你也不敢回答。干吗判刑还搞运动,就不能按律量刑?按律量刑,康华最重也只该死缓,或者是无期徒刑,判个十几年也够重的了。”

咄咄逼人,跟前好像不是审判长,而是她的下级,唯唯诺诺地听她的训导。

“小姐,有个事情你忽略了,这就是我国的特殊的历史时期,特殊的政治背景和社会背景。在这个时期,人民特别希望社会安定。在平时,在正常的社会环境下,有些罪犯,可能判刑较轻,而在特殊时期,可以加重刑罚,非如此不能保障社会安定，不能保障经济建设，不能保障改革开放顺利进行。我们杀的不仅仅是罪犯，是杀社会上恶劣风气，杀丑恶，倡导文明。我如果没有猜错的话，你也是四川人，诸葛亮怎么治蜀的？刘璋昏庸，法纪松弛，所以社会混乱。诸葛亮采取严厉手段，蜀国不是搞得很好吗？”

李小娟无语，只是低头流泪。

“有的人不好好靠劳动所得过日子，又沾染吃喝玩乐恶习，没钱了，就去抢劫，不惜铤而走险。”

“不不，他不是那种人！他是很本分的一个人！”李小娟声嘶力竭地喊道。

审判长很惊讶：“那他？……”

“他家里太穷了，他父母又得了大病……”

审判长似乎明白了什么，也黯然神伤。良久，道：“你是他什么人？”

“老乡！一起出来打工的。”

五

学校坐落在山坡上，它原先是一座古庙，背后有几棵高大的古树，树间怪石嵯峨，石壁上爬满各种古藤，石头周围杂草丛生，隐约可见一个石洞。李小娟心里忍不住吟出“枯藤老树昏鸦，小桥流水人家”那著名的词句。如果不是孩子们朗朗的读书声从庙里传出来，墙壁上被开成一个一个窗洞，说明它已经被改造成一个学校了，你一定误认为这是一个被人遗弃的荒野古刹。大炼钢铁那个疯狂年代，许多树都砍光了，唯有庙宇旁边的树幸存下来，中国人信神，不敢造次招惹神树。

李小娟双眼模糊了，她原来是那么强烈地要来看看自己曾经在这里度过少年儿童时代的母校。在这里，她受过启蒙教育，在这里，她和小伙伴们在黄土操场上踢毽子，在石洞里捉迷藏。如今，她已经是个大姑娘了，而学校还是以前的老样子，灰暗颓败。一股无声的浪潮向她压过来，她感到烦闷和窒息。她忽然想起一位领导讲的一段话：广大贫困的农村，经济扶贫固然重要，更重要的还是文化扶贫。没有精神文明建设，没有信仰，没有高尚的追求，物质生活改善了，而社会依然还是落后的，思想境界是低下的，人类能谈得上进步吗？中国有个现象很怪异，学校大部分办在庙宇祠堂里。不知是历史的必然性还是巧合，封建的建筑和象征，跟封建的文化教育，难解难分、相依为命地处在一起。

无怪乎我们的封建文化是那么根深蒂固、那么深沉呀！

那位领导殷切地希望大家为文化扶贫出把力，李小娟隐隐约约领会着这话里所包含的深层道理。她回家乡投资，在经济上给家乡扶贫，而此时此刻见到母校这等模样，心里产生的悸动，原来她心头所维系的，所充溢的情愫，还是文化，还是教育呀！前段日子，她跟村里进行了艰苦的谈判，顾不上来看望学校。其实，她心里又何曾敢忘呢！她想，先把经济搞好了，有了经济实力，才有可能办学发展文化呀！

还好，她跟村里终于达成了初步协议，准备成立“李家堰工贸综合企业开发公司”，董事长是李小娟，总经理法人代表是李大基。双方都做了妥协让步，公司仍主营竹编生产。那原料问题，请乡镇和县里出面调停，让县贸易公司修改合同，留下部分毛竹给村里发展副业。公司兼营塑料制品和食用菌栽培，李大基说，我们要多种经营吧，而且又花不了多少资金。李小娟考虑了一下同意了，她想，这么一来也能多安排一些人从业，免得有人无事生非。最后谈到运输队，李大基笑眯眯地说，我们生产的竹编产品，总得有车运出去呀，与其雇别人的车，让人家赚运输费，不如自己买几部车，忙时跑自己的，闲时拉一些业务，一举两得，何乐而不为？李小娟实在再难驳倒对方，也同意了。

跟村里订的只是协议，还得待立项批下来，才最后拍板订合同，然后申请领营业执照。她把这些事情都跟父亲说了。父亲说，就算事情办成了，也是杯水车薪，能济何事？你既然订了协议，那就好自为之吧。

父亲的话不是没有道理，从小她就很崇拜父亲，父亲说的话，教她做的事，后来在她的生活中，都证明父亲是对的。比如，父亲对她的功课，很少过问，而对她写的字，管教极严。父亲说，我没办法供你上大学，你能学会一两件立身本领就行了。当时她对父亲的话不甚领会，但写字却下了苦工夫，她虽然只念到初中，但那一手好字，谁见了都惊叹不已。正因为这一手好字，她应聘打工填表格，对方第一句话就是：你这字写得漂亮，文化程度怎么是初中？有念夜大电大吗？那也承认的。

好字居然被视作文化程度，她佩服父亲的先见之明。

经李小娟写的材料、起草的合同文本，双方的经理看了，倒忘了争论的问题，反而被她的那手好字和流利的词句吸引住了，啧啧连声，交口称赞。这时她才领悟到父亲所说的立身本领，真是至察至明！

父亲一有空就给她讲四川的历史掌故，讲名人逸事。父亲虽然没文化，在城里打工时，晚上没事就去听说书，也就听来了满肚子的故事。父亲常常慨叹：人生一世，草木一秋，就得自立、自强，要活得有骨气。她受到父亲影响，除了认真写字，也喜欢看书，她特别喜欢杜甫的《蜀相》：“丞相祠堂何处寻，锦官城外柏森森……出师未捷身先死，长使英雄泪满襟。”

诸葛亮的那种鞠躬尽瘁的精神，多少回激励着她。她明白自己是个小人物，没有回天之力。她的举动，只是一种呼唤，呼唤进取、奋进，呼唤人们去改变自己穷困命运……

下课了，学生们涌到黄土操场上，嬉戏、追逐、打皮球、跳绳，此情此景，李小娟恍恍惚惚中，仿佛自己也回到了那个少年儿童时代，和同学们在一起嬉闹。

最早看见她的是郭老师，郭老师是她的语文老师，几年不见，头发也灰白了，脸颊瘦削，背也有些驼。

“小娟！”郭老师好不欣喜，叫唤了一声，其他老师也闻声走出办公室。那里边有认识的，也有不认识的。

“小娟，快进来坐！”郭老师招呼道。那办公室很窄小，六七位老师只有四张歪歪斜斜的办公桌拼摆一起。

“小娟，听说你在外头干得很不错，我们能有你这样的好学生，也很光彩。”郭老师说。

“小娟，你是郭老师的得意学生，他常常在学生面前表扬你。”一个熟悉的老师道，并告诉她，郭老师现在是校长了。

李小娟恭恭敬敬地向郭老师鞠躬敬礼。郭老师好不高兴，道：

“小娟，你长大了，又斯文又懂礼貌。”

老师们都很好奇，询问外头世界怎么精彩，小娟又怎么闯天下。办公室外也围了一群学生，他们把李小娟当成一个神奇人物。

上课了，老师们纷纷赶着学生到班上去。郭老师带着李小娟到各处走了走，所谓各处，其实就是廊上廊下。教室是厅堂隔成的，站在廊上，一览无余。那高年级，还有一些破旧的课桌，低年级是用砖头垒墩，横架木板权当课桌，椅子学生自带。李小娟沉默不语，眼里一阵阵发潮。郭老师在她身边，惭愧地说道：

“学校经费困难，办学真难啦……”

郭老师送李小娟到操场边，李小娟深情地凝望着那古庙，轻声说：“郭老师，在庙旁盖一间办公室，再盖两间教室。添置一些课桌椅，大约要多少钱？”

郭老师明白李小娟的意思，羞于出口，忸怩半天才道：“几万元钱就够了。”

“郭老师，我赞助母校十万元，你到银行办个存款户头，不要声张，免得坏人见财起意，给你们招祸。”

喜从天降，郭老师那背也不驼了，连连说着感激的话。李小娟心头一酸，她怕自己控制不住，在老师面前掉泪，匆匆告别走了。

六

山风飒飒，李小娟走在山道上。那迷惘的眼神，望着苍茫的山野，思绪也是一片的荒寞和孤寂。她在心里问自己：我在哪里？在那个灯火阑珊的城市？在小学校？那个残阳落照里的古刹？还是在喧闹的酒桌上？

她要去银塘村，去找康华的父母。银塘村相距几十里，没有通公路。这是一个多么好听的名字呀，康华说，银塘村出银矿。老一辈人还依稀记得当年挖银子的热闹景况。如今变穷了，穷得人们天天想逃荒，想逃离那一片土地。康华说，他的村庄有山有水地也肥沃，人们不会整治，才落得这么穷。

李小娟跟康华相识，纯属偶然。那是八年前，李小娟南下打工。那时四川南下打工的人非常多，都认为外面是淌金流银的世界，一抓一大把。每天车站人群如潮，火车也是塞得满满的，连过道都挤得水泄不通。人们无法上厕所，随地小便，臭气熏天，更别提喝水了。李小娟一路辛苦，略染风寒，口渴得要昏过去了，嘴唇也燎起了泡。这时，有个五官端正、一脸诚实的小伙子，擎着半杯水，正要喝下去，看见李小娟痛苦的脸色，犹豫了一下，就把水递给她。这是生命的水呀，李小娟贪婪地一口气喝完，那病顿时好了，她把杯子还给对方，向他感激地笑一笑。

他就是康华。

他们第二次见面，是两个月以后，康华找到工作，很高兴地跑来找她。康华是给一家建筑队打小工，李小娟在一家公司当接待员。

后来他们又去了几个城市，有趣的是，康华一直和她结伴而行，不过康华干的尽是苦力活，李小娟多在公司打工，公务员、公关小姐、秘书、老总助理。他们有几个相处很好的老乡，李小娟是个很重情的人，她永远不会忘记那半杯生命之水，始终把康华看作自己的好朋友。

后来李小娟发了，打工的伙伴中，私下对此议论颇多，有的说她去当三陪小姐，才赚了那么多钱。有的说她被一个外商看上了，跟了几个月，那外商怜香惜玉，慷慨重金相赠。有的说当了大款的包姐。也有的说老板帮她炒股票，发了财。总之，她能够这么潇洒，都因为她的漂亮。

李小娟委实漂亮！

漂亮是女孩谋生的本钱，但也是女孩的祸由，漂亮不仅仅只是模样、身材、肌肤、秀发，还应该跟内涵相谐调，才能真正显示那漂亮的价值。所谓内涵，指一个人的思想境界、文化素养、情感、气质、言谈举止（风度）。有的女孩模样漂亮，思想浅薄，内在空虚。有的女孩因漂亮而倚门卖俏，作出种种俗态、媚态，招蜂引蝶，举止轻浮，那漂亮反而成了她的悲哀。

李小娟的漂亮是无懈可击的，是天生丽质！她有一张白皙、凝脂般的面孔，是人们最欣赏的瓜子型或鹅蛋形那一类。眉毛粗细适中，不要描黑，胜似描黑。鼻子适中而隆，口小唇红，两排整齐的牙齿。当然。她脸上最动人之处还在那双会说话的眼睛。眼睛很大，双眼皮遮护，在清莹莹的如碧波荡漾的眼窝里，浮动着两颗黑钻石般的眼珠，顾盼生情，万种韵致。她还有一对别具一格的酒窝，樱唇一启，酒窝微露，立即传射出灿然艳丽的风波。而她那头长长的秀发，比电视广告的女模特还要美轮美奂！初见李小娟的人，不禁都会被她的美镇住，满眼惊讶，恍惚中好像遇到了仙女，如痴如醉。不管看她的人投来怎样的眼神，她总是不惊不惧，不得意不厌恶。哪一个人没有爱美之心呢，她理解。所以，人们看她，不管怀着哪种心意，她一概都报以浅浅的善意的微笑。如果别人还在看她，她会不动声色地、若无其事地、装作不经意的样子回看对方，如果对方的注视是羡慕的、充满爱意的，她就用谦逊的眼神回答。如果对方的眼里存有非分之想，充满挑逗和贪婪，她会正色以视，眼中无物，但却没有敌意。她很平静地对待周围的各种眼色和盯视，镇定自若地做着自己的事情。久而久之，人们知道了她的为人，年长者对她怀着亲切，年轻人对她虽爱慕之至，却不敢妄生奢想。贪婪者只有跌足咂舌，无计可施，失望而又不肯罢休。李小娟是何等聪明的人，对此她是了然在胸，亮如明镜。她时时告诫自己：不敢有半点疏忽和大意，稍不慎，那漂亮带给你的，岂止是烦恼，而是祸患无穷呀。

人们印象中的她，只有大方、善良、和蔼、亲切、美艳。所以上上下下李小娟都处得很好，外界也是同声赞誉。她在哪个部门，干哪个行当，人们都无可争议地承认，她是出类拔萃的。

这么出色的美人，哪一个外商不生觊觎之想？哪个大款不争相为她挥金如土？而哪个老总，不想将她变成自己贴身心腹呢？

老乡的议论，不是没有道理。哪怕她有坚如磐石的操守，能经得住各种高超手段的攻击？抑或诡计多端的圈套和陷阱？人是有感情的，她难道没有受感情迷惑的时候？何况她是打工妹，她有求于人，她必须为生计奔波，她想得到什么，也理应付出什么。

她付出过代价，只有她知道的痛苦代价。

这并不损害她成为一个情操高尚的人！

在打工的老乡中，在他们几个相处很好的朋友里，她和康华最说得来，但康华工作很劳累，干苦力的人自是满身臭汗，康华每次来看她，都要洗澡，换一身干净衣服。一个打扮高贵的公主般的小姐，和一个干苦力的打工仔在一起，康华总觉得不相称，会委屈对方。李小娟觉察出对方心思，心里很感动，说：你下了班就来，不要洗澡换衣服，那费时间。或者在我这里洗澡，我替你洗衣服。我们都是苦孩子，我不嫌你，你能这样尊重我，我很高兴。……

有一天，康华来看她。那天她心情很好，办的几件事都很顺手。她回到住处，洗了头发，洗了澡。在那大镜子面前，她看到自己红扑扑姣好的面容，看到那窈窕的身段，那丰满的胸脯，忍不住呻吟一声：啊，花容月貌！古人真会形容，什么沉鱼落雁，什么倾国倾城。李小娟你全占了。

李小娟在镜子跟前，不断变换姿势，顾影自怜。心里在一阵阵颤动，一阵阵呻吟。她不能自持，呓语般地喊着：我心爱的人，你为什么还不来，你是谁？你在哪里？

正在这时，康华来了，轻轻地敲门。李小娟从梦中醒来，她去开门，门外站着康华。康华猛一见她，先是一愣，眼神迷惘，脸一红，低着头一脚跨进来。李小娟让他在客厅的沙发上坐了，泡了一杯牛奶，把杯子放到康华面前时，有意把香喷喷的柔发，在康华面前拂动一下，康华被那香气袭得晕乎乎的，下意识地往旁躲了躲。李小娟又给康华掰了一个芦柑，她坐到康华身边，把芦柑递到他手上。康华吃了一瓣芦柑，说："小娟，听说你赚了很多钱？"

李小娟马上明白对方来意，说，"是的，难道我就没能力赚到很多钱？"

康华很憨厚地笑了："谁说呢，我第一眼见到你，就知道你是一个了不起的人。别人能发财，能当大老板，你为什么就不能！"

这话发自内心，是真诚的。康华就是这么一个人。他是听了别人议论来问她，他不会相信别人的话，他是信任她的，但又放心不下。李小娟感激地望了他一眼，那眼里热辣辣的。

"小娟。我走了，队里还有事。"康华起身告辞，李小娟也不挽留，她在心里为他惋惜：你这呆子，你难道一点也看不出来我喜欢你吗？你看出来了，你没有勇气，你觉得自己不配。是的，我们是不般配的，但你也太自卑，太没信心了呀，这就是你，这就是康华！

李小娟装了一提兜水果，拿了两听奶粉送给康华，在门口，她叮嘱康华：别太累了，注意身体。……

她倚在门边，惘然若失……

李小娟在山道上慢慢地走着，这些往事，就如发生在昨天一样。康华抢劫案发，李小娟怎么也不相信，一个那么老实本分，甚至懦弱的人，怎么会做出这种事情呢。后来李小娟才了解到，康华母亲病重要开刀，他到处告借无门，也是事逼无奈，铤而走险。他并不是主谋，引诱他的人也只是说偷东西，是偷不是抢，不会犯大罪。那几个人做了局，说，你母亲病了，要用大钱，我们帮你呢。康华信以为真，就这么上贼船了。被抓归案后，康华又把事情揽到自己身上，人家不是帮自己吗？做人得讲良心。于是，几次审问，众口一词。他也供认不讳，糊里糊涂成了主谋。

哎，你这个呆子呀！李小娟用手一抹脸颊，脸颊上湿漉漉一片。

康华，你这个人呀，怎么能胡乱招认呢？你不知道这是杀头之罪吗？你为什么去走这条路？为什么不向我开口借钱呢？我知道你一直在我面前扮演一个规规矩矩的角色，你不愿破坏掉在我面前的好形象。这是什么？是虚荣心？是迂腐？是老祖宗的旧观念？

走进银塘村，问到了康华的家，开门的是个三十多岁的妇女，从那模样，就能猜出是康华的姐姐。

康华的姐姐非常冷淡，一脸的不信任，甚至怀着敌意。李小娟理解这种心情。她说，她和康华在一起打工，康华有事情托付她。康华的姐姐这才客气一些，把李小娟让进屋。

康华的家真是一贫如洗，简陋的家具，昏暗的房间。李小娟到康华父母的床前，康华的母亲躺着，父亲蜷缩床后，靠着土壁。有个青年人在地下熬药，猜得出是康华的弟弟。李小娟一讲到康华，两个老人就无声地淌泪。康华的母亲开过刀以后，病情好了许多。老人含糊地咒着自己：要我这老命干什么，害了华儿呀……那意思，康华如果不是因为她，又怎么会去抢劫？不抢劫，他能被杀头吗？

李小娟路上想好的安慰话，到这时一句也讲不出来，只有陪着老人垂泪。康华的姐姐坐在旁边，一直用冷眼瞧她，那眼里充满着各种问号。李小娟觉得不舒服，烦闷、压抑。她从小包里取出一万元钱，递给康华的父亲，却被康华的姐姐接住了。李小娟怔了一下，道：

"这是一万元钱，康华寄在我那里。"

听了这句话，满屋子的人都看着李小娟，正在飞快点钱的康华姐姐，也停住手。老人是惊喜的，这是天上掉下来的救命钱呀，对这个多病多难的家，无疑是雪中送炭。康华的弟弟是狂喜的，也是茫然的，钱对于他太重要了，不是为了老人的病，为了这个贫寒交迫的家，他想的是自己的生计，是娶妻成家。对眼前的事，他来不及细想，也不理解。最冷静的还是康华的姐姐，她不显山不露水，在心里琢磨了一阵子，慢慢道：

"康华这个人怎么搞的，小时候是个乖孩子，很听我的话，出去打工，就学会瞒家里了。父母病，家里穷，他不把钱寄回来，却偷偷寄在朋友那里。"

康华父亲忙说："你别怪你弟弟，他那样做，总有他的打算。"

康华姐姐弦外有音地："打算？积攒了钱，在外头讨老婆吧。"

一句话把康华弟弟挑醒了，他也气恨恨地附和："是这样，在外头被漂亮姑娘迷住了，哪里还顾得上父母，顾这个破家。"

李小娟想替康华辩解几句，那边康华的姐姐又不冷不热地抱怨道：

"这康华，不知道在外头还寄了多少……"

李小娟顿时呆了，人们常说聪明反被聪明误，这真是弄巧成拙，她做了一件大傻事！

康华何曾有钱寄在她那里，那一万元钱是她送给老人的。为了这个事，她踌躇再三。倘若说送吧，人都有拒绝施舍的心理，老人可能不会接受的。就是接受了，也是不妥，日后难免会传扬开去，这可不是赞颂英雄业绩，很容易让人误解她有钱，摆阔。甚至认为她跟康华的案子有牵连，那钱是黑钱。思来想去，只有假托是康华的钱寄在她那里，最为妥当。

现在好了，康华姐姐给你面子，只说外头还寄了钱。其言外之意，难道还要挑白吗？康华寄你多少钱？三万五万？绝不可能只有一万！康华既没有向家里交代，又没有字据，只凭你小娟一张嘴，康华又死了，没人对证，能信你吗？人家不信你，但也没赖你康华多寄了钱，不吵不闹，只是隔三岔五地向你借钱。你不借，闹将起来，值得么？你借了，填不满的欲壑，何时了断？

小娟呀，你这么聪明的一个人，怎么就没想到这一层呢？

康华的姐姐满脸写着怀疑，冰冷的脸上似笑非笑。康华的弟弟仿佛一下子明白了许多内幕，用仇恨的眼光盯着李小娟。李小娟低声向老人告辞，真是来时容易去时难，李小娟哀求似的话声里，好像在说：你们高抬贵手，让我逃得一条活命吧。康华的父母也看出了紧张气氛，老人是无能为力的，一脸的愧色。

李小娟说走，却不敢移步。康华的弟弟跟劫持者一样，挡在门口。

康华的姐姐默默想了一会，向她弟弟递了一个眼色，一边说：谢谢李小姐，有空多到我们家玩。

李小娟一边说着谢谢，一边向门外挪着脚步，康华弟弟让过了她。李小娟狼狈地急急走了。

七

李小娟跟逃犯一样，急忙忙跑回家，一到家倒头便睡，昏昏沉沉的，一睡就是三天。家里人告诉她，村干部来找过她好几回。李小娟心里也有点急，这几天村里也该跑出眉目了，合同也要签了，她必须把钱拿出来。这次她带回来一笔款，如果事情顺利，她的朋友、外商，也会合伙投资，数量是可观的。

繁星满天，远近青黛的群山，在昏蒙的夜色里，深藏着多少诡秘？多少奥妙的谜语？多少人间的善善恶恶、黑黑白白、是是非非？

康家的态度，出乎她的意料之外，她满腔激愤，在心底悲叹：你们为什么这样不信任别人？待人宽宏，互相信赖，受人之德，没齿不忘。这是做人常理，为人美德。难道人类没有信心改造自身的猜忌、自私、贪婪等等丑恶本性？难道友爱、仁义、真诚、信赖，不是人类的企盼和追求？她是不是把什么都想得太好了？过分的理想主义者，也就容易变成悲观主义者。康家的态度，冷静地想一想，也不足为奇，只是自己太天真，把世间的一切想得太美好了。

这么想着，李小娟郁结的心头，才稍稍舒解。她踏着夜色，先到村部，没见到人，忽地想到：该不会又去胡吃滥喝？

果然，在一个酒家内院，李大基一伙人，正喝在兴头上，划拳猜令、觥筹交错、杯盘狼藉，还有两位脸孔生疏的陪酒女郎。李小娟举手推门，又忽地停住：人家没有请你，贸然进去，不是很唐突么？

正这么想着，里面不知谁说了一句话，引得大家哈哈大笑。

“一直不见我们，她家里人说病了，什么病呀？”一个村委道，说话阴阳怪气的。

“还能有什么病呀！”另一个村委淫模淫样，众人又一阵哄堂大笑。李小娟晓得在说她，脸上好像被人抽了一耳光，热辣辣的。人呀人，为什么不尊重别人的人格？

为什么总喜欢在背后对人说三道四、飞短流长？刚才幸好没有冒失撞进去，不然，那双方岂止是难堪！

“她哪来这么多钱？听说在外做鸡。”一个村委道。

“美的你，做鸡能赚那么多钱呀，还不够她开销呢。是当包姐，晓得吗？包姐就是小妾，小老婆！”一个村委抢着道。

李小娟好似五雷轰顶，又像冷不防被人当头敲了一闷棒，人晃了晃，险些摔倒。她一手扶住墙壁，一手捂胸，良久，才颤动着双唇，那牙也碰得磕磕作响，她在心里无比悲愤地叫道：好你个李家堰的村干部，你们真会糟蹋人呀，你们是人吗？……

“这钱来得不干净，让她来投资，我总觉得给咱村丢脸，不光彩。”一个村委道。

“什么光彩不光彩，我还嫌太少了，多出几个，回来投资还有竞争呢，让她翘尾巴吧。”有个村委俏皮地做个鬼脸，一边大大地灌了一口酒，啧啧作声，意味无穷。

“噫，可真有人这么说着，”刚才那个村委又说道，“我去申请立项，他们跟我开玩笑，说，办什么公司呀，是办鸡场吧。有的说，如果有出口转内销，别忘了哥们。这事情外头知道的怕不少吧。”

一颗泪水打在手背上，她仿佛坠进冰窖，浑身冻成了一根冰棍。她凄怆地自问：我造了什么孽啦？……

“什么干净不干净，扯淡！哪一张钱是干净的！能拿来就行！”李大基说。

“对对，大哥毕竟是大哥，大将风度！钱到手就行！”众人道。

“能拿多少钱呀？”

“这娘们厉害，不见兔子不撒鹰，至今不透个底兜，我估摸，不下一百万吧。”李大基说。

“一百万？我们大翻身啦，再脏也得要！”村干部们简直被这数字吓了一跳，一个个手舞足蹈，狂喜忘形，拼命干杯。

“老大，怎么着也得把钱哄过来。”一个村委乜着醉眼说。

“你瞧我们老大的本事吧。”另一个村委谄媚地奉承一句。

李大基十分得意，李小娟只见他嘴在动，不知他在说什么。他们好似一群狰狞的魔鬼。一个个狂歌乱舞。李小娟双手抱肩，瑟缩着身子，离开了酒店……

八

夜色更浓了，群山模糊一片，美丽的、丑恶的、千姿百态的、狰狞可憎的峰嶂层峦，让一面硕大的幕布遮住，留下一片朦胧。人们的美丑，也时常被这样的幕布遮掩着，叫你如陷困惑的泥沼。

李小娟昏昏沉沉走到村后，那模模糊糊、有着黑黑一块块浓影的，不是学校吗？

岩石看不见了，山洞看不见了。李小娟脑子慢慢醒悟过来，心里自问：我怎么跑到这里来了？人的潜意识，常常导引着人做出不可思议的举动。她不想回家，对这几天周围发生的事情，她要好好地冷静地想一想。

李小娟找了一个地方坐下来，村子里闪烁着两三灯火，不时传来人的梦幻似的话语声。李大基他们花天酒地，这时候正闹得不知死活吧？李小娟突然被怒火烧得浑身激愤，她从心底迸出一句话：

“我丢你那妈！李大基，你这狗杂种，你才是鸡！你是大鸡！”

“丢你那妈”不知道是哪个省的骂人话，李小娟觉得这句骂人话最解恨！

不错，她赚了不少钱，但那是堂堂正正、光明正大的。她也闹不明白自己为什么会取得这样的成功。很多人都认为那是靠了她的漂亮。凭借漂亮闯天下取得成功的，世界上有几人？那是荒谬的浅薄的想法。古人早就总结出一条至理名言：不管做什么，离不开天时地利人和。谁能得此三者之利，或者协调了这三者，谁就是成功者。得此三者又谈何容易呀，这就得有机遇。机遇可以等待、寻找和创造，但不能强求。出来打工，李小娟一直在寻找或者在创造机遇。她的美丽和那一手好字，给她帮了不少忙，而真正有助于寻求机遇的，应该是一个人的思想、气质、风度、品德。对此，她十分清醒。祸福相依，利弊相伏。容貌帮了她，容貌也害了她。这几年，高兴和痛苦、喜悦和悲愁、平静和惊险、成功和失败，跟孪生姐妹一样，总紧紧伴随她左右，有多少人理解呢？她对自己言行举止，小心谨慎到了一种苛刻，甚至残酷的地步，却仍不免遭到毁贬，这又有谁理解呢！

最了解自己的，自然莫过于自己，她是那样的自信！

记得，她刚到公司，做一名打杂工。看她的履历表，一个仅仅只有初中文化学历，又没有受过专门技术训练，在那样的大公司，能被录用，已属破格照顾了，还敢有别的奢望吗？她有自知之明，也晓得录用的原因。她非常珍惜这次侥幸的机会，只有靠敬业、勤奋、才干，才能真正站稳脚跟，才能发展。几年的打工，她晓得应该怎么做，所以当别的员工都下班走了以后，她一个人留在办公室，熟悉公司各种规章制度、岗位责任、业务内容。

有一天，正当她聚精会神地看材料，急促的电话铃声把她吓了一跳。下班后的电话，她一般都不接，因为这时候的电话，打给私人、讲私事的较多。人们普遍的心理，私事不喜欢张扬，不喜欢让人知道。你接了电话，就是多了一个知情的人，哪怕你对他们的事情一无所知，而且也不可能知道什么，他们也依然怀着戒备。另一方面就是讲公事，下班了还来电话讲公事，可见都是比较急迫的，而自己又不是当事者，或者没有权力处理，接了电话又不能解决问题，常常会遭到双方埋怨。所以，不接电话，既省事又明智。至于她自己，绝不会有私人电话，她十分严厉地警告朋友，不许在上班时给她挂私人电话，有事打拷机。她暗中留心观察，几乎所有的公司，最烦的就是打私人电话。

不接电话也另有烦恼，因为人家都知道下班后只有她留在办公室。人的劣根性，大多是责人严，责己宽。遇事总是先埋怨别人。如果不接电话不转告，使他们要办的事不能办，他们就会一味地怪你，甚至生你的气。真是接也不是，不接也不是，她左右为难，思之再三，最后还是决定接电话。怎么接好电话，她是颇费了一番心思的。她嗓音好，说话甜甜的，通话时尽量显出热情、礼貌、负责和持重，使对方又高兴又满意。第二天上班，她若无其事地走到同事身边，不露声色地轻声转告，而不是咋咋呼呼，这使同事觉得她会为人保密，尊重别人。她没想到，同事对她的好感、对她态度的转变，有一部分还来自打电话这件事呢。外头来电话的人，也常常跟她的同事提到：你单位那位小姐真好，热情、礼貌、负责，得谢谢她！

公事的电话，她处理及时，更是得到同事的赞许了。

瞧！不就是一个电话嘛，但它却蕴含着做人的深奥道理。李小娟非常感谢自己的父亲，父亲是她人生的第一个启蒙老师，父亲鼓励她多读书，书又将她带进了另一个神奇的世界。她什么书都看，她的真正文化水平，文科大学生是比攀不上的。书读多了，如果不善于思考和运用，那也只是书囊而已。她对自己做的每件事，说的每句话，都要细加斟酌，都要和书本中学到的知识相对照，从中悟出人生哲理。比方一个漂亮的女性，最易遭到同性的妒忌和排斥，这也反映了生存竞争，无可非议。她学会了韬晦，打扮朴素，举止稳重大方，说话谨慎，不以自己的容貌取悦别人，或者在人前炫耀，不给女性同事威胁感。自己没有背景，又没有专长，做人处事不小心谨慎，糊里糊涂，在这万千世界，能活得好么？……

"喂，您好，请问您找谁？"李小娟拿起话筒，很客气地问。

"请找杜总！"对方口气很冲，嗓门也大。一个吃枪药的。李小娟马上觉得这不是一般人物，便温柔地、带着笑意地说道：

"杜总出去了，有急事吗？"

"笑话，没急事打电话我吃饱了撑的。"对方似乎把一肚子的火往李小娟身上泼。李小娟反而更加柔声和蔼地说道：

"对不起，我问得不礼貌。"

"没什么。他助理在吗？"

"跟杜总一起出去了。"

"秘书呢？"

"下班走了。"

"这家伙搞什么名堂！"对方在生气中有点无奈。

"先生，如果你很急的话，我马上传呼杜总。"

"不用了，我也有他的传呼号码。"对方说罢，犹豫了一下，但又不把电话挂断。沉默。要是别人，既然没话了，就会撂上话筒，李小娟乖巧就在这里，她耐心地让对方思忖，没先撂话筒。经验告诉她，往往在最后几秒钟，对方会交代至关重要的话语。

“你是什么人？”对方突然问。

“普通员工。”李小娟又一次客气地回答，对这种不礼貌的问话，她从不计较。

又是沉默，对方可能又在犹豫。

“我想问你一件事。”

“谢谢你对我的信任，只要我能够回答的。”

“听说你们公司负债很多，账上没什么钱？”对方说。

“先生，十分抱歉，你所问的问题，我是不能回答的，这是公司的纪律，每个员工都应该保护有关经济方面的秘密。我不在财务部门，对你所问的事，一无所知。就是知道了，也不能讲。如果讲了，也肯定是假的。先生，你是很精明的，对我随便编造的话，你难道会轻易相信吗？”

“嗯。”对方显然听了很受用，声音里有一点笑意。

“先生，你愿意听一听我的看法吗？”

“十分愿意，说吧，小姐。”对方的语气在缓和，也消了不少怒气。

“关于负债的概念。我在其他几个公司呆过，他们也都有负债现象。从账上看，是债务问题，从经营运作上看，是资金操作问题。没有一个国家没有债务问题，没有一个企业没有债务问题。我说的对吗？”

“嗯，你再说下去。”

“资金运作顺利，而且出现宽余，就是盈利。资金运作困难，出现脱空，合作者不协调，就是暂时亏损。有的是甲方误了乙方，有的乙方误了甲方，从耽误关系变成了债务关系。先生，你会不会觉得我的看法很肤浅？”

“不，你接着说吧。”

“这时候如果处理不好，就会出现恶性现象，也就是说运作停滞，债务突出，企业自然就会给人一种无法生存或者破产的感觉。”

“那你说，应该怎么处理？”对方来了兴趣，好像要考一考李小娟，忘了刚才怒气冲冲打电话的事。

“我说错了，你别见笑，要给我指点。”

“好，好，你说吧。”

“我想，一方面要马上调整关系，不要消极等待，盼望出现转机。也就是双方都要转移债务，互相度过困境。另一方面，寻找新的资金结构。”

“新鲜。小姐，新的资金结构怎么讲？”

“比如，开发新项目，这里就有新的合作伙伴，新的资金结构。”

“新的资金结构，不可避免会受到老的资金状态，或者说债务关系的干扰吧。讲的明白一点，一个债权债务很多的公司，它必定削弱或者影响新项目的开发。”

“这种状况是有的，这就要看合作双方的理解、信任、配合和支持了。世界上成功的企业，据我了解，都不是在资金顺利的情况下取得的，倒恰恰是困难重重，充满风险。当然，不是盲目冒险。一个重要因素，需要新合作双方的信任、支持。”

“说得很好，小姐是个能人！小姐贵姓？”

“不敢当，先生过奖了。我姓李。”

对方也不说什么，电话挂断了。李小娟想，这个人当老总摆权威惯了，很不注意修养。

过了一会儿，电话铃声又响了，李小娟拿起话筒，对方立即道：

“请李小姐接电话！”

“我就是。先生，有什么事要我办吗？”李小娟一点也不烦，反而愈加客气，语气也愈加甜润。

“李小姐，对你实说吧，我是香港罗尔公司总裁，姓许。”

“许先生你好。”

“我们准备向你公司投资二千万，合作开发高尔夫球场项目。还有附属项目。如果你公司债务很多，不会出现挖东墙补西墙，影响新项目开发吗？”

李小娟立即警醒到这是个大问题，要回答得贴切、得体，半句疏失，对公司、对自己都会招来无穷麻烦。她在脑子里迅速地想好了回答的话，道：“先生，你跟通常人一样，犯了通俗性毛病。”

“怎么讲？”

“一般情况下，你的顾虑和担忧都是对的。但你们两位老总都是了不起的大公司大老板，经的事多。你们双方合作开发这个新项目，首先已经论证过了，这个项目有效益，不然你们为什么要去开发？其次，这个新项目，又都是双方前面经营运作的延续、调整、转换。处理得好，新运作帮助老运作继续顺利运转。处理不好，就是另一回事了。”

“那依李小姐的高见呢？”

“许先生，你是取笑我了，在许先生和我打电话之前，早已成竹在胸，许先生问我，不是要让我出丑吗？”

“哈哈哈！”对方开怀大笑，在笑声中把电话挂上了。

过几天，罗尔公司突然通知杜总继续谈判，谈判意外地顺利，许总裁态度大变，爽快干脆，做了不少让步。杜总很纳闷。一边说着感激的话，一边在肚内暗自思量：对方莫非有诈？后来，许总裁提出：要在罗尔公司所做的让利中，提取百分之一奖励一位姓李的小姐。杜总诺诺连声，心里一惊：怎么跑出一个李小姐？这李小姐跟许总裁有何瓜葛？亲戚？情人？安插在本公司的奸细？

签订了合同，杜总准备设宴招待许总裁，许总裁又提出，希望贵方让李小姐也参加。

这下杜总有点慌了手脚，脸上堆下笑容，道："许先生，你这么赏识李小姐，实乃敝公司荣幸之至！"

"哈哈，杜先生，这次你我双方能签下合同，全赖这位李小姐呢。"

杜总狐疑满腹：马上就得把李小姐底细摸清，不要落入圈套，还感激不尽呢。

杜总不愧是一位大公司的大老总，他手下的谍报力量和超级信息网，让他在顷刻之间，得到神速反馈，不费吹灰之力。李小姐，叫李小娟，刚到庶务科两个多月，四川打工妹，文化程度初中，跑过上海、福州、广州、深圳，曾在本地四个公司呆过，反映良好。跟许总裁什么关系，电脑里还没捕捉到。

务必在宴会之前见一见这位李小姐！

庶务科长领着李小娟走进杜总办公室时，杜总眼前倏地为之一亮，心里马上清楚几分：这姑娘说她漂亮两字，就显得俗了。惊艳？光彩照人？这只是感觉，真正要描述出来，恐怕只会抱怨词汇的贫乏。放着这么俏丽艳美的小姐，作为一个外商总裁，你说他们之间是什么关系呢？但杜总依然纳闷，她为什么不在许总裁身边，却跑到他的公司里来了？她已经来了两个多月，他却没有注意到她，这可不是一般的疏忽呀。

"李小姐，许总裁十分赏识器重你，想必过去你们有过不一般的交往？他是很了解你的。"杜总先丢一个石子，试探虚实。

"许总裁？没有，我还没见过他。"李小娟笑道。

"不可能吧，他要重奖你，晚上还要你出席宴会，你怎么会不认识他？"杜总好生惊讶，他更感到这里面玄机无穷。

"杜总，我真的不认识他。而且，晚上我不能去出席。"李小娟脸上的诚恳，是不容置疑的。

"为什么？"杜总盯住对方，多少人在他犀利目光的盯视下，放弃了内心秘密的掩饰。

"我不是助理，不是秘书，也不是业务人员。我去了，是老总对我的破格赏赐，这难免会引起同事误会，对工作不利。我刚来不久，没有任何成就和贡献，居然去参加这样高规格的宴会，人家私下一定将我当作陪酒女郎，这我是不能从命的。"李小娟说得很认真，杜总不由得点点头沉吟起来。

"你说的不是没有道理。这样吧，我把你的意思告诉许总裁，看许先生怎么主张。"杜总说。

许先生的固执，使杜总在纳闷的困惑中疑窦丛生。许先生说，如果李小姐不来出席，这宴会就免了。杜总平生第一次，临阵下诏书：立即打印聘书，聘任李小娟为秘书。

当李小娟穿戴一身优雅高贵的服饰，淡淡妆、天然样，满脸春风，款款走过大厅，整个大厅尽皆失色，连光辉灿烂的灯光也暗淡下来。他们进了芙蓉厅，那许先生随后也到了。杜总把他们二位介绍时，从双方互相惊讶的眼神里，杜总心里便断定：他们以前不认识。

“李小姐果然不凡！”许先生握着李小娟的手说。

“许先生过奖，请多关照。”李小娟说话神态落落大方，亲切的笑意中透着温柔，那眼神又极善解人意。

杜总不由惊叹：这就是魅力！

整个宴会自始至终是无拘无束的快活、舒畅、放松，本来是李小娟给别人敬酒，后来大家轮番向她敬酒，李小娟不知何时练出来的酒量，一边推让，一副不胜酒力的娇羞模样，一边一杯一杯地照喝不误。酒力上涌，两颊绯红，如搽了胭脂，艳如桃花。说话莺语婉转，眼波娇媚，却不轻佻。大家个个心里充满爱慕，又都不敢有越轨之举，不敢轻薄。一个个把自己装成很有修养、很庄重、很绅士的样子。在酒热耳酣之际，许先生对杜总耳语，说出打电话一节。

“杜先生，没有李小姐，就没有我们这次合作啦。”

杜总这才恍然大悟。

“杜先生不知能否割爱……”许先生说。

“公司哪怕穷到揭不开锅，也不会将珍宝外抛呀。”杜总戏谑一笑。

“好，好，有这位出色人物，你的公司会兴旺的，是不是？杜总，你好自珍惜！”许先生说完，向他敬了一杯。

李小娟不知什么时候来到他们身边，眼波欲滴，红扑扑的脸上，万种娇美。她甜甜一笑，道：“两位老总，今后对小女子多多栽培，小女子这杯薄酒，敬两位老总和气生财，英名盖世！”

“好，好！”两位老总赶忙举杯，受宠若惊的样子，不约而同道：“好个英名盖世！”

一晚上的气氛，因为李小娟的缘故，大家都有着从来没有过的酣畅、快活和满足。这不仅是李小娟把惊人的美艳给了大家，人人都有着意外得遇仙女似的幸福。那李小娟的善解人意的微笑、那甜入别人心坎的婉转体贴的悦耳的话声，给人无尽的温馨。

天下没有不散的筵席，他们觉得这筵席散得太快了，遗憾、留恋、失落。

杜总回到办公室，平生第一次那么烦躁，那么不知所措。

“这个尤物！”

他不知道这是怨恨呢，还是亲昵。

“这个尤物！”

他解下领带，摔在桌上，好像领带勒住了他的脖子，叫他透不过气来。

他用铅笔在纸上写着：秘书——助理……

李小娟被正式聘为秘书，紧接着又被聘为助理，杜总有三个助理，不知什么时候，她成了不容置疑的总助理。

在同事中自然引起一场轩然大波，妒忌、攻讦、排挤、诬陷……当杜总都有点失去信心的时候，就像春风乍起，吹皱一湖春水，又忽然间静寂下来，那么短的时间，什么都没有发生过一样，她被大家接受了，亲近了。

这就是力量，这就是超人之处！杜总只能惊服她的不凡，却无法探出个究竟。杜总这时才不得不钦佩许先生的眼力，他实在不如许先生。

杜总最感头痛的两件事，自从来了李小娟，不但除却了心病，反而春风得意，得心应手。一是各类谈判，凡是李小娟参加了，都非常顺利。还有就是和新闻界的交往，只要是李小娟开口的，新闻界的朋友没有不肯帮忙的。搞经济，没有新闻舆论的支持，那是吃不开的。

李小娟就是这样找到了自己的位置，李小娟就是这样找到了自己的价值。人们能理解么？为什么人们会发自内心地说：理解万岁呀！……

李小娟把头埋在两膝之间，泪水把膝盖那儿的裤子浸湿了。她自语道：我得了不少钱，难道不应该吗？我是用自己的智慧、自己的勤奋、自己的拼搏、自己的贡献取得的呀！我的标致、我的美丽，的确迷倒了不少男人，但那怎能是我的罪过？

你们嫌我钱脏，却又贪婪我的钱，你们有志气，何不学伯夷叔齐，饿死首阳山，那我李小娟还认你们是人。你们又贪又糟蹋别人，你们还有做人的人格么？还像个人吗？

一百万？哈哈，我箱里放着二百万的汇票，在那边还留着一二百万，待企业有了前途，去南方那个城市取回来。现在你们既然嫌我钱脏，好，我一分也不投了。《杜十娘怒沉百宝箱》，那杜十娘真说绝了：“是你肉眼无珠哟！”

李小娟哈哈惨笑一声，摇摇晃晃站起来，那山野的冷风，砭人肌骨，她要回家了，敝帚自珍，我要自爱自重。看看谁活得高尚，谁活得潇洒！

李小娟走出两步，看到那模糊中的学校，猛然记起一件事：

我走之前，要把赞助学校的事了了……

九

上课的钟声刚刚响罢，老师们纷纷走向教室，郭老师最后从办公室出来，他老远就看到了李小娟，装着没看见，低着头，拿着教案，匆匆地也向教室走去。

“郭老师！”李小娟叫了一声。

郭老师没回头，佯装没听见。

“郭校长!”李小娟又大声叫唤道，紧走几步，赶到郭老师跟前。郭老师只得停下来，窘窘的，好像刚听到对方叫唤似的。

“小娟，你来了……”郭老师讪讪的。

“郭老师，你去立了银行户头了吗？”李小娟问。

“这，这……”郭老师是个不善于撒谎的人，他脸上红了一下，嗫嚅着，不知如何回答。

“还没办？有什么为难的？”李小娟依然轻声地、关切地说。

“没有，没有。我把这件事向县教委汇报了，县教委说，你最好把钱给他们，由他们拨到乡镇，再由乡镇分配给我们学校。”郭老师说。

“这是哪一条政策规定的？我是赞助给自己母校，又不是摊派任务。”李小娟有点生气了。

“小娟，你还是按他们说的办吧。再说，再说……”郭老师结结巴巴，似乎有什么说不出口的话，“我们学校虽然困难，也还是……还是……能克服的……”说到这里，郭老师急忙道：“我要去上课了，有空再来坐坐……”说罢，逃也似走进教室。

李小娟呆在那里，跟钉子钉住了一样。郭老师眼里写得再明白不过了，他一定听了别人的诽谤之词，说她的钱来路不正，不干净，他不敢要了。所谓县教委云云，分明是托词。

“我的钱不干净……”李小娟喃喃着，她浑身哆嗦，心口跟刀绞似的痛。

“我的钱不干净……”李小娟摇摇晃晃，趔趔趄趄往回走，口里兀自喃喃自语。她显得那么单薄，那么虚弱，轻轻的一阵风，都会把她吹倒。她无声地流着泪，不，在滴血！往心里滴血！

不是说子不嫌母丑，狗不嫌家贫吗？我的家乡哟，生我育我的家乡哟！我的母校，你曾经给我知识，教我做人道理的母校哟！你们真认为李小娟是不孝儿女吗？李小娟没做丢人的事，你们还不愿接受她，倘若李小娟真有了过错，你们能够用博大宽宏的爱原谅她、教育她、将她拉入自己的怀抱，让她重新振作起来吗？是偏狭的观念，还是陈旧的传统道德、传统文化使你们本应善良的人性扭曲了？

一路上只见李小娟的嘴唇在动，是无声的呓语，还是在颤抖？

回到家，正好父母兄妹都在，瞧他们的脸色，好像什么事情都知道了，正在谈论着，见到李小娟，便都缄口不言。

“爹，娘……”话还未出口，李小娟早忍不住泪涌双眸，她扑通一声跪在双亲跟前，凄怆地叫了一声：“爹，娘，孩儿对不起你们，这几年没好好照顾孝顺你们……”

“……”父亲苍老的脸上没有表情，只用混浊的双眼望着跪在地上的女儿。

“孩儿明天就走，这一走不知何日还能回来，也许永远不回来了。”

她哥哥和妹妹猛吃了一惊：“妹（姐），这是怎么回事？……”

老人依然没出声。

“爹，娘，孩儿走前有句话，我们家以前如有把钱借给别人，就权当送人了，今天将借据还了，或者当着他们的面撕了。以后再不要借钱给别人，要是遇到非常困难的人，你们心里又过意不去，那就送吧。只送不借。富会招祸呀。今后还会不会闹土改搞运动，孩儿不敢说，有人还是爱闹运动，爱闹阶级斗争，我们本是穷苦人家，却可能被看作眼中钉，当作暴发户。”

老人这时才突然滚落两滴老泪，很高兴地将李小娟扶起来：“小娟，听了你方才的话，我才放心了。你走吧，早应该走了，家里事你就不用担心了。在外你自己保重。”

李小娟又对兄妹道：“哥哥，妹妹，我在外头有个安定处所，马上会将双亲和你们接出去。没离开老家之前，二老靠你们照顾了，我在外时时都会感激你们的。”

李小娟的哥哥和妹妹，被她最后这句话触到什么伤心处似的，忽然失声痛哭起来。她母亲只是抹泪，父亲一边流泪一边反而笑了。

村外树林里传来杜鹃的啼鸣：不如归去……不如归去……

一家人都愣了愣，李小娟怆然想道：我归去哪里呢？我归去哪里呢？……

第二天一大早，在朦胧的晨雾中，李小娟的哥哥和妹妹，送她上路了。她早一天就订好了桑塔纳出租车，他们走到村外马路上，半夜从重庆开来的桑塔纳，已经停在路边。

李小娟穿上了华丽高贵的服饰，她妹妹替她提着箱子，笑嘻嘻地：“姐，你简直就是一位皇后！”

“你姐还没结婚，是一位高贵的公主！”她哥哥也笑道。

“你们从哪儿学来这些酸溜溜的破话儿？”李小娟故意嗔怒的样子，却满眼慈爱的笑意。他们三兄妹，从小就十分亲热友爱。

“说真的，姐，我今天才发现你这么漂亮！”她妹妹又道。

“你也很漂亮嘛。唉，漂亮也是一件烦事。你们回吧。”李小娟一边说，一边上了车。

桑塔纳出租车将李小娟送进重庆一家高级宾馆，李小娟租了一间豪华套房，洗了澡，用电话跟商务中心订了机票，然后穿着睡衣，半躺着坐在沙发上，那漂亮的长发披散开来，从镜子里看到自己美人模样，不禁自我陶醉起来：

原来我果真这么漂亮，平时自己怎么就没留意呢？

她有点顾影自怜，遗憾自己怠慢了自己。

李小娟尽量放松自己，一个人没有什么打算，没有什么负担，没有什么牵肠挂肚的事要办的时候，那是最放松的时候了。

她想就这么好好休息一会儿，半闭上娇态朦胧的醉眼，忽地，她想起临回来时朋友们跟她说的事：重庆有几位大公司的老总，还有省里的几位领导，跟他们都是有深交的挚友，如果遇到困难，或者需要他们帮忙，可以打电话找他们。

李小娟心里突然涌起要见见他们的冲动。她放弃在家乡投资，既没有困难也无须帮助。她只是想见他们，见了他们要说什么，做什么事，她茫然无绪。

从箱子里取出记事本，上面有朋友们开列的那些人的名字和电话号码。她随便给一位老总挂了一个电话，真巧，一挂就通，没有经过秘书和助理的折腾，是老总亲自接的：

“请问你是谁？怎么知道我这个电话？”

李小娟乐了，在南方，她摸透了电话奥秘，凡是保密电话，都是老总或领导者自己亲自接听，当然，能打这样电话的人，也就屈指可数了，那是绝对控制的内部保密电话。

“我叫李小娟。”

“你是李小姐？怎么今天才露面？”对方好像是她多年老朋友，又随便又亲切，说话又很焦急。“我们一直在打听你。”

“我住××宾馆，618房。”

“你不要走开，我们马上去拜访你，等我们电话。”对方说。

李小娟一路的疲劳，竟被一扫而光，她宛若又置身在南方那个城市，兴奋、不知疲惫、充满活力，她又投入角色了。她把披散的长发梳成一个发髻，穿上粉红色质地高档的套装。她是个吃苦又俭朴的人，舍不得买高档衣料。因为要出入一些重要场合，才不得不买几件，权当工作服一样。多少人要送她高级服装，她一件也不收，不知道她性格的人，因为被拒收，还闹了不愉快。

就在她梳妆打扮的时候，一连接了几个电话，有两个是方才那位老总打的，另外两三个电话，是这位老总转告后，别的老总先打电话来问候的。她接完电话在宽敞的会客室，飘来飘去，矜持地微笑着。

“高贵的皇后！”她想起了妹妹说的话，不无得意。

“铃铃铃！”电话铃又响了，李小娟拿起话筒，听出是那位老总的声音，立即用她甜润的声音说道：

“是何总吗？”

“是，李小姐，我们马上就到。”何总在那一头热情地说。李小娟甜美的嗓音，不仅仅能刺激你的听觉，使你兴奋，使你悦耳。而且能使你产生形象联想，在头脑中塑造自己认为最美丽的女性形象，让你心旷神怡。

半小时后，由何总领着方总、施总、刘总、林总、温总，走进李小娟的会客室。这些人都是重庆企业界的巨头，个个西装革履，气宇轩昂。但他们一见到李小娟，立即被她的光艳晃花了双眼，愣怔之后又都不由肃然起敬。握手时都要摇一摇，舍不得放开。这情景李小娟也不是见过一回二回,她很感激地向你甜甜一笑,那温柔的、带着一种调皮的、天真烂漫的、真诚的微笑,使你想到眼前这女子,是你可爱的小妹,是你很知心的朋友,是你宝贝的膝下儿女,却不会使你产生非礼之想。

落座后,几位老总异口同声问:“李小姐,你是四川人?”

李小娟明白他们问话的意思,她的普通话说得很地道,这时立即用四川话跟他们交谈,乡音使他们分外亲切,就如多年故友相逢。

“李小姐,你把我们四川人盖了。”方总道。

“我刚才细细观察李小姐,觉得很面熟,我想了老半天,在哪儿见过? 哦,李小姐多像李克纯? 跟姐妹一样。”施总道。

“对对,我也正想说呢。又一个李克纯,电影明星啊!”刘总道。

“哎呀,你们这么一说,把我臊死了,人家是明星,我是什么呀,将天比地。”李小娟脸上微微一红,很谦逊,很纯情。唯其如此,使人觉得她的真诚和踏实。在与人交往中,她感觉出了这点,这也是一种魅力。魅力靠调笑、撒娇、卖弄风骚,那是很鄙俗、很浅薄的。

“李克纯怎能比得上李小姐,据南方朋友介绍,李小姐可是企业界能人,巾帼英雄!”林总道。

“对对,女中豪杰!”

这时,一个秘书模样的人进来向何总耳语,何总立即向众人道:“省委领导来看望李小姐,赵总陪他来。”

大家立即严肃起来,赵总是他们的头,今天这个会见,真是非同一般。

“要不要找个会客室?”

“是呀,省领导来了,不能怠慢呀。”

那边何总跟李小娟一说,李小娟心里也很紧张。表面却镇静自若,她在心里骂自己道:你真是不安分的人,舒舒服服地休息一下,明天走人,打什么电话,你累不累呀!

大家正在拿不定主意的时候,身材高大的赵总,引着省里的领导进来了。这位领导姓朱,一身儒雅之气,戴着眼镜,很和蔼,也不经人介绍,好像早就认识李小娟似的,走过去和李小娟握了手:

“李小姐,果然名不虚传! 我姓朱,叫我老朱好了,不要书记、省长地叫,改改习惯吧。”一出口,就很随便,很亲切。

“首长一见面就抬举我,小女子吓坏啦!”李小娟跟小孩似的撒娇道,并且向对方鞠了一躬,大家立即哈哈大笑,气氛顿时轻松活泼起来。

“要不要到会客室去? 这里显挤了。”何总道。

“我看不要了吧,”老朱征询地环视大家,眼光落到李小娟脸上,“挤一点,靠得近,说话方便。”

“对对。”大伙道。

“怎么称呼你合适？李小姐，小娟？”老朱道。

“叫小娟，我是大人的臣民，不能没个规矩。”李小娟说。

“好个臣民，慧口不饶人。”老朱说，“小娟，前两年我到南方考察，见过你，因为没什么事由，不敢随便去打扰你。”

“哎呀，首长这么一说，小女子更吓坏了。要早两年靠上大树，小女子早不是今天这模样啦。”李小娟随随便便的说话口吻和卖痴卖傻的可爱样子，让大家彼此之间没有了拘谨，愈益轻松、融洽。老朱用手点着李小娟，只是笑。

过场戏完了，老朱道：“小娟，听说你这次回家乡投资？办得还顺利吗？”

李小娟也严肃起来，她沉吟着，在脑子里迅速地想着怎么回答问话：“首长，我的计划有点改变。”

“哦？”

“我考察了一下，觉得条件还没成熟，而且那边叫我赶快过去，我顾不了两头。”李小娟说。

“主要是什么障碍？”老朱很认真、很关切。

李小娟笑了笑：“首长，我斗胆说了，说错了，你多教诲。我觉得主要是人文环境还不行。”

老朱沉默了，他仿佛在思索对方这句话的深层含意：“小娟，你虽然说得不具体，但我明白你想说什么。是呀，人文环境，不仅四川有问题，全国各地都有这个问题。两个文明要一起抓，两手都要硬，只有充分经历过各种挫折各种困难的人，才会有深切的感受。”大家点头。

“小娟，你别以为当官的有权，颐指气使，很轻松。其实不是那么回事。改革开放，抓经济，我个人认为，还比较容易。搞文化建设，搞文明，让各种思想观念，让人民的各种修养素质，跟上改革时代，那才是真难真难的呀！”

李小娟被老朱一席很平常、很真诚的知心话震撼了，她心头一热，眼眶马上湿润了。

“正因为难，就更应该做，带着满腹的委屈去做。在座的各位，都是企业界巨头，都是改革开放的强者。我想，他们的艰难奋斗历程，有多少辛酸苦辣，多少委屈，是不为人知的。他们还是要做，还是义无反顾往前走。我也常常想，凡是干大事业的那些历史英雄人物，他们最令人感动的地方，倒不是成功的业绩，应该是如何满怀艰辛、委屈，改造文化、改造周围的人、改造环境，然后调动这些因素，去促进他事业的成功。”

大家连连点头，看来，领导的话说到他们心里去了，各人有不同的遭遇，就有了不同的感触。

“小娟，你到省里来投资怎么样？我们不是希望你投多大资金，我们是为了宣扬一种精神，改革开放的精神，爱国爱家乡的精神，全人类改造贫穷落后的精神。”

“对，小娟，大伙扶持你。你在外头名气那么大，那么才华横溢，不在家乡施展一下你的本事，人家怎么评说我们四川呀！你给首长一个面子，给我们一个面子。”大伙齐声道，都说得掏心掏肺。

李小娟终于忍不住，热泪啪啪滚落下来，她站起身向大家连连鞠躬，一边哽咽着道：“谢谢首长，谢谢各位朋友，我会回来的，我一定回来，你们让我再想一想。”

“有你这句话，大伙都高兴啦，晚上我为你接风！”赵总说。

“好！赵总拿出四川人的气魄来。”

“我也来吧，我作为你们的朋友身份来，不宣传、不报道，让我轻松一回。”老朱道。

“好，大伙都轻松一回！”众人道。

李小娟好不容易谢绝了各位老总的挽留，按原计划第二天登上了南去的班机。

她靠窗而坐。领登机卡时，她央求机场小姐给她一个方便，安排一个靠窗的座位给她。

飞机在重庆上空盘旋一圈，慢慢向南方飞去。从飞机上鸟瞰重庆，重庆的变化真大，改革开放以后，重庆也是日新月异，突飞猛进。李小娟深情地凝视着这一座城市，她发觉自己原来是这么热爱她，对她充溢着这么深的感情。

在她的泪水中，重庆远了，模糊了……

1997年3月28日

（选自《清明》1997年第4期）

章世添

笔名姜磊。1939年出生，福建连江人。毕业于水产学校。历任船员，教员，剧团编剧，福建画报社、海峡杂志社编辑，《中篇小说选刊》编辑、副主编、副社长，编审。1988年加入中国作家协会。1973年发表作品，主要作品有中篇小说《子规》等14部，短篇小说《日出江花红胜火》《台儿庄》等20余篇。

回 乡

王祥夫

一

马明当兵走了四年，四年后回到坡头就似乎什么都看不惯了。

坡头可真是个坡头，坐落在桦子坡山里的大山坡上，而不是在山的皱褶里。坡头村的后边是更大的山，也只照例叫“坡头山”。山上只长茅草；有树，却不往高里长，人们也不让它往高里长——没等长高，就被人们偷偷砍了去。这几年，政府不让人们乱砍树，并且号召人们上山去这里那里地种树，但种下去的树偏偏不喜欢活下去，一棵一棵只在山风里变成一把干柴，或有活下来的，也让山羊们把它们变作食物。前几年，城里的人扛着各种的仪器来，说要在坡头找煤矿。在山上这里那里留下了一些深深浅浅的洞子后，那些人就不见了。

马明在西安当了四年汽车兵，复员的时候，部队为他们这些老兵送行，照例有酒。战友们都说汽车兵最他妈幸福，一回去就有工作；马明看看自己的手，忽然傻呵呵地不停地笑起来，别人问他为什么傻笑，他也不说。战友们刚刚分手，信件来往自然多。为了那信件，马明刚回来那几天总是往山外的乡政府里跑，看看有没有自己的信，顺便看看能不能在乡里找到一份工作；想不到，乡里还有两个司机闲着没有事情做。武装部的那个胖乎乎的大胡子王部长对他说，“你他妈，给私人开车盘煤吧，哪个月不挣一千多。”并且很快就给他找到了一个车主，车主竟是乡里的副乡长王字典。王字典把马明叫到自己的办公室里，很神秘地对马明说：“别的好说，只是不许对任何人说起我拴车的事。”谈条件的时候还告诉马明说替他开车就要往他家里住，平时绝对不许回家，一个月管两条烟两瓶酒；每天早上起来都要负责打扫院子，打扫完院子再去从金子沟往四平沟的煤台上拉煤，一天最少也要跑两趟；只管拉煤，不许和煤台上发生任何关系，结账的事更不许插手；上加油站加油也只许上王字典他父亲开的加油站那里加。王字典一条一条地说，胖乎乎的王部长便在一边笑嘻嘻地打边鼓，说：“你小狗日，干好了有机会王乡长就给你在乡里找个指标把你的户口给转了。”想不到马明却一下站起来，说：“你这是找长工呢还是找司机？我还不侍候你呢。”王副乡长和王部长都想不到马明会突然说出这话，都忍不住笑起来，“你这人是不是当兵当尿愣了？”王部长看着他说。这话让马明从心里冒火，“你说这话？你还是不是当兵出身？”马明这么问王部长。“真是当兵当出毛病了。”王副乡长并不理会气得鼓鼓的马明，还对王部长这么说。王部长也只是嘿嘿笑，抬手拍拍马明的肩头：“坐下坐下，人家王乡长大人不记小人怪，你开还是不开？找这么一份工作容易？现在到哪都是这么回事，天下还有比这再好的事？包你吃，包你住，包你烟，一个月拿一千，你小狗日还要干啥？”马明一扭身子，甩开王部长的手，说：“要干，你干，我不干，我不当长工，你以为我部队四年白待了，回来给人当长工？”马明从办公室往外走时，王乡长又对王部长说：“这家伙当兵把脑子当坏了，还长工短工短工长工。”王乡长这么一说，马明就停住脚转回身，盯住尖下巴的王乡长，说：“你还是个乡长呢，告诉你，让我给你当长工？妄想！”

马明这么一说，王乡长和王部长就都眼瞪眼不说话，忽然又都笑了。

二

马明的心情很不好，回来没几天就过春节了，春节这几天，村里的几件事让他更不高兴。先是三十那天晚上，马明和他爹还有他兄弟在院子里垒好了半人多高的旺火，然后进屋和娘一起包饺子。妹子梅梅和兄弟媳妇英英在一边说话一边拌馅子，饺子馅喷香；娘说明明有四年没有在家里过过年了，好好儿包顿饺子。肉是好几天前就买好了，爹从县里买了十斤猪肉，还买了两条鲤鱼，还有牛肉和半条羊腿，都一样一样做好了，炸了肉条和丸子，鱼也都洗了过了油，过年的时候拿出来吃就行。看着一样样的东西，马明问他娘：“这几年就好成个这？”他都有点怀疑是不是家里动用他那点复员金了。娘就小声告诉他：“都是扶贫下来的，乡里给四百，区里给五百。”娘还告诉马明说这几年村子里和前几年不一样了，自从从太原来了电视台的拍了个片子，外边的人就一股一股往村子里来扶贫，这儿也给钱，那儿也给钱，还要给村里修个学校。“这几年穷倒穷出好处来了，吃的喝的比那几年好，在家里等着就行。”娘说。“等吃等喝？”马明说。他娘就笑了，说：“过年不吃牛大王也不让？到了春天乡里区里还给呢，好几年了，年年都给。”

“就是别动我那点点复员金，我还留着有用。”马明对他娘说。

馅拌好了，一家就上炕包饺子。马明弟弟的儿子小伟已经五岁了，在地上跑来跑去玩儿红纸叠的风葫芦。马明的弟弟已经结婚六年了，十八岁上在村子里的剧团和英英不知道怎么怀上了，没办法就早早办了。

“慢点跑，小心别把小鸡儿碰了。”马明的爹笑着对在地上乱跑的孙子说。

一家人就坐在炕上包饺子，马明的爹还往小饺子里包了一枚亮晶晶的五分硬币，想看看今年谁的运气好。饺子煮熟的时候，娘在东屋里的灶上把菜也炒得差不多了，娘紧着在东屋说："都上炕都上炕，今年才是团圆呢。"马明的爹却端了一碗素饺子到牛棚去喂牛。马明爹刚进牛棚，就听见有人从院子外"扑通扑通"跑了进来，是村长豆人。豆人一进屋就喘吁吁问："我哥呢？"马明的娘就告诉村长豆人说："在牛棚里呢。""快快快，快把这好菜好饭放起来，外头来人了。"豆人看看桌上的七盘八碗，又看看马明和梅梅，又喘吁吁说："侄子侄女的衣裳也不行，还有我侄孙的，都不行，快换上旧衣裳。"村长豆人喘吁吁急慌马乱说了两句就马上又走了，"我不待了，我还得安排别人，要是来人问还差几个月的粮，别忘了说还差五个月的。"

马明坐在那里瞪大了眼发愣，不知道到底出了什么事，"啥事？"他问他娘。他娘和他妹梅梅把刚刚放在桌上的菜这会儿又都撤下去，端到了东屋，他弟弟马亮也下地趿拉上鞋跟上来帮忙，一边帮着往东屋端一边嘴里嘟囔："迟不来早不来大年三十来干什么？""到底啥事？"马明又问他兄弟。他兄弟也顾不上说，一边往东屋倒腾热腾腾的菜一边说："还不是外头来人了。"马明从炕上跳下地，追到东屋问他兄弟："外头来人还不让咱吃年夜饭穿新衣服？"这时候马明娘又忙着要马亮和梅梅把身上的新衣服换下来，旧衣服已经从西屋的箱子里取出来了。马明发现娘的动作十分麻利，一眨眼工夫不但把马亮、梅梅和自己的旧衣服取了出来，而且把爹的那件旧布疙瘩扣子黑棉袄也取了出来。娘做完了这一切，又去堂屋的菜缸里飞快地捞了两根红红的腌胡萝卜，素菜团子和豆芽是现成的，也都拿出来。

马明看着娘在案板上"嚓嚓嚓嚓"切那红红的腌胡萝卜。

马明的兄弟媳妇给她儿子小伟换旧衣服，小伟却说什么都不依，"小伟不换就别换了，不见得每年都有他的好事，让他到堂屋去玩儿。"马明的爹也从外边进来忙着换衣服，一边说。

"素菜做不做？也许不到咱家呢。"马明娘问站在一旁正换衣服的老伴。

"做吧，我看豆人会往咱家领，要不急慌马乱让咱们换衣服。"马明的爹说。

"要是不来呢？"马明的娘说。

"不会吧，哪一回不想着咱们，准备好，挣狗日的！"马明的爹大声说。

这时马亮和梅梅都把过节前穿的旧衣服换好了，互相看看，都笑了。

"开开窗走走味，"马明听见爹又对弟弟说，"你闻闻这一家的肉香味儿，一会儿来了人还不露馅儿。"

马亮就把窗子开了，窗子一开，愣愣地坐在炕上的马明就能看见窗外对面黑乎乎的东山。

"你咋还不换？"马明就听见爹问他。

"为啥换？"马明说。

马明就看见爹笑了，说："反正有好事，完了再跟你说。"

"你还是换换好。"娘也笑着对马明说。

马明便下地把自己的一套旧军衣从箱子里又找出来穿上，拍拍，又拍拍，对着镜子看看，“操，还是这个舒服。”马明说。

一家子人都换好了衣服，东屋的门也特意上了锁，因为怕外边来人突然闯进去看到那炒好的菜。素菜也做好了，也一盘一盘端上桌。那些菜在灯底下冒着白白的汽，一家人又都上了炕，都盯着桌上的菜，不知该不该吃。马明的弟弟马亮突然“扑哧”一声笑出声，对他爹说：“爹，你说咱们像不像演戏？”

“会演戏就能吃香东西。”马明的爹说。

小伟也上了炕，突然嚷着要吃肉菜，要吃刚才已经煮好了的肉馅饺子。

“还是你这小鸡巴人精，知道肉好吃。”马明的爹特别爱他这个孙子，又逗孙子说：“你告诉爷爷，哪有肉饺呢？”

小伟就伸出小手指东屋。

“待会儿来了人可不敢说，要问也只许说没有，只许说咱家过年没肉吃没新衣服穿。”马明的爹在孙子脸上亲了一下，“知道不知道？”

“知道。”小伟说。

“你咋说？”当爷爷的问。

“没肉吃。”小伟说。

“还咋说？”当爷爷的又笑眯眯地看着孙子问。

“没新衣服。”小伟又说。

“好，就这么说。”当爷爷的笑了。

“到底为啥？”马明又问他爹。

“为啥？待会儿怕有外边人来，你要是有别人谁还会给你。”马明的爹说。

“装穷？”马明说。

“你愈穷人家才愈会给你。”马明的爹笑着说。

“咱们到底吃还是不吃？”马亮敲敲筷子。

“再等等，要是不到咱们家，咱还是吃大肉，过年呢。”马明的爹说。

一家人就在雪亮的灯底下坐着，听着外边，不时掉过脸看看外边。

外边，不时传来一声两声鞭炮声，忽然院子口的狗“吱吱”地叫了起来。

“来人了。”马明听见爹说。

一家人就都朝院里看，果然就有一个人从外边急匆匆进来，进到屋里：是村长豆人。豆人一进来，看看屋里，拍手打掌大惊小怪地小声说：“咦？小伟咋还不换衣服？”

“又有好事？”马明就看见爹的脸一下子明亮起来。

“看你这人，魏市长来了，还能没好事。”村长豆人说。

“快换快换。”马明就看见爹脸上的肉兴奋地一颤。

小伟就很快被拉到炕上换衣服，身上的新衣服马上给脱下去，一身很旧很小很不合身的不知从什么地方捐来的春天的衣服便穿在了小伟的身上。小伟很不愿意,身子一扭一扭的。

“别抠鼻子,让你去换钱你还不愿意。”马亮轻轻在儿子屁股上拍了一下。

“还有谁家的孩子?”马明的爹问村长豆人,豆人是他的堂弟。

“水仙的大强,我对得起她。”村长豆人说。

水仙是村长豆人的妹妹,是马明爹的堂妹。

“兄弟我可是年年想着你。”村长豆人对马明的爹说,领上小伟走了。

全家人都乐呵呵看着外边。外边,时不时有炮仗飞起来,“砰”地一炸。

“真是害人呢,小伟小小的就学骗人。”坐在那里老半天不吭声的马明突然说,他明白了村长豆人把自己的侄儿领去做什么。他这么一说,他爹就看他,弟弟马亮也看他,梅梅和兄弟媳妇英英都在灯底下看他。

“咦,看你是亲戚让你挣两个咋就说是害人呢?”马明的爹看着马明说。

“就让小伟从小学撒谎?”马明对爹说。

“小孩子家懂个啥,长大啥都忘了,能挣狗日的,你没看窗上玻璃都没了,安玻璃也要钱呢。”马明爹说。

“我不能让侄子从小学骗人。”马明说,一出溜从炕上下了地,把鞋穿好就要出去。

“你做啥去?”马明的爹问儿子。

“尿尿,放炮。”马明板着脸,说。

马明没去厕所,他一直去了村长豆人的家。外边来的客人不在村长豆人家,豆人的女人正在招呼一家人吃饭。村长豆人的女人也就是马明的婶子告诉马明外头来的客人要和村里的穷困户一起过年呢,“这会儿在罗圈他爹家里。”

“罗圈他爹还算最穷?”马明吃了一惊。

“咋说也是你舅妈的爹。”村长豆人的女人小声说。

马明便去了罗圈的家,先站在院子里朝屋子里看看,屋子里的灯很亮,外边来的客人都笑呵呵在炕上盘腿坐着,那个胖胖的戴眼镜的人可能就是市长魏有记。客人们在炕上坐着,小伟还有大强还有另外一个孩子在炕沿下可怜兮兮地站着。罗圈从地上往炕上的桌子端了一红瓦盆什么,罗圈的女人又往桌上端了一红瓦盆什么。那些人一起动起手来,站在外边的马明才看清那是一盆红红的胡萝卜饺子馅和一盆和好的白白的面团。那些人像是要开始包饺子了,这时站在外边的马明便看见那个像是市长的人从口袋里往出掏出什么——是钱,掏出来一下,又往出掏了一下,递给穿了一身旧衣服样子有几分可怜兮兮站在炕沿儿下的小伟手里,小伟旁边还有同样也穿得很破烂的大强。这个先往出掏钱的人肯定是那个魏市长了,他往出一掏钱,另外几个随同来的也纷纷跟上往外掏。

马明就猛地推门进去。

屋里的人都想不到马明会突然从外边闯进来，马明一进来就把站在炕沿儿下的小伟手里拿着的钱夺过来往炕桌上一放，然后抱起小伟就要走。

屋里的人都“呀”了一声，都看被马明撂在桌上的钱。

“咱不要。”马明对小伟说。

“市长给的你能不要？”村长豆人吃了一惊，跳下地说。

“我要让他从小懂得钱要靠自己挣。”马明说。

“这是谁？”那个魏市长问。

“这孩子的叔叔。”村长豆人说。

“有骨气，是要靠自己。”魏市长说。

小伟还要拿那钱。被马明在小手上打了一下，“不要，不是你的就不能要。”马明的脸绷得很紧，屋子里的人都愣了一愣，都看魏市长。

魏市长却看着马明，马明抱上他侄子小伟出去了。

村长豆人很快从屋里追了出来，跟在马明后边一边走一边生气地说：“看把你家富的，二百块钱都不想要了。”

更生气的是马明，他抱着小伟，一边走一边说：“你要吧，你就这么教后辈？就这么装穷骗人？”

“你富？你身上哪一块儿富？”村长豆人跟在后边说。

“讨吃子才靠施舍呢！”马明说。

“那叫施舍？那叫扶贫！”村长豆人说。

“你以为我不知道，一个个有新的非要穿旧的，装穷骗人。”马明说。

村长豆人就在后边“嘿嘿嘿嘿”冷笑起来，“你咋当兵当得不知道个里外了？我就是很穷，你有啥好法子你教给我？”

“不会种树？那么大的山，能种多少树。”马明说。

“指望树？不等树长鸡巴粗你人也老了。”村长豆人不追了，站在那里。

马明也不走了，回过头。

“听说，”村长豆人站在暗里又说了话，“听说乡里的王乡长想让你去给他开车你给推了？”

“我给他当长工？我是谁？”马明一下子又火了。

“王八水蛋，挣钱就是好汉。”村长豆人在暗里说。

“小伟你听着，你长大了要靠自己的力气挣钱，别装穷要别人可怜，要活个人样。”马明真是气极了，在暗里大声对小伟说。

“你还这么大声，你还怕客人们听不到？”村长豆人又拍手打掌地小声说。

“听到才好呢。”马明大声说。

“我看你是当兵当愣了，连钱都不认了。”村长豆人气了，小声说。

三

天很快就暖和了起来。

坡头的杏树很多，可以说到处都是，杏花乍开的时节正是人们翻地的时候。

杏花开的时候，村子里又出了件事。

先是县农机公司派人派车下来送化肥。这是县农机公司的扶贫项目，一共往来送了六车化肥，都卸到了早先乡里开的碳素厂的厂门外。因为车开不上来，人们下去背化肥还得走一段路。村长豆人一户一户地通知人们去往上背自己家的化肥。但不是家家都能分到，比如多生了孩娃的人家和去年没交上扁豆的人家都不能去领化肥。这些人家找村长豆人说了又说，好话说尽了也没起任何作用。“说扣就扣，你以为是给我扣，我是给共产党办事呢。”村长豆人说。该这些人家领的化肥就都给村里扣了下来。

马明也去背化肥，穿了旧军装，肩上搭了条旧麻袋，还戴了个白白的口罩。

“你还戴这布笼嘴?”马明的爹说，“你还怕让人笑话得不够?”

“我没往别人嘴上戴，管别人说啥?”马明说。

“说啥，猜你脑子里有二百五，看不起别人的二百。”马明的爹说。

“他们想说啥说啥，我听不到。”马明说。

“你给我摘了。”马明爹说。

“不摘。”马明说。

马明原想到了地方背化肥时再把口罩戴上，爹既然那么说，他索性一出门就把口罩戴了起来。不知怎么搞的，马明的心情最近一直糟得很。马明和村里的人们一道往山下碳素厂那边走，一伙子人，特别惹眼的就是他，人们都左一眼右一眼笑嘻嘻地看他那白白的口罩。

“怕啥？我在西安当了四年兵能和他们一样?”马明在心里自己对自己说。

出了村，上了对面的桦子梁，又走了一段路，马明爹忽然停住了脚步，说：“明明，你停停，听见没？你停停。”

马明就站住，回过头。

村里的那些人们很快嘻嘻哈哈转过那一片杏树林子走到前头去了。

“你看看你像啥?”只剩下马明和他爹的时候，马明爹伸过手一下子就把马明戴的口罩给扯了下来，“这多好，你不怕别人笑话我还怕呢。”

“你怕笑话我不怕。”马明被爹把口罩那么往下一扯一下子逗火了，他又把口罩一下戴上，“这又不是干坏事，又不是装穷，这是讲卫生。”

“过几天还下地抓化肥呢，你也这样?”马明的爹说。

“那当然，更得这样。”马明说。

“那你就给我在后边走，别和我一起走，也别和别人一起走。”马明的爹更气了，他简直就拿马明没办法。

“不和你走就不和你走。”马明也气了，站着，看着他爹气呼呼地走，走出好远，转过了一个山坡，他才开始走。

事情就出在马明比别人落后好长一段路上，马明走到前山腰地坪上早已停产的碳素厂时，村里的人们已经背上化肥开始往回走了，马明的爹也在人群里头，皱着眉头，不朝这边看，背上是四袋化肥，上边苫着块白塑料布。

“你咋走这么慢？”有人笑嘻嘻地问马明。

“我看见狐狸了。”马明说。

“公狐子还是母狐子，还是公狐子骑母狐子？”那些人就嘻嘻嘻嘻笑。

到了碳素厂，马明一眼就看到了卸在厂门口里边的化肥，却不见村长豆人的人影。厂子颓败了，到处是草，去年的枯草和今年才长起来的绿草，有灰灰的蒿雀突然从草丛里飞起来。

碳素厂停产以后，工人都回了家，但还住了两户人家，养着条细犬，在厂子里种着些菜。马明在厂子里走走，那条细犬吼吼地一叫，他就不敢乱走了，马明从小就怕狗。他就往厂子东走，想解个大手。在部队待了四年，他已经很不习惯蹲在野地里精赤着屁股解手了。他看见了东边的厕所，就往那边走，还没进厕所就听见厕所里有人在说话，马明一下子就听出了是村长豆人在和什么人小声说话，他就站住，把手里的烟盒攥成个纸蛋。

“保证没事吧？”那个人说。

“保证没事。”村长豆人说。

“那五十，我回去就办，今年的化肥紧张。”那个人说。

“一袋十块回扣不少吧？”村长豆人说。

“你看吧，不出事就行。”那个人说。

“能出啥事，扣下的这些化肥的主儿不是超生的就是不交扁豆的，还敢说屁话，再说这化肥是扶贫给的，又不是人们出钱的事，你放心。”村长豆人说。

“过年的事……”那个人忽然又说。

“妈的，白面豆包儿，”村长豆人说，“只要你给我们村做好事！”

马明就听见厕所里数票子的声音。

“刘老汉家得了五百，马大女得了四百，保管存柱爹得了四百，刘富得了四百，毛有福得了五百，还有王老师他爹也得了五百，还有皮裤，皮裤得了四百，一家给你抽五十，一共三百五。”村长豆人说。

“你他妈落得更多吧，够俩儿大金镏子，都套鸡巴上了？”那个人说。

村长豆人就在里边笑，说：“只要你往来领人，无论给钱给东西都有你一份，东西也是钱，扶我们村的贫也是先让你富一富。”

“再富也富不过你。”那人说。

“我不过是折点鞋底子钱。”村长豆人说。

“你挣也是应该的。”那个人说，“你抽他们的份子他们也愿意，你不往他们家带人他们能挣上？”那个人说。

“我知道，你不往我们村领人我们村能挣上？”村长豆人马上跟上说。

“你知道就好。”那个人说。

“走吧，看看还有没有人来。”村长豆人说。

站在外边的马明就忙往厕所后边走，想一想，又停下来，却又紧走几步回来，用胳膊抱住自己的肩头，正正地站在了厕所的门口。

从厕所里出来的村长豆人和那个人就看见站在厕所门口的马明。村长豆人一下子愣住，脸红起来，马明认出了另外那个人是乡里的办公室主任马小文。

“你吃了？”村长豆人慌了，不知说什么好。

“叔你慌啥，这是厕所。”马明冷冷地说。

“你刚来？”村长豆人又说，脸更红了。

“我来了好一阵了，听你们在里边说话，不敢进去打扰。”马明冷冷地说。

“你听见啥？”村长豆人更慌了。

“都听见了。”马明说完，从村长豆人和乡政府办公室主任马小文中间一下子穿过去进了厕所。

蹲在那里，马明气愤得很，真想不到世上还有吃这种回扣的人。他也是第一次知道过年上边来的人都去了村里哪些人家，都给了哪些人家“救济金”，而这些拿了“救济金”的人家并不是村子里最穷最需要帮助的人家，不是村干部的亲戚，就是有点办法的人家，比如毛有福和皮裤，家里都有人在外边下小煤窑。在厕所里蹲了好一会儿，马明从厕所里出来的时候，村长豆人和乡办公室主任马小文还在厕所门口蹲着抽烟，不说话，只是发呆。

“明明，”马明一从厕所里出来，村长豆人就站起来从口袋里取出五十元，“这五十你给叔拿上买烟抽。”

“不要。”马明几乎是火了。

村长豆人张张嘴，长出一口气，说：“过去也全怨你婶子，你出门走了四年她也忘了请你，她就是个母猪记性。”

马明看着村长豆人。

“一百总行了吧，”村长豆人又从口袋里取出五十，“侄你就把这一百拿上。”村长豆人又递过钱。

“不要！”马明又说。

“一百还少？你还让你叔给你跪下？”村长豆人说。

“谁让你跪。”马明说。

“我为谁？我不是为咱们坡头，现在政府号召扶贫，让他们出点血也是应该的。他们拿国家工资，不让他们出血白不出，再说咱们也真穷。”村长豆人又说。

马明不说话，转过身往前院走。

马明一走，村长豆人和乡办公室主任马小文也马上跟上走。马明忽然回过头来，大声说：“叔你真愚蠢！”

“咦，我咋说也初中毕业。”村长豆人说。

“叔你咋这么愚蠢！”马明又说。

“你把这一百拿上。”村长豆人更不知道说什么，把钱往过送。

“叔你咋又自私又愚蠢！”马明说。

“你有本事，你不愚蠢，你当四年兵！”村长豆人气了，脸色煞白，看着马明，忽然蹲下来，又站起来，长出一口气，“叔也是为村里打闹点，这几年也只有靠扶贫。”

“靠扶？要是不扶呢？”马明站在那里说。

村长豆人不再说话，拿个草棍在地上划过来划过去。

“反正我没亏待过你们家。”老半天，村长豆人抬起头，说。

“我不跟你说了！”马明说，他忽然有说不出的失望，他朝化肥那边走，走几步，又停下来，回过头，说：“叔，你一辈子永远只是个鼠目寸光的烂农民。”

“我是，你不是，我是地上的烂耗子，你是天上的金翅膀雀儿，那你咋不往外头飞！你当你有多大？你二十四岁个人！”村长豆人跳起来，说。

乡政府办公室主任马小文蹲下去，忍不住“嘻嘻嘻嘻”笑起来。

“老马，你笑啥？你笑啥？”村长豆人更气了，弯腰对马小文说。

四

北区化肥厂的人来了坡头。

化肥厂的那个人很年轻，脸白白瘦瘦的，两腮有点儿红，笑眯眯地手里拿了一小枝开得正好的杏花，走走看看，看看闻闻；陪他一起来的马小文手里也拿了一枝杏花，却在屁股后边一晃一晃。中午，马小文和化肥厂的人在村长豆人家吃的饭。鸡蛋炒煳了，化肥厂的年轻人忽然跑到外头“哇哇”吐起来。那年轻人是来落实厂里的扶贫任务的，电视台那边也已经联系好了。“到时候还要拍电视呢，”化肥厂的年轻人说，“我是下来先告诉你们有个准备，别到时候碟东碗西地乱忙。”

那个年轻人在院子里吐，吐完了，看着那条细腰黄犬把那吐的东西都吃了。

“嗓子眼儿里好像有根鸡毛。”从院子里进来，那个年轻人对马小文说。

“鸡蛋炒焦了就那味儿。”马小文看看村长豆人，说。

“鸡蛋炒煳了下火呢。”村长豆人说。

“我想打听个人。”那年轻人对村长豆人说。

“谁?”村长豆人说。

“我一个战友。”那个年轻人说。

“马明?”村长豆人马上说。

“你咋知道?”那个年轻人张了张嘴,感到意外。

坡头就只有马明一个当兵的,不用问。

“你也当过兵?”村长豆人用馒头沾着盘子里的菜汤吃,一边说。

“我在部队画了四年黑板。”那个年轻人说,回身看看村长豆人家的炕围子,炕围子上画着碗大的红红粉粉的牡丹花。

村长豆人便要打发人去找马明,那个年轻人不让,他要村长豆人指给他马明在哪住就行,他要自己去,他要给马明一个惊喜。村长豆人就亲自带他去,在马明家的院子外边指点着,让那个年轻人自己进去。马明竟不在,去山下苗圃看树苗了,马明的爹告诉马明的这个战友。

“他看树苗?看树苗?”那个年轻人说。

“再喝口水?”马明的爹说。

“院真大。”那个年轻人却从屋里出来,在院子里站站,看看对面的山,说。

“我不走了,我要在村里住一夜。”从马明家出来,化肥厂的那个年轻人对乡政府的马小文说。

乡政府的马小文一个人回去了。他要走很长一段山路,然后再骑上放在碳素厂里的车子往回赶。一路上到处是粉粉白白的杏花,还有从南边飞来的小鸟,叫声细细的,真是好听。

很快就到了吃晚饭的时候,村长豆人让化肥厂的年轻人吃饭,那个年轻人说:“不能吃,不留肚子对不起马明。”

村长豆人就一边吃饭一边和马明的战友说话,马明的战友就说他们当兵四年住的那个山沟,“和你们这里也差不多,大山沟。”又说他们连队住的地方闹鬼的事,说那细山沟太寂寞了,一个部队的家属就上了吊,到了夜里就总有动静,那鬼总唱歌,嗓子细细的道、来、米、米、道、来地瞎唱。

“明明咋就在山沟?不是在西安城里?”村长豆人停住筷子说。

“西安城?”马明的战友就笑,“他那是吹牛,他多会儿在西安城里住过,梦里还差不多,他知道西安的萝卜是直的还是弯的、红的还是紫的?”

村长豆人就“嘻嘻嘻嘻”笑起来。

天黑后,马明回来了。

化肥厂的年轻人就到马明家里去,马明正在洗脸,用一点点水。坡头缺水,人们常常是五六天洗一次脸,因为马明天天都要洗脸洗脚,马明的爹已经很不高兴了。马明正擦着脸，忽然就看见有人进来，还以为是弟弟马亮，放下手巾，眼一亮，大叫了起来，张开双臂便和那个战友拥抱在一起滚在炕上。

“我要和你喝酒。”马明的战友大声说。两个人从炕这头滚到那头。“好，咱们喝酒。”马明也大声说。“我要和你一起睡，好好说一黑夜话。”马明的战友又大声说。两个人又从炕这头滚到地头。“好，你想走我也不放你走。”马明也高兴地大声说。

两个人跳下地，去了村子里的小卖部。

“我还以为你出去开了车了。”马明的战友说。

“四年白学了。”马明看看自己的手。

“你也没车开？”马明问自己的战友。

“化肥厂只有五部车，过一阵子再看吧。”马明的战友说。

马明就把乡里的王乡长想雇他开车的事对战友说了，“又要给他家扫院子，又要做这做那，又不能做这做那，那叫当司机？那叫当长工。”

“挣钱就行，别管那么多，先从这小村子出去再说。”马明的战友倒想得开。

“刘许友呢？”马明看着战友。

“以前叫‘资本家’，现在叫‘专业户’，挣钱还是一样的，你别跟不上时代。”马明的战友却说。

马明在小卖部买了两瓶白酒，三个罐头，家里已经给他们炒了鸡蛋，烩了粉条子山药。年已经过去了，肉是没有了，“要不宰只鸡吧？”马明到西屋去和他娘小声商量。“就宰那只公鸡。”娘小声说。

“都快洗洗手洗洗脸，脏成个啥。”马明又小声对家里人说。

马明便回到东屋和那个战友上炕。小饭桌放在炕上，两人面对面坐下，头顶上是黄黄的小灯泡子，灯泡子上还贴着过年时红纸剪下的小喜字，灯光从上照下来，两个人在灯底下互相看着，忽然都笑起来，马明用手猛地摸一下那个战友的头，那个战友也猛地用手摸一下马明的头。

“吃吧，没好的。”马明说。

“先喝一杯。”马明的战友说，这时院子里鸡死命地叫。

“干啥呢？别宰。”马明的战友说。

“你来了，没好的。”马明说，一口把杯中酒干了。

“留着下蛋，别宰。”马明的战友说。

“公的，没用。”马明说。

“公的没用？”马明的战友又猛地摸一下马明的脸笑起来。

“喝吧，干狗日的刘许友，就不来看看我。”马明说。

“不知道他们咋样，都有没有车开？”干了酒，马明的战友说。

“我肯定不会有。”马明说，眼里突然有了泪花。

“不行就给私人开吧。”马明的战友说。

“我？伺候私人？”马明说。

“不如当义务兵。”马明的战友说。

“王连长那个烂鸡巴腿不知道好了没？”马明说。

“你他妈，”马明的战友忽然大声说，忽然又放小了声音，说：“你他妈对你们村的人说你在西安城里当了四年兵？”

马明的脸就红起来，嘻嘻嘻嘻笑起来，嘻嘻嘻嘻地笑着笑着，眼里就又有了泪花儿，他背过脸擦一下，“要让我在村里待一辈子我真不甘心，不甘心。”

两个人一直喝到很晚，两瓶酒都喝干了，马明下地出去了一趟，又回来，说，“鸡肉明天吃吧，还没煮烂呢。”两个人又一起去厕所，又洗脚，又刷牙，马明自从回来后，已经好长时间晚上不刷牙了。睡下后，又说了好长一阵子话。马明不知怎么忽然觉得很伤感，灯已经拉灭了，便有凉凉的东西在他的脸上爬，幽幽地流到耳朵里去了。

“真想不到……”马明忽然在暗里说。

“刘许友那家伙。”马明的战友忽然在暗里笑了。

“在部队待四年真不知道村里这么落后，人们这么可恶。”好半天，马明才又说。

“你咋说可恶？”马明的战友在暗里说。

“都应该饿死。”马明在暗里恶狠狠地说。

“你这是说谁？”马明的战友把身子侧过来，把手伸过去。

马明在暗里坐起来，点一根烟，先递给战友，自己再点一根，忽然就想起村里的那个叫桂花的老汉。那天桂花老汉靠着墙晒日头，马明过去和他说话，他问桂花老汉今年的粮够吃不？“还差半年的呢。”桂花老汉说。“不想想办法？”马明说。桂花老汉就“嘻嘻嘻嘻”笑起来。说：“等救济粮下来呀。”“你就光等国家救济？”马明说。“反正共产党不让一个人饿死。”桂花老汉好像一下子不高兴了，又说，“给就吃，不给就不吃，不给就找绳子。”

马明当时真窝火，真想大声对那个又臭又脏的桂花老汉大声说：“像你这种人就应该饿死。”但他还是忍住没说，只对桂花老汉说：“你不思谋喂喂羊？”

“谁给小羊？”桂花老汉说。

“你不思谋种种果树？”马明说。

“谁给树苗？”桂花老汉说。

“你就不思谋思谋国家又没该上你？”马明忍不住了。

“共产党好呢，不让一个老汉饿死。”桂花老汉说。

马明当时真想朝桂花老汉脸上唾一口。

“你就不知道农村有多落后！”在暗里坐着，马明突然又对躺在一边的战友说，“你就不知道那些烂农民有多么……”不知道自己该说“可恶”还是“恶心”，“总之，我要是希特勒……”

“你咋了，好狠。”马明的战友在暗中问。

“国家给钱给东西搞扶贫真是可笑，越这样这些人越懒得动。”马明说。

“你们这儿风景真不赖。”马明的战友说，“你瘦了。”又说。

“不过就是些山。”马明又说。

马明的战友也坐起来，要去厕所。

两个人又都出去，站在那里解手，周围真是静，他俩都仰着头，“天上的星星真多，城里的星星就没这么多。”马明的战友说。

“也他妈就是星星多。”马明说。

天亮后，让马明想不到的是，自己竟和战友不欢而散。

天亮后，马明陪上战友一块到村长豆人家说化肥扶贫的事，马明的战友当着马明对村长豆人说：“原来是按几户几户报，现在你就再重填个表格，按土地报，我还按原来的数字给你，多余的你们就不用管了。”

从村长豆人家里出来，马明一下子拉住自己战友的手，“你咋这样？”

“你真是跟不上时代了，过年咱们还没好好聚聚呢。”马明的战友说。

“你自己吃吧，你挣这种外快也不容易。”马明冷冷地说。

晚上原来说好的，马明要跟上他的这个战友进一趟城，和另外的几个战友会会，马明忽然打消了这个念头。中午，村长豆人叫马明一块陪着他的战友去他们家吃饭，马明没去。马明在村子里转来转去，心里乱得很，几次走到村长豆人的家门口，还是没进去。下午，马明又躲了出去，那个战友来找他的时候，他正在村里马九红家的那个已经不住人的大院子的杏树下的草堆上躺着，一动不动大瞪着两眼躺着。杏树上的花开得很稠，那种南来的候鸟细声细气地在树上叫着，从这个枝子上蹦到那个枝子上，从那个枝子上蹦到这个枝子上，碰落的杏花落在马明的身上和脸上。

马明忽然跳起来的时候天已经很晚了。

他去了村长豆人的家，他的那个战友已经走了。

“你就给他那么按土地重填了一回？”马明问村长豆人。

“咦，放哪了？还没呢。”村长豆人说。

“没就好，你要是给他那么填我就给你们抖出去。”马明说。

“你看你，雀儿飞来飞去也为找口食吃。”村长豆人不找那张表了，看着马明说。

“要找让他到别处去找，谁让他是我的战友。”马明说。

“又不拿你的，你看看你。”村长豆人说。

“你不听我的，我连叔你也一起抖出去。”马明说。

“我是村长我听你的？”村长豆人看看马明说。

“你不听，你就那么做做看。”马明说。

村长豆人气得很，瞪着眼看看马明，猛地朝自己手里吐了口唾沫，把手又在自己脑门上狠狠一拍，拍自己一脑门唾沫，“我他妈唾我自己行不行?”村长豆人说，又狠狠拍一下自己脑门，推开自家门出去了，把马明一个人撂在家里。

“我忙来忙去为鸡巴谁?”村长豆人站在院子里说。

“再喝点水?”村长豆人的女人从院子里进来，手里拿着暖瓶，暖瓶上还贴着过年时的窗花。

五

春天是美丽的，在坡头村，春天又是难过的。

坡头一带的山区因为去年秋天雨水太大，上冻太早，庄稼早早就绿绿地冻死在地里；雨后天气又好了一阵，但那早早被冻死的庄稼给太阳一晒很快就变成了一把把风一吹就哗啦啦响的烧柴。乡政府粗粗估了一下，因为受灾，坡头一带去年的人均收入在一百六十元左右，这个数字听起来让人心里有些惨然。所以，一过完正月十五，乡里就忙着给坡头村一带扶贫的事。先是要发救济粮，然后要发春耕种子，做预算，造表，上报，核实，再上报，报扶贫办，报防灾办，报区委，报市委，乡里的干部真是忙得很。许多的人都被那个人均一百六十元左右的数字吓了一跳，都不知道那个离他们遥远的山村的人们怎么生活？吃什么？穿什么？杏花乍开的时候上边便下来人，来坡头视察，来了一批人，又来了一批人，这就真把村长豆人忙得够呛。

村长豆人先是跟皮裤大发了一顿脾气。

天气好起来的时候，皮裤从山下砖厂往山上背了五千多块砖，都红红的码在他家的院子前边。他准备到四月份动工盖新房了。那五千块红砖码在那里真是十分的惹眼。村子里的人都很羡慕皮裤。去年的一场雨，村子里倒了不少房，到了春天，许多的人家都准备修修房。下放扶贫资金的人们下来视察的时候，村长豆人专门到皮裤家，要他把他家院子前的那些红砖搬到后院去，省得在前边那么显眼，给村里找麻烦。说了几次，不见动静，要倒腾那么多砖不是轻闲营生，皮裤的儿子都在煤窑上。

第一批下来视察的是县里的扶贫办，村长豆人就没敢领人往皮裤住的那边走。但心里七上八下的，总怕哪个客人一激动，到处乱走就看见皮裤的那五千块砖。这天晚上，村长豆人就又去对皮裤说：“不行就用山药蔓苫苫，再不行就用谷草苫苫。”到了第二天，是市里要来人，村长豆人忙忙地又去皮裤家看，那五千块砖还就那么亮在那里，村长豆人有几分火。

“你咋还不苦苦?”村长豆人对皮裤说。

“哪有人?”皮裤说。

“你儿子呢,黑夜憋泡尿也苦了。”村长豆人说。

“我那儿子都是些王八蛋。”皮裤说。

“快苦苦。”村长豆人说。

“山药蔓呢,谷草呢?”皮裤却说。

村长豆人一听就火了,“你跟谁要,谁欠你谷草?”

“那我就不苦。”皮裤说,“我没东西你让我咋苦?”

“你等着死了天上给你哗嚓嚓掉下个棺材。”村长豆人真是气得够呛。

皮裤也就火了,两个人就吵起来。

恰好这天上边的客人乱转就真看到了皮裤家的那五千红砖,便要到他家看看。客人们来了,坐在院子里补草筛的皮裤倒没忘了村长豆人怎么教他说话。

客人问:“粮够不够吃?”

皮裤说:“差五个月口粮呢。”

客人问:“外边是你的砖?你准备盖房子?”

皮裤说:“砖是女儿家的,寄放在这里。”

客人问:“你女儿家在哪里?”

皮裤说:“田町。”

田町在山下,怎么倒把砖寄放到山上?客人们愣了,你看我我看你。

“他脑袋有点毛病。”村长豆人就在一旁说,这一句话就把皮裤给逗火了,“你才有毛病呢。”皮裤说,那些客人们便都笑笑,果然这人有毛病,就推门进了西屋,就看到了西屋堆在炕上的十多袋子白面,还有两袋子大米,地上,是放粮的土瓮,客人们掀开高粱秸做的瓮盖,里边是金黄的谷子。

客人说:“嗨,这家的粮食还真不少?”

皮裤说:“女儿家寄的。”

客人们又都笑,可不这人脑子有问题,他女儿住山下,倒往山上放粮食。

村长豆人捏着一把汗,算把皮裤恨死了。

村长豆人笑着陪客人从皮裤家出去,又黑着脸马上返回来,拍手打掌地小声骂皮裤,“你就伸长脖子等着吧,看好,天上给你往下掉棺材呀!”

皮裤追出去要骂村长豆人,客人们在院子外站着,皮裤便又转回身,用柳条子抽那只猪,猪便吱吱叫起来。

村长豆人一家一家都已经做好了工作,大家说法都一致,都把破旧的衣服穿出来,就像演戏,是全村人都参加这种演出。本来坡头就穷,这么一来,就更让那些从城里来的人感动,有当场就给村里的几家掏口袋里的钱的,一个人掏,别人就会跟上掏。都谁家得了钱,村长豆人一一记住。到了晚上,客人们走了,一般的情况是那些得了钱的人家会自己来，给村长豆人往来送钱，得一百送五十的也有，得五十送二十的也有，好让村长豆人下次来了人还往他们家里带。也有得了钱不来送的，村长豆人就会亲自去，那家人也许钱早已不在了，派了用场，还了债，便会被村长豆人骂个狗血喷头。

“过河拆桥吧，狗日的你们再别过河。”村长豆人总这么说。

六

因为马明在家里待着，这个春天，村长豆人就没敢往马明家带客人去“参观”，村长豆人现在有些怕自己的这个侄子。为这事，马明的爹很生气，马明的弟弟马亮也不高兴，年年那样得钱得惯了，现在一下子只能看着别人得，只能看着村长豆人把外边的客人往别人家里领，马明的家里人都很不高兴。

“别怨我，就怨明明，倒好像钱是蝎子。”村长豆人对马明的爹说。

“该给他成个家了，成个家他就知道个钱姓啥！”马明的爹说。

一说给马明成家，马明的爹又愁，去年的一场秋雨，房子漏得了不得，该修修了，盖新的又去哪里找钱。

“复员金你别乱往开揪，买木料盖房用呢。”马明爹对马明说。

“种树吧，种了树还愁个木料？”马明说。

“你看看村里头谁种树？”马明的爹说。

“看别人做啥？”马明说。

“不看别人你看谁？”马明的爹说。

“看自己。”马明说。

“复员金你别给我往开揪！”马明的爹说。

马明的爹叫上马明跟上他去打土坯，马明的爹想过几天修修房，趁着东边底下山沟里还有些积雪消融的雪水，得赶快动手打土坯，要不及早动手那水就会被别人家用了。沟西边的土不能挖，是村里别人家的地，要打土坯就只能从沟东边的山坡上刨土，所以，马明就和爹在河沟东边打土坯。打土坯打累了，马明躺在山脚下谷草垛子上抽烟，忽然对他爹说：

“爹你想过没，要想不穷得靠自己，这么下去只有穷死。”

马明他爹也躺着，抽烟，眯着眼，一只手伸在衣服里摸虱子。

“爹你翻个身，快翻个身。”马明忽然坐起来说。

马明爹忙坐起来，看身周围，“啥事，皮条？”

马明就笑了，说：“爹你想想看，翻身得靠自己动是不是？”

“你要是动得勤了国家还会再给你？”马明的爹又躺下。

“爹你能不能听我一回，靠谁也不如靠自己，种树吧。”马明看着他爹。

“我多会儿都要靠共产党呢，我咋靠我自己？”马明的爹说。

“种树多会儿也是正经事，咋也比像讨吃子等别人给一口的好。”马明说。

“你要成个家你还敢说这话？”马明的爹说，看着山顶，有两只红嘴鸦，在山顶上飞，嘴壳子红得像海棠果子。

“你那天下山看树苗子做啥？”马明的爹忽然想起这事来。

“我找不到车开就想上山种仁种杏。”马明说。

“那还要看，看啥？”马明的父亲说。

“那咋就不看？”马明说。

“那苗子还用你买，年年都给树苗子呢。”马明的爹说。

“我就不要国家的，我就自己买树苗自己种，我就要让人们看看我就是自己靠自己，西安那边……”马明说。

马明的爹就一下子跳起来，看着儿子，忽然笑了，“你有多少钱说这大话？”

“我还有我的复员金呢。”马明说。

马明的爹就“呵呵呵呵”笑起来，忽然不笑，举起镢头发了疯似的捣那些刚刚打好的土坯，一边说：“我打这坯子做啥，我打这坯子做啥，你娶不娶女人跟我有啥相干，你娶不娶女人跟我有啥相干。”

马明也从草垛上跳起来，把衣服从草垛上捡起来往肩上一搭，看着他爹。

马明的爹还不停地用镢头捣刚刚打好的坯子。

“我一天也不想跟你们这些烂农民待了，我还开我的车。”马明忽然对他爹说。

“你就是个烂农民，你咋不找个县长爹！”马明的爹说。

马明跳过已经没了水的沟槽朝西边沟上爬上去的时候，马明的爹停止捣那些土坯，他直愣愣地看着已经爬上了沟壁的儿子。马明消失在马清泉院子旁堆的那堆沙棘子柴后的时候，马明爹还呆呆地在沟底站着，后来，他又坐下来，抽了支烟，抽完烟，又把那些打烂的坯子弄到一块儿，泥坯粘了干土有点儿干了，马明爹解开裤子往泥里撒了泡尿，又把泥和了和，又一块一块打起来。

“我该上你的啦？”又打了几块坯子，马明的爹突然停下手朝坡上大声喊。

用完了沟里的那一点点积雪消融的雪水，土坯也不能再打了，春天的坡头，年年都是缺雨，人们就等着老天下那一点点雨，一下雨，就忙着在左一片右一片的山地上种莜麦和谷粟。

春天的坡头，照例是没有雨。

七

马明又去了乡里，想看看那个王乡长还想不想雇司机。

乡政府院子里热闹得很，乡干部们都在院子里种树，前年刚种下的柳树现在又都给连根拔了起来，又要重新种上开花很好看的洋槐。人们在院子里嘻嘻哈哈挖掘坑，嘻嘻哈哈地灌水。院子里都是人，马明就不敢进到院子里去，悄悄站在乡政府对过的小饭店前朝那边看。等得烦了，又蹲在一个尖尖的土堆儿上看别人打台球。乡政府的院子沿墙根也种不了多少树，连拔带种不多会儿就完了，洋槐树的树秧子都有一人多高，有的树上都挂上了紫红紫红的花，这会儿给乡里的人你一穗我一穗地摘下来，都说槐花还有紫的？猛地就有人说："紫的还是什么槐花，这是玫瑰。"正乡长刘继忠就说："这你们就不知道了吧，为什么叫洋槐，带色儿就叫洋槐，洋就是红的意思，要不咋就叫洋红。"

种完树，乡政府的干部们都拖着锹镐"叮叮当当"地进了乡政府的小楼，食堂的那条黑犬便慢慢走过来，闻闻连根拔起的树，闻闻新栽的树，忽然打一个喷嚏，忽然被自己的喷嚏吓了一跳，跑了。

马明到武装部找胖子部长，王部长小眼大胡子，正在水盆里"咕吱咕吱"很认真地洗一个乒乓球，见马明进来就说，"你小狗日又来了。"

马明不知道说什么好，看看王部长手里的乒乓球，说："咋洗这呢？"

"乡长要打一会儿球呢，这下可白了。"王部长把乒乓球放手里看看，又掏出小手绢擦擦，又看看，又擦擦，小声说："刘乡长打球最臭，偏又是最爱打。"

马明坐下，等着王部长去送球，王部长去了好一阵才笑嘻嘻回来。

"你有事，是不是转组织关系？"王部长坐下，说。

马明的脸就红了起来。

"你说，有啥事？"王部长说。

"我想问问王乡长还要不要司机？"马明把话说了出来，脸更红了。

"你小狗日这回就不怕当'长工'了？"王部长笑嘻嘻说。

"不当司机就回村当农民，当烂农民还不如当司机，我不愿意当烂农民。"马明说。

"你想开了就好，"王部长说，"乡里司机多的是，人家王乡长想用你就是看你是从部队上下来的，有纪律，好用。"

"好用？"马明一下子站了起来，他觉得自己是受了侮辱。

"咋不是好用，不好用谁用你？"王部长笑嘻嘻地说，拿起电话，看着马明，"我就再给你碰碰，看看王乡长找没找上人。"

马明又坐下去，看桌上那个拆开的烂牛皮纸信封。

“人家就是因为你好用呢。”王部长一边拨电话一边又说。

电话一拨就通，很响。

马明在一边听着。

王部长和王乡长在电话里嘻嘻说了老半天话，先说了一阵子鲤鱼的事，又说前天电表着火的事，然后说马明的事。王乡长在电话里说，“除了上次的条件，这次还得加一条，煤窑休息他就休息，煤窑要是一天不休息他也一天不能休息，还有，还有一个试用期，试用三个月，好用才用，不好用就不用，他妈的，现在遍地都是司机了。”

王部长的电话很响，王乡长在电话那头说的话马明都听到了。

“我是个东西？好用不好用的。”王部长一放下电话，马明马上说。

“人还不就是个东西，你当人是个啥?”王部长说。

“我就不当东西。”马明说。

“人就是个东西!”王部长说。

“我就不当东西!”马明说。

“那你来做啥?”王部长不高兴了，“你考虑好，人家看你是部队下来的才用你呢。”

“算了算了。”马明皱着眉头说，“当烂农民伺候地球更省心。”

“你，开玩笑，跟我?”王部长气了，黑着脸说。

“我就是不愿当‘东西’。”马明站起来。

“那你就伺候你的地球去吧!”王部长说。

“伺候就伺候，伺候地球还不丢脸。”马明说。

“我要早知道你这样，当年我也不送你出去当兵!”王部长气了，“你小狗日学的是开汽车，要是学开飞机，地球还放不下你呢!”

马明忽然有些不好意思，又坐下来。

“你要是学了开飞机，月亮上也放不下你呢!”王部长又说。

马明又站起来，脸红红的。

“我还真以为你刚从部队上回来好用呢!”王部长说。

“我不是个‘东西’，我也不让人用。”马明说。

“你想让人用，还得看别人用不用你!”王部长说。

马明气呼呼从武装部出来，在走廊里走着，正要下楼，就给办公室小刘喊住了。

“嘿、嘿、嘿，坡头的狐子。”小刘喊。

办公室小刘喊马明，让他往回带一份表格，他正愁怎么往坡头送手里的那份表格。表格划得很细，土地，人口，水井，树、什么树、多少株，马、牛、羊，多少头，羊是什么羊，土地又详细地分山地多少，平地多少，可水浇的多少，没有水的有多少，可开的有多少，不可开的有多少，房子多少，要塌的危房有多少。马明看看表，不明白，“还填有多少厕所，做啥？”

“区里忙着要立项，别丢了，扶贫资金全跟这张表说话。”

马明还是第一次听到“立项”这两个字。

“别耽搁，回去就交给马豆人。”小刘说。

“我们村报的是啥项目？”马明问小刘。

“你们村，山药厂。”小刘笑了。

“上头批没批？”马明说。

“早就立了。”小刘说。

“给资金了？”马明问。

小刘就嘻嘻嘻嘻笑：“那还能不给，不给叫啥扶贫。”

“给了多少？”马明问。

“你问我，我是谁？我是马豆人他爹？”小刘说。

马明看看表格：“我们村哪有个山药厂的影子。”

“你们村，你们坡头算啥，还有北宁庄，豆窑，张指挥营，资金都下来了，不过都给了韩华，打了他的饲料厂的账。”小刘小声说。

“是不是下头架个名，要了扶贫资金乡里用？”马明说。又看看表：“咋还是个山药加工厂的项目？”

“你们下边办不办是个幌子，立个项给乡里要点钱，到时候乡里给你们返还一些就是。”

“返还多少？”马明问。

“你问我。我是你们村长的爹？问你们豆人去。”小刘说。

“我们村开厂子，胡闹，压粉条子还是打粉面子，弄好了怎么往山底下运，不是胡闹是什么？”马明说。

“你还不懂，现在的乡镇有三宝，穷村、受灾、房塌了。”小刘说，“有了这三样才能指望上边往下批扶贫资金，这三样比地下有煤还好，现在哪个乡镇不想弄出个贫困村来，哪个乡镇不想受灾，一受灾什么都好说，就可以向上边张嘴要钱，也好往出搞成绩，也有个说头，也可以闹个扶贫先进单位。”

“受灾塌房也算是个宝？”马明大睁着眼。

“你在部队待时间长了，慢慢学吧。”小刘说。

马明从乡政府小楼出来，院子里，被连根拔起的柳树左一棵右一棵地在墙边躺着，靠近花池的花圃里，新运来的一捆一捆的小榆树绿绿的，不知要往哪里种，食堂那条黑犬还在这里闻闻、那里闻闻。

马明骑了车子，出了乡政府，往北边骑。北边是上坡，他一下一下蹬着车子，蹬不动，又下来，一边看手里的那张表，心里火得了不得，忽然一扬手，那份儿表格便从他手里飞了出去。又上了车，蹬两下，却又忙从车子上下来，打好车子去追那份表格，把那份表格拾回来，叠了又叠，揣在口袋里。

地里，有人在用牛打井。

八

马明在路上想好了。

回到家，家里没人，鸡在炕上乱啄，把墙围子啄出许多洞。人不知道都干什么去了。马明把鸡轰出去，扒在小炕桌上细细地把那份表格誊了一份儿，然后去村长豆人家。村长豆人家的院墙上贴了些刚刚做好还没干的草纸，黄黄的一块，又黄黄的一块，请来的打草纸的人还在院子里一张张澄纸。

村长豆人不在家，村长豆人的女人在院里打山药粉子，一身一手的白浆。

“都哪去了？”马明问村长的女人。

“种树去了。”村长豆人的女人说。

“种树？”马明忽然兴奋起来。

“我咋不知道？”马明说。

村长豆人的女人告诉马明，说明天又要有人下来，要看去年种的树。去年，坡头领了树苗子钱却根本就没种树，明天来人要看，村长豆人急得很，便想了个应急的法子，叫了一些人，从村前村后正在开花的杏树上现打了不少枝子，就把那些带花的杏树枝子一根一根种在村子西边的山坡上，那些正在开花的杏树枝子现栽在那里倒不难看，也可能站远了还不至于让人看出破绽。为了从村上折那些正在开花的树枝，村长豆人和好几家几乎吵起来，杏树现在都是每家每户的，一大枝一大枝地折下来，影响结果，人们当然不愿意。可不这么做又不行，因为村长豆人已经对乡里报了种了多少多少仁用杏，乡里已经向区里上报了，区扶贫办就是要下来看看仁用杏在山坡上的成活率，想把种仁用杏树作为山区扶贫的一大项目。

谁都不愿在自己树上折正在开花的树枝，村长豆人便想出个好办法。

村长豆人就让会计马凤山一家一家都记下来，都折了谁家的杏树枝，折了几枝，过后是要从扶贫款里给人们发补助的。那些没有被折了树枝的人们又都纷纷来找村长豆人，说村长不能办事不公平，要折杏树枝子就都折一些，不能厚了东家薄了西家。所以到了后来几乎是所有的有杏树的人家都被折了不少杏树枝子。一开始，村长豆人还有些发愁，发愁召唤不上那么多人到西边的山坡上去插树枝子，马凤山给他出了个主意，谁家的树枝子谁家去山坡上插。

“这会儿都在西边栽树呢。”村长豆人的女人告诉马明。

村长豆人的女人很爱说话，也很能干，趁着碳素厂的水车送来了水，她已经打了不少的山药粉子，打粉机“嗵嗵嗵嗵”响得很。

“喝点水吧？”村长豆人的女人张着两手对马明说。

“不了。”马明说。

“我给你倒点儿水。”村长豆人的女人说，真把手放进山药浆子里涮涮。

“不了不了。”马明忙说。

“你们家澄不澄草纸？”马明从村长豆人的院子出来的时候，那个澄纸的外乡人问。

“哪有那么多草。”马明说。

马明又回到自己家，看看院子里的那四株杏树，竟也给打了不少枝子，满树白树碴子，马明绕着树看看。

“好好儿的杏树给大卸八块。”马明对从外边进来的妹妹梅梅说。

“说是给钱呢。”妹妹梅梅说。

“烂农民就是往钱眼里钻。”马明对妹妹说。

“数马凤山家的树枝子打得多，马凤山这人真精。”妹妹梅梅说。

“你咋没去？”马明说。

“我和娘在后院，山药长芽了。”妹妹梅梅说。

“骗谁？真是。”马明看着杏树说。

“牛吐了，是不是又吃了墙头上的圪针了。”妹妹梅梅说。

“都骗国家那几个扶贫款呢。”马明用脚踩踩地上的落花，去了牛棚。

晚上八点多，天黑得什么都看不到了，马明的爹和马明的弟弟马亮才回来。

马明的爹一头一脸的土，他上了炕，用毛巾把脸擦擦，马亮也累了，也上了炕，也把脸擦擦，端一碗水喝。

“这牛专门往死吓人呢。”马明的爹说，他已经去牛棚里看过了牛。

“咱们可是给村长豆人头上戴花呢，别让人看出来就好。”马亮说。

“瞎说啥？”马明的爹看看马亮，说：“你待会儿给牛脑袋上灸一灸。”

“让我哥吧，我怕灸不好。”马亮看看坐在炕沿上的哥哥。

“现在的社会老的是小的，小的是老的，我敢使唤人家复员军人。”马明的爹不看马明说，“坯子我可是给你打好了。”

马明没说话。

“我给你打好了坯子，你听见没？”马明的爹又对马明说。

晚饭是酸粉浆下豆面，打完山药粉子的水浆发酵了，一家人都喝这，坡头的日子，什么都浪费不了，粮食金贵，水金贵，什么都金贵。吃过饭，马明和他爹还有弟弟马亮都去了牛棚，给牛棚墙上过年贴的牛大王像上了一炷香，然后才用艾卷放在那头老牛头上给老牛灸，艾卷的烟味很香，慢慢从牛棚里散出去。

父子三个都在牛棚里坐着，守着牛，谁也没说话，看着牛头上的艾卷一点一点烧下去，快烧到牛头的时候，马明爹忙把烧剩下的艾卷从牛头上取下来，然后给老牛端来一瓦盆酸粉浆豆面。马明和弟弟回到屋里去，马明的爹看着牛“呼噜……吱咕，呼噜……吱咕”地吃那盆饭。

“咋，折树枝骗人去了？”进了屋，马明小声问弟弟马亮。

“哥你当兵当得啥也不知道了，大惊小怪。”弟弟马亮说。

“你们就跟上村长弄虚作假吧。”马明说。

九

马明起得很早，让打草纸浆的“扑通扑通”声早早吵醒了。

从南边飞来的候鸟在院子后坡上的树上叫成了一片。

院子对面的东山上有雾，白白的雾把山遮去了一部分。

马明早早去了一趟村子的西边。他原想那些杏树枝子是插在村子西边的高坡上，想不到村长豆人真是精，村长带人过了村子西边的那道深沟，那些杏树枝子都插在沟西边的坡上，远远看去，真是好看。那西边的山坡早年给插队青年们修整过，这几年没人种了。马明站在坡地上朝那边看了一会儿，就那一道深沟，一般人是不愿过去的，远远看去，西边的那面的山坡上还真像是种满了杏树。马明就那么站了一会儿，然后还是下了沟。沟很深，下了沟，再爬上那边的坡很吃力。马明看到了野兔子，一窜，不见了。上了坡，马明心里想笑，坡上那一株一株的“杏树”都那么矮，树枝上的花给夜里的露水滋润得十分鲜活，坡地上栽了“杏树”的地方可以看出昨天用树枝子一下一下扫过的痕迹，但不细看，还是不会察觉出来。马明试着往起拔一棵“杏树”，只轻轻一提，那“杏树”便离开了土，马明把那株“杏树”又插到土里。

看了一会儿昨天下午村长豆人带人“种”下的那些“杏树”，马明又从西边的坡上下到沟里，又气喘吁吁地爬上了村子这边的坡。

马明上了坡，猛地就看见了村长豆人。

村长豆人正蹲在坡头上朝他这边看，虽然杏花已经开了，坡头的早上还很冷，沟底白白的一层霜，村长豆人披着一件冬天才穿的皮袄。

“你做啥呢？”村长豆人说。

“看看。”马明说。

“看你叔我日哄人呢？”村长豆人说，“不日哄咋办？”

马明不说话。

“昨天打下坯子了？”村长豆人说。

马明看着村长豆人。

“其实我也不想哄国家。”村长豆人说。

马明看着村长豆人。

“叔我哄国家呢，不哄咋办？”村长豆人又说，看马明。

马明看着村长豆人，还是不说话。

“你给捎回的那张表？”村长豆人说。

“叔，你知道不知道你那是做啥呢？”马明突然说。

“做啥？”村长豆人说，“叔也是为了全村。”

“叔，你说你就没个正经主意！”马明说。

“叔还想就地给全村人刨出块狗头金呢！”村长豆人说。

“叔，你咋报山药厂？叔，你说，乡里头每年给多少返还？给多少扶贫款？干啥不行？开打草纸厂也比这好，草纸还能出口到日本呢。”马明说。

“你问这？”村长豆人站起来，说。

“就怕没人问你。”马明说。

“问也不怕，我为谁？”村长豆人说，脸红了。

马明忽然不再想说什么了，他看着东边，太阳从东山顶上出来了，有一群鸟，在天上飞，飞过去，又飞回来，飞上去，又飞下来，忽然落下去，忽然又飞起来。马明看着那群鸟往回走，因为是下坡，一脚高一脚低的。村长豆人跟在他后边，忽然说：“你婶子的侄女子长得不赖，晋剧团社白白那个样儿，让你婶子给你说说，过几天说说？”

马明知道村长豆人在想什么，也知道他想说什么。

“叔你放心。”马明忽然说，回头看着村长豆人。

村长豆人忽然激动地张大了嘴，忙说：“这个村里就数你见过大世面呢，叔下一年不当了，你当，你年轻。”

“叔你放心。”马明说。

“叔知道，叔啥不知道。”村长豆人忙说。

“叔你知道你是个村长就行。”马明说。

十

区里和乡里的人是下午才来的，先在乡里吃了中午饭，还有两个报社的记者。这一行三人坐了三辆小吉普，把车停在山半脚地坪上碳素厂的院子里，走了一个多小时才走到坡头，每人手里都拄了一根树棍，天气不算热，这些人却都走得满头大汗。到了坡头，这些人忽然都不累了，山上山下的杏花让这些人觉得赏心悦目。

“住在这儿才好呢。”有人说。

“到这儿养老算了，还是农民好，与大自然天天亲近。”又有人说。

区扶贫办主任赵成寿忽然来了诗兴，念了一句“一枝红杏出墙来”，又说：“山上还应该有座小庙，要悠悠扬扬地有几声钟声才好。”

人们不免又要让那个报社记者给照相，便都倚了一株黑黢黢的老杏树，你照一张他照一张。不觉已经到了村子里。

村长豆人已经让女人烧好了茶水，一进门灶上的那口大锅满满烧了一大锅茶水。因为有客人，村长豆人的女人也洗了脸净了手，便又忙着倒一气水。那些人中午吃了不少腥荤，自然是口渴的，便喝一气。扶贫办主任赵成寿自然又要问一遍“今年缺几个月的粮?”村长豆人的女人便把两手放在胸前，脸红红地说：“短五个月的粮呢。”扶贫办主任赵成寿自然是视察的样子，便把放在灶上的柳木蒸笼掀开看看，里边竟是黄不黄绿不绿的毛糕片，也就是把粟子带皮磨了做成的东西。于是这些人都感慨了一番，有想体验一下的，把毛糕弄下一点放嘴里尝尝，竟说：“好，这才是绿色食品，所以农民才长寿。”便有人跟上去尝试那毛糕。

这些人又看前不久村长豆人家请人打的草纸，黄黄的草纸垛了有半屋，是要拿出去卖的，据说还要卖到日本。“日本人的屁股够结实的。”便有人马上说。

这些人坐够了，喝够了，那个总是眨眼的小个子报社记者便对区扶贫办主任赵成寿说：“赵主任，咱们去看林海吧，再过一会儿怕光线不好了。”

村长豆人愣了愣，为了记者说的那“林海”二字。

人们便从村长豆人的家里出来，从村长豆人家前边的坡下去，走在全部是用黑石头垒的村巷里。区扶贫办主任赵成寿便对报社的记者说：“你到处跑，这里的风景好不好?”这时便忽然有一个头发老长的男人从巷子那边走过来，报社记者盯着这个长发男子看了看，说，“这人好像是中央美院画画的。”他这么一说，走在一边的村长豆人便忍不住拍一下巴掌，“他是村里的哑巴，脾气最不好，动不动要抓屎打人。”

很快就到了村子的西边，一下那个坡，还没到那道深沟边，那个总是眨眼的记者便大叫了一声，“壮观!”便把脖子上的照相机拿起来，跑到坡头，对着对面那满坡的杏花。人们也都站住，都看着对面，都说壮观，再要往前走，就是那道深沟，沟底也有几株杏树，也开着粉粉的白白的花。

扶贫办主任赵成寿停住，看看对面的杏花，侧了身子，探下一条腿要往沟下走，村长豆人便忙说：“赵主任，使不得，这沟里只是皮条多。”

那些人便都往沟下看。

“春天了，日头好，皮条出来晒太阳。”村长豆人又说。

“捉了皮条卖到城里饭店不也是一条扶贫的路子么?”不知谁说。

便有人问村长豆人沟底下的皮条有多粗多长?

村长豆人伸出一根手指，嘴里却说：“有钢笔粗细。”

听的人便笑起来。

“有没有驴粗的?”那个记者笑嘻嘻地问。

“老年人说有水缸粗的一条,”村长豆人说,“水缸粗,在山洞里。”

人们就都笑起来,人们的心情都很好,都为对面山坡上的那杏花,听说有蛇,好像不准备过去了。村长豆人只顾着和人们说话,竟没看到对面坡上的坐着的马明。马明还是来了。

马明一动不动地在坡上坐着,看着这边。

马明像是在看戏,看对面的人朝这边指指点点,看对面的人在照相,你照了我照,但对面的人就是不过来。马明忽然站起来,朝这边摆起手来。

村长豆人突然张张嘴,看到了站在对过的马明。

“看,那个人咋过去了。”报社记者说。

“那是我们村的一个愣子。”村长豆人忽然紧张了,说。

“咱们过去吧。”记者却对区扶贫办主任说。

“有皮条呢。”村长豆人说,看看扶贫办主任赵成寿。

“一人拿上根棍,皮条怕棍。”扶贫办主任赵成寿说,他忽然很想过去看看。

“别过了,咬死过牛呢。”村长豆人说。

“人嘴大还是皮条嘴大。”赵成寿笑笑,看样子是一定要过去了,他让司机给他细细找根树棍,树棍很快找了过来,别的人便也纷纷去找。

“我先下去给打打路。”村长豆人忽然出了一头汗。他抢在别人前边先下了沟,手里却没有树棍。村长豆人走得很快很急,下沟,从沟底穿过去,上沟,沟畔的黑石头给他蹬得“哗哗哗哗”直往下滚。村长豆人把那些人抛在后边。上了沟,又爬坡,村长豆人很快便气喘吁吁站到了马明的跟前。

“你不会吧? 你不会让你叔下不来台吧?”村长豆人拍一下巴掌小声说。

马明不说话,看着从沟底慢慢往上爬的那些人。

“跟你说,你爹就没份儿?”村长豆人又说。

马明还是不说话,站起来。

“你不会吧?”村长豆人又说。

马明不说话,看着从沟底上来的人,那些人上了坡,朝这边走过来。

村长豆人看着马明,不转眼珠地看着马明。

马明站起来,用手抓住了身边的一棵“杏树”。

“明明,你敢。”村长豆人说,看看后边,又看看马明。

马明忽然笑了,看着村长豆人,一个字一个字说道:“我在西安当了四年兵你知道不知道?”

“你就是当了四年斗大的金镏子你也是坡头的人!”村长豆人脸都急紫了,小声说。

“我是坡头人我才这么做呢。”马明说。

“叔给你找个地方开车。”村长豆人说。

马明笑笑，说：“叔，我见不得你们这样。”

村长豆人伸出胳膊想抱住马明，马明已经把一棵“杏树”拔了起来。

从沟底喘吁吁爬上来的人们忽然都愣住了，他们看到了那个刚才招手让他们过来的人这会儿突然弯下腰把一棵杏树拔起来，朝他们晃了晃，接着又拔了一棵，又拔了一棵，又拔了一棵。那些人先是奇怪那个人怎么把杏树拔起来，接着又奇怪那个人何以拔得那么轻松；那个记者，像是明白了什么，也弯腰试着在身边拔了一棵，忽然看着那棵拔起来的“杏树”嘿嘿嘿嘿笑起来。那个记者紧接着又拔了一棵，又拔了一棵。“他妈的，这是闹啥呢。”那个记者举着一棵“杏树”嘿嘿嘿嘿笑着，“和豆罗乡一样，也做假呢。”

那些从沟底爬上来的人便愣住，又马上四处走开，才发觉坡上的“杏树”只不过都是些临时插在那里的杏树枝，都没根子。区扶贫办主任赵成寿愣在那里，看着别人把“杏树”一株株拔起来；后来，他走得最远，想看看远一点的“杏树”是不是也是树枝。

扶贫办主任手里掣了一大枝杏树枝找村长豆人的时候，村长豆人已经不见了。“工程倒不小，天大的骗局！”扶贫办主任站在那已经被拔得一片狼藉的“杏树森林”里左看看右看看，忽然笑起来，“别的学不会，这个一学就会。就在去年，春季植树的时候，北山区的豆罗乡，也是为了应急，插了一片假柳树，后来给全区做了通报批评。”

十一

那个记者要马明说说到底是怎么回事。

“你自己看。”马明说。

那个记者看看马明，又跟上去问：“你是不是坡头村的？”

“我在西安当了四年兵。”马明说。

“西安是个好地方，我去过，泡馍……”那个记者说。

“蚂蚁，照相机上的蚂蚁。”马明对那个记者说。

报社的记者用嘴吹吹照相机镜头。

“我们村太落后。”马明忽然说。

“这不可能是一个人干的吧？”那个记者说，看看身前身后的“杏树”。

马明忽然不再说话，他从记者身边走开，跳过一道塄又跳过一道塄，下了沟。沟底已经没太阳了，沟边上，新长起来的小草真绿。

“问题是这肯定不是一个人闹的。”报社记者对区扶贫办主任赵成寿说。

“问题是还有人敢揭露这骗局。”区扶贫办主任赵成寿笑笑，说：“那个人呢，那个复员军人？”

马明已经回了村子。

村长豆人比他回得还早。

马明进不去家，院门关着，他复员带回来的行李卷在门口的破碌碡上搁着。鸡们已经在上边点缀了鸡屎。一看见马明回来，便有人围过来看，都是些孩子，马明拍拍门，院子里一点声音也没有；马明又拍拍门，院子里还是没声音。马明把行李卷拿起来，想想，从东墙那边把行李卷一下子扔到院子里去；很快，行李卷又给从院子里扔了出来；马明又往里扔，刚扔进去，行李卷又给扔出来。马明这一次没再往院里扔行李卷，他把行李放在院门西边的磨盘上重打了打，用行李带子把行李挂在了门口的杏树上。

刚刚长出来的杏树叶子被打过了，在这穷山村，人们总是把新长出来的杏树叶子打了腌了吃，还有杨树叶子柳树叶子，几乎是一切嫩树叶子都是他们的菜。

马明想了想，又把行李从杏树上取下来。他扛着行李又走到东墙边，把行李一下子又扔进去，人也翻身上了墙头，跳了进去。

马明爹在院子里站着，看着从墙头跳进来的马明，忽然弯下腰从自己的脚上脱下一只鞋来，看看鞋，看看马明，又看看鞋，猛地用鞋在自己脸上用力地左打一下右打一下，左打一下右打一下。马明抱起了地上的行李，看着他爹用鞋底一下一下打自己的脸。

“你狠狠打！你狠狠打！”马明忽然大声说，把手里的行李卷儿一下子用力扔到脚下，“我真弄不懂你们都是些啥烂农民，烂农民，鼠目寸光的烂农民！”

“你不是烂农民你是个啥？你是个啥？”马明的爹忽然把鞋朝马明扬起来，却又猛地扔到自己脚下，“你不滚我滚！”马明的爹说。

马明一屁股坐下来，坐在鸡窝上。

“豆人咋说也是你叔！”马明的爹又说。

“他就不配当村长！”马明又大声说，站起来。

十二

乡长刘继忠给坡头打电话，让马明马上到乡里一趟。

前天，乡长刘继忠到区里去开有关扶贫的会。

坡头村插树枝骗人的事最后还是没有见报，乡里有乡里的想法，区里也有区里的想法，主要是去年区小报已经报道过坡头种树的事，那篇文章还被市报转了。直接抓扶贫的王丙红区长说“这种事，如果不利于扶贫工作的展开就不要见报了。”区扶贫办这天召集各乡一二把手开会，传达了新的扶贫精神。这回的扶贫精神是要先抓尖子户，先扶持一部分人让他们富起来，然后再带动别的户。“坡头的那个复员军人马明能不能起个带头作用？”区扶贫办主任对马明的印象很深，“可以不可以先给他拨一笔扶贫款，让他带个头，看看他能不能跑运输？”“坡头山高沟深，跑运输怕不行吧？”乡长刘继忠马上说。“你找他谈谈话，问问他自己有啥想法。”区扶贫办主任又说。“坡头最好是发挥果树优势，比如种杏树。”乡长刘继忠说。刘继忠这么一说，扶贫办主任赵成寿就忍不住突然笑了起来，把那一摞子在坡头照的照片取了出来。照片是报社的那个记者洗好送来的，有一张照片上，区扶贫办主任和村长豆人笑眯眯站在一起，背后是那片山坡上虚假的杏花。“好笑不好笑，折了那么多杏树枝子就为了做假，有力气瞎使，如果使到正处，扶贫工作还怕不出成绩？”区扶贫办主任赵成寿说。

“事情出在你们乡，这回就在你们乡开‘扶贫尖子带头动员会’，”区扶贫办主任对刘乡长说，“各乡都赶快把扶贫尖子户的名单给报上来。”赵主任又对其他乡的干部们说。

马明骑着车子到了乡里。

乡政府院子里栽的洋槐活了，有些竟开起花来，天气真是一天比一天暖和了起来；叫声细细的候鸟飞走了，布谷鸟又飞来了，春天便显得更加热闹了起来；去乡政府路的两边菜地里，菠菜啦，小白菜啦，小油菜啦，羊角葱啦，韭菜啦，一样比一样长得碧绿可爱，白蝴蝶也出现了，在菜地上款款飞着。

马明去了刘乡长二楼西边的办公室，乡里胡国富书记也在。胡国富书记是个大胖子，穿着现在很少有人穿的中山装。胡国富不是北山区一带的人，说话口音怪怪的；人很胖，说话的声音却很尖；他刚刚出了一趟国，去的是泰国，去考察泰国大米。胡书记也已经知道了马明的情况，知道了他前些时在坡头做的事，所以他一进来，胡书记就嘻嘻嘻嘻笑起来。“坐吧。”马明一进来胡书记就说。“你坐吧。”刘乡长也对马明说。

马明就在靠门边的椅子上坐下来。

办公室外的走廊里，人来人去热闹得很，都忙着待会儿就要开的“计划生育表彰大会”。奖状早就写好了，要往先进分子脖子上搭的红绸被面也已经一条一条叠好，被工作人员一份一份搁在主席台上。

胡书记点烟的时候给马明递了一支烟。

“长话短说吧，待会儿马上要开会了，你是从部队上下来的，让你来，乡里主要是想让你带个头，让你过两天在会上表个态。”刘乡长说。

“你就做个扶贫带头人，干出个样子让别的户头们看看。”胡书记也说。

“带头?”马明开了口。

“你们村也就你这么一个复员军人,”胡书记说,“所以要你带头。”

“要是乡里先扶助你,你干不干?”刘乡长说。

“我——”马明说。

“包一片山地,住在山上,坚持个三年五年?”刘乡长说,他已经想过了,他真希望坡头村也出那么一个人物,住在山上,在山上种留兰香,那情景是动人的。想来想去,这个人应该就是坡头的马明。

“给你资金,给你种子,你先动起来咋样?”刘乡长又说,并拉开抽屉,从里边取出两张照片,又取出一包包在纸里的什么东西,“你看看,这东西都能换外汇出口到印度呢。”

马明拿过照片,忽然笑了,说:“留兰香。”

刘乡长很感意外,“你也知道?”

“这东西不好种了,种的地方太多了,这又不是粮,卖不了还能吃。”马明说。

“你也这么说?”刘乡长看着马明,“你不要保守。”

“我可不敢冒这个险。”马明把纸包打开,看了看里边包着的留兰香种子。

“那你敢不敢包一个山坡种仁用杏?”胡书记说。

马明笑笑,不说话。

“你是不是有别的项目? 也养鹌鹑?”刘乡长皱着眉头又问。

马明摇摇头,不说话。

“种油松周期太长。”刘乡长说。

马明还是摇摇头。

“你想做啥你说,乡里就是想让你带头脱贫,让你表表态。”胡书记说。

马明忽然站起来,脸红红的。

“你好好想想,你们村也就你出过外头见过世面,你可以想想立个什么项目。包一座山最好,最有意义,你们坡头也就是穷山坡多,脱贫也只能在穷山上打主意。”刘乡长说。

“让我……”马明突然有些结巴。

“就是想让你。”刘乡长说。

“让我带头脱贫?”马明又说。

“你们坡头也就是你应该带这个头,谁让你是复员军人。”胡书记说。

“后天开会,你表表态,咋脱贫,包山地种什么?”刘乡长说。

“要让我带头就不如让我当村长。”马明忽然说。

刘乡长和胡书记都想不到马明会说这话。走廊里,有什么哗啦一声掉在了地上,外边,马上有人笑起来。

“我在部队待了四年,我觉得我当村长更适合。”马明又说,忽然又想起了那个桂花老汉。

“当村长？”胡书记看着马明。

“我觉得在我们坡头我最适合的是当村长。”马明说。

“当村长？”胡书记又说。

“在坡头我不当村长就对不起我在部队受的四年教育。”马明说。

“想当村长？”胡书记看看刘乡长。

刘乡长想不到谈话会变成这样，忍不住想笑。来坡头乡三年，他还是第一次见到像马明这样的人，他站起来，在地上来回走，还是忍不住笑起来。他一笑，胡书记也笑起来，“后天开会呀，乡里想让你带个扶贫的头，上山，包一个山头，咋样？你先说说这。”

马明站起来，一张脸憋得通红，看着在屋子里走来走去笑个不停的刘乡长和胡书记，马明觉得自己站也不是坐也不是，用自己的手摸摸自己的手，手心里是水样的汗，“你们笑啥呢？”马明忽然又脸红红地说，“要真想让我带头扶贫就让我当村长，给坡头这给坡头那，不如先给坡头一个好村长。”

胡书记不再笑，坐下来，看着马明，忽然又笑起来。

“后天开会呀，你先说你能不能包座山种树？”刘乡长说。

“让我带头，就让我当村长。”马明又说。

“谁能保证谁就是个好村长，再说当村长要通过人代会呢。”刘乡长坐下来。

“当村支书倒不用过。”胡书记看看刘乡长，说。

“你先说你能不能包座山吧？”刘乡长又说，“先让你们坡头四周围的山绿起来，你们就有指望脱贫。”

“有好村长坡头就有指望。”马明说。

刘乡长就笑起来，忽然不笑了，对马明说：“那你就先回吧。”

十三

“扶贫尖子带头动员会”很快在坡头乡召开了。

乡里没再通知马明去乡里。村长豆人去了乡里，在会上表态要带头包村西边的荒山。没开会的时候，区扶贫办赵主任特意在刘乡长的办公室里对豆人说：“以前的事你就不要在会上说了，只说以后怎么办吧。”村长豆人便在会上表态，说要坡头周围的山上都种满留兰香，还拿出刘乡长给他的留兰香种子的样品让人们看，细细碎碎的留兰香种子比芝麻还要小。

村长豆人还在这个会上看到了黑谷米，他是第一次知道谷米还能那么黑。

马明这天又去了乡里。

马明去乡里找乡武装部的王部长问开车的事，王部长这天的心情很好，他蹲点的狗鼻坡下的那一段路终于通车了，“我猜你还要来，你小狗日当兵是我送的，我就再给你小狗日说说，不过那还要看看王乡长找上人没。”这天，王乡长正在乡政府会议室里陪客人，客人是电视台的记者，下来采访坡头乡的扶贫情况。刘乡长这天恰好不在，乡政府会说普通话的也只有王乡长一个人。

马明就在王部长的屋子里等着。

马明在王部长的办公室里等了好长时间，王部长才笑嘻嘻地从外边进来，“定了，你小狗日就明天来，管你吃，管你喝，管你烟，管你酒，你说，比不比你当村长强？”王部长左看看马明，右看看马明，忽然又大笑起来，说：“刘乡长那天让你小狗日带头表态上山种留兰香，你咋偏跟乡长说你要当村长？”

马明那天和刘乡长胡书记的谈话在乡里已传为笑柄。

十四

马明开了车，给王乡长从煤窑里往煤台上跑煤。

快过五月端午了，王乡长家里这天包了粽子，煮棕子的时候，满院子里都是苇叶的香气。王乡长的女人对马明说：“明天端午煤窑上休息，你回家过节去吧。”王乡长的女人还给马明装了些刚煮好的粽子说，“给你们坡头带回去，让他们也知道啥是粽子。”想不到，马明突然发了火，说：“就你们有粽子，坡头就没粽子？坡头缺啥？坡头啥也不缺！坡头就缺个好村长！？”

王乡长的女人愣了愣，笑了。

端午节，马明回了坡头，他在村前村后的山坡上转，山的草都长起来了，却没有留兰香的影子。坡头的变化不大，只是村前村后的杏子快熟了，向阳的杏子已经开始黄了。马明躺在早已没人住的马九红的院子里的草垛子上，忽然想起上次战友来看自己的事，便有眼泪从他的眼角流出来。他擦一下眼，猛地跳起来，又一跳，从树上摘杏子吃，杏子还没到完全成熟的时候，半黄的杏子竟又酸又涩，没一点点甜味儿……

（选自《钟山》1997年第3期）

王祥夫

1958年出生。辽宁抚顺人。山西文学院专业作家。1992年加入中国作家协会。现为《小品文选刊》主编，山西省大同市作家协会主席。

1979年开始发表文学作品。出版有中短篇小说集《永不回归的姑母》《西牛界旧事》《乌巢》《狂奔》，长篇小说《乱世蝴蝶》《生活年代》《种子》《百姓歌谣》《屠夫》《榴莲榴莲》《米谷》，散文集《纸上的房间》《何时与先生一起看》《子夜随笔》《杂七杂八》等。短篇小说《上边》获第三届鲁迅文学奖。

工 作 人

张抗抗

工作人——既不是工人也不是干部，其实就是城里人所说的农民工。但农民工自己不管自己叫农民工。在华北一带的农村，他们喜欢把那些在城里干活的农民工，叫成“工作人”。

一

梁百川把倒煤渣的双轮车往墙根一扔，朝着街角的那个邮筒快跑了几步。

冷风旋起一片煤砾，沙子似的打得脸生疼。

他揉着眼，掏出口袋里皱巴巴的一只信封，塞了好几次，才总算对准了邮筒口那条窄窄的缝隙。他听见手里的信封，落在空荡荡的邮筒里，发出咚的一记响声，像是石头子儿掉井里的动静。

他每回邮信，都得这么来回瞧了又瞧。那邮筒张个大扁嘴，一口就把信吞下了。中国的、外国的，往哪儿邮的都有，谁保证它从这里进去，都能往信皮儿上那地方落脚呢？百川进城打工4年，往家写的信，虽然一次没丢过，但他还是放不下心。

月儿盼着这信哩。百川从家回城里时，月儿嘱他去大商场问问录像机的价。

结婚以后，这几年添了洗衣机和收录机。彩电早有了，村里的年轻人都说，电视再配上录像机，就像是好马上了好鞍，过日子啥啥都不缺了。

信投下后，梁百川心情很好，就手在冰凉的邮筒上轻轻拍了一下。

这一拍，他发现自己顺便弄来了一手红不红、黄不黄的铁锈。

他把手掌心从邮筒上蹭来的铁锈仔细琢磨了一会，心里就犯了嘀咕。

没准儿是个废邮筒吧，谁知道它每天开是不开呢？要不是乘着倒煤渣的空，以前从没往这邮筒扔过信。要是根本就没有人管它，自己的这封信，不就走不了了么？它躺在这城里睡大觉，耽误了家事，让他落月儿的埋怨不说，那信皮上，好歹还有5毛钱邮票哪！

百川有些心疼。

他绕着邮筒转了三圈，那邮筒横眉冷眼地蜷缩着，看不出个真假。但按着他在城里几年来积累的经验，他认为对城里各种公用的设备，必须抱有高度的警惕。比方街上一排排杵着的那些个红红绿绿的自动电话亭，看着像个大立柜，可等你把钱扔进去了，那话筒却一个个全都不言语不出声，没一个好使的。百川在街上见过一种什么自动取款机，有个款爷模样的人，把一张卡片塞进去，一边用鼻子哼着歌等着它往外掉钱呢，还一个劲赶着旁边看热闹的百川快走。百川走了，边走边用斜眼瞅他，嗨，一分钱的屎蛋子都没下一个，连那张卡片也不吐出来了，急得那人直跺脚，用手去抠，抠得指甲都出血了。

那天，百川幸灾乐祸地冲那人吹了一记长长的口哨。

这样想着，百川就往邮筒上狠狠地踢了一脚。然后，又往筒盖上重重地捶了几下。绿铁皮在干爽的空气中，发出春天蜜蜂般的嗡嗡声。百川仍觉得不解气。他想莫不如就把邮筒里的那封信弄出来得了，弄出来再送到邮局去寄还保险些。于是他猫腰在地下捡了半块砖头，开始砸邮筒的底部。百川年年冬天在城里烧锅炉，人虽细高高干巴瘦，手腕子可有劲。他把邮筒敲击得像战鼓擂鸣，听见自己的那封信，炒豆子嘣苞米花一般在邮筒里头颠腾，有一会儿工夫，就快要像那些气功表演密封药瓶取药似的，自个从邮筒里钻出来了……

“干什么哪，你找死哇！”百川的头顶响起一声炸雷。

百川一回头，见有两个身穿警服的人，正一脸阶级斗争地朝着他走来。

百川扔下砖头，撒开长腿就跑。跑几步，想起那辆运煤渣的双轮车，只得回身去取，车若是丢了，少说得赔百把十块。可就因耽误这么点工夫，他的肩膀头上狠狠地挨了警察一家伙，直到半夜在被窝里还麻辣辣地疼……

——我没砸邮筒，真的没砸啊，我砸邮筒干什么呢，那里头又没有钱、没有存折、没有粮食、没有酒。你们说我干吗要砸邮筒？一个人做事总得有目的，有动机吧，你们说说我是什么动机呢？说了你们也不信：我是看邮筒上的一个螺丝松了，想着给它敲严实了，怕有人往外偷信呢……

——你还不老实！你想说你是学雷锋哪！雷锋那会儿还没有农民工呢！

百川咳了一声，垂下了头。

——好吧，那就换个说法。您听好了，这可是实话：我刚把信寄走，就后悔了。信是写给我媳妇的，你们城里叫爱人、叫夫人、叫太太叫什么都行就是那个意思。我到城里来干活挣钱，她一个人留在家里，我不放心她，我才明白过来，她要是真来了，往哪儿住呀?！这又不是部队还让家属探亲。一间工棚好几十人哩……

百川涨红了脸，脖子上的青筋不停地跳。

——我最后说个理由，你们再不信，就算我真是砸邮筒的行凶打劫，把我带派出所去得了。我告诉你们，这邮筒里有我刚寄出的一篇稿，说是散文也行，小说也行，反正是我一个字一个字写出来的。你们知道在锅炉房里写稿，是个啥滋味？那边是泵房，火车头似的轰轰响着，这边一张值班用的破桌，桌上的煤灰厚得都能当黑板使了。我写了几行，就戴上手套跑到炉那儿去扔几锹煤，手套早破了，手指头黑得像煤块儿，把稿纸摸得黑一道灰一道，钢笔水写上去都看不出来印儿了……

百川没说完，就听见一阵刺耳的笑声，笑得直憋气。

——我真的不骗您，刚寄出的稿上写错了一个字，我想把它从邮筒里取出来改改，才……

——甭废话了，破坏公物，罚款50元！

百川咬紧了牙。他早料到，说什么都是他没理，说什么他们都不会相信的。

其实下午当警察出现时，百川什么也没分辩。以上的对话，都是百川事后在研究院锅炉房的值班室，靠着床上的铺盖卷儿，一边抚着伤痛，一边想象的。百川自从进了城以后，就不爱说话了。他觉得在城里，用不着也轮不上你来说什么，嘴巴这东西除了吃饭，其他的功能都是多余的。城里只需要一双眼睛去看，就够了。有时一双眼睛都不够用。除了眼睛，最好能再多长点脑子和心眼。

城市是一头猪！

百川在心里诅咒。

它不是头猪，还能是个啥呢？整天蹲在圈里好吃懒做的，等着人喂。城市不像牛不像马，哪怕像只羊或是像个狗也行，都会漫山遍野自个儿打草找食。城市是个圈，城里人是头猪，得把食剁碎了、煮熟了才动嘴，等着吃饱了，喝足了，再把圈里的垃圾，像上粪肥一样地运到城外的农村去。

百川瞧不上扫马路的清洁工，他觉得清洁工和起猪圈，意思差不了多少。

百川在城里受了气，每次都努力想象村里过年时宰猪的情形。这种想象令他产生一种杀戮的快感。可惜百川并不会真的杀猪，甚至也不太擅长杀一些别的动物。这是因为从他出生以来，山里和村上可杀的东西，无论是野生的还是家养的，都不算太多了；另外，百川16岁以前一直在镇上读书，读过9年小学加初中的百川，打小就对动物有一种天生的腻味和反感。这也是他在17岁那年离开了豆庄，到8里地外的铁矿去干活的原因。后来千军捎信让他到城里来，他不搭理；千军捎了几回信，最后亲自跑到矿上，扛走了百川的行李卷，百川才跟着千军进了城。

千军是百川的亲哥。高中毕业差几分没考上大学，进城当了水暖工。没过几年，在城里承包了一家工程队，干得挺红火，混得挺滋润。

但百川不喜欢城里。

他第一次进城的时候，就觉得城里怪憋屈的，高楼大厦一幢紧挨一幢，见不着一个囫囵的太阳，风吹在身上都好像撕成一片片的了；马路上挤着那么些汽车，走得比羊群还慢，不拉屎光放屁；城里的味儿也不对，弄得人鼻根痒痒老想打喷嚏，三天两头地犯鼻炎。

刚进城那会儿，除了干活，百川常常不知道手该往哪儿放，脚该往哪儿站，眼睛该往哪儿瞧。百川出门总低个头，胳膊像鸭掌似的甩了甩了。千军就在一边怒目圆睁，冲他低声吼道：把胸挺起来！你给我站直了！

谁不想昂首挺胸地当一回城里人呢？百川也想。

第一年夏天，百川做绿化工，拽一根碗口粗的橡胶水管，给研究院大院里的树浇水。那鼓胀的胶皮水管横在路上，过来一辆卸货的卡车，百川看见了，急忙跳几步想把这顺过来让车过去，那车却不等他，猛地加了油门，轮子一压上水管，管子就裂了，水柱喷得一人高。路边正有个女人领着小孩玩耍，没留神，那孩子让水给滋了一身，惊天动地地嚎起来。百川吓一哆嗦，抓着管子结结巴巴说了三遍对不起。那女人冲着他走过来，二话没有，上前就踢了百川一脚，正踢在脚脖的筋上，疼得百川直龇牙。踢完了，还不依不饶地骂一句：干什么吃的，你这个臭临时工！百川当时只差那么一点，手里的水管就要冲她扬上去了，他真想用水狠狠滋她一脸。但那会儿百川不敢。他不想丢掉这份工作。这个饭碗要没了，他还得回家去种地。

那年百川刚满 18 岁。

这些年，百川在城里受的气多了，只要能忍的，都忍下了。

忍不下的，也忍了。

所以百川不喜欢城里，可是百川还得在城里待着。7 年前当哥把第一个月的工资拿回家时，爹扬着手里的票子告诉百川，城里最好的工作就是水暖工，又有技术，活儿又轻巧，一个人要是能在城里当上水暖工，一辈子都不愁了。

等到百川真的在这所研究院当上了水暖工，却发现水暖工和锅炉工其实没什么区别。等秋天把暖气水管收拾利索了，一冬天剩下的事儿当然就是烧锅炉了。不烧锅炉，哪儿来的暖气呢？所以水暖工得先把暖气烧出来，才有水暖工可当。

百川很快发现，他们这些所谓的水暖工，其实一冬天都在烧锅炉。

进了锅炉房的，出来时全成了坦桑尼亚黑人；那黑黑的煤灰嵌到肉里头，囫囵个儿的黑；洗澡时用丝瓜筋搓背，连丝瓜筋都跟墨斗鱼似的；吐口痰也漆黑，让人当煤核拣；眨眨眼，眉毛上直落黑霜；伸出手，就像动物园里的黑猩猩……

锅炉工和水暖工应该是两码事，一是体力活，一是技术活，性质不同呢。百川曾私下对千军嘟哝说，自打农民工进了城以后，最苦最累的活儿，都叫农民工给包了。一人顶好几个正式工呢，这跟旧社会的剥削没两样……

千军不吭气。千军是高中毕业，懂的不比百川多?!

百川又说：你给我说说，啥叫农民工？我翻了新华字典、辞海还有大百科什么的,就是没有农民工这个词儿……

千军瞪他一眼,低声说:你吃饱了撑的!

这城里真是没法子待!百川常常这样想。

百川抬头看看钟点,打开炉门。炉火烧得正旺,火光映红了一面墙。

百川清了炉渣、添煤、通风、上水、扫地;然后就去看温度计。

有个声音在他背后说:怎么又冒黑烟啦?!

百川不言语,用袖子去擦温度计。玻璃管上头有水汽和灰尘,总看不清。

那个声音说:甭看了,肯定不够,多会儿也烧不够温度,说多少次了,没个记性。干什么吃的!找你们头儿来!

百川说:千军……您忘了,不是您派我哥出去办事儿了么?

那人嗯了一声,背着手,慢悠悠走到值班室去打电话。百川不用听,就知道他打电话的顺序——先是打到院党委书记家,然后是院长家,再是副院长和办公室主任家。他打电话不用看号码本儿,每家的电话他都背得滚瓜烂熟,每次打电话的内容也全都一模一样:嗳嗳,我是锅炉房XX呀,没别的事,就是问问领导家的暖气热是不热?温度合适不合适啊?——是高了呢还是低了?再提高1度还是2度呢?是降低1度还是2度呢?啊啊,知道啦,马上就办,您老放心吧……

总之,相差1度也是不能含糊的。

百川每次听他打电话,都憋不住想要乐出声来。他觉得那人很像电影里的太监。对,就是太监。这人每次给领导打电话的时候,那种像娘们一样温柔的声音,同他平时对临时工们说话的口气,就好像换了一个人。其实他也就是个房管处的助理员,撑死了算个科级,可他就能把个千军训得像孙子似的。千军常常脱口叫他徐主任,在百川看来,千军肯定是故意的。但徐主任一听,脸上顿时就变得笑容可掬,肚子也随后挺起来,千军要说个什么事,主任挥挥手就批准了。

据百川观察,主任这官儿虽不大,但正好就管着千军承包的队。

百川从来见不着主任在忙。城里的人,每天都穿得那么干干净净,所谓的上班,也就是各到各处溜达溜达罢了,把烟头扔得哪儿都是。

百川第一次上主任家去安装管道煤气,主任正在沙发上看报纸。主任那会儿还没管着千军的队,连名义的主任也不是,没人通知他家里要施工。主任冷着脸说:谁让你上这来?以后记住要先打电话!百川转身要回,主任说算了算了,跟你说你也不懂。主任老婆对百川说:把你的鞋脱了,没见我们这地板打蜡呀。百川就把鞋脱了,袜子露着脚趾,一屋子咸菜缸味儿。百川窘在那里,一咬牙把袜子也脱了,却不知放哪,放大门外怕丢了,更舍不得扔簸箕里,愣了一会儿,问:你家厕所在哪?主任和主任老婆都不应声;他又问一遍,还是不应声;急了,自个儿奔一屋去,却一把让人给拽住了,恶声道:你也忒过分了吧,还想在我家上厕所哪!

那一天，百川发了疯似的凿地板。那还是十多年前地震期盖的房，钢筋水泥结构，死硬死硬。百川跪在地上，从上午9点一直干到12点，一口气跪了整整3个小时，在地板上凿了一个供管道通行的洞，火得像个篮球。

主任倒抽一口冷气说：这该不是要安装升降机吧。

他斜着眼看主任，嘴角抿住几分得意。他望见墙上的大镜子里，自己的头发上蒙了一层白粉，像树林子里的白头翁。他手腕上的关节明显地肿了起来，那是锤子落偏了砸的，麻麻的已经没有感觉。

主任老婆给他倒了一杯白开水，他连碰都没碰一下。

主任家的煤气管道，足足被他晾了一个星期没人管。最后是主任请了管千军的主任，再请千军亲自去给弄好的。

那天百川约上几个哥们，到院外的小饭馆里去喝酒。

酒过三巡，百川扬着筷子，眉飞色舞地对大伙说：你们瞧瞧那些城里的男人，有几个像样的？到了礼拜天，抱一大堆老婆孩儿的衣裳，到锅炉房来洗，热水放得哗哗的，敢情是公家的，不花钱。也叫个男人？多跌份哪！不够丢脸的呢。要我看，咱比人家，差在哪儿啊？咱谁也不比城里的男人次，是不是？

大伙儿塞一嘴土豆丝，都点头说是。

有个胖子，还给她老婆洗裤衩子哪！我都看见了。有人小声说。

一齐哄哄地大笑，够痛快的。

却没想到主任后来就真管到他们这段来了。主任上任后，从没给百川好脸子看。主任动不动就找碴，要不怎么叫作主任呢。但主任对付百川没有什么过硬的招，百川心里有数。百川是农民工，百川的工钱归千军而不是归主任开。百川不想提干不想转正，开除也开除不到哪儿去。百川早已不是当绿化工那时的百川，他伺候锅炉那两下子，队里几十号人中，除去千军也就数他了。百川话虽不多，但说一句顶一句，只要千军不在，大伙都听他的。主任要是想撵他走，剩下的人，怕是没人能拢得住。

主任放下电话，脸上的笑容还没来得及收起，扭头吆喝说：

风门还得开大，多添煤往高了烧！没个记性，说多少遍了！

然后就在值班房的床上坐下来，架起了腿，摆上一副百川熟悉的架势。

百川侧了脸，装没看见。他这会儿虽是想抽烟，却宁可憋着。

山子放下手里的活，颠颠跑过来，掏出一盒瘪瘪瞎瞎的"北京"递过去。主任看都不看，自己摸出一盒硬盒的"红塔山"来，山子慌忙划着了火柴，才算是把主任的烟点上了。

主任悠悠弹着烟灰，自言自语地说：爱怎么干怎么干吧，就是烧锅炉这活儿，你们也干不了几天啦。等明年，这几条街全改成集中供暖，锅炉都得取消……

山子的铁锹咣当落在地上。山子当时就面如土色了。

百川瞟了一眼山子，弯腰把铁锹捡给他。

百川早听千军说过集中供热。到时候暖气就像管道煤气一样，自动就从地底下送过来了。热力站将代替锅炉房，烟囱统统地全部拆掉。百川听说这个消息的时候，几乎有点儿幸灾乐祸。他早就恨透了锅炉房，任是它爆炸了也好，取消了也好，反正等什么时候自个儿再也不用白天黑夜地烧锅炉了，才不算是个假冒伪劣的水暖工。

百川冲着山子说：不烧锅炉了更好，你当城里就长锅炉啊？

主任拉下了脸，起身走了。

主任回头哼一声：能耐的，有你们哭的时候！

百川当天晚上下工回宿舍，意外地收到了月儿的来信。

他拿着信要拆没拆那会儿，想起下午跟邮筒的那场战争，觉得有点好笑。那邮筒也太神了，就像是他的信刚发出，回信就跟着来了？

月儿没问录像机的价格，信上就一句话，让他赶紧回一趟家。

百川觉得蹊跷。从月儿信上的口气看，他觉得家里好像发生什么事儿了。

百川没顾上洗脸，就去小屋找千军请假。千军正同一帮人打牌，头也不抬，只说昨儿入了三九，气温低暖气不好烧，正节骨眼上你回什么家呢，等春节吧。

百川说，哥你上外，我把信给你看。

千军不看信，也不挪步。有人讪笑说：百川你想老婆了吧，回来才几天？

百川有些愤然。可也犯不上跟这些没文化的家伙较劲，他们知道啥叫感情么？

第二天早起，百川写了个条，让山子交给千军，自己就奔长途汽车站去了。

汽车驶出城，上了郊外的公路。百川长长透了口气，呼吸忽地畅通许多。

拥挤的车厢里，百川想象着千军恼怒的样子，心里一阵快活。他发现做农民工其实挺自由的，想干就干，想走就走。要是愿意，就留下；不愿意就打起行李结账走人。这不比那些一辈子都被拴在一个单位，拴在3尺长桌上的城里人强多了？

百川总是能及时发现自己处境的优越性，这就是百川与众不同的地方。

二

汽车顺着曲曲弯弯的盘山公路，在山腰上慢吞吞旋转的时候，百川的视线越过灰蒙蒙的山谷，远远望见了山脚下的那个豆庄。

一条鱼肠似的小河从村边流过，一座座红砖砌的大瓦房在河滩旁的高地上毫无规则地排列开去。小河对岸有一片小小的平原，连着山腰的梯田，是全村的粮食产地。遇上个旱冬，坡上地里都不见雪，光秃秃地裸露着。

百川70年出生，正赶上“文革”。豆庄来了知青，等百川上了小学，知青就都走了。知青没给百川当过老师，但村里的小学校有知青留下的黑板和课桌。百川的学习成绩好，初中考上了镇的重点校。过了3年又考上了高中。但那会儿爹病了，家里没钱供他上学，高中毕业的千军就进城去打工，但打工也不够供百川上高中，百川只好去了矿山背石头。背了两年石头，哥让他也进城，说挣得比矿山多，还能学技术。那会儿吃饭不要粮票了，百川这才到了城里。在城里待了几年，挣了钱给爹抓药，爹的病一天天好了，能下地了，还包了果树和鱼池，爹妈便惦记给百川说媳妇。到了百川23岁那年，娶了村东头关家的闺女月儿，然后同哥千军分家，自立门户，从此百川就成了一家之长。

百川在村口的公路上下了车，正是中午，村口的水泥桥上空荡荡没几个人。

说是个桥，三季都没水，只在夏天走山洪，顺便带走河床里堆积一年的垃圾。

桥头是豆庄的“王府井”，兼任发布豆庄各种重大新闻的广场。

百川同熟人匆匆打个招呼，只觉得今儿豆庄的人表情都有些古怪。

当百川站在自家小院的门楼跟前，心里忽然就踏实熨帖了。

四间瓦房是结婚时新盖的，院里有一棵花椒、一棵香椿。院墙东头养着自家的鸡，屋里将笑吟吟迎上来的年轻女人，是自家的老婆——白面馍馍样脸蛋、油栗子般亮眼睛的月儿。

百川推推院门，才发现大门从里头闩上了。

大白天的锁啥门呢？百川有些纳闷。不是月儿自己写信让回的么？他琢磨，心里突地跳出些念头，猛然就警觉起来。他四下望了望，踮脚往院墙里瞅，墙太高，瞅也是白瞅。要是能翻墙进去就好了，即便有个天大的秘密，也能一目了然了。百川倒不是不相信月儿，只是百川在外面听说过太多打工仔心酸的故事——你一年到头、长年累月地把老婆留在家里，谁能保准不出什么邪性的事儿呢。

百川定了定神，看见了院墙西头那块拦着篱笆的一角。

结婚一年多了，那个角没砌上墙砖，一直就那么空缺着，像个豁牙子。

砌墙的时候，南头的李家人说这个角本是他家的宅基地，死活不让百川把墙砌直了。月儿怕李家把事儿闹大了，两家邻居一辈子抬头不见低头见，日子过不好，就让百川留下一个空，说等着慢慢把理说通了，再砌也不晚。百川一两个月回趟家，这一年里头，同李家交涉了不下七八次，一点眉目都没有。

一年前临时插上的柳条篱笆，风吹日晒的，也早已东歪西倒了。

百川走过去，轻轻把篱笆前的杂物扒拉扒拉，憋一口气，猫一样钻了进去。

院里静悄悄的，屋门紧闭，没一点动静。百川趴窗户往里瞧，窗帘拉得严实，一丝光都不透。拽门，门从里头反扣了。敲门，半天也没个答应。百川脑子嗡嗡直响，手也哆嗦了，一生气，就用脚踹门，踹了两脚，一股火拱了上来，拉开嗓门就喊月儿的名字。明人不做暗事，男子汉大丈夫，他要月儿知道是他回来了。

窗帘拉开了一条缝，他看见玻璃后头闪过月儿一双红肿的眼。紧接着门就开了，月儿像一床棉花套子，软软地倒在他的怀里，两只冰凉的手，死死地箍住了他的脖子。

屋里冷冷清清，他傻傻地环顾四周，里里外外，只月儿一个人。

月儿没等他说话，便放声大哭，哭声如山洪暴发，惊天动地。月儿的泪水蹭在他的胸口，月儿的热气呼在他的腮帮上，月儿不停抽动战栗的身子，缩在他的怀里，那么柔软，那么弱小，那么孤立无援；月儿的双手勒紧他的肩膀、他的后背，好像一松手，他就会回了城里又剩下她一个人留在家中……

月儿把他哭得莫名其妙，终于不耐烦起来。他摇着她说你说嘛说嘛出了啥事，我这不是接到信就回了嘛，大白天你还插个门不让我进。

月儿又抽泣，眼看着要平息了，用手一指外面的院墙，又泣不成声。

百川耐着性子，总算断断续续地把月儿的伤心事，听了个含糊大概。

约是五六天前，刮着大风的夜，有人敲月儿窗，让她开门，还隔着窗户对她说些月儿说不出口的话，也听不出来是村里哪个狗男人的声音。月儿吓得一夜没敢睡，第二天找了百川的娘来做伴。娘的胆儿大，半夜又听声响，抄着锄起来捉人，那人一闪身，就从缺了一角的篱笆墙那儿，轻轻巧巧地钻了出去，连个影儿也逮不着。娘在院子里转了几个圈，发现那流氓出来进去，根本都不用走大门。

第二天娘破例没在院墙外骂街。娘在屋里骂百川，说是他给贼人留的狗洞。

村里有人在“王府井”那儿说话了，说是月儿不让垒墙，就为招野狗。

月儿说到这，又哭。百川明白了，其实月儿压根没受到实质性的侵犯，月儿是被人伤在心里了。所以在百川从城里赶回来之前，她锁下两道门，连屋都不出。百川心里庆幸着，顿时又越发心烦意乱。他搂着月儿的手松开了，倒在床上发愣。

月儿止住了哭声，咬着牙，一个字一个字地对他说：

你要是再不把这院墙给我垒直了，你就不是个男人！

百川听着月儿气汹汹下达的“最后通牒”，心里倒有几分感动。月儿这么在乎自己，在乎他百川，在乎他们俩的小家，证明月儿是真心对自个儿好，也证明他俩是真有爱情的。

爱情到底是什么呢？百川不知道。只是从书上小说中见过。一般来说，爱情好像都发生在城里。

百川结婚以前，一直都希望着经历一次真正的爱情。

他内心关于爱情的渴望，是跟着千军进城打工以后，突然觉醒的。城市的空气里飘浮着太多同爱情有关的气味，城市的街头到处都是袒露着肩膀和大腿的女人，多看几眼，爱情这玩意也就无师自通了。但城里女人的爱情是献给城里的男人的；

没有钱的女人,爱情是献给有钱的男人的。百川很有自知之明。他只是想把城里的爱情,暂时借回豆庄去用一用。

那会儿,百川在工余,正读着一个叫李宽定的作家写的小说,读得废寝忘食,心潮起伏。李宽定小说里的女孩,个个清纯善良,很是让百川着迷。

百川在城里整天挥动着煤铲,但跟前都是豆庄南头刘家燕儿的影子。

燕儿曾是百川小学时的同学,等百川有一次从城里回来,猛然发现燕儿已是个大姑娘了。燕儿长得有些苍白,他好几次无意发现,燕儿静静地坐在小河边,用手托着腮,望着远处的山,像藏着许多心事。猛一眼看去,活活一个李作家笔下的女主人公,叫人生出许多的想象和怜爱。百川在村里一打听,这个燕儿却原来已经和邻村的一人订了婚。订婚这个词儿很刺激,撩得百川热血沸腾。原先他还觉得燕儿朦胧又遥远,一听燕儿有了主,百川顿时产生了强烈的竞争意识。

百川在城里待几年,任千军说城里这么好那么好,说破了天去,百川觉得有一样好处,是千军看不到的:城里能买到许多新出的文学杂志和书,要是在镇上和矿上,借都没地儿借去。研究院大门外有个收破烂的摊儿,每天都有人来卖旧报纸、旧杂志,百川隔三岔五给那老头买盒烟,然后挑些有意思的杂志借回宿舍去,下了工,躺在铺上看杂志打发时间。中学时,百川的作文经常受到表扬,所以,喜欢文学的百川,认定自己不能与其他的农民工混为一谈。

那年回家过春节,百川下定了要和燕儿尝试爱情的决心。

21岁的百川,把以前看过的书翻了又翻,竞争燕儿的步骤就具体地落实下来。

百川执行计划的第一步,是准备鱼饵。年前,他故意去燕儿家串门。按着乡里的习俗,未婚男子是不宜单独拜访订了婚的女子的。那么百川的突然袭击,势必就传递给燕儿一个强烈的信号。何况百川串门时,只跟燕儿爸有一句没一句地说些闲话,搞得她爸莫名其妙。那其实只是打个招呼而已,很含蓄的。

第二步是撒网。百川认为必须尽快引起燕儿的注意,并让燕儿对自己产生好感。所以大年初二上午,当村里的年轻人,男的一拨、女的一拨,都集中在"王府井"闲聊天的时候,百川说话的声音,就在人群上空像蝗虫一样飞舞起来。他不停地说着,说城里的汽车和房子,说世界公园的游乐场;再把研究院那些研究员们说话的酸劲儿,尽量夸张地模仿出来。百川听见自己滔滔不绝的话语,如水库开闸,瀑布般一泻百里,真叫个才华横溢。他看见所有的人都在听他说话,姑娘们早就闭嘴了,像屋檐下的家雀呆头呆脑,一个个都表情迷茫地望着他。而他,根本就不瞧燕儿一眼,这叫作欲擒故纵。然后,说到最精彩之处,突然打住,扔下所有的人,径自回家了。

百川在城里只用眼睛。百川嘴里的话,都留着回到了豆庄,才有用武之地。

第三步,百川要收网。他要把爱情的信息,直接传达给燕儿。正月初五那天,村口的桥上又围满了人。百川悄悄走过去,找个离燕儿很近的位置站下了,两眼就死死盯住燕儿看，燕儿一抬头，同他的目光对上了，眼神慌忙就躲，躲也躲不开，再一抬眼，还是百川的眼睛，看得她浑身发毛。百川觉得自己的眼睛直溅火星子，把燕儿的红袄都烫得一个洞一个洞的；燕儿看懂了他的爱情，终于是顶不住了，一扭头，钻入人堆里，不见了。

百川觉得已是水到渠成了，于是就自然迈向了第四步。第四步才是真正的关键时刻。百川特意选了正月十五的晚上，他认为爱情的表达应该注重环境和情调。百川穿上了在城里才穿的呢子大衣，一个人去了燕儿家。燕儿的妈正在炕上躺着，见他进来，闭了眼就装睡觉。百川对燕儿说：燕儿，咱俩出去遛遛？燕儿一噘嘴，说：不去，你没看我妈睡了。百川说：走吧！一把拽住燕儿的胳膊，燕儿就乖乖跟着他走了。豆庄那么大个地方，也没别处可去，百川就和燕儿上了场院。当空一轮圆月，地上像是下了一层新雪，燕儿的脸也和月亮一样，惨白惨白的。

百川在场院边儿的墙根站下了。燕儿站得离他有十步远。

百川想挨得燕儿近些。可是，他刚往前走一步，燕儿就往后退一步。

百川有些尴尬，先前准备好的词儿明显地用不上了，就干脆说：燕儿，我想娶你。

百川激昂起来，问：你把我和你男人比比，是我好还是他好？

燕儿又不说话。半晌，蚊子样的声音说：我订婚了呢。

百川心头有火拱上来，大声说：你没看人家城里，结了婚都能离，订婚算个屁！

百川说得激动，一口气往前走了好几步；燕儿不答话，慌慌地退后了好几步。

两个人在月亮地站了好一会儿，都说不出话。小风嗖嗖的，刀子似的刮脸。百川身上有些打战，对燕儿说，那你考虑考虑吧，我明儿就回城，开春了还回来。

两个星期以后，百川又从城里回来。他给燕儿带来了一瓶“华姿”洗发水和一瓶“大宝”洗面奶。他去燕儿家，燕儿不在，他把东西留下了，燕儿妈也没说啥。晚上他去找燕儿，让燕儿跟他出去，燕儿痛快答应了。那晚没风，满天星星像城里的灯火一样。他和燕儿在村里转着转着，就从岔道上了山。百川打小就在山沟里打柴，山上的道他哪儿都熟。他把燕儿领到一棵苹果树下，猛地就把燕儿抱住了。他又对燕儿说了一遍，等他再挣些钱，他就回来同她结婚，这么说着，他就在燕儿的脸上亲了一下，燕儿忸怩着，气都透不过来；后来他就把手伸到燕儿的衬衣里头去了，那儿紧绷绷地鼓鼓着还挺暖和。可惜燕儿胸口上戴的那个东西，像是用布缝的，粗粗拉拉地硌手。他想把那玩意拽下去，燕儿的眼泪就落下来了。

燕儿说：上回你走以后，他来过了。给我爸搬了一箱“二锅头”、两大盒子点心，给我一块头巾，我都没要；他想帮我爹修猪圈，我妈不让，怕多欠了他的情。我跟我爹妈说了，想跟他吹，爹妈都同意了，说他不如你，你打小就聪明，家境虽然不算好，但庄上的人都说你以后能成气候。你如今又是城里的工作人，以后过日子也有个依靠。只不过……不过我爹说了……

燕儿的话吞吐起来。百川的心绷得紧紧。好容易等燕儿说完，他长长松了口气，手里抓着的树枝都咔嚓掰断了，事情竟比他想象的要简单得多啊——不就是你爹花了他家 800 块彩礼钱吗，这太没问题了，我给还上。他拍着胸脯回答：你想让我啥时候送去，我就啥时候送去！

百川忽地感觉到自己在城里打工的无比巨大的优越性。如果他不是在城里烧锅炉，他虽然一直是村里人见人夸的好小伙，但他能说拿就拿出 800 块现金，他能具有一举打败燕儿未婚夫的显著优势和实力吗？

百川拉着燕儿的手往山下跑。只觉得脚下的地平展展的，这山也不像座山了；头顶的星星伸个手就能摘到了，那天空也不是原来的天空了；爱情除了伸手可触摸苗条的燕儿，爱情还使他变成了一个力大无穷的男子汉。

燕儿跑得气喘吁吁的，燕儿没忘了说，下次再回，给她买个“华姿”发露。

百川回城的第 3 天，就收到了燕儿的信。信上 9 个字：还要我不？快送 800 块。信尾连名字都没署。

百川 21 岁那年初次尝试爱情，眼看就将大获全胜了。

但缺乏经验的百川，偏偏忽略了一个最最重要的环节——百川打工挣下的钱，存放在天下最最可靠的娘手里。百川想要取出那 800 块，赶到家的第一件事，必须首先获得爹妈的批准。

娘听得眼都直了。娘半点儿都不认为百川的爱情值 800 块。

娘说：燕儿那么瘦，白得不见血色，像个黄皮臭虫，中看不中用哩。

一晚上百川都在软磨硬泡。最后百川不得不严肃地对爹声明说，他已满 18 岁，有权支配自己的劳动所得。爹当了几十年大队干部，爹果然就对娘吼道：你给他！

第二天一早百川拿着存折，骑车去了柳树镇信用社。但等他怀里揣着那 800 块钱回到豆庄时，他的爱情已经风云突变，一败涂地，毫无挽回的余地了。

据燕儿后来哭诉说，是因为百川的娘。

那天上午，百川的娘去供销社买咸盐，在路上遇到了燕儿的娘。

百川娘就对燕儿娘说：俺家百川是城里的工作人，哪能娶本村的媳妇呢。

燕儿娘回家就同燕儿翻了。说百川爹妈都没同意，百川是骗你玩儿呢。

燕儿哭得死去活来。她已经让百川亲了一口，摸了几下，她觉得亏得慌。

当天晚上百川揣着钱去找燕儿，燕儿说啥也不跟他走了。燕儿就站在她家大门外的院墙根下，百川和燕儿中间隔着一辆卸了牲口的大车。百川把 800 元钱拿给燕儿看，燕儿的眼皮都不抬。百川从大车东边绕过去，燕儿就从西边绕回来。百川踩着燕儿的脚跟，就差没跪下了：燕儿，你倒是听我说……燕儿一个劲摆手说：你别过来别过来。百川依旧勇往直前，燕儿就绕着大车兜圈儿。两个人围着大车转了好一会儿，也没个结果，倒像是一头驴赶着另一头驴在推磨，磨出好些唇边的白沫沫。

百川终于急了，猛地站下，大声说：你到底是为啥嘛？

燕的身子僵在昏暗的墙根下，像个影子。燕儿这会没哭，燕儿说得很坚决：你在城里没学好，我不信你了，真要是嫁你，你骗我一辈子……

那一刻百川很绝望。燕儿怎么就能认为他在城里没学好呢？在城里打工竟也成了他的错？他的优势怎么忽而就变成了劣势呢？再说，他先前怎么就没想到，农村的爱情中间，还隔着男人和女人的爹妈。他竟把爹妈和爱情的关系弄颠倒了。在他周密策划的爱情方案中，这是一个功亏一篑的大漏洞。

百川的手插在衣兜里，触到了他在城里给燕儿买的那瓶“华姿”发露。他把瓶子掏出来，悲壮地递给燕儿。燕儿把头扭过去了。他重又递了一次。他想就算燕儿不干了，仍该好说好散的。但燕儿又一次拒绝了。

更可气可恼的是，燕儿也不和他说再见，一扭身就推门回了家。

百川只听得一声巨响，手里那只精致的小瓶子，已狠狠地砸在了燕儿家的院墙上。他能看见那些金色的液体，从瓶里愤怒地喷射出来，追着燕儿的背影迸裂四溅，黏糊糊地涂满了燕儿家的墙缝。

那天半夜，百川在熟睡中，从炕上掉到了地下。百川尝到了失恋的滋味。

百川再从城里回来时，路过燕儿家的院墙，还能闻到从墙砖和地缝里传来“华姿”发露的阵阵香味，招了一群蜜蜂，绕着他的裤管打转转，轰也不走。

百川 21 岁那年的爱情，就此告一段落。由于出师不利，首战受挫，百川在很长一段时间里无精打采，对爱情也暂时失去了兴趣。

但是爹妈却因此对百川的爱情问题，引起了高度重视。

提亲的人突然就一个接一个地来登门了。本村的外村的都有，嫂子说姐也说，弄得百川每次回家休假，都像是赶集似的，有些眼花缭乱。

但百川不敢说不。百川知书识礼，懂得尊重父母。爹妈就哥和他两个儿，哥早娶了媳妇，他也该娶媳妇。娘虽破坏了他和燕儿的爱情，但娘是为他好。

麦收前，燕儿就嫁了，夫家用摩托来接亲，村口的爆竹皮红红绿绿散了一地。

百川回家麦收，燕儿已经走了。百川曾暗暗发誓，打算 3 年不再恋爱；如今燕儿一走，他的誓言失去了对象，3 个月还是 3 年都可有可无。

月儿就是在麦收以后，像一束成熟饱满的麦穗，跃入了百川的空箩筐。

其实，事后想想，他和月儿的故事一点也不浪漫。月儿家住在西头，说起来，是百川的初中同学。但百川上学时，从来没同月儿说过话。月儿爹是大队会计，月儿没考高中，在大队当了几年广播员。百川很少看见月儿，月儿从不上“王府井”那儿闲聊。前几年百川每次回家，还能听见月儿清脆的声音从喇叭里传出来，伴着炊烟，贴着屋檐低飞；久久缠绕在树枝上，好像是豆庄的空气。

有人把百川领到了月儿家去了。自从前年村里的广播停了以后，月儿包了一面坡的果树。以前那个无形无色的声音，忽然变成了一个实实在在的姑娘，红唇皓齿地面对着百川。百川顿时觉着一种新奇和欣喜，心想自己怎么早不发现，隔着几栋房几片园子，原来眼皮底下就有个月儿哩。

百川一时也不知对月儿说些什么，翻着月儿家炕头的一摞报纸。他问月儿可是喜欢看书呢，月儿说是；他又问月儿喜欢看什么书，月儿就说她自己订着一份《读者文摘》，还买过刘恒和刘震云的小说。百川转身回家，给月儿抱了一大堆从城里带回来的杂志。百川多少还没有从失恋的打击中解脱出来，他渴望爱抚和安慰。

百川和月儿的事，这么着就成了，简简单单、痛痛快快的，一点都不费事。

百川到了娶的仍是本村媳妇。百川的爹妈似乎求之不得，早先同燕儿娘说的那个理由，压根儿就不存在了。若是按燕儿的逻辑，百川岂不是又骗了她一回。

结婚以后，百川有时恍恍惚惚想起燕儿来，奇怪自己当初怎么竟会看上燕儿呢？明摆着月儿是比燕儿强多了。至少，月儿看书而燕儿从不看书。不喜欢书的燕儿当然不能懂得百川的爱情，燕儿心里只有那800块，燕儿才是把她自个儿骗了呐。

百川自从成家以来，对于爱情的认识，有根本的改变。他和月儿一没看电影二没逛公园，定下日子就结了婚。月儿心眼儿好、脾气好，对爹妈也好，百川在城里挣钱，回家交给月儿管着，俩人的小日子过得和和美美、有滋有味的。

百川开始怀疑，城里人的那些爱情，其实也许都是扯淡。

可如今，百川的爱情也开始面临考验了。

考验就来自这个缺了一角的院墙。

按村上的老理，一家的院墙不砌个方方正正，财气肥水都从那缺口处跑了。

落实到百川，更多了一层心思：这院墙不砌直，他和月儿的爱情，时不时得受到骚扰。那个半夜入侵的贼人没留下线索，全村的男人都是嫌疑犯。百川的这口气没处出去。憋得义愤填膺，心里明白问题的症结。还是首先得解决同李家院墙的边界之争。

天下事都有个来龙去脉——百川结婚时，分了宅基地，是三间房的面积；院子倒有富裕。于是百川又接出了一间，按四间的面积找齐，房建好了，打算再把院墙砌完整。但李家死活不让。因为百川的院墙砌成了正方形，院子就占了李家房后的一小块闲地。可是百川三番五次地提醒李家，当年李家接房时，也曾占了梁家房前的一块闲地，梁家当时一点都没难为李家。所以是完全公平的。

公平归公平。谁又能说，公平的事就非得按公平来办呢？

任百川磨破了嘴皮，李家男人只是闷头抽烟，一声不吭。

等到李家女人一回来，开口大骂，百川有理也变成个没理的了。

李家女人说，你一个毛孩子，你知道啥叫公平啥叫不公平？这天底下有公平的事儿么？你爹当书记那会儿，分自留地，少分俺家一垄地，俺告诉给你爹，这不公平，你爹听俺的了么？你不是识几个字儿嘛，你给俺算算俺家一年少收多少粮食？那么些年下来，俺家受多少损失？你这个小兔崽子还想到老娘这来找便宜！

每次都骂得百川抱头鼠窜，落荒而逃。

所以院墙的事一拖再拖，至今毫无进展。

百川为了同李家缓和关系尽释前嫌，曾想去为李家免费安装上暖气。安装暖气的技术，是百川在城里几年最实在最重要的收获。百川早就在自己家和爹妈屋里，装上了烧蜂窝煤的土暖气。每个屋子还都装上了暖气开关，人多时就多暖几个屋，人少时就集中火力暖一个屋，真是先进又科学。爹说，就冲着百川学了这一手绝活，城里也不白去。每次只要百川一回，月儿就使劲添煤，把屋里弄得暖融融的。

可是托人把话带给了李家，李家女人呸的一声倒来了气。她说她家睡惯了土炕，安了暖气，以后谁管月月供给蜂窝煤呀？那不是往炉子里扔钱吗，想坑人哪！

爹妈曾建议百川给李家送百十块钱去，你让一步他让一步，也算是破财消灾。

但李家女人把百川的钱扔到了当院。她说你就是往我家扔金元宝，我也不能让你家合适了。我是一寸也不能让，一辈子也不让！

百川从此明白什么叫作深仇大恨和不共戴天了。

但百川不甘心。百川能让却不能忍。忍是在城里，回豆庄再忍，还叫家吗？

再说百川是在城里待过几年的工作人了，百川不能就这样任凭一个大字不识的女人骑在自己脖子上拉屎。更不能让这个女人委屈了自家的女人。

百川不信，明明自己占了理，却没有讲理的地儿。

这天早起一睁眼，百川对月儿说：咱家有“土地法”吗？

月儿翻身跃起，趿着鞋到柜里去找。后来月儿把一本破旧的白皮书扔到他怀里，他把月儿抱住狠狠啃了一口。他说月儿呀，土地的事儿就得找土地爷才行。

百川躲在屋里认真研究了一番“土地法”，就骑车到镇上去了。

他在镇政府门口等着镇长来上班。镇长没来，副镇长来了。副镇长耐心听他说完，对他说，你在外等着，我去查查她家的闲地是怎么回事。一会儿他出来了，说：没事，她家接房以后，屋后那块地就归集体所有了。你回家写个申请，让村里批一下再到镇上批。国家有土地政策，按政策办理。百川回家写了申请，写申请对于他来说，是小菜一碟。用不几天，村里镇上都批完了，同意他把院墙砌直。他把那张纸拿给李家女人看，李家女人冷冷地说：我不识字，那玩意没用。我跟村长说了，让我家在场院占一间房，我立马就让出这一角地儿！百川心想这农村人真是没文化，胡搅蛮缠的，那场院是你家占得的么，里外一个不平等条约。他就对李家女人说：现在可由不得你了，我有镇上的批示，合理合法的，明儿我就找人开槽砌墙！李家女人一听就尖声嚷起来：你有批示，那算个屁呀，还不如擦屁股纸呢！想砌墙？门儿都没有，不信你试试！

第二天，百川找了一个瓦工、两个小工，请他们吃了早饭，就打算开工挖槽。还没等动土，李家女人从房后窜出，猛熊一般扑过来，高声叫道：我看哪个杂种敢再刨一下我的地！然后一屁股坐在了镐把上，呼呼喘着粗气，不停地朝百川翻着白眼。百川厉声说：你起来，再闹我就不客气了！李家女人顺势横倒在地，两手在空中挥舞，用哭腔喊道：咋，你还想打人？你打你打，老娘今儿就死在这儿啦！百川手攥着铁锹，血直往脑门上涌，真想一锹往她脖子砍下去算了。月儿闻声跑出来，对那几个帮工说，今儿不干了，你们都先回吧。收了百川的铁锹就往屋里推。百川在床上悻悻抽了会儿烟，心想自己一个大老爷们，咋连这么点事都办不了呢!?

第二天清早，他对月儿说，他得到县城去一趟，找找熟人想想办法。百川坐汽车到了县城，找着一个初中的老同学，在县委当电工。老同学领着他去了一趟土地局，他把那份盖着两个大红印的申请书给人看了，又给那人塞了一个信封，里头装了 200 元钱。那人就说，改天我亲自上豆庄去一趟，给你们调解调解。

百川回到豆庄的第 3 天上午，县土地局真来了两个人。在村里转悠了一个来回，到百川的院子里瞧了瞧，哼哼呀呀地点头；又到李家坐了一小会儿，然后就走了。也不知道他们都对李家说了些啥，只听得李家女人的声音倒比他们高出好几倍去。他们一走，李家女人就蹦到院子外头开始骂街。

李家女人站在门前的一块石头上，面冲着百川家的门楼，摆开了决一死战的架势。她的脖子梗着，身子往前倾，散乱的头发和衣服的下摆，随着胳膊的挥动一扇一扇的，像一只正同鹰蛇搏斗中的老母鸡；她的眼珠血红，嘴边唾沫飞溅，像一支支利箭，射向周围围观的村民；随着一连串的脏字出口，她的唇边堆起越来越多灰白色的泡沫，像磨盘边上往下流淌的浆汁，尖利的噪音同远处的狗吠鸡鸣声声呼应，狂风一般卷过冬末死气沉沉的村庄……

月儿在屋里，用手捂住了耳朵。

天黑下来，那女人嘶哑的声音依然此起彼落。

百川站在寒风瑟瑟的小院子里，忧心忡忡地望着那个用篱笆挡上的缺口。

砌直院墙，究竟得“占”人家多大个地方呢？百川在心里估摸。

昏暗的暮色中，他看清那狭长窄小的一角，恰好等于一张单人床的面积。

就像百川在城里工棚的铺位那么点大小。

百川突然有点儿想念城里了。城里的人毛病再多，却没见过像李家女人这种压根不讲理不懂法的人。

百川进屋对月儿说：我得写一份起诉书，上法院告他们。我就不信，这么点事儿，真没有法律能管着了吗？

三

过完正月十五，百川把起诉书交到县法院，就回了城里。

他对月儿说，是个男人，不能老在家守着媳妇；等着也是等着，还不如回研究院去干活，还能挣点儿钱。

他又说，谁也帮不了咱，咱只要有理，总有赢的那天。

月儿不提"最后通牒"那些话了。月儿为他收拾东西，笑着说：你走吧，我还让娘过来跟我做伴。

百川临走前，夜里骑摩托到十几里地外的矿上，乘黑弄了几捆粗铁丝，然后把自家院墙缺口的篱笆，结结实实又缠了几道。

风暖了，村口的小河冰面上漾着一层亮晃晃的水，像是要化冻的样子。

百川一进城，望见那些黑压压的人群，胸口就堵得慌。在乡下偶尔惦念城里的那种好感觉，一下汽车就剩下不多了。

气势宏伟的研究院大院，一个偏僻的角落里，前几年搭起这座破砖旧瓦凑合成的两层简易楼。工程队的人陆续都回来了。一间间能住十几个人的大屋里，回荡着百川熟悉的气味，臭袜子、劣质烟、酱豆腐、咸菜，还有廉价香皂，百川能准确地辨别出其中复杂的成分。

队里有一大半临时工都来自柳树镇，沾亲带故，都是投奔千军来的。

他们同百川打招呼的眼神，显然同见了老板千军很不一样。

千军84年进城当水暖工，一卷行李上扣一个脸盆。10年后千军不仅拥有了一个五六十人的施工队，还在县城置了商品房，一辆"捷达"每个周末来回溜达。若不是千军当头承包了这个队，老家的人，能在城里一月踏踏实实开上好几百块钱么？

千军理所当然拥有一种相当于救世主的自我感觉。

千军单独住一个小屋，在走廊的紧里头。嫂子来住的时候，他们就自己开伙。

百川不想先到千军那屋去报到。路过县城时，他也没到千军家去。千军是他亲哥，但千军给他的感觉太像一个领导。百川没有巴结领导的习惯，准确说，百川一向没有固定的领导，所以不大擅长同领导相处。

百川穿过大屋里横七竖八的上下铺中间曲里拐弯的过道，找到靠窗口自己的铺位，把手里的东西放下，胡乱抹了抹床上的灰尘，掏出烟来点上了，身子在行李上斜靠着半躺下来。有人同他搭话，他勉强敷衍几句，懒得多说。只是一眼看见那个叫响泉的人，竟然在这乱哄哄的地方，埋头抱着一本英语书，缩在自己铺位上，便笑着喊了响泉一声，扬手扔了一根烟给他。响泉接了烟，并不抽，仍是看他的书。

百川在喷吐的烟雾中，忽见床边墙上的那张招贴画，乔丹硕大而发亮的黑色头颅，正像一头公牛似的迎面冲过来。这张画是他从摊上花了好几块钱买的，在那么多世界级球星中，百川唯独喜欢乔丹，乔丹一抬腿，身子就像要飞起来，飞越世上所有的高山大川。乔丹是黑人，但乔丹能让所有的白人为他欢呼。

勇猛的乔丹天天同百川做伴。乔丹的足迹遍布整个地球，而百川蜷缩在乔丹的脚边，守着自己窄小的铺位，想象着乔丹在那个陌生的世界里叱咤风云。

但是，就这么2尺宽6尺长，一张床大个地方，眼下毕竟是属于他的。他要是愿意，就可以一直在上面睡下去。只要他拥有这床，他就可以挣到不算多也不算少的工钱。这和乔丹完全是两码事。

而在豆庄自家门口，也是2尺宽6尺长，就像这铺位那么大个地方，想“统一”到自家名下，却那么费劲。起诉书是送上去了，希望却很渺茫。法律要是也装聋作哑，你就算是个工作人，也干没辙。

那山沟沟本来有的是土地，可如今每一寸每一分得失，都你死我活的。

这城里本来挤得像个蜂窝，可那么多农民工进来了，倒是各有各的所在。

百川在城里拥有这6尺空间，百川在乡下倒没有了自己的位置——百川这样一想，觉得有些滑稽，像是一件安错了榫的家具，摇摇晃晃地站不稳也看不明白。

这时百川就听见有人喊他，说是千军让他上那屋去一趟。

千军说：回啦？

百川说：回了。

千军说：爹妈都好么？

百川说：好着呢。

千军说：本想正月十五再回去看看，事儿忙，没顾上。

百川说：去不去都一样，娘给你拿了一瓶泡好的野杏瓣。

百川把手里的瓶子搁在了桌上。桌上刚换了一台29吋的彩电，是千军新买的。

千军扔给他一根烟，就开始给百川讲今年工程队的生产任务。千军和下属说话从没有半句废话。千军三言两语就把话说完了，百川用心听着，明白千军的意思是说，到今年冬天，这一片地区实行集中供暖，锅炉全部取消。所以从开春到秋天，工程队只有一种活儿可干——全力以赴挖土方埋管道，确保冬季顺利供暖。

百川问：那到了冬天我们干啥？还能当水暖工么？

千军笑笑：那得看情况。管理热力站，得有技术。

百川又问：那以后冬天不烧锅炉了，那些锅炉工咋办？

千军扔下烟头，说：你操这份心呢，管他们干吗？我找你来，是让你有思想准备，你也得去挖土方，明天就开始。

百川的脸就阴了。愣了一会儿神，说：你不是一直说，让我进城学技术么？

千军很快接了话茬：要是你嫌挖土方钱少，可以再打一份工——兼管食堂伙食账，每月加100元。这可是额外收入，算优惠我老弟的。

百川的喉结上下窜动，唾液咽了又咽，甩甩手，走了出去。

千军算个啥呢？百川愤愤地想。自己虽然是给千军打工，但千军难道就真是个老板了么？别看千军在简易楼里说一不二的，出了这楼，一进研究院的办公室，千军就跟三孙子似的，见个司机打字员都点头哈腰，脸上的笑容一堆一堆。

千军不过是比百川早了几年进城。刚进城那会儿，骑车上立交桥，找不着东南西北，在桥上转了半个小时，又从原路下来了，警察罚他1块钱，兜里只有5毛，回研究院找人借。千军拿了头一个月工资，到摊上买了套最便宜的西服穿上，领带系得跟红领巾一模一样。千军那时候管谁都叫主任，谁跟他打扑克，他都毫不犹豫地输给人家。那可是千军喝多了酒以后，自个儿透露的。

千军上任前，原先的老队长是柳树镇杏庄的，把个工程队管得个溃不成军，研究院基建部门早想把这队解散了。那队长去给主任送礼，灰头土脸。衣服脏拉巴叽，拎着一书包苹果、核桃，进了门往墙角旮旯一蹲，连句囫囵话都不会说。转身一出门，那书包就让人给扔出来了，苹果、核桃一个一个顺着楼梯往下滚……

老队长弯着腰在楼梯上把苹果一个个捡起来，回到工棚已是老泪纵横。他说这队算是没法混了，要想不散伙，你们自己另选个队长吧。千军就是在这种情况下，亮出承包标底，翻身上马的。千军早就偷偷算好了一笔账，要是由他来驾辕，不用边套，稳稳地只赚不赔。

百川从小跟哥一起长大，哥虽是豆庄公认的人尖子，可怎么也没看出来，千军和城里人打交道，也真有两下子。管基建的头儿无意流露了想吃鱼的意思，千军立即就到早市上花钱去买，用塑料袋兜几条活蹦乱跳的大鲤鱼，给头儿送去了，却说是自己在朋友的鱼池里钓的。要不说钓的，人家就不好意思明目张胆地收下；而钓的鱼，除去交易的成分，还含有友情在内，让人收得理直气壮的还挺亲切；千军给头儿送金丝蜜枣，也说是家乡的土产，可柳树镇那一带根本就不产小枣，头儿也默认了。千军送礼有一套理论一套学问，什么样的人该送什么样的礼，在什么时候送，都得恰到好处、各送所需，不可乱了方寸。若是同研究院的知识分子打交道，千军一般是送家乡的土特产，苹果、板栗什么的，让知识分子觉得价廉物美地心安，又不必再花钱去买。如果同处长、局长一级的干部打交道，最好是送茶叶，再进一步，就送喝茶的瓷器、茶具，像系统工程一样要配套，流水作业，一环扣一环的。那个管基建预算的处长，是千军目标中的重点人物，千军偶尔发现处长喝的是花茶，就很惋惜地告诉处长说，喝花茶上火呢。第二天给处长拿来一罐上好的绿茶，似乎随意地让人家试一试，就只是试一试，您看看是不是真的解毒败火，试一个星期，您告诉我喝绿茶的感觉，这有什么坏处呢，什么坏处也没有。喝不好再拿来还我都行……那处长从此喝绿茶喝上了瘾，茶叶当然都是千军保送的。随着高档绿茶价格的逐年扶摇上升，千军每年从承包预算中额外得到的收入，也一年高于一年。百川后来逐渐看明白，工程预算应看作一项魔术，其中的奥妙怕是连鬼都捉摸不透。比如盖一栋楼房预算1000万，表上指定该用直径1.5厘米的钢筋，425标号的水泥。可你包工头实际上购买的是1厘米的钢筋，325标号的水泥，等到钢筋灌入水泥，预制板上墙到位，谁能查出那钢筋缩了0.5厘米？仅仅这一项，就能为包工头省下了、又赚下了多少钱呢……

等百川进城的时候，千军已经像一条滑溜溜的鱼，在城里那没有水的立交桥底下转圈悠荡，悄没声儿地畅通无阻了。

千军早已今非昔比了。走在研究院那么大个大院里，有文化、没文化的城里人，他都能跟人侃上一阵。他会同老局长谈谈有关养身之道的建议、给年轻人讲周末郊区旅游的窍门和中年人谈物价和农贸市场。个头矮小的千军任何时候总是西服革履，头发梳得整整齐齐，打上摩丝，湿漉漉地油光锃亮，那风度气派，真比城里人还城里。如果不是他黑黢黢的肤色即使去美容外科磨砂也刮不掉，一般情况下很少有人能一眼看出千军原先是个农民。简易楼千军的小屋里，麻将哗啦哗啦洗牌的声音常常响到天亮。千军手气好但千军总输牌。千军在牌桌上的损失，自然会有人从别的渠道给他加倍地补偿了。如今给人送个茶叶茶具什么的，实在已经太微不足道了，所以千军必须通宵达旦地输牌，只有通过输牌才能挣到钱，才能使他的工程队站稳脚跟。七八年间，研究院下属的国有企业已陆续破产了好几家，可唯有这县里来的包工队，仍然稳稳地立于不败之地。百川每天早晨出工时，千军那屋总是房门紧闭，千军说不定才刚睡下哩，要到午饭那会，才能看见千军睡眼惺忪地从小屋里走出来。但千军是老板，老板打牌就是工作，千军只要把心里那一本账，出来进去的都管住了，千军就能继续往百万富翁的方向大步前进。

百川不能不佩服千军，但佩服归佩服，百川心里却不喜欢进了城以后的千军。千军学会了变脸，对城里人一张圆脸，对队里的临时工一张长脸。千军总用首长的口气对百川说话，好像是他在养活百川。百川觉出这种不平等，渐渐就同千军有了别扭。他明明和千军一同在支撑着这个队，他在工程管理的具体事务上付出的心血和体力，不说比千军多，起码也占了一半。为什么千军一当了头儿，兄弟之间就不是那么回事了呢？百川有时觉得自己和哥的关系很微妙，像是停在站台铁轨上两节交错的车厢，看着挨挺近，拉手说话的，车一开，就各奔东西地越走越远了。可那到底是贫富差距还是什么别的什么差别，百川一时还说不上来。

百川有时还能想起千军刚当上包工头那会儿，有一次回豆庄，咬牙切齿地对爹说，他一定要给全队的临时工，每人做一套西服，让城里人再瞧不起咱农民工！后来只是由于全体农民工的坚决反对，说有做西服的钱，还不如直接发给大伙得了——千军为大伙改头换面的宏伟计划才落了空。

也许是因为穷日子太长久了，从出生到长大，从念小学到上中学，记忆中百川和哥哥从没有放开肚子吃过一顿饭。百川还记得，千军高中毕业那年夏天，县中全体高二学生照毕业照，老师要求每个人穿白衬衫蓝裤子，衬衫可以向别人借，却忘了自己光脚穿着一双布鞋，连袜子都没有。千军急得跳脚，赶紧用蓝墨水在光脚杆上涂了两截冒充蓝袜子，等集体照拍出来一看，那袜子画得像真的一样。

那张照片后来千军也不当回事，让爹妈捡了，宝贝一样挂在自己的屋里。

百川觉得贫穷就像一台机床，能把人的心，像钢丝像铁索，麻花似的旋拧、卷曲起来。他揣摩千军的心思，千军定是想让自己变得比城里人更有钱，千军相信乡下人有钱就能让城里人刮目相看。但偏偏百川不这么想。

锅炉的暖气停了以后，百川开始同大伙一道挖土方。

百川没有理由不去挖土方，除非他辞了工离开这队回豆庄去种地，那他就同哥彻底掰了。他细想想，觉得不值，挖土方这活累是累，也不是干不了。

研究院大门口的马路，像是开膛剖肚，挖出一道深沟。马路手术过无数次了，死去活来的，缝了一遍又一遍，也不用麻药。玉米面似的黄土，堆积在马路两侧。遇到刮风天，尘土飞扬，迷得眼睛几步外看不清东西，同在豆庄的地里干活没什么两样。可若是在豆庄刨土，是决然挣不出在城里这每天十几块的工钱的。同样是扒拉土疙瘩，城里的疙瘩也比庄户的疙瘩值钱，也更是个东西。

百川听见沙土在他耳朵里旋转，像黄豆一粒粒滚过磨盘，发出金属一样铿锵的声音。他身上的汗味和热气，同铁锹一起挥舞着，在阳光下蒸腾出一道炫目的白光。深沟像一座墓穴将他围困埋葬，他挣扎着喘息着喉咙好像着了火一般……

轿车、卡车、面包车、吉普车，牛群羊群似的，一群群一堆堆从马路上驶过去。宝马、奔驰、本田、雪铁龙、尼桑、蓝鸟那外国名牌数都数不过来。城里怎么就能有这么多的好车，开车的又是什么人呢？路边几十层的高楼，远的近的山峰似的耸立着，仰脸看像是老家山上的烽火台；这个花园那个广场一幢幢烟囱似的，山上人工植树的林子也没有那么密实；城里这么多的大厦，倒是都给谁住？谁能掏得起房钱……

在城里的时间越长，百川积累起越来越多的疑问，把脑子搅得像浆子一样。

百川想要清理解决自己的问题，只有去看报纸。

每天下了工，百川洗了脸换上干净衣服，吃了晚饭看完新闻联播，就到研究院的老干部活动室去看报纸。那些离退休老干部曾经耐心地把他审查了一番，以后就一次也没轰过他。百川发现那空荡荡的屋里多个人，他们其实是很高兴的。

这天晚上，百川照例去看报。报纸太多，他每次只看一两种，但总是看得很仔细。他喜欢看《中国青年报》和《作家文摘》，几乎每一篇都不拉。

百川看着看着，忽然就趴在报纸上不动了。

他看见了左下角有一加框的小方块，标题是：中国远洋轮招聘海员的信息。

他把那条消息，反反复复又看了好几遍。然后跳起身飞奔出去，一口气跑到简易楼，把那个叫响泉的小伙拽了出来，一直将他拽到了老干部活动室，把他的脑袋按在那张报纸上。

响泉也趴在报纸上不动了，半晌，抬起头，迷迷瞪瞪地问百川：能行吗？

咋不行呢？百川的嘴唇都打架了。你没看上头写着，年龄25岁以下，有高中毕业文凭，不限城市和农村户口，都可报名参加应聘海员的英语考试。我还是头一回看见报上登，农村户口的人，也能去考试哪！你自学了那么多年英语，不就等着有个用它的机会么？

响泉直直地盯着百川，眼睛里一片闪闪烁烁的灯火，光芒四射。

响泉的老家不在柳树，响泉是从山西来的，他怎么进了这个队，百川没问过。只知道响泉老家有个爹和妹，爹想用妹给他换亲，他说妹太小，不忍心，就跑了出来。响泉瘦，干活没劲，千军看不上他，好几次要撵他走，百川都给说了情。百川喜欢响泉，因为响泉也爱看书。而且响泉看的是英语书，让百川望尘莫及地肃然起敬。响泉不像队里其他那些民工，凑在一起就说女人，城里女人乡下女人都在嘴上糟蹋够了，再就是男人和女人的那点事儿。但响泉一有空，就在角落里抱一本英语书，嘀嘀咕咕念念叨叨地招人烦。为了这个，响泉在队里很孤立，没少受千军和那些农民同事的奚落，就百川护着帮他。百川问过响泉学啥不行，非学个英语，隔山隔水的上哪换钱花？响泉说也不为别的，就因为上学时候英文特别好，就喜欢上这玩意了。百川觉得这和自己喜欢文学是一回事，从此将响泉视为知音。其实他并不认为响泉日后真能有什么出息，只是因为响泉那份不切实际的心思，多多少少分担了百川心里那个朦胧又遥远的梦。百川觉得自己有了携手的同路人，好像一支队伍壮大了。用书上的话说，他和响泉的友谊中有一种惺惺惜惺惺的成份，患难与共的。

所以百川当然要极力鼓动响泉去当海员。就当玩儿一把呢，百川的口气像城里人一般潇洒。为了落实这潇洒，百川掏出50元钱，让响泉去交上报名费，否则响泉还是光学不练。过了两个星期，有通知寄来，让响泉到一家大饭店去考试，百川陪着去了，在考场外给他买了瓶杏仁露喝下。响泉考完出来后，说他写字时尽想撒尿来着，百川气得给了他一拳。又过了两个星期，有一封信寄来，让响泉去口语复试。再过了两个星期，竟然有电话打到了研究院基建办，通知响泉说他被录取了。

那一天，百川比响泉还兴奋，对哥说，你让伙房炒两个菜，大伙儿喝点酒庆祝庆祝吧。千军的脸上很不是颜色，说你要庆祝，自个儿领着响泉下饭馆去，他考上考不上，关我屁事！百川扭头就走了。他拉着响泉上麦当劳，说这回你要上外国，先开开洋荤。却没想到那麦当劳不卖酒，嚼了两盒炸土豆条子和面包夹肉，灌一肚子凉可乐，两人吃得没滋没味的，感慨说那远洋轮船上也不知是吃的中国饭还是外国饭,若是天天吃土豆,还不如在国内呢。

第二天,百川请了假,陪着响泉去报到。那远洋公司的大楼倒很气派,百川留着心眼,让人拿文件给他们看,确定不是假冒的才算真正放心。等交了身份证,小姐说,还得交 5000 块钱,是押金和培训费,一个月以后,就要到新加坡去培训了。响泉一听,顿时就傻了,转身就走,一迭声地说,不去了不去了,我要有那 5000 块,还上太平洋去浪荡干吗。百川忙着追响泉,心里的气不打一处来。他说响泉你真傻,等你上了船,你就是挣上大钱了,那 5000 块要不了几个月就还上了,一辈子能挣多少你算一算?响泉愣一愣,停下脚说可也是,可我上哪去弄这 5000 块呢?百川说,借啊。上哪借去?你在这城里可有老乡亲戚什么的,你把这录取通知给人看,人都会信你不是?响泉站那琢磨一会儿,脸色缓过来些,当时就去办手续。小姐说那钱可以在一周内交上,剩下就等通知了。

响泉就此辞了工,一心一意地去借钱,做走的准备。过了几天,响泉垂头丧气地回来了,把百川悄悄叫到一边,把手里的纸包打开了让百川看。百川一看那沓钱薄薄的十分可疑,问是多少,响泉说,一共才借到 2500 块,再也没有了。百川想了想,说明天正好发工资,我借你 500 吧,凑上 3000 整,就差 2000 了。

响泉呆立着,眼圈有些发红,揉着纸包说,再过 3 天交不上,我真去不了了。

又用鞋使劲踢着地,低着头说:还能帮我想想办法么?哪怕借高利贷呢。

百川不吭气,百川的鼻尖上沁出了汗珠,手掌也潮乎乎的。

响泉绝望地看着他,好像自己唯一的一线生机,都寄托在百川身上了。

百川咳了一声,避开响泉的眼睛,点起一根烟抽。百川知道有一个人,可以帮助响泉。只要他真想帮的话,这点钱对他来说不会太为难。也许响泉寄予最后希望的,也是这个人。这个人就是千军,一家近在眼前的信用社。只是百川不知道千军肯不肯借钱给响泉,千军似乎是从一开始就立下了规矩,从不借钱给队里的民工。但响泉的情况例外,响泉就要到远洋轮上去了,响泉是完全有能力偿还的。

百川把烟头猛地扔下,说了声走,就在头里朝着千军的小屋走去。

他觉得心里有一种大义凛然的冲动,就像在河边面对溺水者见义勇为。

那会儿碰巧千军一个人在屋里看电视。百川把电视的声音拧小了些,怕响泉开不了口,就替响泉把来意说了。反正响泉是队里的人,这考远洋轮的事,前前后后千军都是知道的。他说得有些结巴,因为就连他自己,也从来没有向千军借过钱。千军听着他说,脸上一点儿表情没有。他说完了,屋里突然静了,就像半夜似的。

响泉的头更深地低了下去,连鼻子都瞧不见了。

后来千军就笑了一笑。千军说:响泉,你可是结了账的。那天我已经把你三个星期的工,发一个满月的工资给你了。

不等响泉答话,千军又说:这么的吧,你考上了远洋轮,是个好事,我就算是赞助你吧,再给你加上200块,咋样……其实呢,我也有我的难处,看着像是个老板,可维持这一个队五六十人的开支,哪有多少流动资金……

千军从裤腰上解下钥匙,打开床头的保险柜,从里头点出20张10元的票,又数了一遍,然后递给了响泉。

响泉嗫嚅着,似乎是想说什么,却没有说:把手在裤子上蹭了蹭好像摆了摆,明明是不要的意思,却终于还是伸出手去,把那钱接下了。

百川的脸唰地红到了脖根。等响泉回过头,发现百川已经不见了。

百川突然做出了离开工程队的决定。

从千军的小屋窜出来以后,他在楼底下转了两圈,脑子里空空荡荡的,忽就觉得自己说什么也没法在城里再待下去了。

当哥的千军,见死不救,还叫个人么?明知是他百川张罗的事,却连个面子都不给。这回百川真的恼了,千军明摆着把响泉当成个乞讨者了,这等于将百川的人格都降低了档次。百川如果默认了这个事实,就是默认了千军的无情。他如果不反抗千军,以后千军还不知道会怎样得寸进尺,让他更加乖乖地俯首帖耳呢。百川觉得自己再也不能容忍千军的傲慢和自私了,他必须用行动来让千军明白,百川可不像别的民工那样,想揉成个什么样就揉成个什么样;他宁可不挣这份钱,也不愿变成一个像千军那样的城里人。

响泉冷不丁将百川推到了山崖边上,真让他有些进退两难的了。

不走还怎么着?打工的炒老板,赢的就是那么一口气。

再说城里原本也不是自己的家。

第二天早起,百川不吃早饭就开始打行李。旁边的人问,也不搭理。他知道会有人去报告千军,他就等着千军来问,问他为什么要走,也许千军还会假惺惺地说几句挽留的话。那时他便冷冷地回答说:为什么走?什么也不为!千军讪笑着说,定是为了你家打官司的事吧,也是得回去催催了。百川反问:你难道真不知我为什么走?千军说:小麦该上肥了,玉米也得间苗了。百川打断他大声说:你少给我扯,我这一走,不回来了!千军这才慌了神,忙说何必那么认真呢,我这就上银行去。他摇摇头说不必了,你自个儿留着那钱去当地主资本家吧……

可惜等到百川把行李系上最后一扣,千军也没有出现。百川真是过高地估计了千军。千军连问都没有打算问一下呢,这下子百川看来是不能不走了。

百川走前,让响泉把那200块还给千军,响泉照办了。百川没忘了领着响泉又到那远洋大楼去了一趟。他对响泉说,就当着山穷水尽呢,死路也就这一条了。响泉把那3000块给公司的人看,说他再交不上更多的钱了,如果他们真想录取他,他就打上个借条,先欠上一半的钱,等工作了再月月扣着还。他若是公司的人,死也死在船上了,还能往哪儿跑呢?几个头儿模样的人,到里屋研究了一会儿,出来对他说，那就先交了3000块吧，欠的2000块以后按月扣，要加利息的。

百川发现城里人办事其实挺讲究规矩的。一眼看去，哪个也不及乡里县上的干部腐败得明目张胆呢。城里人有时也比农村人更有同情心，那同情虽有些居高临下的，但你要真有难处，人家还真帮你。不像那豆庄的人，这几年好好坏坏的，全都原形毕露了，要钱的、偷摸的、抢劫的谁管谁啊；有一家人过年时给生病的爹放两个冷馒头在床边，外出串门去了，过了三天回来，那老头早就冻僵了……

城里既然还有可让百川留恋之处，百川又为什么要走呢？百川理不出头绪。

现在百川总算把响泉的事办妥了。办妥了他更不能不走了。临走时，他把自己的铁锹擦得锃亮，把工具收拾利索了，又在研究院大院里转了一圈。望着家属区宿舍的楼窗，他想每一家的管道都是他亲手安装的，可等他一走，谁还会记得他呢？

弯弯的山路两边，杏花开得云一片雾一片，惹得百川心里隐隐地疼痛。

四

香椿发叶了，攀树上摘下几枝，洗净剁碎了拌上盐末子，在面条碗里撒上一撮，出溜出溜地鲜掉牙；小葱水萝卜蘸酱就烙饼小米粥，撑不死你；山上有的是野菜，苪苣、龙须草、花椒叶、木枥芽，凉拌也行包饺子也行，嘴边肚里都是野菜的清香。

靠山吃山。回了家，从春到秋，顿顿饭都体会着山沟里的好处。

百川想起城里包工队伙房炖得烂乎乎的白菜，汤上浮几片白灿灿的肥肉，更在心里认定城里的日子是没法过的。在家里，你想干啥就干啥，你想几点起就几点起，再没人会无端地训斥你，也没人能随意支使你。村长都没人管谁管你呢，除了兜里没钱，真有些像爹以前宣传的共产主义似的。

爹对他的归来抱着不置可否的态度。他曾当着爹说了千军的不是，爹哼哼说，回来也好，家雀和盐面虎飞不到一块去。百川记得庄上的老人说过，耗子吃了盐就会变成盐面虎。盐面虎学名蝙蝠，昼伏夜出的，和家雀正相反。只是百川拿不准，爹这句话究竟是向着自己还是向着千军。

百川既然从城里回来，就像以前的知青回城探家，首先得为自己做些补偿，充分享受回家的乐趣。天天晚上把那只有一个频道的电视看到再见，睡了早觉再睡午觉，午睡起来扛一根鱼杆去河边钓鱼，钓上了就让月儿熬鱼汤，钓不上就权当作气功了。补上了城里两三个月来欠下的困倦、欠下的油水、欠下的温暖之后，百川悠悠哉哉浑身轻松。

遇上有人来家里闲坐，让百川讲些城里发财的事，百川总是按着城里人的习惯，给人沏上茶水。人就有些受宠若惊似的，把鞋上的泥在门槛上蹭了又蹭。庄上有些无所事事的年轻人，闲得无聊总喜欢扎堆耍钱，百川说声不去，他们灰溜溜就走，再不敢多说一句更不敢硬拽。百川感受着自己在豆庄受到的尊敬，似乎都是由于自己是从城里回来；但实际上他在城里却是那样的微不足道，他在城里受了那么多的委屈，就像扎了一背的芒刺，从来没有感觉自在过。但他回到乡下，却又把芒刺当作名牌T恤衫一般来炫耀。百川自己也觉得有点儿自相矛盾。

但他没时间细想。现在该轮到百川，来为月儿和这个小家做补偿了。

百川开始在院子里出出进进，忙乎着在东边搭葡萄架、西边栽柿子树；鸡窝要修、菜窖要扒、压水井的管子得检查、厕所的化粪池得清理……月儿到村办的服装厂去上班了，天天早出晚归，家里的一摊都扔给了百川。百川忙不完的活，做不完的事，披星戴月，脚不沾地，可人要是给自己打工总是打得心甘情愿。何况百川是在城里呆过几年的人，百川见城里的那些男人，无论是坐办公室还是当领导的，回家买菜做饭洗衣真比劳动模范还劳动模范呢。有一回他调侃地问过徐主任，徐主任一本正经地回答说：结婚以后家务劳动就是爱情的具体表现，没有家务就没有爱情。这句话使婚后的百川刻骨铭心。百川除了给老婆洗裤衩这一条难以实施以外，在村里已成了大姑娘小媳妇暗中赞颂的对象。百川娘常见百川一早起来扫地抹桌子，叹口气跟百川爹说，你年轻时候要是进了城，我这辈子就有好日子过了。

百川一心一意进行着豆庄的家庭建设，这里是他永久的根据地。小家初建时，就是完全按照城里单元房的格局安排布置的——东西正房中间的外屋灶间，是一个正式的客厅，摆上冰箱电视，还有一大两小自己打的沙发，一进门就跟城里的住家没两样；东屋是卧室，一张从县城大商场买的双人床，覆盖着粉红色床罩，火炕这种落后的东西早就被他消灭了；厨房利用最西头的空屋改建，正房里根本闻不到柴火味和油烟味，用墩布擦洗了屋里的水泥地，同城里的地板一样干净。他还在西屋为自己做了一只书柜和写字台，桌上放着一只台灯和一只石头的笔筒，透过书柜的玻璃，能瞧见搁板上参差不齐的书，正在一天天满起来。百川兴致勃勃地经营着他的小家，被城市暂时中断了的家长意识，像一株芊插的柳条，在雨后蓬勃地复苏生长。

只是，每当百川穿过自家的门楼，望见那缺了一角的院墙时，心里就会咯噔咯噔跳个不停，院没堵上，心却堵得发慌。自从他将篱笆缠上粗铁丝以后，没有人再来骚扰月儿了，但是三个月以前交到县法院的起诉书，却至今也没有判下来。就像一条脱了钩的鱼，在深水里逃得无影无踪。

自打他一从城里回来，李家就在院墙缺角那篱笆底下，搭上了一只窝棚，单人床大小，仅够躺下一个人，李家男人从此夜夜都睡在窝棚里。百川不解，问月儿，月儿打听了回来说，那是怕我们半夜砌墙，做的防卫工事呢。百川哭笑不得。

百川只好请老同学去县法院说情。同学说，空嘴怎么说？总得喝酒吧。

喝酒没问题，嘴和肚子都现成。只是百川这几个月在家闲待下来，眼看就有了经济危机。最后一个月的工钱给了响泉，带回家的钱所剩无几。月儿说是在服装厂当了领班，可是每月的工钱都是拖了又拖，承包服装厂的头还是月儿家叔伯哥哥的“一担挑”，工资却是照样发不出来。月儿偶尔领了百十块钱，那钱就放在抽屉里，月儿说你想花就花，钱留着也不下崽。百川心想，要是用这点钱去请法院的人喝酒，闹不好该把院墙一角判到李家去了，百川不敢。那些日子百川想戒烟，心里烦着，一时半会儿戒不成，只好改抽一块一毛钱一盒的“高乐”了。嫁到县城当了工作人的姐回家来串门，说我弟都抽上这牌子的烟了，日子还有个过的么，红着眼圈当时就到村口小卖店给百川买了盒“阿诗玛”。姐说，你再没钱也得想法子请客，要不那判决书到2000年也下不来。院墙不垒直了，日子过不起来，你看你这两年不走运，不明摆的么？哪怕找你哥借呢！

百川点着头。但百川打定主意，即使穷途末路，也决不向千军借一分钱。

百川当初一气之下离开千军跑回老家时，并没有把经济上的事想得那么清楚。如今日子过得捉襟见肘的，才觉得问题有些严重了。村里女人们的眼色也变得丑陋起来，有人把“王府井”那儿扯的闲话传给百川，说男人靠老婆的钱养活，可不就得在家倒尿盆么。百川真想揍她们，可月儿在枕边却柔情万种地对他耳语：我就愿意你在家，一辈子不走才好，以前总留我一个人在家，结婚一年多了都怀不上孩子……月儿把他搂得紧紧，弄得百川晕晕乎乎的倒觉得自己穷得很英雄。

第二天醒来，百川还是决定要找份活儿干。他想回矿山去，一打听，才知矿山前些时候刚出了一个大事故，正停业整顿。想要承包鱼塘，年初就被村上各户瓜分完毕了。如果承包荒山种树，买树苗和工具的成本首先就是一大笔投资。

豆庄方圆十几里，就这么几道山沟、几道山梁、几片山坡再加一小块盆地、一条小河，还能有什么用武之地呢？村里的年轻人能走的都走了，都翻过门前的大山走到城里去了。城市就像九层重叠无边无际的天空，蝇也飞，鸟也飞，蝙蝠也飞，老鹰也飞，还有飞机和火箭，任这地球上有多少可飞的东西，城里的天空都填不满。

百川没想到，他一旦离开了城市，竟然就像折了翅膀的鸟，一下子栽到地上。

眼看着走投无路了，那一日月儿下班回来，满面春风地对他说：这下子你该高兴了，有人请你到服装厂去当副厂长哩，明天就去上班。

百川想起来，前几天在桥头，遇见过村办服装厂的厂长，人家是对他说了那个意思。说他在城里待了几年，见多识广的，要是到服装厂帮着干，服装厂立马就能转亏为赢了。百川没敢答应，听月儿说，服装厂做的衣服质量不行，卖不出去，钱也收不回来，一直靠贷款维持的。他即使去了，发不出工资，还不等于白干？

但白干总比啥也不干强些呢。百川犹豫着，在家待着憋闷，想了想，还是去了。人家让他当副厂长，说啥也比在千军的包工队里职务高多了，属破格提拔呢。

百川到了服装厂上任，一排新盖的厂房，都是贷款贷来的。车间里摆着几十台缝纫机，几十个姑娘媳妇的脑袋冲他转过来，叽叽咕咕地乐，都是一个村的，没有一个不认识。百川在过道里走了走，找不着一点儿厂长的感觉。

过了一个星期,百川发现自己这个副厂长,其实并没有什么生产任务可以管理。厂里最近一直没贷到款,也没有接到订单。他的主要工作,就是像个治安警察一样,严密防备工人偷厂里的东西。

偷东西在服装厂已是习以为常的公开秘密。大概除了厂长本人和月儿以外,所有的人都偷。车间的缝纫机线、布料、扣子、拉链以及塑料袋都是人们顺手牵羊的目标。她们说那不叫偷,叫拿,自家厂里的东西,不拿白不拿的,况且厂里已经好几个月不开支了呢,她们拿的那点儿东西,折算成工资还远远不够呢,理直气壮的。厂长没办法,宣布一条纪律,每天放工的时候,派了人守在厂子门口,每个人的身上都得搜查。百川来了以后,厂长就把这个艰巨而光荣的任务交给了他去完成。厂长布置下工作后,就又外出奔波搞贷款去了。

晚间,百川对月儿说:这活儿可不好,你说,能不能不搜身呢?

月儿说:我都替她们臊得慌,可你要有招,真能让她们不偷,当然不搜的好。

第二天下班,等待搜身的女工在大门口排成一队。百川搬过一张凳子,站上去,清清嗓子,正色说:现在我说点事儿,大家听好了。我来了十几天,我知道你们最关心的,就是啥时候开支;但是发工资不是你们要管的事儿,你们应该操心的,是怎么把活儿干好,把衣服上的线码直了,把每一道工序,都做得让人挑不出毛病。可是你们因为暂时没发工资,就偷厂里的东西,今儿卷走个袖子,明儿塞走个裤管,后儿呢,偷成习惯了,没准就能去翻邻居家的箱子。我想告诉你们,坏毛病不是一次养成的,村上的老人说,贪便宜必惹祸,爱小必丢人。你们都是当了妈和要当妈的人,这么下去,将来怎么教育孩子?厂长设了岗,是让你们闹得没法,我不希望那样,报纸上说了,搜身是对人格的侮辱,你们是愿意继续偷下去,天天让人当贼防,还是愿意像当年的八路军,啥时候也不动厂里的一草一木?

百川发现自己只要回到乡下,说起话来,总能伶牙俐齿、口若悬河。

人群鸦雀无声。女人们一个个都低下了头去。

百川又说:从今天起,不设岗了,我相信你们!

有个尖尖的声音冒出来:要是厂里再不发工资,哪样办?

百川扬着额上的头发朗声说:真要是不发工资,我领你们上厂长家揭瓦。

人群哄笑着,散了。从第二天开始,厂里再没有丢过一件东西。过了些日子,厂长从外面弄来一批加工服装的活,交货日期要得死急,全厂加班加点地突击干。百川夜夜手里拿一只录音机,给工人们放歌听;工人都困得趴在机器上睡着了,百川干脆就给大伙唱歌,唱一个《爱上一个不回家的人》,都乐了,干到后半夜不说累。

一直到3个月后那服装厂实在坚持不下去,终于停了工,人们为了追回工钱到镇上去静坐,厂里仍然再没丢过东西。村里一个老头,儿子结婚需要用钱,给厂长跪下了,厂长给人把老头轰走,还是没钱。大伙一看这情形,也没让百川领着上厂长家揭瓦,当初百川为挽救她们发的誓,就那么拉倒了。

百川没上厂长家揭瓦，心里觉得对大伙有愧。临了厂长还欠着他好几个月的工钱没发，他本可以从产品报账的单据里扣下，却是一分钱也没动，他不想让奄奄一息的服装厂再把窟窿捅大。于是这位刚刚建立起威信的梁副厂长，总共在任3个半月，终于两手空空地自动下台了。

百川仍然没有挣出足够的钱，去请县法院的人喝酒。而李家的男人，却仍然夜夜睡在百川院墙角下那秫秸搭成的窝棚里。百川看得生气，故意在院子里拉上一根电线，就在那窝棚的顶上，挂了一只40瓦的灯泡，夜夜亮着灯，照着李家男人的眼睛，让他睡不踏实睡不安生。有一夜，百川起来撒尿，用手电往那窝棚里斜射过去，见李家男人歪着脑袋，光脚蹭在干草上，嘴边的哈喇子流了一腮帮，猪一样打着呼噜。百川忽然觉得那男人其实十分可怜，狠骂一声操，便把院里的灯拉灭了。

百川只能天天晚上在家闷闷地看电视。山里的信号不好，大多数时候，屏幕上一片银光闪烁雪花纷飞。他想自己若是有钱，真该把屋顶的天线接得再高些，高出大山去，高过山顶上的烽火台，那样全国所有的频道包括卫星转播都能一目了然了。这重重山沟把世界都隔绝在外，他发现自己心里其实挺惦念城市的。

那天中午刚吃过饭，百川听见爹妈住的前院有汽车声，探头看，见一辆深蓝色的捷达喷着白气，停在大门外的猪圈旁了。百川前几天就听爹妈念叨说千军该回来一趟了，见那果然是千军的私家车，故意倒床上睡午觉。

眯了一会，其实没睡着，听爹的脚步踏踏地过来，在他床边说：你哥回来了，要上山去看看他今年刚分的那棵栗子树，我怕他找不着地儿，你领他去吧。

千军后脚就跟了进来，在他屁股上拍一巴掌，笑着说：起来，懒的你！

百川只好嘟囔着嘴，不情愿地坐起来，一时也找不出什么理由说不去。

初秋的山沟沟，草叶把秃秃的岩石都盖住了，漫天漫地的一片绿。苹果、柿子、梨、桃、野酸枣都挂了果，可惜这季节果子大大小小还青涩着，吃不得摘不得的。

百川在前头走，千军跟着，离有七八步远。百川不说话，千军也不说。一气儿到了山腰，百川歇下脚，指着山洼里一株一人合抱的栗子树说，那就是。千军走过去，拍了拍树干，连声说好树，又自言自语地说，这树遇上大年，一年能结个百十斤栗子，够爹妈的零花钱了。百川仍不说话。千军在石头上坐下，掏出烟抽，也给百川一根，百川把烟抽到一半就掐了，扔在千军脚边。

千军抬头望着山顶羊群似的云彩，问百川说你那院墙的官司办得咋样呢？我知你是回家办这事儿了，不催你回。听爹说到现在没办下来，我想，等哪天，我去找县上的朋友给你疏通，找一家够档次的饭店请他们喝酒，里外我全管了。

百川有些吃惊，起身往山下走。其实他不信哥的话，哥一向许下的愿太多，像城里的空头支票。哥往家拿钱，从不一次性给足，总是二百三百的，像是撒鱼食。

这回百川更不懂，精打细算的千军，为啥说要给他管酒钱，心里纳闷，在头里走得飞快。到山脚，路过别人家的鱼塘，千军喊他停下，说要看看里头的鱼苗长得咋样。百川站在塘堤上,看千军走到鱼塘边上,凑过脑袋去观察水面,又绕到塘堤下,用手去提那闸门上的铁环,像是要放出些水来试试。千军打小就是这脾气,根本不干他的事,他也得弄个门清。千军费了些力气,把铁环提溜下来,一股水流急急地从鱼塘的底部涌了出来,往沟里流去。千军忽就啊了一声,提着闸门的手,悬在半空,喊说百川你看坏事了呢,那闸不灵了。他又使劲地晃荡,想让闸门落下去,闸门只是不动。百川也有些心慌,赶紧滑到塘堤下,帮千军去关闸。这闸再合不上,人家一池的鱼苗,就全都跑完。两个人合力奋斗了一会,还是不行。千军精疲力竭地甩着汗,叹气说,倒是不常干活,身上没劲儿,我看,咱俩还是赶紧走人,要让人看见,倒不好办了。百川瞪一眼千军,回答说,这山上有人放羊打草的,你当人不长眼睛,跑了也总得有人知道是谁干的,都是一个村的人,以后咋见面?千军说,那你说怎么办?百川说:我回家去拿大锤来,好歹得把闸砸下去,把水关上啊。千军犹豫一会儿说,我看还是我回去拿吧,你在这守着。要是那家来了人,你就承认是你弄坏的,你在村里比我有人缘,要不了你的命;可我要在这儿,谁都知我有钱,弄不好讹上我了,我吃不了兜着走,你咋就不明白哩?

百川恍然大悟,眼看着千军一溜烟地跑回村里去了,心里有一点发酸。回头望着那咕嘟嘟淌水的闸门,只觉得一池的鱼苗,分分秒秒都在往外逃窜,也顾不上多想,脱了鞋趟下水去,站在沟里。用脊背和胳膊抵着那闸门的缺口,心想堵一点儿算一点儿,少钻出去几条算几条吧。初秋时节,鱼塘的水冰凉,衣裤全湿透了,身上一阵阵哆嗦,等到千军扛着大锤气喘吁吁地赶来,百川的手脚都冻木了。千军把个水淋淋的百川从沟里拽上来,抓住他的手,当时哽噎得说不出话。

两个人又忙乱一阵,总算用大锤把闸落下了。

太阳落下山去,暮色苍茫的山林里,百川只听见自己的湿衣裤,走一步咕叽响一下,像归窝的山雀,在林子深处诉说着谁也听不懂的心事。

走了一会儿,千军忽然站下身,回头对百川说,今天的事太让他感动,亲兄弟毕竟是亲兄弟,无论到城里哪怕到月亮上,也是一根绳上的俩蚂蚱。千军诚恳地说让百川还回城里去,一个队几十号人,谁谁偷懒耍滑,若百川不在,他真不好控制。他说自己以前对百川太严厉了,其实也是无奈,外国那些资本家,对亲生儿子都和工人一样,就怕弄成个家庭公司,大家都得完蛋。百川莫非还理解不了么?他还说,自己一直在考虑让百川当工程队的副经理,再过上几年,就让百川分一摊出去单挑,百川自己当头,包上一个队干。要是百川运气好,接上一个油水大的工程,把工人管严了,半年的活用3个月干下来,挣的钱就够在县城里买一套商品房了……

百川的心动了动。西山晚霞红透了半个天空,像城里夜晚街上的霓虹灯。

快到家的时候,千军又一次停下等他,同他并肩走着,低声说:还生我的气啊?我借钱给谁也不能借给响泉,你想他上了远洋轮,满世界乱转,要是不还钱,上哪找他?

百川刚刚焐热的胸口，簌地又凉下去。

回家换上干净衣服，百川一边和月儿吃饭，一边就把今天下午的事对月儿说了，说哥想让他回城里去干。月儿放下筷子，走到他跟前，轻轻搂住他的脖子，贴着他的耳朵说：你想回就回吧，今儿我上卫生院了，大夫说——我有啦！说着，月儿的脸也唰地红成了一片彩云。

五

百川驮着初秋干爽的艳阳，重新回到了城里。

两个小时的长途汽车，百川却从未觉得那大山竟是如此之厚，出山的路又是如此之长，车在山里绕着，上上下下还是一模一样的峰峦和谷地；百川有一刻甚至感到了绝望，好像遇到了"鬼打墙"似的，任你怎么转也转不出这山去了。

人说好马不吃回头草。百川重新回队，自我感觉就矮了一截。

但千军这回总算把支票兑现了，是打折的兑现。虽然他把大大小小具体的人事管理，都交给百川了，可是在名义上，仍然没给百川副经理的衔。百川只是不用干体力活了，还有了一些小权，比如记工、派活，工资也涨了100块。队友背后管百川叫工头。百川不喜欢这名，他觉得工头和工贼汉奸差不了多少。可是实事求是想一想，自己确实是个工头，再是个头，也是工人的头。

再细究下去，就更不乐观了。事实上，整一个队的人，就连正式的工人还不是呢。只不过是一群农民工罢了。何谓农民工呢，百川早就试图同千军探讨，而千军总是含糊其辞。后来百川只好独自研究，研究出一个绕口令一样的结果——说农民不是农民，说工人不是工人；说农民还是农民，说工人也是工人；工人刨去劳保住房等于农民工；农民加上包工头再加最低工资等于农民工；若要了解农民工，到哪里去寻找呢？到锅炉房、到工地、到厕所化粪池边、到下水井旁，总之，你必须到城市最肮脏、最艰苦、最丑陋、最危险的地方去——你准能在那里找到农民工。

因此百川的研究有了副产品，他发现城里人好像已经死光了，这样说当然有点恶毒，但城里一切需要人的地方——卖菜的、理发的、拾垃圾的、当保姆的甚至当保安的、开出租汽车的，还有研究院总机的接线员、商店的售货员，统统不是城里人，他们虽然不全是农民工，但这么多的乡下人待在城里，城里人是不是只好下岗了呢？

有一点百川可以肯定，自从农民工进了研究院以后，原来这个单位干重体力劳动的正式工人，都变得不那么像工人了。至于像什么，百川说不上来。那个不像个工人的工人若是对你挑出点儿毛病，你还只能乖乖听着，连个屁都不敢放。百川有时不服，嘴上不说，脸上却不是个颜色，逮着机会，乘机搞点儿小动作报复。若让千军看见了,千军就会塌了天一样,拉下脸训斥他:你看他不是个东西,我不比你清楚?我看咱队的人干活,哪个也不比他们次,哪个也不比他们笨,哪个都比他们聪明,可人家哪个头皮都比你硬,哪个的脑袋都比你值钱,你要是惹了人家,哪个人都能到上头说上话,最后倒霉的还是咱自个儿,要是把包工队搅黄了,你那臭脾气顶啥吃?

百川觉得自己这个工头当得窝囊。

一日又挖沟,挖在院子里的交通干线上。早上派工时,千军突然露了面。他在路上画了道白线,然后迈开大步朝前走,他人虽矮,那步子迈得却是出奇的大。他使劲迈步,等把步子停下时,说那正好10米远,每人就按这个距离挖。百川估摸起码是有12米多了,也不好当面纠正。等他走了,又重新用米尺量过,算准了才开工。那土邦硬,十个有八个手上出了血泡。到傍晚下工时,一个个都累得东歪西倒了,勉强挖成了形。那时千军陪着一位穿中山装的老头过来,像视察的样子。后来千军就对大伙宣布说,吃了晚饭就开始加班,连夜把管线埋上再填上土,必须在第二天早晨上班以前,全部恢复原样。大伙耷拉着脑袋说不出话,心里都不想再挣那加班费了;百川也不忍让大伙拼命,可是千军下达的指示,他即使不理解也得坚持执行。百川心想到时候给大伙多记点工吧,就吩咐大伙开干;千军照例去“修长城”了,只由百川监工。大伙一气儿干到后半夜,个个都面无人色的,连铁锹都扶不住了。百川打着呵欠,望着天上的星星,只觉得天空模模糊糊一大片,像是布满窟窿眼的破背心。到了天亮前,道路如期恢复原状,连路面都扫得干干净净。大伙回屋睡了三小时,迷迷瞪瞪地又被打发去卸砖头了……

第二天中午,百川问千军,昨晚加班共7个小时,该按几个工记?千军不加思索地回答,算半个工吧。百川的血涌到脖子上了——半个工是5块钱,还把不把人当人哪?他忍不住对哥说,半个工少了点。要不是大伙顾着咱队的信誉,谁玩命要这5块钱呀?千军说不少了,一天挣双份呢,扭头就走了。百川的泪一下子就冲到了鼻腔里,使劲咬住了嘴唇,不让它往眼睛里灌。那会儿百川忽然觉得,千军是比城里人更城里了;城市里所有的恶行与邪气已经附在了千军身上,同千军那农民的魂灵搅拌在一起,把千军弄成了一个农村和城市的坏毛病杂交出来的怪物。百川当着这个工头,岂不是在工人和头儿之间受夹板气么?

百川琢磨了几日,悄悄把加班那夜记的半个工,改成了一个整数。

却不知让谁看见,为了讨好老板,竟偷着报告了千军。千军又让他改了回去。

百川心想,自己这工头不过少了个“包”字,差别怎么就那么大呢?

千军闭口不提曾许愿让百川当副经理的事。但周末时千军开车回了趟县城,回来告诉百川,他已经请法院的人在皇家大饭店喝了酒,法院答应按照“排除妨碍法”,尽快处理。百川不知该怎么谢千军,只好继续把工头当下去。

又过了一个星期,百川收到月儿的来信,说法院的人已经到豆庄来过了,找了村里好些人做调查研究。那天李家女人一直追着法院的人，在他们身后骂骂咧咧，弄得法院的人连百川爹递的烟都不敢接，水都没喝一口就回了县城。

院墙的官司，看来是遥遥无期了。

有一阵，嫂子到城里来探亲，每天晚上都炒几个菜，让哥喝酒。

嫂子给哥沏了茶水，要是那杯子的上面还浮了茶叶，嫂子就用嘴轻轻吹着，一直到茶叶都沉了，才给哥端上去。嫂子是吹习惯了，自觉自愿、自然而然的。

每当嫂子给哥吹茶叶的时候，百川就会想起书上的一句话："世上最可敬的是女人，最可怜的也是女人。"嫂子从不对哥说个不字，事事都顺着哥的意思。

嫂子炒好了菜，满走廊飘香，就来招呼百川过去同他们一起吃饭。百川总找个理由推托。其实百川闻着饭菜的香味，就不停地咽着嘴里的唾液。但他不愿上千军那儿喝酒，千军那种颐指气使的样子，实在影响食欲。

嫂子不在时，千军每晚也喝酒，常去一家牛肉面馆，据说那儿煮牛肉放了罂粟壳，吃得人上瘾。有时是哥请人，有时是人请哥，反正哥从不在队里伙房吃饭。

这天过了 9 点，百川想着千军的酒应该是喝得差不多了，就去敲千军的门。他刚看了报纸，有一个想法，要跟千军说说。

嫂子开了门，百川发现千军还捏着筷子坐在那张小圆桌跟前，屋里酒气熏人。千军见是他，举起酒杯说来来来一块儿喝吧。百川一时走也不是坐也不是。嫂子立马就把杯子放上了，酒也满上了，是"红星御酒"。百川盯着酒瓶发愣，不知"红星"和"御酒"之间有什么联系。百川其实有点儿酒量，只是不馋酒，喝不喝都没感觉。

两个人闷着头喝了一会儿，千军晃着脑袋，眯着眼睛，瞥一眼百川，喃喃说：

我知道……我知道你不满意我。我当着包工头，可你啥也不是，啥也没有，你想当副经理，想自己拉一支队伍。其实呢，你那是不明白，你是我亲弟，我是你哥，在乡下是分了家，进了城就得一致对外，亲兄弟得一鼻孔出气，才能成气候。只要我有钱，啥时候还不都有你的一份？我是长子，我能不护着你么？只要你全心全意地帮我干，等我的实力再强些，资金更雄厚些，我就不在这受气了，将来回县城搞公司做生意，当个名副其实的老板。在城里呆这么些年，什么没见过，就算是免费培训了，白玩儿！以后等我生意做大了，你想要什么没有？上回我不跟你说了么，到那时，给你在城里买个房，你和月儿在城里找上工作，就是城里人了。

百川的脑子很清醒，他想说：你的钱是你的钱，我想拥有我自己的一份产业。但话到嘴边，他只是说：我不想变成城里人。

你不想变成城里人？千军似乎很惊讶。那你想咋样？你能咋样？

百川仰面喝了一大口酒。他心里知道自己应该咋样，但他一下子说不出来。何况他也不想跟千军说。

千军无可奈何地笑了笑，放下杯子，点着一根烟，那口气很是语重心长。

千军说，其实人都是有命的，不信命也不行。小时候就有神婆给他算过，他长大了是必定要发的。在豆庄，他是第一个进城打工的人，当时谁也没有这样的远见。到了研究院以后，顺顺当当就成了包工头，谁也没有他走运……

嫂子在屋角织着毛衣，插话说：可不是么，前些时有人给你哥算命，说哪天哪天，是他的交运日，那天必须找上一个属鼠的人，和他一块吃饺子。嗨，可也真神，到了那天，他早把这事忘了，偏就有个远房亲戚来找他，中午你哥就领着他上饭馆吃了饺子。这事过了以后，他回县城去，我想起来问他，他寻思半晌，想起来那天真是有个人来找，和他吃了饺子。等我赶紧打电话去问那亲戚，一打听，他真就属鼠呢……

千军一边说巧合巧合，一边很豪爽地把杯中酒一饮而尽。

隔着弥漫的烟雾和酒气，百川修正了前几日自己对千军的看法。他感到千军其实还是豆庄那个千军，千军在骨子里仍是个不折不扣的农民。

百川把酒杯在唇边沾了沾，忽就冒出一句，说：我看过一本书，那上头有一句话认为：极度自信其实是自卑的另一种表现。

千军的身子顿时就从座位上弹了起来，他把酒杯往桌上重重一摔，大声说：

少给我扯这些，我没上过大学还没看过书么？柳树镇方圆几十里，有几个能干到我这份上?！我用得着去适应别人？我得让别人来适应我！

百川站了起来，但百川不能就这样退出去，他要想和哥说的事儿还没开口呢，他本是为这个事情来的。他担心到了明天，自己也许就没了勇气。

百川用很快的速度说：哥，我想去考个本儿！

考本儿？你还想考了本儿给我当司机呀。

不是，是土建工长的本儿。报纸上登了招生启事了，我想去学，6个月一期，学的是大专两年的课程，给发证书。

千军好一会儿没吭声。他瞥了一眼百川，像不认识他似的。

后来千军哼了一声说：那好吧，知道你打小就有主意，不让你去也没用。我早就明白，你看着蔫巴，心里鬼着呢。

停了一停，千军又补了一句：学费我可以先替你交上，不过，你要考不下来，上课耽误的工，我可一个子儿也不给。你这初中文化，小心白给人送钱！

那个秋天，百川觉得自己好像在跑马拉松。

他跑过街道、穿过马路、经过一家家商店学校、绕过一个个警察岗亭；他从研究院的大门跑出来，又跑向另一个研究院附设的课堂。他揣着课本和钢笔，跑得汗流满面、上气不接下气；他的衣角随着自行车轮卷起的风，翅膀一样地扇动；他的头发在城市污浊而干燥的空气中，像无数根旗杆迎风而立；他听见自己因来不及吃饭而空空如也的腹中，发出一阵阵悦耳的欢歌；他闻到书包里讲义上浓重的油墨味，如同满街飘扬的煎饼果子、羊肉串、比萨饼、糖炒栗子一般香甜无比……

整整6个月，百川一次也没有迟到和缺过课。他不停地换圆珠笔、不停地买眼药水和清凉油、不停地给自行车打气、不停地吃方便面。他已经把除了讲义以外所有的书都给忘了、把月儿也给忘了；有时偶尔想起豆庄的院墙，依稀如梦的很是陌生，那些红砖一块块地从墙上脱落下来，像薄薄的纸片一样被装订成册，变成了一本本厚厚的书，再重新码到墙上去……

百川像一匹勒不住缰绳的马儿，天天在城里和汽车竞赛。

他发现城市原来是很深奥的。透过玻璃橱窗、玻璃幕墙、汽车玻璃，隔着大酒店商场迪厅酒吧，城市其实在往人们看不见的地方，一直延伸下去。城市的空气中除了香水和废气，还像幽灵一样游荡着飞舞着各种各样的字码和符号。只要他学会识别那些力学结构施工技术建筑识图的符号，他就能找到通往城市深处的钥匙。

百川那么跑着的时候，常常想起在柳树镇上念初中的日子。每个星期六下午，他都是这样沿着公路，翻过一座大山梁，一步步走回家去的。他的衣兜里连买张汽车票的2毛钱也没有，到了星期天下午，他紧紧抱着一兜子窝头和咸菜，再一步步从公路上走回学校去。那时他如果能一直往前走下去就好了，百川就不是现在的百川了，百川会考上大学，考上大学的百川，一辈子就是另一番光景了。

可是就算没上大学，自己哪点也不比城里人次啊，百川愤愤地想。说是六个月的学习课程，加起来统共才等于上了一个整月的课。从初中文化一家伙蹦到大专，坐火箭似的，容易吗？同桌那个城里人，还高中生呢，刚上了两星期人就没影了。

一天天冷了，百川跑过长街，看见自己嘴里哈出的热气，像个火车头似的。

终于到了考试那一日。傍晚时，百川精疲力竭地从考场出来，一仰脸，望见漫天的雪花，帘子似的从天顶垂下来，像是天底下都撒满了白色的考卷。他推着自行车，哭丧着脸，在雪地上慢慢走回去。自己究竟考得啥样，心里一点底没有，他不知该怎么对千军报告。百川心想，整个柳树镇的人，谁考不上都没说的，唯独他百川考不上就成了笑话。嘟囔说你怎么连这题都不会做？他在心里骂那老师站着说话不腰疼。那一整天一口气考了4门课，他前座那人，刚考了2门就跑了。百川估摸自己一定也考不上了，去年千军考电气工长的本儿，不也没考下来么？要是真那么容易考上，这满街的人不都成了工程师了?!

雪花密密匝匝的，如烟如雾，把百川罩在里头。城里的雪也脏，刚落下就成了一摊泥浆，踩上千人万人的脚印。百川一步步挪着。心想这城里其实根本没有自己的位置，甭说是工长，就是当个能直腰挺胸的农民工又谈何容易？他真想跟谁说说自己的心里话，可他却连能打个电话的人都没有。等他走到研究院大院里的简易楼前，才发现自己浑身上下都已精湿，额前的头发像雨后的房檐瓦一条条滴水……

那个春节百川都没过好，天天算计着学校发榜的日子。月儿说管它呢，考上本儿哥也不一定让你当工长。除夕那天，千军一家三口回豆庄来过年，大年初五，他到镇上请人吃了饭，告诉百川说院墙的地界快有结果了，百川却无动于衷。百川和月儿逗乐说，别惦着院墙的事了，等哪天我成了鲁迅、茅盾，国家还得主动给修故居呢。千军在家住了七天，出来进去的，偏不和百川提考本儿的事，那眼神分明有些幸灾乐祸的。百川惦记发榜的事，过了正月十五就回了城。

到了通知发榜的那天，百川却忽地没了勇气。他说活儿忙，不去看了罢，管它呢。哥突然来了劲，说我今儿给你放半天假，你去学校看个究竟，心里就踏实了。百川觉得千军比自己更想知道考试结果，磨蹭了一会儿，只好顶风骑车去了。到了学校，见办公室门口贴着一张大白纸，上头密密麻麻写着学员的名字。有人嚷嚷说，这是全市统考，考上的只占总数的48%，那蓝字的是及格、红字的是不及格。一个个都伸长了脖子挤着。百川打定主意，先从那红字里头找起。红字的人多，映出红似的一大片。从头看到尾，也没见着梁百川三个字。心里咯噔噔跳得发慌，只怕是学校给漏了。再从蓝字里头找，眼睛挨排溜过去，竟然看见自己的名字当真在白纸上竖着，像只灰喜鹊，川字那一撇，喜鹊尾巴似的翘着。他眨了眨眼，又揉了揉眼，定定神，再看了一遍，确信是自己的名字。却还是不踏实，挤出人群到办公室，愣愣地问老师：那名儿不会搞错吧？老师问：红的蓝的？他说当然是蓝的。老师问了他的名，拿出一本厚册子，查了一会儿，笑呵呵说：小伙子，恭喜你啦！

梁百川弯下腰，给老师深深作了个揖。

回去的路上他把车骑得飞快。大风中浑黄的城市像一块巨大的飞毯，驮着百川穿云破雾飞沙走石。他心里想到哪里去，一闭眼就到了地方。

那天，千军满脸堆笑地拍着他的肩膀，拉他去喝酒。可是百川把自己千辛万苦考下来的“建筑施工技术员证书”递给千军，千军根本都不用正眼瞧上一瞧。千军的语气酸不溜溜的，他说即便拿下了证书，技术也不一定过硬，等眼前这个工程完了再说别的吧。哥的意思是说，百川为考本儿耽误了不少工，现在是该加倍偿还了。那天千军喝了大半斤酒，百川却不知为什么，一口酒都喝不下去。满脸通红的千军拿出一份商学院的录取通知书，说他要去读管理专业了，毕了业就是中级职称，然后把那瓶酒喝了个底儿朝天。百川去队里叫了两个人来，才把他扶了回去。

后来百川就揣着他的证书上了工地。

那是一栋刚盖成个壳的架子楼，大风穿过黑洞洞的门窗，狼一般嚎叫。

百川走上水泥楼梯，背着手，悠悠哉哉地在预制板的楼面上巡视。怀里有了证书，感觉就是不一样。那叫工长，不再是工头。城里的事情，一个字都不能差。

百川觉得脚下的楼板吱吱扭扭地响动，他低头，发现自己踩在一块木头上。

他听见那木头发出咔嚓一声巨响，眼前一黑，身子便直直地坠落下去。

他重重地摔在地面上，腰部一阵剧烈的疼痛，随后就什么都不知道了。

百川醒过来时，已经躺在医院的病床上，山子正趴在床沿上打盹。百川的身子一动就钻心刻骨地疼，脑子有点昏，却还能想事。他记起那空楼，心里很是懊丧，把山子喊醒了，问他千军在哪里，正说着，千军和医生一起来了，有护士推着移动床，等在门口。医生说马上去拍片，拍了片才能做诊断。拍完片子，千军对百川说，我已交了5000块押金，你放心住着吧，让山子陪你，队上给记工。今天晚上徐主任找我有事，他最近刚升了处长呢……那一夜，百川睁大了眼，一分钟都没睡着，他想怎么就偏偏伤着腰了呢，一个人若是直不起腰，还能干啥？他刚要挺直腰板扬眉吐气做一回工长，莫非这世道真要逼着他把腰弯下去么……

过了几天，诊断出来了，说是腰椎损伤，既不用手术也不必打针，只需在硬板床上卧床三个月，护理得当，可以自愈。百川听得仔细，长长松了口气；千军的脸色也和缓了不少。到第三天中午，月儿突然来了，眼睛红红的像只兔子，往百川床头一站，眼泪又扑簌簌滚下来，月儿哭哭唧唧地告诉百川，是千军给镇上打了电话，镇上派人去豆庄通知她的。爹妈急得都上了火，牙疼腮肿，连口水都喝不了。百川说你看这不没事了么，我要是光荣牺牲了，一个农民工，你连个烈属也当不上，不值。月儿扑哧乐了，一直腰，那隆起的腹部已很是显山露水了。

月儿一来，百川就让山子去上班。护理他还得记着队里的工，百川过意不去。山子不肯走，说哪怕队上不给记工，他也愿意伺候百川。百川一摔伤，大伙都想起了百川的好处。若不是百川办事公平，队上的人一年下来，还不知少拿多少钱呢。山子嘟嘟囔囔地说，千军之所以不能让百川单干，就怕人都跟着百川走了……

又过了三天，千军不知从哪儿借了一辆带斗的小货车，在车厢里铺上一块木板，再垫上褥子，然后把百川小心地抬到车上，躺好了，盖好被子，让月儿坐在旁边，千军对司机叮嘱了几句，就把百川送回豆庄去了。

百川被人抬出病房的时候，那个中年医生笑着对他说：回去好好养着，你还年轻，自愈力强，恢复得快。乡下空气好，食物又新鲜，就当是疗养吧。在城里挣着钱，农村还有别墅，连我都羡慕着呢……

百川想这医生真能安慰人，一路上把医生的话又想了想，心里舒坦了许多。

六

那是百川一生中最漫长的一段日子。

除了吃和睡，暂时再没有别的事可做了。若要看电视或是看书，身子就得坐起一半来，那是月儿绝对不许的。月儿把卧床的规矩定得好死，像是三大纪律、八项注意似的，违反了就不给饭吃。香椿又发叶了，月儿给他做香椿炒鸡蛋；榆树开花了，月儿用榆钱和上面，给他烙饼吃；月儿的胃口也一天天大得惊人，只要百川受了罚，月儿能把他那份统统包圆了，她有两个人的食量呢，百川不生气。

百川只好身子不动，把脑袋侧过来，目光成抛物线投向电视屏幕。那些日子，他看的故事片、专题片,人物全都横卧侧立、飞檐走壁,看得自己惊心动魄。

月儿说他快成斜眼了,建议他改听广播。旋转了几个来回,他发现文艺台、经济台、交通台都有很好听的节目,只是以前没注意到,真挺可惜。百川一时成了电台的忠实听众,如果床头有电话,他一定要打热线电话给那些个主持人,和她们探讨一些问题的。他还喜欢听流行歌曲,在城里的时候,他就给月儿买过好几次盒带,都是最走红的歌星。现在他有了足够的时间来反复欣赏或是模仿这些歌曲了,在嗓子里哼哼,是波及不到、危害不了腰部的。他常常翻来覆去地听一盒磁带,直到把每一句歌词都背得滚瓜烂熟,再唱给月儿听。有一首歌唱道:我的心在颤抖。可那女歌手把颤抖的颤字念成了占,听起来就像是我的心在战斗——百川心想那些所谓歌星的文化水平其实还不及自己呢,就很有些自得其乐。

歌听烦了,电视看腻了,百川只好两眼呆呆地望着天花板。

开始那些天,村里总有人来看望他,问的说的都是同样的话,百川也烦。

他们最关心的,是百川这次在工地上摔伤,药费和病假,队里究竟管不管?没看谁谁谁给村上打井砸死了,遗下一堆孤儿寡母,连一分钱抚恤金都拿不着。没看谁谁得了癌症,家里三个儿谁都不愿给钱,最后活活疼死在炕上……

百川说他不知道,是真的不知道。当时哥送他走,临走时忘了问。但住院是哥也是队里给掏的钱,还能咋样呢?

人都散去,院里屋里突然静了。静得百川能听见自己腕上脉搏的跳动。

许多许多的事、许多许多的想法,从百川的脑子里慢慢爬过;像春天涨水的河床,淹没了两边宽阔的河滩地;又像漫天飞舞的柳絮,蛾子似的扑腾,缠得人睁不开眼。天渐渐黑下来,能看见窗角上影影绰绰闪烁的星星。豆庄的星星多透亮啊,近得一伸手就够着了,哪像城里天空的星星,永远没睡醒似的眯着眼打哈欠。不知为什么,百川忽然觉得心里很乱,理不出个头绪。脊背躺得酸麻,又不能翻身,那思路就一条道直直地僵持下去。

百川想起爹的一辈子,爹在豆庄当了几十年村干部,百川小的时候,爹在村里喝五吆六的很威风;可是那几十年间,豆庄的人过年,一顿饺子一顿面就打发完了,爹的辛苦全都白费,到老了,爹也叹着气说分田到户比人民公社强多了;百川又想起娘的一辈子,娘 12 岁就跟着大人在山里躲日本鬼子,大冬天挤在羊群里取暖。18 岁那年抗战胜利了,娘嫁给了爹,一口气生下 5 个闺女之后,才盼来了哥和百川。娘是用什么养活那 7 个孩子的呢?百川至今不愿喝棒子面粥,他觉得自己的唾沫里都是一股棒子面味儿……百川还想起了燕儿。他有一次在桥头看见燕儿来娘家,燕儿臂弯里抱着个娃,脸上没精打采的一点光泽都没有。他喊了燕儿一声,想着该跟燕儿说说话的。可燕儿瞪了他一眼,不理不睬地就走过去了,弄得他好狼狈。听说燕儿的男人守着燕儿种地,镇上城里哪也不去打工,燕儿身上的衣服式样都过时了,哪像月儿的衣裳,城里时兴什么式样,她总也拉不下……

豆庄的人啥时候才能全都富起来呢？豆庄的人非得外出打工，才能富起来么？但是豆庄的人即使走遍天下，最后还得回到豆庄来。豆庄人的身份证上写着豆庄，豆庄人的祖坟都在豆庄四周的山上，豆庄人娶的媳妇来自豆庄、嫁的女儿大多也留在豆庄；除了你考上大学分配在城里或是当兵转干再或是祖坟的风水好碰上一个机遇让你农转非了，豆庄的人世世代代祖祖辈辈只能在豆庄苟且下去。豆庄人真正的根不是祖坟而是那张薄薄的户口卡片。那户口啥也不当却把豆庄人死心塌地地拴在豆庄的土地上。如今闯世界不用粮票了，但豆庄外出做工的男人，到了农时一定会按时回到豆庄来，柳树镇一带的库区从不用交公粮，他们种地，只因自家种出来的粮食吃到肚里，才算是真的粮食。他们在城里风餐露宿哪怕活得像狗一样，春节前几日，他们仍然喜气洋洋背着在城里买下的年货，像狗一样直奔他们永远的家园而去——只有豆庄的土地，才生长着他们永远的根。

百川忽地感到了一种极度的悲哀。普天之下，唯有豆庄是属于他们自己的，可是他们所有的青春年华，都献给了同他们毫无关系的城市。

豆庄什么时候才能变得像城市一样富裕、清洁、美丽呢？百川不知道。

难道他就一辈子这样打工打下去么？假如豆庄的男人一辈子在城里打工，他们挣下的钱，能不能让他们的妻儿老小过上城市的生活呢？百川也不知道。

百川就那么直直地躺着，不知道想了多少天，想得头疼头晕头昏。突然有一天，他奇迹般地发现腰竟然不疼了，他能坐起来了，还能下地撒尿了。

现在他可以靠在被垛上看书读报了。自从他能坐起来，月儿常常到村委会去为他找报纸，或者让到镇上办事的人给捎。月儿已是“大腹便便”了，百川可不敢让她骑车。百川只盼自己的病能快些利落，到时候好帮月儿一把，别弄得他和月儿一块躺在床上坐月子。

有一次百川在一份青年报上，看到一则征文启事，眼睛很是亮了一亮。

那征文专为农民打工仔而设，每篇1000字，说让农民工写出自己的真情实感。

这回百川没怎么费神，在床上半躺半坐的，提笔就唰唰写了起来，一晚上就写完了。末了他在文头写上了题目，叫作《我们都是芨芨花》，就是田野上到处生长的那种野花。又按报上说的写好地址，让月儿贴上邮票寄了出去。

那几日，百川已经能自己扶着墙，直腰站起来，每天在院子里溜几个来回了。

百川几乎已经忘了院墙的诉讼一事，法院的判决书倒是突然就下来了。

虽然全家人都欢天喜地地拥护那份判决书，可百川却认为法院判得不够公正——尽管法院把院墙那一角理直气壮地判给了梁家，允许梁家把院墙垒直，并要求李家付给法院诉讼费。但是，法院没让李家赔偿百川精神损失费。哥那次请人吃饭，人家就露过口风，说因为李家骂人，百川就让人付精神损失费，这在农村的案例中是头一回也是独一份，恐怕不符合农村的“村情”，这一条就免了。百川泄了气。若是在城里，骂人就算犯法，这农村和城市不是一个法，农村还有个好？

愣怔着，沉默已几个月的李家女人的叫骂声又破墙而来：

……我就骂你，骂你咋啦？我骂你，你听了响，还想找法院跟我要钱？让人笑倒大牙了，要脸不要啊？还想让我拿诉讼费？门儿没有！给你个鸡巴毛吧！

百川把脸埋在掌心，苦笑，继而又觉得自己可笑。农村妇女骂大街，本是她们生活中不可缺少的娱乐活动，说不定，还应该让你给人家拿钱呢。月儿说别理她，法院都判了，咱占着理不怕。再过些天儿，等你腰再好利索些，咱就动工。

过了一星期，百川娘发话说，再过个把月，月儿就该生了，这墙得在孩子生下来前整完了，百川腰不好，请个帮工，能砌就砌吧。

月儿请了她弟，先清理了那篱笆，又挖了沟，拉了砖，就等砌墙了。

可那墙基的沟里，第二天早起就发现被人填上了石头，砖也被人砸碎了。

李家女人也不避讳，干脆就亲自睡在了那窝棚里，夜夜守着，看谁还敢动土。

百川急得冒火。法院明明不是已经判了么？这个法怎么就这么不管用？去同他家论理是白搭，更不能动手去揍那女人。一个爷们，也不能整天同月儿絮叨这事，心里怪委屈。憋得难受，又去翻书，把法律书从头捋到尾，总算找到一条依据。便一步步蹭到村委会，去给县法院打电话，法院的人说，交50块钱，可以请求强制执行。就让人送了50块钱去，又耐心等了一星期，执行庭也没下来人。

百川的腰不疼了，可整天抓耳挠腮的心神不定，在屋里团团转。这天中午，月儿给百川炒了两个菜，说你喝点酒消消气儿，好好睡一觉吧，执行庭的人说来就来，你攒点精神好办事儿。月儿说完就到前院娘那儿去了，百川一个人喝起了闷酒，把一瓶二锅头一气儿干下去半瓶。正喝着，有人来串门，说李家女人又在场院上骂你呢，那女人说，他家要真敢砌墙，我就同他拼命，人就活这一口气，我倒要看看，是他的命值钱，还是我的命值钱！

百川的脑袋，当时嗡地一下就炸了。他想自己为了这院墙，已足足等了两年多，受了两年多的窝囊气。他一个大男人，活活就让一个乡下女人给挡了道，他的脸面往哪搁呢？他在豆庄还有个立足之地么？百川觉得自己的一腔热血在使劲地往上拱，立马就要从脯顶上射出来了；他的脑袋像一颗点着了引信的地雷，即刻就要爆炸了；他的脚下轻飘飘，身子像是在腾云驾雾，不由自主地就往外飞出去了。

百川顺手在桌上抓起一把水果刀，几步冲进李家院子，一脚踹开了李家房门。

李家男人一下从炕上仰起，说：你来干啥？他杀气腾腾地答道：你女人呢，我宰了她！李家男人挤出笑容说：兄弟你回去，这事好说，法院都判你家了，不是早晚的嘛……百川拿着刀子的手直晃悠，四下搜寻那女人，却只是不见。

事后百川想，幸亏那女人当时在场院没回，她如果真在家，他这一刀子浑不论地扎下去，那么被“执行”的就该是他百川了，谁的命都一样不值钱了。

百川高高举着刀子，同李家男人对峙着，有点骑虎难下的意思。

忽然间月儿就一阵风似的刮了进来。她一把托住了百川的胳膊，然后用另一只手去夺百川手里的刀子。百川犟着不让，月儿的手心捂在了刀刃上，用力一甩，愣是把百川的刀子给掰了下来。那刀子也真不结实，一掰就折，百川在那瞬间遗憾地闪过一念，觉得城里的铁器还是不行，就像燕儿似的，中看不中用。百川丢了武器，一时有点发懵，想是刚才传话的那人，去给月儿通风报信的。又看见外面拥进来一大群人，把他死死抱住。他拼命挣扎着，仍坚持向李家男人扑去，一拳打在村里一个哑巴的胸口。哑巴当时疼得眼泪都下来了，呜呜叫唤也说不出话，却不还手。百川借着酒劲，还想继续同李家拼命，忽见自己西服的领子上红通通洇开去一大片，连袖子都变红了，用手一摸，摸一巴掌红，定睛一看，竟然是血。脑子一激灵，顿时清醒了不少，低头看看自己身上，哪儿都没伤着，再往人群中一看，吓得一哆嗦，月儿站在一边，正龇牙咧嘴地抱着自己的手，手掌还在往下滴血，娘拿着一卷棉花要给她包扎，她却还死命地拽着百川，不让他靠近李家男人……

娘厉声呵斥他说：你一个工作人，咋能和他们一般见识！给我回去！

百川的勇气一下子散失殆尽，再无心恋战，拉着月儿就往自己家走。

刚进院子，听见一声巨响，厨房的窗玻璃被一块大石头击中，玻璃碎片四处迸裂，像玉米渣子哗哗淌了一地，在阳光下发出凛冽的寒光。李家女人重开战事，叫骂声冰雹一般袭来，老鸹似的聒噪着，在房檐屋顶下徘徊不去……

当天下午执行庭就来了人。据说是村长给法院打了电话。

百川后来听说，执行庭的人让李家人到法院去讲理，李家三口人一窝蜂气汹汹地跟着去了。到了法院，人家就不让回了，说他们损坏他人财物，赔偿费加诉讼费，这回得一块儿交。李家男人、女人和儿子三人被送到看守所蹲了一夜，第二天，法院执行庭让李家女人回来取钱，说是一天不让梁家砌墙，就一天不放人。李家女人蔫蔫地走进自家院子，再也没了先前的精气神儿……

月儿当天就让她弟动工砌墙，到了这天傍晚，墙基就结结实实地垒起来了。

很多天以后，百川走在村里的"街"上，还有人拍着他肩膀，说他是好样的。人说村上最浑的女人，到底让他给治住了，还是法律这玩意厉害，亏得没动刀子呢。那哑巴见了百川，直跟他翘大拇指，倒叫百川满心惭愧，低个头就悄悄走开了。

院墙终于是砌成了，方方正正一个院子，坐南朝北，棱是棱、角是角，那西角上新垒的红砖颜色明显深些，像百川小时候穿的那种接了一截袖的衣服。大门的门楼下铺出一条水泥小道，通到正房的屋檐下。挨着 4 米宽的水泥平台，晒粮食、晒衣服干啥都方便。

百川呆呆地望着自家院子，心里空落落的。感觉不到多少喜悦，院墙总算是垒完整了，但他的心里却像是缺了一角，四处撒气漏风。有一种难言的悲哀，从院里的水井深处蹿上来，化作一股苦涩的艾蒿味，贴着墙基若有若无地飘忽。百川回想起自己以前在城里的种种窘迫和无能，又体会着自己面对豆庄的种种无奈，他觉得自己真是走投无路了。城里没法待，乡下其实也没法待了。城里虽有他的一张铺，但城里没他说话的地方；城市只需要他的一双手，却不理会他的心。他的心本是留给豆庄的，可这荒僻残破的豆庄，除了月儿谁也不懂他的心……

有一会儿，百川觉得自己的躯壳在城里的街上游走；而他的灵魂却依然守候在豆庄的苹果树下。又有一会儿，他觉得自己的躯壳留在这四方的院墙内，而他的灵魂，却早已归属于城市。他在这城乡交接的边缘地带，已经被切割分裂成了两半，然后把它们分置在自家的院墙内外，院墙是一道界，任他的游魂来去。他憎恨城市、讨厌城市，但他已经离不开城市。他热爱家乡、依恋豆庄，但却难以同它相处。他想自己是无法改变农村的。他能改变的，只有自己。

人说伤筋动骨一百天。百川到受伤满三个整月时，除了偶尔觉得腰部有些僵硬之外，基本上已没有什么异常感觉。

那天有人来通知他，让他到村委会去一趟，有一份外国来的邮件，邮递员等着本人签字才能给。百川好生奇怪，他想一定是弄错了，他又没申请到外国去留学。

他拿到那只长长的白信封，上面盖着椭圆形的外国图章。信是从新加坡寄来的，确实是用中文写着他的名字。打开看，里头有一张淡蓝色的大票子，全是外文字母，第一格像是他的外文名字，他能结结巴巴拼出来。他越发地纳闷，给人签完了字，去掏那信封，竟然被他掏出一封信来。信是用中文写的，他一看就乐了。原来是响泉那兔崽子呢，到了外国，倒真的没忘了给他写信啊。百川一目十行地把信扫了一遍，才知道那张淡蓝色的大票子，是响泉寄给他的外国支票，上头写着100＄，响泉信上说那是100美元，折合成人民币就是800块，算是他归还临走前向百川借的那500块加利息。信上还说了他在新加坡是如何如何的好，百川也没顾上细看，心里一高兴，当时就掏钱在小卖店买了一盒“红塔山”散发给围观的村民。然后夸张地扬着那只信封，一路很招摇地走回家去。

响泉那家伙还把利息都算上了，中国人一到外国，也变得像外国人似的了。百川兴奋地摇了摇头。哥要是知道响泉还钱还付了利息，不定有多后悔呢。

百川正这么想着，走过桥头，忽见公路上扬起一阵烟尘，一辆深蓝色的“捷达”正往村里驶来。刚想到千军，千军就来了。他卧床三个月，哥还没回来看过他。这几天，真是好事儿都赶一块儿来了。

千军给百川带了一条“三五”烟和两大包“龙牡壮骨冲剂”。还有一摞杂志，花花绿绿的封面，都是千军自己消遣过了的刊物，算是废物利用。千军给爹带了两瓶“孔府家酒”，给娘带了一条“神功元气袋”。千军到百川砌成的院墙下去视察了一番，顺便把过年那会儿请法院人喝酒的事又提了一下，百川脸上的喜气就剩下不多了。百川把千军让到屋里坐，千军看看表，说我下午就回县城呢，只坐一小会儿吧。百川就把响泉那信和支票拿出来给哥看。百川本没显摆的意思，他想千军见多识广的，能告诉他怎样才能把支票上的钱给取出来。结果千军看了信和支票，脸上就沉沉地严肃起来，像是蒙上了一层灰。千军只字不提响泉，说那支票麻烦着呢，你得拿上身份证到县银行去办手续，再等上三个月才能取出钱来，还得扣下去好几十块手续费，你以为呐！百川有些扫兴，闷下头抽烟不再说话。

后来千军就简单过问了一下他腰的情况。千军说：看你的样，也知道你好利索了，要没什么问题，你打算什么时候回队里去上班呢？

百川边想边回答说：再歇个十天半个月吧，总得再巩固巩固。月儿的预产期还有一个星期了，我想等月儿把孩子生下来，就到城里去把腰复查一下……

千军打断他说：你的病假已经到期了，要是再超，就得算事假了，我不能再给你开支。

百川问：那病假……按啥算的呢？身体刚好个大概啊。

千军从兜里掏出一张纸，扬一扬说：你看，我有医生诊断书嘛，上头写着，卧床三个月。

百川结结巴巴说：那也不是假条，只是个诊断。医生可没说，到了三个月我立马就能下地干活了。我还没复查，现在说啥都早……

千军站起来，把那张纸小心揣回兜里，沉下脸说：

你是我弟，你要是开了这个头，以后我在队里不好办。又付医药费又发工资，这么惯下去，将来我还得给办医疗保险和养老保险啦？

百川说：可我是工伤啊。

千军说：稀罕，几百年几千年，听说过农民生老病死有人管的么？

百川涨红了脸说：可现在九十年代了，农民工，好歹也算是个工作人哪！

我还是个包工头呢，可谁管我啊？千军把门一甩，走了出去。

百川在屋里闷坐了一会，拿起杯子咕嘟咕嘟灌了一肚子凉白开，猛地站起身，冲出小院，快步往爹妈住的前院走去。

千军和爹正在炕上坐着抽烟，屋里烟雾弥漫，像城里的工地。

百川站在屋地中央，咽下一口唾沫，不紧不慢地说：

千军，你可知道，如今农民工也有劳动保护法。

千军把脑袋背过去，哼了一声，不言语。

百川又说：你要是不执行劳动法，你是我哥，我也可以去告你！

千军撇了撇嘴，喷出一口烟，鄙夷地瞧了一眼百川，说：

你告我，我不怕。别忘了，你那院墙，还是我托了法院的人，才完事儿的！

一股凉气像条蛇一样，忽地窜上百川的脚背，狠狠咬上一口，又冷冷地箍上他的腰部，使他动弹不得，跌入冰窖似的寒彻骨髓。百川觉得自己站在悬崖边上，无法往前再走一步，更没有丝毫退路。他想如果自己的腰真的折了就好了，一辈子再也不用害怕弯腰了。其实早就应该明白，他和千军的关系，早晚是要走到这一步的。谁让他是棵黄瓜秧，非缠在千军这根棍儿上，才能开花结果呢。他为啥不是山上的松树柏树，谁要是敢砍伐一棵都得去坐牢。这么多年，他跟着千军，得了许多也失了许多，他不知究竟是得的多还是失的多，但是，即使他得的再多，他好像仍是没有得到自己想要的东西。他到底想要什么呢？那东西就在嘴边，却说不出来。他只知道，千军虽然有钱，但自己其实比千军更富有。他拥有许多千军没有也不想要的东西。就为了这些，其他所有的好处，他都宁可放弃的。

于是百川就对千军说了那句话，他说得很平静就像早已想过一百回似的。

他说：我不在你那队干了，我不信找不着别的地儿。

说完这话，他连自己也有些吃惊。他不在千军的队干，他能上哪去呢？

千军冷笑了一声，抓起柜上的汽车钥匙，抬屁股起身就往院外走。

百川听见大门外汽车发动的声音，像一群老母猪哼哼。

爹妈都追着千军出去了。爹妈绝不是为了他，去说千军一句不是。千军不回家时，爹妈都拿百川当梁柱子；千军一回来，爹妈干啥都看着千军的眼色，千军恼谁爹妈就跟着轰谁；百川给爹妈的钱远不如千军那么多，百川还能对爹妈要求啥呢？

百川慢吞吞地走出去，望见小汽车后尾的那溜尘土，已卷到山梁上了。

爹站在当院，冲着娘吼道：那年亏了没给百川起名叫万马，看他这回翅膀硬了，可得了！

娘从厨房端着泔水瓢出来，一边嚷嚷说：老头子你这话可不在理，要我看，既是做了工作人，就得按工作人的规矩办，要不，咱上城里去干啥？

百川夺过娘手里的瓢，登登就往猪圈跑，眼里一片模糊。

百川回到自家小院时，太阳正偏西，月儿坐在平台的小凳上，见他进来，扬着手里的一张报纸，欢喜地叫道：你跑哪儿去了，快来瞧瞧这个！刚才我上小卖店，学校的杨老师给我的……

百川接过报纸溜一眼，报纸已有些脏了，沾着些汤渍，上头啥也没有。

你瞧这！这呢！月儿急得直拽他衣角。

百川拖过一只小凳，挨着月儿坐下了，随着月儿手指的位置凑近去，终于看见一排极小的黑字，写着"我们都是芨芨花"。题目下的空档里，蚂蚁一样趴着梁百川三个字。

百川目不转睛地看着那三个字，顿觉眼珠子都不会动了。

那是豆腐干大小的一块，不注意看，根本没有人会发现它。它嵌在一整版横排竖卧的黑字里头，就像自家院墙后砌上去的那段新砖。百川把那短短的几百字默念了一遍，脸上有灿烂的笑容漾开去，他想自己头一回投稿，怎么就真能发表了呢。

月儿把报纸拿过去看了又看，埋着头问：发表了有钱么？

他说：也就十来块吧，当不了饭吃。

月儿忽就嗳了一声，脸上抽搐着，捂住了肚子。

百川慌慌地问她咋了，他想月儿会不会就要生了呢？

月儿又嘻嘻地乐，脸上转眼就晴了，笑着说：踢我哪，准是个男孩。

百川纠正说:我想要女孩。人家城里都愿意要女孩呢。

月儿说:一直让你给孩子想个名字,最好男孩女孩都用得上……

百川说:我早准备好了,本想等你生下了再告诉你的。

月儿说:这会儿就说吧,要是不说,这报纸我还给杨老师去……

百川飘忽的眼神掠过院子里葱翠的菜畦,又跃上墙外那株油绿的枣树。屋檐下,那对年年归来的燕子筑起的新巢,像一只悬在半空的西葫芦。

百川拧开机井的泵,往菜畦里灌了半池子水。清水瞬息就被土吸干了,那菜地便油汪汪地发亮。百川撅一根树枝,猫下腰在那黑土上,一笔一画地写了两个字。

蓬——勃,是蓬勃么?月儿问。

蓬勃。就是蓬勃。这名儿好么?

月儿使劲点头,一边说不过还得有个小名儿,叫着才顺嘴。百川暗暗决定先不告诉月儿,等她生下蓬勃那天,自己就在这一笔一画的土沟里,撒上些花籽儿,像城里过节时候街心公园的花坛。等蓬勃满月了,满院子都是用叶子写成的"蓬勃"两个绿色的大字,也让村里祖祖辈辈种地的人,开一回眼。

那孩子将来的日子,会是什么样呢?

(选自《北京文学》1997 年第 6 期)

张抗抗

女。1950 年出生,广东新会人,生于杭州。1969 年赴北大荒农场上山下乡。1977 年考入黑龙江省艺术学校编剧专业,1979 年调入黑龙江省作协从事专业文学创作至今。现为黑龙江省作家协会名誉主席,中国作家协会第五届全委会委员,第六届主席团委员、第七、八届副主席,第十届全国政协委员。1972 年开始发表作品。1980 年加入中国作家协会。著有长篇小说《隐形伴侣》《赤彤丹朱》《情爱画廊》,作品集《张抗抗自选集》(5 卷),中篇小说集《残忍》,中篇小说《北极光》《第四世界》《沙暴》等,散文集《花的节日》(英文,多人合集),已发表小说、散文作品共 500 余万字,出版各类文学专集 60 余种。作品曾获全国优秀短篇小说奖、优秀中篇小说奖、第二届鲁迅文学奖、全国首届女性文学创作奖、第二届女性文学优秀小说奖、庄重文文学奖等,多部作品被翻译成英、法、德、日、俄文并在海外出版。

小村“总统”

孙春平

一

山坡上有一垛饲草，是老爹郭顺成霜降后一边放羊一边割的，垛在那里备作大雪封山时的饲料。郭金石在草垛上委出一个窝，躺在那里晒太阳，望蓝天，听风声呼呼地在山坡上掠过。

耿家屯就在山脚下，百十户人家，错错落落地贴山而建。村前就是庄稼地，虽说不上一马平川，但起起伏伏的也说不上贫瘠，种高粱有米饭吃，种苞谷有饼子啃，种大豆榨油做豆腐，种啥得啥，得啥用啥。一条乡路飘带似的甩向很远的地方，骑上两个钟头的车子，就到了县城里。按说，耿家屯不该还是眼下这种灰土土的穷样子。郭金石当兵时的那个坦克团也建在这样的丘陵地带，可附近的屯落都种果树，养肉牛，还扣了一片连一片的大棚。站在山上往下看，那蔬菜大棚白亮亮的犹似一片永远不会融化的瑞雪，又像一洼又一洼清亮亮的水塘。隔三岔五见有大大小小的各种车辆不时开到屯里去，装满了茄子、黄瓜、西红柿，再轰轰隆隆地开往远方。大棚好像工厂里的车间，不断有产品输出的屯落自然很趁钱，富得流油。去年秋上，屯子里家家户户比赛似的买摩托，听说一个屯子一家伙就买了五六十辆。部队再训练时，屯里的姑娘小伙子疯骑着屁驴子追坦克车玩。

可耿家屯的姑娘小伙子们哪有人家玩得潇洒?！躺在山坡上，可以看到屯里墙根下，坐着许多晒眵眯糊的人，年轻人和老头老太太们混在一起，或东家长西家短地扯闲篇，或在地上横画五道，竖画五道，拣几块石子撅几节秫秆节，就玩起了那最原始的棋弈。更多的是躲在屋子里，整日整日地“搬砖”（打麻将）甩扑克，都动点输赢，玩急了就掀桌子，甚至舞菜刀抡棒子，对掘一阵祖宗后再坐回桌前一赌高低。郭金石回屯后没几天就拉过一回这样的大架，闹得村长耿老德都去镇唬了一阵，走时又吐唾沫又跺脚地骂：“妈的，脸都叫熊瞎子舔去了！玩，玩吧，看你们啥时候玩出个头！”其实耿老德也玩，那天就是在牌桌上找到的他，而且一玩就是三星横空，小鸡子叫头遍。也是他的话：“这一大冬天，不玩干啥去，挠墙根子啊？比偷鸡摸狗扯哩哏啷强！”

刚回屯里的头几天，郭金石走东家，串西家，挨家去拜那些远的近的沾亲的和不沾亲的三叔二大爷婶子大娘们，接着昔日下河摸鱼上山掏鸟的伙伴们就拉他去喝酒。劣质老白干，一捧花生米，你一口我一口地抢着酒瓶子嘴对嘴地灌，喝得红头涨脸五迷三道了，就又拉他上麻将桌。喝酒他不推辞，怕冷了肩头齐的弟兄们的情意，可麻将他却坚决不上场，只说部队上不让玩这个，手生，待见习见习再上场演练。一来二去的，伙伴们不再勉强他，那种热热闹闹的客气也渐渐地淡了。

他去过两次村长耿老德的家。耿老德叫耿德贵，是村支书，又兼着村委会主任，是个直来直去的实在人。但乡亲们不叫他支书或主任，只叫村长，把村委会则几十年一贯制地仍叫着大队。郭金石想给耿老德提提建议，说咱屯咋不扣大棚？那玩意儿见效快，贼来钱，何必人人都闲着晒眵眯糊“筑长城”？耿老德说，乡里也组织我们去外地参观过，我也知道那玩意儿来钱，可投资太大，出手吓人一个跟头。扣棚又是竹竿子又是薄膜的，外加找人垒大墙，哪个棚不得万八千元钱呢？郭金石说，要是屯里人往一起凑凑，先弄起一个两个的，有了示范，就不愁三个四个了。耿老德说，先给谁凑？挣了好说，赔了可找哪个坟头哭妈去？又说，地都分给各家各户了，按地的薄厚，村东三根垄，村西五根垄，羊拉屎似的，散不拉叽的能扣棚？郭金石说，我们部队旁边的那个屯子，为扣棚，把地又收回来重新划分了，改条条为块块。耿老德说，电匣子里早讲了，土地一包到户，三十年不变，我耿老德长几个脑袋？郭金石干嘎巴嘴再说不出别的来了，回家把这些话和老爸老妈一学，郭老顺说，你是部队里的豆馒头吃饱了撑的，咸（闲）吃萝卜淡操心，屯里的事你少掺和！老妈则说，过了年就二十四了，屯里跟你挨肩的，孩子都满地跑会叫爹了，你先张罗说媳妇吧。

郭金石不愿和屯里人再多谈及的另一个话题就是耿长林。耿长林与郭金石是同时入伍的，可新兵连一结束，郭金石去了坦克团，耿长林却派到师部机关给首长当了勤务兵。刚去坦克团的时候，郭金石还有几分得意，当兵就得有个当兵的样，驾着几十吨重的钢铁战车，轰轰隆隆地往敌阵里横冲直撞，横扫千军如卷席，那是何等的威风！有时耿长林碰到他，也唉声叹气地发牢骚，说早知来部队低眉顺眼地给当官的打杂，还不如在家侍候那几根垄呢。可万没想到，过了两年，耿长林进了军校，毕业后就是一杠两星的军官了，郭金石却连准考证是啥样都没看到。在乡中学念书时，郭金石是班长，耿长林只是个课代表，在部队时也是郭金石先入的党，还立过一次三等功，咋说，也该郭金石在部队长干下去。他最怕屯里人问：“长林不能再回屯里来了吧？”“念完军校能当多大官？”“你咋不也去军校里念几年？”哼，那是谁想念就能念的事吗？郭金石知道，耿长林是沾了师部机关的光，随便哪个首长一句话，都比自己在坦克团摸爬滚打几年顶事得多。可这话跟谁说去？传到别人耳朵里，反倒说咱姓郭的没真本事又气皮肚子小心眼……

想着这些心事，暖洋洋的冬日当头晒着，就觉地皮颤动起来了，坦克车的履带翻犁似的卷起黑黑的泥土。坦克在一个蔬菜大棚前停下来，棚帘掀处，钻出高高挑挑的一个姑娘来。姑娘叫朱巧云，手里拿着两根绿莹莹顶花带刺的黄瓜，递给他，说，吃吧，刚洗过的，脆着呢！正是寒冬腊月，朱巧云却只穿着一件白汗衫，胸前有两座秀美的小峰高高地耸着。郭金石左右扫了一眼，低声说，也不加件衣裳，风硬着呢！朱巧云说，你咋也只穿一件单军衣？郭金石说，坦克里热得像烤箱。朱巧云说，大棚里也热着呢，像蒸笼，不信你进来瞧瞧。说着一只软软的小手就来拉他，吓得他忙又左右瞧……

郭金石突然觉得鼻子痒痒的，重重地打了个"阿嚏"，人就醒来了。他有些焦恼，一个多美的梦！可他刚要骂句什么，就见耿晓玲正弯腰对着他格格地笑，手里还拿着一支干枯的狗尾巴草在他鼻前抖动。郭金石翻身坐起来，想想刚才的梦境，脸竟热热地烫起来。他讪讪地问：

"你……咋跑这儿来了？"

耿晓玲反问：

"我咋就不能到这儿来？这片山姓郭呀？"

郭金石被问住了，笑了笑，又问：

"有事吗？"

耿晓玲说：

"我爸叫你呢，叫你这就去。"

耿晓玲的爸爸就是耿老德。

郭金石望了望山坡上的羊：

"羊不没人管了？"

"我替你看一会儿。"

郭金石往山下走。刚走了几步，耿晓玲又叫住了他：

"哎，金石。"郭金石回转身，见耿晓玲的脸上倏地飘过一朵红云。

"长林来信了，还向你问好呢。"

"……"

"你不给他写封回信？"

"写……写什么？"

"随你怎么写！"

"算了吧！"

"你这人真是！人家那么关心你，你也不关心关心人家。"

"有你关心就行了呗！"

"吃醋啦？"

郭金石苦笑笑：

“我可不吃醋，而是在喝西北风!”

“西北风咋也有点酸气?”耿晓玲笑了笑，突然变得有些吞吐起来，“我想问你，念军校的人……往家写信，不受……限制吧?”

郭金石怔了怔，旋即明白了，心头陡然升起一丝幸灾乐祸的快意。耿晓玲和郭金石、耿长林都是同学，当初两人当兵走时，耿晓玲当着两人的面，一人送了一个挺精致的笔记本，写信时，也都捎带着问上对方一句好。可耿长林考上军校后，耿晓玲写给郭金石的信就少起来，后来就完全没有了。郭金石情知是怎么回事，只好把一股酸酸的滋味吞咽到肚子里。

“我也没去过军校，哪知道。八成是功课紧吧!”

“那你……最近没收到长林的信?”

“没有!”

“那你快去吧。我爸找你，八成是好事呢。”

耿老德找郭金石的意思挺明确，说几个支委研究过了，村里眼下的党员就数他年轻，准备叫他当治保委员，半脱产，一年给一千五百元的补助。说是征求本人的意见，可那神情却一目了然，被赏了一官半职的没有不感恩戴德欣然领命的道理。可郭金石还是陡然吃了一惊，没料到乱糟糟的脑袋还没理出半点头绪，自己对日后何去何从还没有半点打算，支书已给自己铺好了人生的路子。他愣了一会儿神，说，让我再想想。耿老德说，这还寻思个啥?不是党员，这事还轮不着你哩!

郭金石又回到了山坡上，躺在草窝窝里想心事。耿家在屯子里是大姓，耿家屯几十年间，支书换了一茬又一茬，却一直都姓耿，支委们也大多姓耿。可耿老德挺会搞“统战”，安排进一个外姓人，就算一个代表面了。可他其实什么也不会算，当治保主任除了处理处理屯里打架斗殴偷鸡摸狗的事，能叫屯里也热火朝天地干起来富起来吗?

其实前几天郭金石也收到耿长林的一封信。耿长林在信里还跟他讲了许多掏心窝子的话，说论实力，你更应该到军校里来;还说这年月，人不能只凭实干傻干，好比打仗，不光要有正面进攻，还得善于利用地形地物，迂回出击……那封信郭金石就藏在内衣口袋里，不时掏出来，也不知看过多少遍了。

几天后的大清早，郭金石换了一身干净的衣裳，推出自行车，对老爸说，我进城去战友家里待两天，你去替我跟村长说一声，就说那活我不想干。郭老顺扯着嗓子喊，人家赏你件袍子披，你还端起来了，那你还想干啥?郭金石也不答话，骗腿登上车子，冲出小院远去了。

郭老顺去了耿老德家，不安地观察着村长的脸色，说，那混账小子，不识好歹的东西，你白惦着他啦。耿老德倒没说什么，只是淡淡地笑了笑，就说些别的了。

二

郭金石没有去战友家，他去了县城里的劳务市场。

县城的十字街口，坐落着一座两层飞檐斗拱的鼓楼，据说是明清时期的建筑，挤在四周山一样的高高低低的楼房中，自视清高中却显出了一种格格不入的寒酸、落寞与陈旧。可城里人舍不得扒掉它，还时不时地粉刷打扮一番，说是古老历史的一个见证。劳务市场就在鼓楼下，每天百十多人，或贴墙而坐，或蹲成一个个圈圈扯闲白，手里操着刨锯、瓦刀、管钳之类的家什，脚下还戳着比巴掌大不了多少的牌牌，上面写着“木工”“修暖气”“刮大白”之类的字样。字都写得歪歪扭扭，没有章法，却透着主人的粗豪与纯朴。

郭金石没有家什，脚下也没有小牌，他也不凑到人群中去，只是远远地坐在马路牙子上，闷着头一颗接一颗地抽烟。他用粉笔在自己身边画了个圆圈，圈里写了两个大字，“力工”。也有卖功夫的过来跟他搭话，问他卖什么手艺。郭金石指指脚下的字，说，我什么技术也没有，只有两膀子力气。问话人讥嘲地笑了，说，现在就人臭，不值钱，找卖力气的还用到这儿来？随便在大街上吆喝一声，屁股后立马能跟上一大溜儿，拿鞭子赶都赶不开。郭金石只是笑笑，也不辩解什么。

有手艺的人一拨拨地来了，又一拨拨地被人领走了，走时都不无得意地对还得等下去的陌生朋友打招呼，“我先去了呀！”赚得众人一片羡慕的目光。

郭金石冷冷清清地孤坐了三天，很少有人来跟他搭话，更别说来跟他讨价还价的。每天见日头压了西山，楼房的影子黑沉沉地压下来，他就骑上车子往远远的耿家屯蹬去，到家时已是满天星斗了。第二天早起，吃了饭，夹起一本《三国演义》，再用毛巾裹上两块苞米面锅贴大饼子，故作不见老爸老妈探询的目光，就又沿着山路飞驰而去。

三天中，也不是完全没有机会。第一天上午，有个工程队的来找人装卸水泥，说活儿累，又埋汰，可在工钱上找。计件，一天能挣个三五十的。有人指指他，喊，只挣力气钱的活儿来了！郭金石笑了笑，摇摇头，没动窝。待工程队的人走了，又有人对他说，那活不干也对，挨多大累不说，一天弄个灰猴子样，干完活得咋洗？回家媳妇都不让你钻被窝。第二天，又来了一个穿中山装的，胸前还戴了一枚校徽，一看便知是县高中的。县高中的说找劳动力挖排水沟，一天二十元，晌午还供一顿饭。郭金石这回动了心，起身跟在人家身后，可只转了两个圈子，又坐回原处去抽烟了。市场上的那些常客们就开始数叨他了，说你小子是不是缺心眼？谁家还缺新姑爷等你去呀？这样的俏活再不干，你就蹲一辈子马路牙子去吧！郭金石仍是一笑没言语。

第三天太阳压山的时候，街道上的人流已蚂蚁搬家似的稠密起来，待价而沽的手艺人多已归巢，就见有辆紫红色的桑塔纳嘎吱一声停在路旁，里面钻出一个圆圆胖胖的中年人，大声喊：

“有去装车卸车的没有？”

有人接话：

“干啥？”

“运煤！”

“啥数？”

“一天十五元！”

“供饭不？”

“自个带！热饭的地方现成，开水管够！”

人们哄地笑起来，你看看我，我看看你，没人再搭话。这价钱有点欺负人，一个大小伙子干一天再刨去晌午那顿饭，跟白干差不多了。

中年人又喊了一遍，把一条腿缩回车门里去，加了一句：

“没人愿去我可就走人啦！”

郭金石起身迎过去，问：

“往哪儿运？”

“县委大院！”

“你是哪个单位的？”

中年人怔了怔，口气挺冲：

“愿去就去，不去拉倒，问这干啥？”

郭金石笑了笑：

“我……我叫人诓怕了。干完活不给钱，我上哪儿找去？”

中年人说：

“我姓姜，县委办公室的主任。”他又指指车牌子：“你找不着我，还找不到这个车？”

其实郭金石早就注意到了桑塔纳的牌号，三个0后的尾数是18。虽非前几号首长专用车，但也显赫得可以。他只是想再具体认定一下。他说：

“啥时候去干活？”

“明早八点，到县委大院传达室等我！”姜主任临钻进车门，又补了一句，“自个儿带晌午饭啊，挨饿可找不着我！”

在人们的笑骂声中，桑塔纳远去了，郭金石也蹬上了自己的车子。他觉得三天不但没有白等，而且还算顺利。

三

从车站货场往县委大院运煤，上午两趟，下午两趟，东风大卡车，四个装卸工，全要大板锹，实在不轻巧，时间赶得紧紧绷绷的。晌午就歇在大门口传达室里，有火炉，可以烤烤饼子热热菜，炉上的大水壶整日嘶嘶地冒白汽，喝开水确实管够。第一天下工前，郭金石递给门卫师傅一根烟，恭恭敬敬地问：

“大哥，我家离得远，白天干活累得够呛，来回还得蹬好几个钟头的车了。我就在你这屋对付几天行不？”

门卫是个三十多岁的小伙子，姓赵，是前几年县里一个什么头头的远房亲戚，说话办事大大咧咧，总觉有什么靠山似的。他冷冷地说：

“我这人毛病多，睡觉就怕有人在旁边打呼噜，家里连只猫都不养的！”

郭金石忙说：

“我这人别的优点没有，只这一宗，睡觉老实！闭上眼睛就是一宿，消消停停的啥动静没有，死狗一样！”

赵门卫又说：“这小火坑腚大的地方，咋挤两个人？”

郭金石指指靠墙的木条长椅子：

“我睡椅子上，反正也就十天半月的事。大哥包涵点吧。”

“大哥”再无话可讲。第二天一早，郭金石自行车尾架上就驮来了从部队带回来的那套行李，方方正正棱角分明，让人看了就生出别一样的感觉。

郭金石勤快，清早一起，不光把小屋内外收拾得清清爽爽，还抓把铁锹，把大门口的那个小花坛清理了出来。这个季节，花坛里的红红绿绿早已荡然无存，只剩些枯枝败叶在寒风中支棱八翘地瑟瑟抖动。郭金石该拔的拔，该埋的埋，又把那花畦像大姑娘理头发似的细细地梳理了一遍，连着忙了两三个早晨，惹得县委机关的人上下班都要驻足赞上两句。

除了勤快，郭金石还会来事儿。那一天傍晚，姜主任到门卫房来玩象棋，怀里还抱着个小丫蛋。郭金石听说是姜主任的外孙女，眨眼间就从对面食品店里抱回一堆小食品来，姜主任过意不去，说，你干一天才挣几个钱儿，买这个干什么？郭金石说，挣钱为的啥，还不就为花的嘛！我喜欢小孩儿。说着就从姜主任怀里接过孩子，抱到旁边逗着玩去了。那一天姜主任兴致极好，连杀了赵门卫三盘没还手。临离开时，半开玩笑地对赵门卫说，人比人得死，货比货得扔！看看小郭才在你这屋里住几天，就旧貌换新颜，变了样了。恨得赵门卫直翻白眼，好半天没理郭金石。

郭金石吃完午饭也不闲着。别人抽抽烟喝喝水歇歇乏的工夫，他提着大板锹又回到了煤堆旁，将刚卸下的煤铲到大堆上，又把大煤堆拍理得似他的行李，刀切似的有棱有角。挨地面的地方，又专用煤块摆出笔直的一条线，看了像件大工艺品，又惹得大院里的人谁见谁赞。有一天姜主任走到煤堆旁，有一搭没一搭地跟他唠闲嗑，问他家里都有啥人？在部队干了几年？入没入党？又说这活儿本不该你干，你咋不去跟大伙一块歇歇？郭金石说，在部队习惯了，反正待着也是待着，不如顺手收拾收拾顺眼。姜主任连着说了几个“好”，还在郭金石的肩上重重地拍了几拍。

郭金石听说，姜主任还在会上狠狠地表扬了他一通。姜主任主管机关后勤，常给勤杂人员开会。那一天，姜主任说人家郭金石，虽说是从劳务市场上找来的，说声活干完了就拍拍屁股走人的事，可你们睁大两眼看看，人家眼里有多少活儿？手上干了多少事？大家都跟人家好好学学！尤其是你们这些临时人员，别说手里还没抱上铁饭碗，就是抱了，咱县委大院也是铁打的衙门流水的官，莫说你们还算不上个官儿。我可把丑话说在这里，各位都长点记性，竞争机制，优胜劣汰！对抱铁饭碗的怕一时半晌还吓唬不住人，但对你们临时工，那可就是我一句话的事，可别到时候哭天抹泪地吃后悔药。说得那些人大眼瞪小眼，怔怔的谁也说不出话来。

赵门卫心底的忌恨和防范，终于在运煤任务就要完成的前两天中午爆发为一场单方面的大打出手的局部闪击战。那天中午，郭金石将自己的饭盒拿上火炉时，见赵门卫的白菜炖冻豆腐已在咕噜咕噜地翻花山响，就端起来放在了炉角。赵门卫进来见了，立时就瞪起了眼睛，问谁把我的菜盒拿走了？郭金石说，我看熟了。赵门卫说，熟了怎么的？我这人牙口不好，就爱吃烂糊的。我家里有儿有女，用得着你来孝敬我？郭金石说，我是好心好意，你怎么骂人？赵门卫说，你好心好意？我看你是黄鼠狼给小鸡拜年，没安好心呢！郭金石忙说，好好好，怪我怪我，怪我手欠，我这就给你端回来重炖行了吧？说着就伸手去拿菜盒，只听“哎哟”一声，菜盒烫得他脱了手，一盒黄的白的连汤带水都扣在了炉前灰渣里，屋子里猛然腾起一股烟灰之气。赵门卫气急，照着门面伸手一个直冲拳，顿时一股鲜红的东西从郭金石鼻孔里流了出来。众人急起身拦护，郭金石却并没有回手反击的意思，只是捂着鼻子，眼里有泪在汪汪地旋，说，赵大哥，我咋的你了？你手这么黑？菜扣了，我赔你还不行吗？赵门卫骂，妈的，我手黑不如你心黑！就你心里那点鬼算盘，以为谁傻看不出？嫌我手黑，你他妈的痛快给我滚蛋！照说，一盒寻常饭菜，本也不值什么，赵门卫也并不是为了几口饭菜就不顾天不顾地出手玩命的人。他是心里有火，又是股说不清道不明的暗火，他恨不得把这个给他烧了暗火的人一拳就打回老家去。

郭金石跑到街上，很快买回两盒饭，放在桌子上，嘴上的血迹却不擦。说话间，姜主任进了门卫房。半个月来，郭金石早摸透了这个规律，每天上下班，姜主任都要到门卫房里转上一圈，问有什么事，再叮嘱几句什么。那赵门卫见顶头上司进门，先自有点慌了，急抓了条毛巾，暗塞给郭金石。郭金石却只作不觉，忙着收拾炉前的残迹。姜主任看了郭金石脸上的血迹，自然要问。郭金石说，刚才不小心，鼻子撞在了门上。见有人用眼睛直睃赵门卫，姜主任心里也就明白了，顿时黑下脸，问，是不是你把小郭打了？赵门卫无话可答，便吭哧憋肚地说他把我的饭盒整翻了。姜主任说，嗬，你耍蛮还有理由了？是不是觉得有啥靠头，就跑县委大院称王立棍来了？这也是你立棍的地方？又转向郭金石，问，小郭，你想不想留在这门卫干？郭金石忙说，赵大哥不是干得挺好的嘛。他不说想干，却也没说不干，似乎还替赵门卫说了情，更恨得赵门卫牙根直痒，变成了生嚼黄连的哑巴。姜主任说，小赵，你收拾收拾东西明天回去吧，工钱我按整月给你。小郭，从明儿起，你就把门卫这摊事管起来。今儿我就杀鸡吓唬吓唬猴，我看谁往后还敢在我眼皮底下乍刺儿！

第二天一早，赵门卫就捆起行李走人了。郭金石望着赵门卫推着自行车，步履沉重地走出很远，直到消失在熙熙攘攘的人流中，才返身回了门卫房。他的心情也很沉重，眼望着自己那方方正正的行李好发了一阵呆。

四

郭金石留在县委门卫干了一个多月后的一天，又收到耿长林从军校写来的一封信，信里说军校的课程和训练都很紧张，又说军校的教官很严厉，还说给他介绍女朋友的不少，都是城里的女孩子，条件都不错，他就准备择其合适者考虑一个了，还问他回家后搞对象了没有……末了加了一句，说好长时间没给耿晓玲写信了，不知她的近况如何，请他见面时代问她一个好。看了信郭金石心里就明白了，嘿嘿冷笑了一阵。这封信名义上是写给他的，实则是曲径通幽，让他把话传给耿晓玲。在军校捧过书本的到底和没进过那大门的不一样，懂得用战略战术了，在搞对象上都玩这一套，吓不吓死个人？郭金石思来想去的，回耿家屯时，就把耿晓玲叫到没人的地方，干脆把信递过去，嘴里却淡淡地说："长林来信了，让我给你问好呢。"耿晓玲看着信，脸色就变白了，呼吸也急促起来，最后把信往他手里一塞，转身就跑。从耿晓玲捂着脸的动作和一耸一耸的肩头看，郭金石知道她哭了，自己心里也跟着有些酸，却泄恨似的骂："该，叫你眼皮浅，攀高枝，到底叫人家老太太擤大鼻涕，甩了吧？这叫自作自受，自个找的！"

在县委当门卫，最大的方便就是认识的领导多。门卫房备着象棋扑克，下班后，各部的部长主任常好凑来坐一坐，斗斗技艺，也逗逗嘴巴。还有县里的局长们，各乡镇的头头脑脑们，有时来县委开会办事，或到县委集中坐车出门，都好进门卫房避避风寒。一来二去的，郭金石便知谁谁是哪个洞府的神仙，管的啥，是啥脾性喜好，进而慢慢地又知道谁和谁是拐着啥弯儿的亲戚。郭金石便不时暗下感慨，原来认识人了解人的学问还挺深奥，怕不是自己这种小人物三年两载能琢磨得透彻的。

但郭金石要结识的人，却不能没有个主攻方向。这他懂。在部队训练时，首长们就一再讲，打仗关键在用心，动脑子。在瞬息万变弹雨纷飞的战场上，一定要认准哪是制高点，突破口，攻其一而遏其十，占据了制高点就掌握了主动权。县委有位副书记，叫任殿斌，四十岁左右，主管着常务和组织干部、纪检政法。他原来是省里一位大头头的秘书，下来锻炼的，家也没搬来，独身住在县委大楼的一间宿舍里，再回省里另有重用看来也是早一天晚一天的事情。因有着这些背景，主管的事情又重要显赫，在县委大院里就非另几位副书记可比，连一把手对他都有着别一样的客气。

任书记忙，白天忙，晚上也忙。白天忙，是会多，找他的人也多；晚上忙，则是多为应酬，省里来的人他要陪，市里和兄弟县来的人他也要出出面。常务嘛，一把手一时顾不过来的他都得照应，所以每晚回宿舍都在十点左右，身上又总是带着浓浓的酒气。郭金石做了门卫不多日子，这些规律就摸得准准的了。他每晚把大门上了锁，就静静地守在窗前，待大门外一有雪亮的小车灯光晃过来，他就学着耿长林在部队给首长当勤务员的样子，急跑去开了锁，打开大门。待任书记进了宿舍，刚刚脱了大衣，他随后又提着两只暖水壶进去了。先在茶杯里泡上滚烫的热茶，又在脸盆里倒上水，试试温度，说，任书记，洗洗吧。任书记对下面的局长乡长们常是脸面凝霜，不苟言笑，对他却很客气，说，好，好，我来，我来吧！反正夜里门卫也没啥事，大门不是锁好了吗？你坐下看会儿电视吧。说着，就把直角平面的大彩电打开了，又亲自为他选一个热热闹闹武打枪战的片子，自己惬惬意意地擦脸洗脚。待一切收拾得差不多了。郭金石起身将脏水倒出去，送回脸盆时，说，任书记，你歇着吧。任书记忙说，再看一会儿，再看一会儿。郭金石就再看一会，但决不多看，顶多十分八分的工夫。任书记对郭金石很满意，说他到底在部队锻炼过，积极主动且又进退有度，这个小青年选得不错。这话又由姜主任传到郭金石耳朵里，姜主任说这些话时，直拍他的肩膀，连说，小伙子，行，连我都跟着脸上添光，好好干吧！

任书记当然也有晚上没应酬不出去的时候，就在屋子里看书。任书记看的书都包着牛皮纸，见有人来就往行李下一塞，也不知是些啥书，反正都挺厚的。郭金石见任书记没出去，就用柴草烧炕，然后把还存些火星星的草木灰扒成一堆，里面埋上两块家里窖存的地瓜。待夜深时，他又提上两壶水，再用毛巾把烤熟的地瓜一裹，直奔任书记的宿舍。仍是先斟茶倒水，然后把毛巾款款一抖，说，任书记，看了大半夜书，饿了吧？尝尝我们庄稼院的嚼货。任书记一看地瓜，就笑了，说，你咋知道我得意这口？当年下乡插队，半夜饿得肚子叫，我们就在灶坑里弄这个吃。好，尝尝，看看你的手艺到不到家。

除了甜甜软软的烤地瓜，郭金石有时也烤土豆，热腾腾的直起沙，任书记吃时还好蘸点白糖。也许是酒席宴上山珍海味大鱼大肉吃得腻了，任书记吃这些土嚼货时就显得格外香甜，一边吃还一边跟他拉家常，问家里的人口啊，问地里的收成啊,问屯里都有些啥新奇事啊。郭金石就山南海北地说,把些道听途说的都现发现卖出去。任书记听了高兴,有时送给郭金石个磁化杯什么的,有时又塞给他几盒高档烟。郭金石也不客气,来者不拒,首长送的嘛！磁化杯摆门卫大窗前,使小伙子凭空上了个档次;高级烟自己舍不得抽,多数待了进到门卫室里有些身份的客人,惹得人们越发对这个小伙子刮目相看。

七九河开,八九雁来。到了开春的一天,郭金石又和任书记闲聊时,问:“任书记,星期天还不回家去看看?”

“不回去!”任书记说,“半月一次,足矣。要不时间都扔道上了。”

“我看您不回去,也不得消停。”

“可不是。有些人专爱星期天来缠你,烦死个人!”

“那还不如到我们屯里去玩玩看看呢,也散散心。”

任书记立刻来了兴致:

“你们屯里有啥好玩的?”

“小满鸟来全。这时节,山上林子里,啥鸟都有了,叽叽喳喳唱得好听。要是找杆气枪,一天咋也打下一串来。找张网,兴许还能扣住百灵子、哨花子、蓝靛颏啥的呢。到家里再尝尝我们庄稼院的水豆腐,保准又鲜又嫩,城里的豆腐根本没法比!”

任书记想了想:

“打枪我不行,白浪费子弹。钻林子也没啥意思,名山大川我去得多了。你家的承包地种上了吗?”

“刚开犁。我爸正种呢。”

“那好,我去帮你老爸种种地,连踏青都有了,顺便搞搞调查研究。”

郭金石高兴了:

“任书记啥时候去?”

“说去就去呗,晚了还等我去种荞麦呀?就这个大礼拜,周六去,晚上再在你家住一宿。家里能给我找个睡觉的地方吧?”任书记还用手比画了一下,“在炕梢给我挤出这么大个地方就行。”

郭金石说:

“看任书记把我们庄稼人说的,别说您一个人,就是县委大院的人都去,我也安排得开!”

任书记忙摇头:

“可别弄得闹闹哄哄的,就是我一个人去。你把门卫的事安排安排,换换班,就算给我做做伴。”

郭金石说:“汽车还得带上吧?好几十里山路呢。”

任书记说:“行,带上就带上。不过,村里那边,除了你家里,谁也不许惊动!我可是有言在先,咱只是私人交往,纯粹的个人行为!”

郭金石爽爽快快地答：

“行，就到我家里！”

五

说是不惊动别人，可小轿车一开进屯，村街上立时拥满了人。打解放再往前推，山窝窝里一无所长的耿家屯可能还从没来过一个父母官呢。

任书记坐在屋子里和郭金石的老爸郭顺成抽烟喝茶叙家常的工夫，村长耿老德就慌慌地跑来了，没敢直接往屋里闯，找个胆大的孩子把郭金石悄悄地叫到了大门外。那个时候，紫红色小轿车正停在郭家院门外，亮锃锃的晃得人眼珠子疼，一群小孩子围着看新奇。

耿老德一见了郭金石的面就埋怨：

“县里的书记来，你咋也不先跟我吱个声？”

郭金石淡淡地说：

“任书记只说来看看，是私访，告诉谁也不许惊动的！”

耿老德说：

“那晌午饭村里得安排吧？”

郭金石说：

“不用不用。我爸昨晚就把豆子泡上了，任书记点名要吃水豆腐。”

耿老德又犹犹豫豫地问：

“那我……还进屋跟县里书记……说几句话不？”

郭金石忙扯他的袖子：

“你就进去嘛。任书记挺随和的，还给我爸叫大叔呢！”

说是任书记随和，可耿老德在院门外转了两个圈子，还是扭头走了。郭金石招呼了两声，他只是回身摆摆手，脚步却越发的急匆，好像还有什么更重大的事情等着他，闹得郭金石也有些莫名其妙。

待任书记肩扛一把小镐，随着郭家父子说说笑笑上山时，屯里又烟尘滚滚地开进一辆吉普车，车上跳下乡党委书记马庆来和乡长，身后还跟了一个扛着摄像机的小伙子，急急就往山上奔。任书记见了，顿时就冷下脸色，不悦地问：

“你们来干什么？”

马庆来气喘吁吁地赔笑说：

“我们刚知道任书记来……”

任书记说：

“我星期天走走亲戚也得人陪着？郭金石是我的一个小兄弟、好朋友，今天我闲着没事,来帮他种种地,散散心。就这事,你们该忙啥忙啥去吧!都自便,好不好?”

马庆来瞧瞧郭金石,笑容里透着尴尬,说:

“金石,那你就好好陪陪任书记。我和乡长呢,本来今天也要来屯里,检查落实一下春播情况,都在村里。有啥事,你就去村委会找我们。”

任书记也不说什么,转身就去种地。划垄、点种、踩格子,年轻时下乡都干过的,果然不比二八月庄稼人差,惹得郭顺成不住口地赞叹,地头上看热闹的也不住点头夸赞。任书记越发逞起英雄勇,欢实活泼得顿减了十岁,春日下还不时地唱上几句“大鞭子一甩,嘎嘎地响哎——”连邻近地里的乡亲们都直拍巴掌叫好。

乡里的两个头头虽说去了村委会,两颗心却仍都留在山上,悄悄地打发人给郭家送来了一角猪肉半只羊,还有鲜鱼鲜菜什么的。耿老德又叫耿晓玲到郭家来,给郭金石的妈妈帮厨打下手。

日头傍晌时,郭金石张罗下山回家吃饭。任殿斌正干在兴头上,见邻近地里有人把午饭直接送到地里,就对郭金石说,咱这才干了多大工夫,要想垫补垫补,干脆咱也拿到地里来,野餐!更有情趣,行不?郭金石急急下了山,不一会的工夫,耿晓玲挎着篮子来了,高粱米稀饭,小葱拌豆腐,嫩黄瓜蘸家制黄酱,还有肉炒土豆丝,几个人围在一起,果然吃得情趣盎然,连山上的风儿都透着甜丝丝的香气。屯里人便私下嘀咕说,看县里的官,咋跟老郭家人那么亲?莫不是真有点啥亲戚吧?

耿晓玲收拾完碗筷下山时,任殿斌悄悄捅了郭金石一下,还挤了挤眼睛,问:

“这姑娘不错。给我说老实话,是你啥人?”

郭金石脸一红,忙说:

“除了一块上过学,啥人也不是。她爹是俺们村长。”

任殿斌拍了郭金石一巴掌,哈哈大笑着,转身又操镐划垄去了。

午后又欢欢实实地干了一阵儿活,下山往回走时,郭老顺就把郭金石悄悄往后扯了扯,问:

“晌午那顿饭,就那么着了。乡里头头都在屯里,晚上不一块请过来?”

郭金石看了前面的任殿斌一眼,说:

“不知任书记愿不愿意,再说乡长他们……”

郭老顺说:“当官的心里咋想咱不知道,可咱往后还得在乡长村长手下过日子呢!让到是礼,水大水小别漫了船。我看你还是到大队去跑一趟。”

乡党委书记马庆来、乡长和耿老德果然都来了。任书记心里高兴,身子骨也活泛得兴奋,果然没再说什么,还和乡里的领导开了几句无伤大雅的玩笑。那一顿饭,也吃得热闹、热烈。山里的水豆腐果然鲜嫩可人,往笊篱上一淋,佐上鲜菇肉卤,吃得人满脑子淌热汗。又喝了几盅酒,兴致正高之际,任书记夸郭金石,说这小伙子,论干,膀子上有力气;论说,嘴头子也有一套;论心劲,那可都在这里呢。任殿

斌又指点着自己的脑袋，又说现在的年轻人，脑筋活，观念新，比起当年自己年轻时只知一门心思傻干，不知强上多少。别看金石现在窝在山屯屯里，日后兴许比在座的各位都有出息呢。夸得众人不住地往郭金石身上看，弄得郭金石差点坐不住了。任殿斌又说，也不知金石有没有对象呢，家里也得有个帮手吧？

耿老德见任书记说这话时，眼睛直往出来进去送碟碗的自家闺女身上看，心里就有了几分明白，忙说：

“任书记经多见广，眼力保准差不了，那就给介绍一个吧。”

郭金石唯恐任书记在这种场合说出什么来，急在桌子底下踢任书记的脚。任殿斌会意，哈哈笑着，顾左右而言他去了。

这一夜，任殿斌就和郭金石住在东屋里，小汽车打发回去了，说好明天过晌就来接。因有做豆腐的火打底，小火炕滚热，人躺在上面，把骨头缝都烙开了，又解乏又泰和，舒坦得没个比。任殿斌早早地洗漱了，就钻进热被窝里去，感叹道：“当个庄稼人多好，舒舒心心的，无争无斗无忧无虑，堪比神仙了！”

郭金石不知任书记所言何发，也擦洗一番，上炕钻进了被窝，陪任书记说话。任殿斌伸手咔地拉熄了电灯，伏在枕上抽烟，好一阵不语，突然发问：

“郭金石，你要真把我当个不论尊卑的朋友，今晚就跟我说一句掏心窝子的话。你这小伙子是不是心里有啥事想让我帮你办？”

郭金石一怔，话到嘴边就吞吐了：

“任书记，您这话……”

任殿斌说：

“我今天有点感觉，也许是种错觉。就是错觉，我说出来，你也别生气，咱们是朋友了嘛！有个成语，叫狐假虎威，那个寓言故事你一定知道。我觉得我今天一整天都在扮演那只老虎的角色。可故事里的那只老虎是个傻霸王，它并不知道自己在被耍弄被利用。而我这只老虎，却并不比想假借我的威势的狐狸蠢笨。其实，这一招我也玩过。而且比你玩得更娴熟更高明。说句心里话，今儿一整天，我可都是在心甘情愿地为你配戏，扮演着那只老虎的角色。你跟我说，你到底想干什么？”这后一句话，任殿斌说得很严肃，甚至有些生铁般的冰冷。

黑暗里，郭金石的心紧了紧，脸烫了，浑身都火炭似的烧起来。好似被人一下剥去了衣裳，光赤溜溜地推到了一万度的大灯泡面前，一切都已一目了然无遮无掩，一切都将迎受这如火似炼般的烧灼。如果不是灯熄了，他真不知道将怎样面对任殿斌的那双雪亮亮的探照灯一样的眼睛。

虽然一切都久在谋划之中，可强中更有强中手，兼有着狐狸般精明的老虎还是打了他个措手不及。

话既已说到这个份上，一切委婉都将变得矫情。郭金石狠了狠心，咽了咽干干的喉咙，开膛破肚地亮出了自己的“阴谋”：

“我想当村长!”

“你为啥要当村长?”烟火头在黑暗中红红地闪亮。口气有了审讯般的郑重与严厉。

“我想让耿家屯快点富起来!”

“你有啥本事叫耿家屯富起来?”

郭金石腾地掀开被子,伸手又拉亮了电灯,就那般光溜着身子站在了任殿斌的面前:

“如果让我说了算,我就把全村的承包地都打乱重分,然后组织人扣蔬菜大棚。我当兵的那旮旯条件比我耿家屯强不了多少,人家能干,咱这旮旯为啥不能干?只要让我当村长,一年变个样,两年翻个身,我有这个把握!”

任殿斌问:

“你们现在的村长怎么样?”

“耿德贵今天您也见到了,人根靠本分,不贪不搂,是个老实巴交的庄稼人。可要带一村人富起来,光靠老实本分不行。吃不穷,穿不穷,算计不到总受穷。耿德贵不会算计,只会守家护院。”

任殿斌急急扯了郭金石一把,说:

“你快回被窝去,小心着了凉。”

郭金石再回被窝里,就细细地讲了村里的现状,讲了自己的打算,又讲了当兵那个地方的经验。话匣子打开了,想收也收不住。

任殿斌问:

“你的这些想法,起于啥时?”

郭金石说:

“往近了说,我去县里卖劳力前,躺在山上整整想了十来天;往远了说,我在部队当兵时,就算计着早晚我要跟那旮旯的富屯子一比高低。”

“这么说,这半年里的事情,你都是有谋在先了?”

“谋事在人,成事在天!”

这回轮到任殿斌兴奋了,一下翻身而起:

“不,三分天定,七分人拼!这回我就来给你当这个‘天’!为了助你大事早成,我这个‘天’为你办好如下三件事:一、一个月内,我让你当上耿家屯的‘总统’,保你说了算;二、耿家屯从你掌权之日起,就是我的扶贫点,或曰责任村。大事情你要为我负责,我也给你撑腰出谋;三、我想法从省里给你要来二十万元科技扶贫款,你给我专款专用,全投到蔬菜大棚上,力争在最短的时间内给我闹腾出一点样子来!”

郭金石怔住了,有些不相信自己的耳朵。一切恍如梦中。在他谋划的中短期目标中,要达到当村长的目的,少说也得两三年。他没想到自己的“阴谋”这么快就被人剖剥得如此淋漓尽致赤裸裸的,他更没想到剖剥者还会自告奋勇地当上了他的“后台”和“同谋”,甚至主动提出了自己连想都没敢想的“入伙”条件。

“任书记,这……可是真的?”

“什么真的假的!一个七品县令的国家干部对着亮堂堂的灯泡子说话,你也要来一番防伪打假不成?你再给我详细说说,把你的所有小阴谋小把戏都给我老老实实交代交代。”

这一夜,两人直聊到窗外传来鸡鸣才熄灯。任殿斌说了两三遍“睡觉睡觉,再不睡明天干不动活了”,郭金石才意犹未尽地闭上了嘴巴。可他知道任书记仍在不断地翻身,他猜测着任书记在想些什么的时候,便有漫山遍野的白亮亮的蔬菜大棚海潮般地涌到他的梦境中来了……

六

此后不到半个月,耿老德就被调到乡采石场去当了支部书记。乡党委书记马庆来到屯里摸情况时,则专把话往郭金石身上引,什么要年富力强啊,什么要在外面见过世面啊,什么最好在部队里受过锻炼啊。慢慢地大家都明白了领导的意图,心里说,屯里还没有耿姓之外的人当过一村之长呢,可这话又没法往外亮,就说,金石小伙子是挺精明本分的,可人家在县里干着,月月都有活钱儿,肯回穷山沟里来?马庆来说,他是党员不是?党员就得听安排,服调动,“我是党的一块砖,东西南北任党搬”嘛。这个工作由我做!

村里的党员集中时,郭金石也被叫了回来。马庆来亲自坐镇选举,又亲自提名郭金石做唯一的候选人,再脑瓜子不开窍的人也吧咂出了滋味。原来耿老德被外派和郭金石的回屯任用是紧紧连环的两个套子,上头早定了调子,有了目标。人家对郭金石并没有什么不好的看法,他爹郭老顺是老实巴交的根靠人,小伙子刚从部队锻炼回来,前些日子又让大家亲眼见了和县里大头头的那份亲热,就私下嘀咕金石这小子原来小小年纪就长了白尾巴尖,道行修得不浅,庄稼还没收一季,先就找了靠山,有了来头。这年头,有靠山有来头并不是啥坏事,弄得好,屯里都能跟着沾些光。屯里大当家的心眼活泛点,总比那种杵橛横丧的死脑瓜骨强,而且那耿老德也确实没见有什么特别的政绩。大家这般嘀咕着,在乡党委书记鹰隼一般的目光扫描下,就都乖乖地举起了胳膊,尽管有些迟疑和犹豫。

村支书已经易帅,村委会主任的更换便是绞起辘辘提出桶的事。又开了一个村民大会,还是在马庆来不动声色的目光下,一只只粗黑的巴掌又小树林子般齐刷刷地举了起来。

郭金石从县委大院驮回自己行李后的第三天,就召开了由他主持的第一次村民大会。正是春播大忙的季节,开会自然在晚饭后,一家来个拿事的,借了小学校的一个教室,满满登登挤了一屋子。

春困秋乏夏打盹。在地里忙累了一天的庄稼人,坐进教室先是嗡嗡哄哄地说笑了一阵,说是开始开会,眼皮反倒粘上来,一个个趴在课桌上打起了呼噜。打瞌睡有传染,一个睡,都跟着去梦里娶媳妇了。郭金石见此情景,就把话停下来,打发两个小伙子找来两把镐,把北墙上的窗户咚咚地刨开了。为了御寒,学校一入冬就用土坯和泥巴把北窗堵死了,这个季节开封倒也正是时候。郭金石又问谁家有电扇,立马就有人回家扛来了两三台。北窗一透亮,穿堂风就呼呼地刮起来,又有大开三档的电扇摇头摆尾地一吹,满屋子刷地就像换了一个节气,凉飕飕的让人再难打瞌睡。郭金石说,咱们没事别把大伙往一块拘,开会大家就都提起精气神,有个开会的样子,屯里的事得大家一起商量。人们顿时看出了郭金石的狠劲,心里说,没曾想这小子到部队干了几年,又到大衙门当了几个月的差,还真学来几出损招子,听听他今天能说出点啥样的话来。这一来,人们的腰板就一个个地挺直了。

接着开会。

郭金石说,大家既选了我当村长,我就得想法叫咱耿家屯有点起色,尽快富起来。咋富?一要人勤,二要会算。光靠土里刨食,还按老祖宗的春种秋收猫一冬的办法,下辈子也还是撑不着饿不死的穷样子。扣蔬菜大棚是个现成的招儿,咱得一年四季都手脚动起来。劳动才能致富,汗珠子加算计才能换钱,没听说在热炕头上仰脖躺着天上能掉馅饼的。我的意见,扣大棚的事说动手就动手,前岗那一百多亩地,平整,土厚,地下水脉也好,正适合种菜。村委会决定从今年春天起,就全部收回村里,谁要种,可以另外承包,但必须扣棚种菜,承包费另算,得加上特产费……

教室里嗡的一声就炸起来,有的喊那块地我已经种上苞米了;又有人问,不是三十年政策不变吗?咋六月天,孩子脸,说变就变了呢?郭金石心里早有准备,不慌不忙地说:“谁说承包土地的政策变了?没变!只是在具体做法上屯里做了一点小小的调整。上级本来准许屯里可以提留一部分土地做机动处理,可以前咱耿家屯没留,这回留出来,所得收入就抵冲一部分各家各户的土地承包费,大家并不吃亏。据我所知,前岗那块地也是按人头平均分下去的,这回正好按人头都交回来。至于已经种下去的,撒了多少种,用了多少工,大家心里都有数,秋后一并由村里承担就是了。我再跟大家说一句交底儿的话,前岗只是个试验田,咱先趟趟路,摸着窍门了,全村的地明年就全都打乱重分,适合扣大棚的都按块块重新承包,所以我劝大家能行风的赶快行风,能唤雨的立马唤雨,谁也别再巴着眼地等待观望。我再想法从上边要来十万二十万的发展大棚专用款,先下手的无息贷用,慢三春的后悔药你自己吃。不会干也不要紧,半月之内我想法请俩技术员来,人家都是多年侍弄大棚的高手,负责大棚设计,负责技术指导,所需费用也都由村委会承担……”

大会开了小半夜,一涉及个人的具体利益,谁也不觉困喊乏了。散了会,就有一拨子人直奔了耿老德家去,一五一十地将新官上任的这把火描述了一番。想从没来参加会的老村长口里讨个主意。有人干脆就喊，郭金石嘴巴上才长出几根胡子，嫩得很呢！要不我们去乡里把他闹下来，这个大东家还得你来当。耿老德叹息一声，摇头摆手说，找乡里有个屁用？你们没看出连乡党委书记都来给人家逢山开路，遇水搭桥?！郭金石敢这么整，是有人哩！小子跟县里的书记搭连上了，胆子大得像倭瓜，腰板粗得赛碾盘，正是杠上开花手气旺的时辰，咱现在去乡里，不是自己去找二皮脸吗？就看这小子有啥招数，再使使吧。说得众人蔫头耷脑地散去了。

郭金石回到家里，老爹郭老顺的脸色也不好看，说看把你小子能的，胯裆里没俩卵子坠着你还飞上天了，阴天下雨不知道，自个儿能吃几碗饭还不知道？是不是觉得县里的书记拍了你两下肩膀，就不知道该先迈哪条腿了？还真就出马一条枪地胡造上了！我看你整乱套了咋揩这个腚！郭金石也不搭话，只是嘿嘿笑着，忙着舀盆水，把脑袋扎里面扑腾起来，恼得郭老顺再也说不出什么了。

第二天，郭金石找到小学校的老师，在屯里几处显眼的地方，用白灰水刷写出两条大标语：

> 党员不带头致富，浑蛋！
> 村民不想法脱贫，二头!!

“二头”就是二虎头的缩写，奸不奸傻不傻的意思，东北农村都这么叫。两条标语这么一写，迥然有别于前些年的那些口号，立时在屯里引出一片惊叹与新奇。人们彼此一照面，都是这么两句嗑：“你是浑蛋还是二头啊?”“你才是浑蛋二头呢！哈哈……”

郭金石又编了几段顺口溜，叫老师教给孩子们，孩子们下了学便满街扯着嗓门儿喊：

> 扣大棚，不受穷，一年人人吃饱肚，
> 二年屁驴子(摩托)胯下骑，
> 三年家家盖小楼，
> 四年蛤蟆轿(轿车)开进城。
> 谁不扣棚谁二虎，
> 白长了两只大眼灯！
> ……

这么一闹腾，屯里人就坐不住炕了。郭金石给大家算过一笔账，利用春播夏锄这一段时间，把大棚的土墙先筑起来，把抽水井打上，地里照样可先种一季菜或一季庄稼；待一入秋，天将煞冷，塑料就扣上了，里面栽上茄子西红柿，傍年底的一茬收入，基本就可收回成本；再到明年开春四五月间，抢在蔬菜淡季又一茬菜下来，就全是赚的了，一个棚闹个万八千的不成问题。屯里人心里还有另一笔账，郭金石说是能贷来款，先下手的三年内不掏利，白使唤，这个便宜哪拣去？再说又有免费的技术员，只要把家当置在那儿，又学会了手艺，还怕钱咬手？也不是没见过别的村屯干，那白亮亮四季长票子进钱的大棚也确是惹人眼热。以前只是没人张罗，便弄得人们心懒手也懒了。人们都信郭金石说的不是假话、空话、梦话。

果然不多的日子，屯里就来了两个技术员，一男一女，都住在郭金石的家里。人们看那姑娘，高高挑挑的个儿，眉清目秀的模样，说话办事都透着股洒脱爽快劲儿，跟郭金石挺熟悉挺亲热，又知她叫朱巧云，是郭金石从当兵那旮旯请来的，都猜是不是金石早就在外面相好了的媳妇。偷偷问郭老顺和金石他妈，老人们也都一脸懵懂茫然，脑袋摇成拨浪鼓，连说不知道，也看不出。

技术员来了，钱也到位了，郭金石立刻带人动手，在前岗丈量土地，架设电线，找人打井。当初先播下去的田垄里已长出绿油油的小苗，让人们那么一践踏，也就不成了样子。偏偏地当腰有八根垄，东奔西忙的人都得绕道走，谁也不敢踢碰一块土坷垃。地头立着三个膀大腰圆的汉子，那是这八根垄的主人，是耿氏三兄弟，叫耿大力、耿二奎、耿三彪，个个提着锹抡着镐，口口声声谁碰了他家的青苗就跟谁玩命。正帮着拉电线的郭金石走过去，手里握着一把电工钳子，他知道这几只拦路虎不“请”开，下面的活谁也不能干。八根垄正在腰梁上，躲得了初一躲不过十五，一场恶战势不可免了。

耿大力恶声恶气地喊：

“我们耿家人只会种庄稼，不会摆弄啥鸡巴大棚！”

郭金石说：

“庄稼人种五谷杂粮，谁也没说不是正理，县里也有种粮状元。可庄稼人种菜，谁也不能说是不务正业吧？占你们多少地，在扣棚户的其他地块给你补，这是两不亏的事嘛！”

耿二奎撸胳膊绾袖子地叫：

“耿家屯就前岗这块地好！少跟我拿囊囊揣（猪身上肚皮部位的肉）换里脊，唬你们家老爷子去！”

郭金石说：

“村委会知道这块地肥，所以谁扣大棚谁多交承包款，让出地块的也给赔偿损失！”

耿三彪斜愣着眼睛问：

“你给赔多少？”

郭金石说：

“村委会请人算过这笔账，占一根垄赔五十。”

耿大力拨浪着脑袋说：

"那不行！少一百元别跟爷们扯这个鸡巴蛋！"

耿二奎冷笑：

"是不是以为谁都是软柿子，好捏？"

耿三彪用镐头把地皮墩得咚咚响：

"脑袋掉了碗大个疤，谁怕谁呀！"

跟这三条汉子搭话的时候，郭金石一直在用手里的钳子剪指甲。电工钳子很锋利，剪指甲虽嫌笨拙些，却咯噔咯噔地剪出别一种趣味。郭金石是一副心不在焉的玩笑模样：

"村委会已经这样定了，咱们都别计较了。怕吃亏，你们都麻溜地扣大棚，我保你们三年后一人一台摩托骑。你们要实在觉得不合算，除了那五十，其余的亏损部分我个人现在就给你们掏腰包。"

耿大力追问：

"你给掏多少？"

郭金石微微一笑，从衣兜里摸出了几枚钢镚镚，在手上掂了掂，说：

"我算过这笔账，赶上最好的年成，里外里，一垄也就少收个毛八分钱。都在这儿了！"耿二奎火了，一掌把钢镚打得满天飞：

"操你妈，耍谁呢！"

郭金石顿时黑下脸：

"嗬，还动上手，骂上人了?！别给你们脸不要脸，跳鼻子往上抓挠！我郭金石敢当这村长，就不怕谁玩横的来邪的！你们哥仨是不是还想耍耍铁锹抡抡镐把？那就来吧！"

说话间，谁也没注意，郭金石手上一使劲，钳子咯噔又一响，左手的小指就齐刷刷地剪断了一截。他把那断指在手上掂，冷笑道：

"你们真有种，就用镐头往我脑门子上砸，用铁锹往我脖梗子上铲，我郭金石要是眨半下眼睛，就不是爹娘养的！"

鲜红的血泉水般喷涌出来，淋洒在春日里热腾腾暄乎乎充满生机与希望的土地上。密层层的豆大汗珠子布满了郭金石的脑门，他脸上的肌肉在抖颤，伸出去的手也在疼得抖颤。围观的人们呆住了，耿氏三兄弟傻眼了。朱巧云急扑上来，掏出白手帕就给郭金石缠。在春天的氤氲里，那白手帕霎时间就殷染成一朵红艳艳的花，红得让人眼晕心跳。

七

这一年的春天，任殿斌又接连来了耿家屯两趟。第一次是自己坐小车，跨下车门，那两条大标语直扑眼帘，任殿斌就笑了，说："这是哪门子标语？郭金石净整怪的！"及至见了郭金石，他却又改了话，指点着村里的院墙，告诉说能写的都写上，干事情就要有个排山倒海不可阻挡之势。到了前岗，眼前的推土机轰轰响，打井机隆隆叫，到处是人欢马叫热汗挥洒的场面，他愈发兴奋，连叫了几个好。

几天后，任殿斌第二次来耿家屯，小轿车后面跟了一长溜面包车，车里拥下百十位乡镇长和村长支书们，说是开拉练现场会。任殿斌叫郭金石讲讲，刚刚从工地上跑下来一身泥土的郭金石立刻变成了红脸关公，汗水在脸上犁出了左一条右一条的泥道道。郭金石说任书记叫我讲，咋不先给我打个招呼做做准备？这不是叫我丑媳妇难见公婆吗?！任殿斌笑说，你还准备个啥，咋想的咋做的就咋说，实惠儿的最好了，不然一准备，难免又连汤带水有了虚的。大伙要看的正是没有油头粉面化过妆的真媳妇。郭金石见推不过，就讲了自己的短期目标和长远打算，又讲了咋开的村民大会，咋铺开的这一片战场。有知点情的，见他的手上还缠着药布，就说，把你手指头的事也讲讲。郭金石说，这有啥讲的，那天吵儿巴火地跟大家合计点事，顺手一钳子，就把手指头当铁线剪下一截儿，便宜狗了，让它开了回洋荤。人们都笑，啧啧一片赞叹。

那天耿老德也在村里，见任殿斌带人往屯里走，忙追上几步，小声说：

"任书记，那天饭桌上的事您还记得不？我家那个丫头晓玲子也老大不小了，我看金石是个能成事有出息的材料，他们俩的事您就费费心，给说说行不？金石听你的。"

任殿斌正在兴头上，说：

"行，我就给他们'包办'一下。事要成了，金石日后就是你的东床快婿，村里的事还得靠你多支持他。你是村里的元老了。"

耿老德忙说：

"那还用说。没这事我也没少给他出主意，不信您打听打听。"

找了个机会，任殿斌把郭金石扯到一边，就说了那个事。郭金石怔怔的，好半天没答话，一副若有所失、犹犹豫豫的神情。任殿斌问："你请来的那个女技术员，我看秀秀气气的也不错，你是不是早有了打算？"

郭金石脸一红，忙摇头：

"没有没有！我只是当兵搞共建时认识的她，还没……深谈。"

任殿斌说："按说，你个人的婚姻大事，我不该干涉。可换个角度，我比你大十几岁，就是你的大哥了，从过来人的角度说两句话，供你参考吧。婚姻的事，可不光是成家过日子，连古代皇帝选妃立后宫，还得思前想后权衡利弊呢。为啥叫个‘权衡’？‘权’字放在头里是个啥意思？你现在是一村之长了，还是要从有利于工作着想，把眼光放长远一些。说得好听一点，叫调动一切积极因素，若换个说法，又叫不能放过一切可借用的力量。话我只能点到为止，你自个儿再琢磨琢磨吧！”

长龙一般的汽车扬起漫天的黄尘，下山远去了。郭金石站在屯口，眼望着县城的方向，好半天闷声不语，连脚窝都没动一动。任殿斌的话似惊心动魄的雷，又似夏夜里耳畔烦人的蚊子叫，轰轰隆隆嗡嗡嘤嘤的在他的脑子里萦绕。对耿晓玲，他本无恶感，甚至当初还暗自渴望两人间应该有个天长地久的故事。可耿晓玲怎么就那般眼窝子浅，一见耿长林有了点让人眼热的地方，忙不颠的就把秤砣偏压了过去。郭金石心里就是不服这个劲，是耿长林先变了心，不再想搭理她，耿老德又见自己有了点造化，才重打算盘想另立炉灶，难道姓郭的就是任人挑拣将就的材料？难道我郭金石只配拣别人挑剩不要的处理品？这一点，那朱巧云就比耿晓玲不知心气高出多少，眼界也看得开阔，他在部队时就没瞧不起他这个穷大兵，他复员回到山沟沟也没挑剔这旮旯穷，只一封信过去，就放下家里挣大钱的活计，二话不说奔了来。两人之间的那层窗户纸虽还没捅破，但彼此的心思在一个眼神一个笑靥里却早已是明明白白，自己怎能学那耿长林做负心的汉子呢！有一天，朱巧云曾半开玩笑地问他，是不是将来我得把耿晓玲叫嫂子呢？他笑了，说，这我可不知道，可她将来若叫别人嫂子，你不会有意见吧？说得两人都笑了。耿晓玲也试探过他类似的问题，问他朱巧云是不是就不再回去了？他则半真半假地反问，那你看她回去好还是留下来好呢？任书记的那番话他不是听不懂，也不是没想过，素不相识高高在上的“老虎”，他尚且还要千方百计攀上去借一借“威风”，这坐地大户的势力他岂不知只可倚重而不可得罪的道理。可对一个庄稼汉子来说，娶媳妇毕竟是一辈子的头等大事，怎么能一“权衡”就“衡”到“权”上去了呢？

思来想去的结果，郭金石决定暂把“宝匣”锁严盖子，绝不能叫耿老德失去希望，更不能因此而让耿氏家族对他产生忌恨。哼，我就不信耿老德还能永远在耿家屯跺一脚晃三晃，待我郭金石羽毛再丰，振翅而起，真正成了一方“总统”，婚娶之事再摆上议程不迟。我郭金石一辈子可做上百上千件低三辈装孙子的事，唯此一件，是无论如何要有自己的拍板决策权的。唉，巧云，只好暂时委屈你的心了……

庄稼人只要开春在地里播下希望，时间就过得风刮似的快了。转眼到了夏天，耿长林从军校放暑假回来，见了屯里的阵势，兀自吃了一惊。那一天傍晚，郭金石陪他到了前岗，放眼已有了些规模的大棚架势，耿长林叹道：

“老天爷真有眼，让你回到了家乡来。要是咱俩换个位置，我真想象不出回屯不到一年的工夫，我能为屯里做出点什么？我是真服了你啦！”

郭金石笑道：

“我这点能耐还不是老兄曲径通幽的无言点化？军功章上有我的一半，也有你的一半。”

关于郭金石回屯这几月的作为，耿长林早已知晓了一些。他说：

“现在有句时髦的理论，叫社会关系也是生产力。你是独有所悟还有实践创新啊！”

郭金石说：“老兄的世界比我宽广，就再助上我一臂之力吧。我可是一直把你列在我的社会关系里呢。”

两人哈哈地笑起来，都笑得很豪爽，也很开心。

八

这一年深冬的一天，郭金石用棉被包裹着一大网袋茄子、西红柿，骑车跑了几十里山路，兴冲冲进了县委大院。这是蔬菜大棚的头一喷果实，西红柿红艳艳的，大圆茄子绿油油的，个个都有婴孩脑袋大小，往茶几上一摆，着实稀罕死人了。任殿斌兴奋异常，亲自召来几个部室的头头脑脑秘书干事们到自己的办公室来看新鲜。宣传部的人还急找来照相机，让任书记和郭金石坐在红红绿绿的果实前，咔嚓咔嚓地拍了好几张，说新闻照片明天就见县报。

人们正夸赞恭维一片热闹时，就见房门开处，走进两位衣冠楚楚的人。任殿斌怔怔神，急迎上去，拉着手老张老李地叫，又给众人介绍，说是省纪检委的领导，处长主任的。让座时，处长却不冷不热地说：

“不坐了不坐了，省委领导要找殿斌谈话，我们这是专程来迎请的。”

任殿斌说：

“那也得吃了饭走。看，刚送来的茄子柿子，我的扶贫村里的大棚头喷菜，偏你们有口福，尝尝鲜。”

来人说：

“没工夫了，车就在外面等着，省委领导叫你马不停蹄即刻就到呢。”

任殿斌忙叫安排自己的车，来人说我带的车有座位，一车走吧。任殿斌见确是急，抓了装手机的小皮包就往外走。到门口还没忘关照郭金石，说你吃过午饭再回去。等我从省里回来，再去耿家屯向乡亲们道喜。又叮嘱办公室姜主任：“你们替我好好陪陪小郭，小郭现在是我们的贵客了。”郭金石忙说，任书记您去忙吧，我在城里还有点联系种子农药的事，这就走，便跟在人们身后一块呼啦啦地下了楼。

人们只听是省里来人专程迎请任书记，又听说是省委领导找谈话，都猜想任书记这回可能要动一动另有重用了，自然格外殷勤热情地送下楼去。连任殿斌本人都猜想此番非比寻常，不然何不打个电话通知一声即可，是不是下一步要安排到省纪检委任职呢？心里便也有些窃喜，只是表情上仍是宠辱不惊的样子。及至一出大门，任殿斌先有些呆怔了，送出来的人也都有些傻眼，随在人群后的郭金石也觉得冬日的太阳怎么变得这般雪亮，晃得眼睛有些发黑，一颗心陡地提升到了嗓子眼。只见一辆装着警灯的高级面包车前，立着两位穿着检察机关服装的人，他们的身后，还有两个威风凛凛的公安干警。任殿斌在片刻的呆怔之后，似乎还想走上前与一位检察官握握手，但那只手被人家抓住就再没有松开，很不客气地被一下推到车里去了。

任殿斌没有挣扎，没有反抗，他似乎一切都在准备，都在意料之中，只是没有想到会是在这样一种时间和场合。在弯腰钻进面包车的时候，他还回头望了一眼，尽管他仍想表现出一种镇静与从容，可那眼神就像被甩到干滩上的鱼，空洞而绝望，全没了片刻之前的那种热烈、自信、潇洒与睿智。在与郭金石的目光相撞时，他似乎还想咧嘴笑一笑，但那笑里也是无奈的艰涩。

郭金石可能今生今世都不会忘掉这种场面和这双眼睛。他不相信那么随和平易的任书记会犯错误，可法律与官场的无情，比冬日的风更为冷酷地一直寒彻到他的心底。他不知道自己是怎么走出县委大院的，他也不知道他是怎样醉鬼似的摇摇晃晃把车子蹬回了几十里外的耿家屯。他只感觉两条腿软软绵绵的像面条，他只觉得路边的杨树干，山脚的石砬子，到处都是那双死鱼样的眼睛。

回到家里，他就一头倒在炕上。老妈来摸他的脑袋，问他是不是病了，他不说话；屯里有人找到家里商量事情，他也紧闭房门，拒而不见任何人。躺在滚烫的火炕上，他想起念中学时学过的一条成语，“城门失火，殃及池鱼”，突然感到自己也像一条鱼，或许也将被甩晾在干滩上，再难掀腾起浪花了……

几天后，有消息传来，说任殿斌涉嫌参与了省里大头头主谋的一起非法走私大案，怕是要在监狱里蹲上一些年头了。很快，又有消息说，任殿斌与那个案子牵连并不很大很深，也没分得什么钱财，他不过是知情未举，跟着吃了锅烙，是权力角逐的一个牺牲品。虽说可免牢狱之苦，但再想出任领导干部就得看来世的造化了……

又过了些日子，乡党委书记马庆来再度到耿家屯亲自主持村支部全体党员大会，与上次稍有不同的是，耿老德也回来参加了。马庆来拍拍自己旁边的板凳，招呼说，德贵同志，你坐这里来嘛。耿老德却只是摇摇头，仍坐在墙角卷他的老旱烟。马庆来便不再勉强他，说，任殿斌利用职权，以势压人，不顾党的组织程序，破坏党的基层组织建设，扶植安插自己的亲信，在耿家屯是最典型的例子。为了彻底肃清流毒和影响，经乡党委研究，决定耿德贵同志仍回耿家屯工作，并作为支部书记的候选人，提交支部大全重新选举。

耿老德咳了一声，接话说：

“马书记，举胳膊前，我先说两句行不？”

马庆来不动声色地说：

“你的意见我已经都知道了，还是选完了你再说吧！”

仍是在乡党委书记鹰隼一般目光的扫视下，党员们又一次举起了胳膊，举得仍有些迟疑，有些犹豫，有些不情愿。

也有人端坐不动，平平静静的神情中透着不肯妥协的执拗。

十三名党员，八票通过。一个很微妙也好悬让领导为难的数字。

耿老德没给自己举胳膊，似乎也在情理之中。

郭金石是那少数中的一员。他坐在马庆来的对面，紧抿着嘴巴，努力把自己的腰板挺得笔直。

乡党委书记直点其名，口气里透着咄咄逼人的严厉：

“郭金石，你为什么不举手？”

“党员没有权利不举手吗？”回答得很平和，平和里带着毫不掩饰的嘲弄。

耿老德深深地叹了口气，没有发表任何意见，起身走出了屋子。

第二天清晨，天还蒙蒙亮的时候，郭金石重又穿上了复员时的那身洗得有些发白的军装，背上还是那个豆腐块似的有棱有角的行李。他悄悄地打开院门，不由就站住了。不知什么时候，院门口横着摆了十几筐蔬菜，有西红柿和茄子，还有没有成熟不该摘下来的牛角青椒和只有巴掌长的嫩嫩韭菜。他只觉心头一热，鼻子酸起来，就有两行热泪簌簌滚落。他弯下身，拣起一只青椒，对着椒尖咬了一小口，甜丝丝的，清凉，还有一点辛辣，但只是一点点，牛角椒还得再长些日子，该追肥了……他蓦地想起衣袋里还装着耿长林前几天写给他的一封信，那信上说，他班上有个战友的舅舅在省蔬菜公司，专门负责组织菜源出口俄罗斯，如果咱屯里的大棚菜下来了，他可以帮助建立起联系……

郭金石站起身，在脸颊上抹了一把泪水，正准备向屯外走去时，突然发现对面的一堵土墙下缓缓站起一个人来。那人不知已在清晨的霜露中蹲守了多少时间，黑棉袄上已满是白花花一片霜花。

“金石，一定要走吗？”耿老德沙哑着嗓子问。

“大叔……”

“知道乡亲们送来这些菜，是个啥意思吗？”

“知道……”

“啥官不官的，别把那东西太当回事。官场上的事，咱庄稼人整不明白，也犯不上为那些烂糟事费心思。人啊，三起三落才是一辈子。我这是代表耿家屯几百口人留你了，先给我耿老德当当村长助理中不？屯里的事，你该咋支派还咋支派，你大叔不是那种死占着茅坑不拉屎的糊涂人！”

郭金石胸窝里荡起一股更大的热浪，霎时间冲激得他全身都烧烫起来。他紧紧拉住老人那双粗粗硬硬的手，动情地说：

“大叔，我还回来，很快就回来！”

郭金石大步登上了屯口的山岗，伫步回望，微微的晨曦中，那片蔬菜大棚映着金灿灿亮闪闪的霞光，还有大墙上的标语，虎生生的仍不失勃勃的气势：

党员不带头致富，浑蛋！

村民不想法脱贫，二头！！

（选自《湖南文学》1998年第1期）

孙春平

满族。1950年出生于辽宁省锦州市。1990年加入中国作家协会。现任辽宁省作协副主席，锦州市文联主席。

1975年开始文学创作。出版有中短篇小说集《路劫》《男儿情》《逐鹿松竹园》《老天有眼》《怕羞的木头》《公务员内参》，长篇小说《江心无岛》《老师本是老实人》《阡陌风》《县委书记》，报告文学集《这里锌光灿烂》《金的光，银的彩》《一个养路工和他的妻子》《绿魂》及影视剧本《阿C的口福》《远方有绿灯》《欢乐农家》等。小说集《路劫》获第四届全国少数民族文学创作骏马奖。

遍地羊群

张 继

玉朴扛着铁锄从地里锄草回来路过村口时看见村长王义正在和一帮村民说话。王义的声音很大,手背挥舞得像风扇。但是村民们显然不太认真听他的,有的还叽叽喳喳地问这问那,乱糟糟的像一群鸡。

玉朴本来是个喜欢热闹的人,可是自从儿子文远当了镇长就离热闹远了。不是玉朴摆高姿态,而是村人们说的话大都和镇里的有关,而这些话又大都不是好话,带着骂声,玉朴跟着骂不好,不跟着骂也不好,于是干脆躲开去。

玉朴这时也想装作看不见躲开他们。他把头上遮阳用的席荚子拉低了些,脚下的步子也不由地加快了,他很想快一点走过这群人。

那群人的精力显然太集中了,他们根本没有看见玉朴,尤其是王义,声音还越来越响。王义说:你们猜怎么着,文远一下子火了,文远说你是书记有什么了不得,我还是镇长呢,文远说完把手里的茶杯叭的一声摔到了地上,茶杯摔得粉碎,茶叶水把白书记的皮鞋都给弄湿了。

玉朴听到这里站住了,文远是他的儿子他不能不站住。他想文远可能跟人打架了,他想走过去听听,但是他走近的时候人群里忽然鸦雀无声了。村长王义最先反应过来。王义说:玉朴叔,我没有说什么,我是说着玩的。

玉朴说:你说就是,我还想听听呢。

王义有些不好意思地说:其实也没有什么。

玉朴说:不会吧,我听着你说文远把茶杯都摔了,还能没有事?

王义只好说:是这么回事,镇里白书记前段时间到南方考察,钱花了好几万,可是项目一个也没有带回来,文远镇长有些生气,就和白书记吵了几句。

玉朴觉得文远这孩子挺文静的,白书记他也见过,不像个吵架的人,他们两个在一起怎么会吵起来呢,就说:不会吧。

王义说:怎么不会,还摔了一只茶杯呢。

玉朴说:不可能吧,你亲眼见了?

王义说:我……

王义说:我没有亲眼看见,我是听说的。

玉朴听到这里有些生气,他说:耳听为虚,眼见为实,你听了这么一句哪能就当了真,随便乱讲呢,你这不是毁坏文远的名声吗,王义啊,你是村长,老亲世邻的,这是干什么?

玉朴说着把锄杠往肩上一横,气呼呼地走了。

这件事情对玉朴打击挺大。因为他一直把王义当作好人的,王义没事的时候总要到玉朴家里坐一会,向玉朴讲一讲文远在外面的事,说文远多么多么有工作能力,讲话多么多么有水平,多么多么会处理人际关系,总之都是一些好话,但是没想到今天背着他却讲起文远的坏话来。玉朴回到家连饭也吃不下了。

女人月香说:今天是怎么了,鼻子不是鼻子脸不是脸的。

玉朴没有说话,只是低着头吸烟。月香又劝了几句,玉朴还是那样,月香只好作罢了,一个人走到院子里去清扫落叶。秋天了,树叶黄了,有风吹来总是有三三两两的树叶飘下,用不了多大会儿就会飘满一院子。月香把它们扫成一堆,然后又把它们装进一个袋子里,才听见玉朴咳嗽了一声。月香知道玉朴要开口说话了,故意装作没有听见,继续拾掇院子。

玉朴又咳嗽了一声,这一回咳嗽得要更响一些,玉朴咳嗽完就说:你就不能过来一会儿。

月香说:我过来干吗?给你说话你也不理。月香虽然这么说,还是过来了。

玉朴说:王义真是的,在外面说咱文远的坏话呢。

月香说:是吗,他怎么说的?

玉朴说:说咱家文远和白书记吵架呢。还说摔了一只杯子,咱文远不是这样的人呀,我一听就数落了他几句。

月香说:就是,再说白书记咱也见过,不像是吵架的人。

白书记有一天到皮条村来检查工作时,曾经专门拐了个弯到家里来看他们。白书记还从门市部里买了两条"普滕"烟,虽然只有几毛钱一包,但是庄户烟,玉朴吸着实在、踏实。白书记是外地人,脸白白的,说话的声音也不和大家一样,待人却出奇的随和,进了家就和玉朴拉家常,拉得很地道。那天正好赶上家里没有茶叶。白书记说:无所谓无所谓,金茶银茶都不如原汁原味的白开水,我就喜欢喝白开水。说着就从包里拿出了茶杯,茶杯里装的真是白开水。玉朴对白书记的印象就特别好,到家里来的干部不少,竟然没有一个能够超过他。

玉朴说:他和咱文远的关系如果不好,他还来看咱吗?文远怎么会和他吵架。还有,王义说白书记到南方转了一圈,几天就花去了好几万,谁信,这不是哄人的吗?

月香说：就是，王义那是吃饱了没事瞎咋呼，你别听他的。

月香还要说几句，王义却自个儿来了，王义一副很难为情的样子，说：玉朴叔，你别生气啊。

玉朴说：不生气，不生气，只是今后你说话多少注意点，我们都无所谓了，关键是你和文远将来还要共事的，山不转水转，碰到一起怪不好看的。

王义苦笑着说：是呢，是呢，不过玉朴叔，我也没有说假话呢，文远镇长那天真和白书记吵了，我当时也在场。

玉朴说：你当时真在场？

王义说：当时好几个村干部都在呢，茶杯的碎玻璃还是我捡出去的，我一不小心还划破了一根手指头。

王义说着还把一根指头举给玉朴看。玉朴不得不信了，他自言自语地说：怎么会这样呢。

王义说：玉朴叔，这其实没有什么，工作起来磕磕绊绊的事常有，我和支书德厚不也吵嘛，吵完也就完了，你也别往心里去。

玉朴说：是了。

玉朴说完又说：我明天想到文远那里去看看。

月香说：才去没几天，怎么又要去？

玉朴说：我想去问问他吵架这事到底有理没理，就是有理咱也不能给人家白书记吵，人家是领导，又是外乡人，欺负外乡人人家要笑话的。

月香说：你去是去，千万别跟他吵起来。

玉朴说：我又不是小孩子。

王义说：要去咱明天一起去吧，我开着车去。

王义家有辆小四轮。

玉朴说：那麻烦你了。

文远住镇政府家属院。

文远在县城一中还有一套房子，媳妇住着。媳妇也是一个人，这么多年了他们也没要个孩子。玉朴到镇上的时候，文远正夹着文件包出门。

文远说：爹，你怎来这么早。

玉朴说：找你有点事呢。

文远看看表说：我到点了，还要主持村干部会，你在家等我吧。

文远说着把钥匙交给玉朴。玉朴接过来，说：你去吧，别误了你的事。

玉朴蹲在家里看了一上午电视，文远才散会回来。

文远说：爹，我这个小家收拾得还行吧。

玉朴说：我看着还少一样东西。

文远说:少什么?

玉朴说:你们该有个孩子了。这么分着过孤孤单单的,哪里像个家样。

文远说:生孩子早晚的事。

玉朴说:我和你娘都等急了。

文远打岔说:爹,你一大早跑来总不是让我生孩子的吧。

玉朴说:那当然。

文远说:有什么事?

玉朴想了想说:我听村上人都传说你和白书记吵架了,还摔了一只茶杯,有这事没有?

文远眨眨眼说:有这么回事,你是听谁说的?

玉朴说:你别问我听谁说的,这事你做得不对,白书记那个人可是好人,到村里还买了烟去看望我呢,咱欠人家的人情啊,是不是?

文远嘿嘿笑了,说:看望你是看望你,工作是工作,两码事。

玉朴说:你也别太认你的理了,白书记面相怪和善的,不像个凶恶的人,你往后要多谦让一些,别再争争吵吵的。

文远听到这里有些认真地说:爹,你当了一辈子农民,官场中的事情你一点也不懂,这不是农村争地边子,多一垄庄稼少一垄庄稼的事,这是做官,我谦让了他他能谦让我吗?不会的,你可能不知道白朝生从刚来那天起就想把我挤走了,我们两个不合头,就像农村里常说的不合群的牲口一样,一个比一个硬,一个比一个强,哪一个要松一点劲就要完蛋。你别看着他表面上笑眯眯的,其实内里我们是针尖对麦芒,绷绷响。

玉朴有些吃惊,说:既然这样你们干吗不走一个,不合头怎么干事。

文远说:除非是升官,否则,谁要先走谁就是输。

玉朴说:我怎么看白书记不是那样的人。

文远说:你看不清的,你不要以为他到村里看了你一回就觉得他好得不得了了,其实那是假象,是做给我看的。

玉朴还要摇头,文远就不给他说了,文远说:镇里的事真真假假,我和白书记是敏感人物,说什么的都有,你听了就当作没听见就是。

玉朴没说话。

文远问:行不行,爹。

玉朴只好懵懵懂懂地点点头说:行。

文远笑了,说:行什么?

玉朴说:听到了就装作没听见。

吃过饭后文远问玉朴还有什么事。玉朴想了想说:还是那事,我总觉得白书记……

文远无可奈何地摆着手说：爹，行了吧，你千万别提这事了，镇里的事你也千万不要掺和，你弄不懂的，以你这样的心地，真掺和进去了要少活十年。

又说：趁着天早你回去吧，下午我还要到县里去跑养羊的事。

玉朴说：好。

文远说：你怎么走？

玉朴说：我早晨是坐王义的小四轮来的，一会再坐王义的小四轮走。

文远说：王义中午散会时就回去了，你坐公共汽车回吧。文远说着给了玉朴五十块钱。

玉朴说：村里人到镇上来了你也该热情些，你怎么没留王义吃饭？

文远说：镇里光村长就有七八十个呢，我要都留着还不被他们吃趴下。

玉朴说：我没说全镇，我是说咱皮条村。

文远说：我又不光是皮条村的镇长，那样做其他村又该提我的意见了。

玉朴说：文远，我看你变了。

文远说：要是不变怎么当这镇长。

文远说着说着笑了起来。文远的两颗门牙挺大。玉朴觉得像两块石头，压得他心头郁郁的。

通往皮条沟的班车不是很多，这就使玉朴有较充分的时间去想文远那些乱七八糟的话。他在路边的一块石头上坐下来，像过电影似的将文远的话过了一遍又一遍，最终也没能想出个一二三来，他有点心疼。后来他干脆不去想了，生儿子是他的事，儿子长大了在世上走路了是儿子的事，他管不了，也不再管了。他自言自语地说：就是文远和白书记打得头破血流我也只当没有看见。

玉朴在说这句话的时候看见镇里的白书记坐着车从那边驶过来。玉朴害怕白书记看见他就连忙缩了缩脖子。但是他的脖子显然缩晚了，白书记已经看见了他。

白书记让司机把车停下来，说：老李啊，你怎么在这里坐着。

玉朴连忙站起来，说：我来看文远呢，现在想等公共汽车回去。

白书记有些生气地说：文远真是的，镇里的车都闲着呢，干吗不派一辆送送你。

玉朴说：他忙呢，到县里去了，再说有公共汽车也很方便。

白书记说：你上来吧，我用车送你。

玉朴不愿意上，白书记就跳下车拉他，弄得过路人都要过来看热闹了。玉朴只好上了车。

因为儿子文远那些话的缘故，玉朴坐在车里很拘束，不自在。白书记却谈笑风生，问这问那，还即兴讲了一个在县城遇见的笑话。白书记说：公安局的一个警察在商店里抓到了一个偷钱包的小偷，已经人赃俱获了，可是小偷仍然撒泼耍赖说自己没有犯罪。警察问他你不是犯罪是什么，小偷说：我是一不小心把手放错了口袋。白书记说完笑了。玉朴也跟着笑了起来，笑完之后就觉得轻松多了，凑个机会就把心里的一些话说了出来。玉朴说:文远小时候脾气就不太好,您多担待他一点。

白书记说:哪里哪里,我和文远共事两年了,还没发现什么不好呢,我觉得我们挺合得来的。

玉朴说:我是说前几天他给你摔茶杯那件事,你得原谅他。

白书记笑了,说:你要不提我都忘了,那件事不光文远的错,也有我的原因。不过我们早就什么事也没有了,昨天晚上我喝多了酒还是文远把我送回家的呢。

玉朴有点不太相信,说:真的吗?

白书记说:不相信你可以问一问司机小李,是不是小李?

小李说:是的。

玉朴是老实人,心里就一下亮堂起来。他想白书记的肚量到底比文远要大一些,而且话也好听,不像文远,一句接一句,火药似的。他定定地看了白书记一会,心里忍不住就笑了。

玉朴刚到家女人月香就告诉他村长王义来了三趟了,说找他有急事。玉朴说:知道什么事吧。

月香说:王义没说,看样子像是怪急的。

玉朴听这么说,就坐不住了,说:那我先去他家看看。

月香说:你歇一会吧,是他找你,又不是你找他,让他自己过来吧。

玉朴喊了一声,说:还是我过去吧,别让人说我摆镇长爹的架子。

王义的屋里坐得满满的,都是村干部,大家一人抱着一根烟,烟雾很大,看不清人面孔。玉朴有些尴尬,他扶着门框说:这是,这是开会吧,我要知道我就不来了。

几个村干部都站起来了。王义说:就差你了,你快过来吧。

玉朴说:别了,别了,我不是村干部这个会我不能开。

玉朴说着就要走。但是被支书德厚一把给抓住了,他大大咧咧地说:你老人家虽说不是村干部可是镇长的爹,这件事我们这么多村干部加在一起说不定还顶不上你一个有用呢。

玉朴站住了,说:到底什么事?

王义说:是这么回事,我们商量了一下,村里想上一个项目,就是办一个厂子,也算是想为村民增加收入吧。

玉朴说:办工厂好啊,这是好事,需要拿钱咱拿钱,需要出力咱出力,我保证不落后就是。

王义说:不是这么回事,现在呢,这个项目还在镇委白书记手里,我们几个正商量怎么才能把这个项目要回来呢。

玉朴听到这里神经就一紧,说:那就要过来就是。

王义说：哪有这么容易的事，据说白书记这回到南方考察就带回这一个项目，全镇七十多个村都争呢，别的村已经开始行动了，我是今天到镇里开会才听说的。

玉朴唔了一声，忽然想起什么，他说：你那天不是说白书记去南方一个项目也没带回来吗，现在怎么又有了一个？

王义说：前两天真是这么说的，不过现在又有一个也是真的，大家都在争呢，我们想请你帮村里一把。

玉朴听到这里头皮都炸了，说：村长，这事我怕是帮不上，项目要在我儿子文远手里，我是他爹我去了多少还好说一点，我和白书记又不熟，白书记和文远多少有些关节你也是知道的，我说了话也没用。

德厚说：有用的，你是镇长的爹，白书记就是对文远镇长再有看法也要敬你几分，你就到镇里跑一趟吧。

玉朴说：我不能去，再说乡里的事村里的事我也搞不清，也不想掺和，你们还是另想别的办法吧，我走了。

玉朴说着真撤了身。支书德厚又抓住了他，但动作稍微慢了点，只抓住了一只衣裳袖子。德厚说：镇长爹，你别挣了，你要再挣袖子就下来了。

玉朴铁了心，说：你就是把袖子拽下来我也不能去。

话没有说完脚下一使劲，"吃"的一声，袖子真给德厚给拽下来了。玉朴头也没回就跑，弄得一屋子里面面相觑。几个村干部怔了一会儿。村长王义说：除了他我们没有什么好法了，咱们几个快去追吧。

玉朴回到家就叫月香把门插上，并且上了大杠，自己爬到床上脱得光光的。

月香说：衣服破成这样，到底出了什么事。

这时几个村干部在门外喊门了。玉朴说：随他们怎么叫也别开门，就说我睡着了。

几个村干部趴在玉朴家的门上喊了半夜，把一村子人都惊起来了，玉朴也没有开门。直到几个村干部都散去了，玉朴才叹了一口气说：他们让我帮助他们到白书记那儿要那个什么灯泡厂项目呢，你说我能去吗，咱和白书记非亲非故，这不是难为我吗。

第二天天没亮玉朴就爬起来了，月香说：这么早你干什么？

玉朴说：我得出去躲一躲，别等到天亮了他们再来找我。

月香说：你到哪里去？

玉朴说：我到玉米地去吧，也顺便薅些草。

月香说：玉米都快收了还薅什么草，你去那里干吗？热不死你。

玉朴说：你想想除了玉米地哪里还有僻静的地方，你给我拿点吃的喝的，早饭中饭我都不回家吃了，谁问起来你也别告诉他们。

月香答应着，泪水盈盈的，说：作什么孽呀，儿子当了镇长，光没沾上多少，倒遭了不少罪。

玉朴在玉米地里躲了一天，天擦黑才敢回来。女人月香早已在门口等急了，老远看见了就跑过去说：你个老不死的，怎么才回来，我还以为你在地里热死了呢。

玉朴说：回来早了怕被人撞上。又说，王义他们没到家里来吧。

月香说：王义没来德厚来了，是来给你送那半截袖子的。

玉朴说：德厚说什么没有？

月香说：什么也没说。

玉朴说：没说就好。

月香说：好什么呀，二大爷在家里等了你一天了，他说你什么时候答应去镇上要项目他什么时候回去。

玉朴哦了一声。

玉朴的二大爷叫方有，七十多了，在屋里坐着脸拉得老长。

玉朴规规矩矩地叫了一声二大爷。

方有没理。过了一会儿才说：玉朴，咱当了镇长爹，咱在村里有地位了是吧，咱可以不理村长了，不理皮条村的老少爷们是吧，你不理是你不理的，可村里还有这么多李姓人住着呢，你总得给我们一点面子，留一口饭吃吧。

玉朴的汗就下来了。玉朴说：二大爷，您老误会了，我不是不理谁，我玉朴有什么，我只是觉得这事不是咱问的事，也问不上，问起来也难。

方有说：再难，村干部来求你了你总该伸伸头试巴试巴吧，别摆什么镇长爹的架子，村里人会骂的。你愿意听人家骂我还不愿意听呢。

方有老汉说完吭吭哧哧地咳嗽起来。

玉朴说：二大爷。你不明白这里面的事……

二大爷咳嗽透了，缓过气来挥挥手说：玉朴，你别说了。

又说：玉朴家的，你给我把沙发拾掇拾掇，我今天就在你们家睡了，玉朴什么时候答应了我什么时候回去。

月香有些着急，她拉了玉朴一把低声说：你就应下吧，你没看他那架势，要是真死在咱家里还不是你的事。

玉朴哭丧着脸说：这不是赶鸭子上架吗？

玉朴是空着手到镇上去找白书记的。王义和几个村干部都觉得空着手去见白书记有些不好，一大早就找几个年轻人上山上打了两只野鸡。但玉朴就是不拿。

王义说：现在时兴这个，见了书记也好开口说话。

玉朴想如果是两根金条银条往包里一装还好看些，背着两只野鸡往镇政府里一走像个什么事，传出去不给文远丢人吗。再说，玉朴对这趟差也没大信心，他想办不成就办不成，别再怪我赔进去了两只野鸡。他坚决不带，他给王义说：你要非让我带着我就不去了。王义只好作罢。

但支书德厚说：东西不带就不带了，总要放一挂鞭炮吧。

接着不由分说就点起了一挂。砰砰叭叭，纸屑散落如飘雪，烟尘散尽，一层层村人的面孔慢慢浮出来。玉朴顿时感到一股压力，他忽然觉得此行未免有些壮烈。

玉朴没有直接到镇政府去找白书记，他怕碰见儿子文远不太好说话。他先去传达室打问一下白书记在不在。传达室的人告诉他白书记在。他又问文远在不在。传达室的人又告诉他文远也在。玉朴就发起愁来。文远的办公室他是去过的，与白书记的办公室紧紧挨着，一个是东门，一个是西门，他走过去说不定就会撞上文远。他幻想着他们中的一个能够走出来。他就坐在镇政府门东旁的一棵塔松下面等。塔松不远处有一个垃圾箱，臭烘烘的，苍蝇嗡嗡嘤嘤地飞，根本不让玉朴安生，玉朴只好用手轰赶，他赶了一中午也没见白书记或文远走出来。他怕下班了，误了事，只好冒险向白书记的办公室走去。还好，文远不在办公室外面，玉朴急急走了几步，以至于赶到白书记门前没有收住脚，差一点跌倒了。

白书记问：门外是谁？

玉朴慌慌地答：白书记，是我，是我——

然后推门进去，他一下子惊呆了。文远也在呢。文远和白书记正在吃西瓜。文远说：爹，大热天的你怎么又来了？

玉朴说：我，我——

白书记说：来得正好，快过来吃西瓜。

说着拣了块大的递给玉朴。玉朴那块西瓜吃得很紧张。白书记说：瓜子吐在地上，一会我让他们过来打扫。

文远好不容易等玉朴把西瓜吃完了就叫玉朴到他办公室说话。

玉朴给白书记说：我先到文远这边，一会儿再过来给你说话。

文远在自己办公室里坐下来就说：没有什么大不了的事你往镇里跑嘛。

玉朴说：其实我今天是一点也不想来的，可是你二老爷，还有王义、德厚他们非逼着我来，我要不来你二老爷就躺在咱家里不走了。

文远说：到底又是什么事？

玉朴说：就是镇里灯泡厂这个项目的事，村里想办呢，叫我到乡里问一问，看看行不行。

文远说：这事我知道，没有多大意思，你给王义他们说，别跑了。

玉朴说：怎么没有多大意思，听说多少个村都在争呢。

文远说：他们争他们争去，你别跟着争了。

玉朴说：村里人都眼巴眼望地盼着这个厂子挣点钱，翻翻身呢。

文远说：不赔进去就不错，要花进去好几十万呢，皮条村就二百来户，一户不拿个千儿八百怕是办不起来。

玉朴听到这个数目咕哝了一会儿嘴,想了想觉得建厂不是他的事,他的事是把项目要过来,就说:我不问那么多。我只想请你帮我说一句把项目给王义。

文远想了想说:我再说一遍,这个事情没多大意思,别再费心费神了,你要真不听我的劝你自己去找白书记好了,这件事情是他牵头弄的,我们都有分工,他侧重灯泡厂,我搞养羊繁殖基地,我们各有打算,我的事他不插话,他的事我也不过问。

玉朴说:你在中间说句话就不行?

文远说:我不能说,官场的事你不知道,多一句话不如少一句话。

玉朴有些生气地说:动不动就拿官场来压我,好像你做了几辈子官似的,你不说就罢了,我一个人去说。

白书记屋里已经坐了两个人。两个人玉朴都认识,一个是小李庄的村长,另一个是刘村的支部书记。白书记给玉朴打了一个招呼。

玉朴说:白书记我找您说点事。

白书记就对两个村干部说:你们两个先停一停,叫老李先说。

玉朴觉得他要说的事情实在是不好告人的,就让那两位先说。白书记明白过来,笑了,叫两位村干部快点说。两位村干部说的都是办灯泡厂的事,态度好像一个比一个好,争到最后差一点拍了桌子。玉朴听得直想笑,同时也觉得这件事情的难度大起来,不由地有些担心。

白书记终于发话了。白书记说:让我再考虑一下。先叫两个村干部走了,回过脸问玉朴到底有什么事。

玉朴有点不好意思,说:白书记,其实我也和他们一样是来向你要项目的。

白书记笑了,说:怎么,你也想办灯泡厂?

玉朴说:不是我,是村里,我是帮王义来要的。

白书记说:王义真是鬼精。又说,皮条村的经济基础太差了,怕是办不起来。

玉朴也像刚才那两位村长似的表白说:白书记,王义他们的决心可大了,只要让他们办他们一定能办起来。

白书记笑了,说:他们是让你来求情的吧?

玉朴说:我本来不想来的,可是他们非逼着我来,你要是为难就当我没说。

白书记没有说话,愣了一会才说,文远知道这事吧。

玉朴说:知道。

白书记问:他是什么态度?

玉朴说:他说这是你分管的事,他不过问。

白书记点点头,在屋里转了一圈说:这样吧,看在你老李的面上我就优先考虑你们皮条村吧,你让王义来一趟。

玉朴有些激动,说:白书记这么说你把灯泡厂给我们皮条村了?

白书记说：我还要看一看王义的态度。

玉朴说：王义的态度没说的，你听好吧。

玉朴没想到事情会这么顺利，他激动得有些得意忘形，回村时连班车也顾不上赶，跑着回去的。回到村他没有先进自己的家，而是敲了王义的家门。

王义说：玉朴叔，怎么样？

玉朴说：成了，成了。

王义说：真的？

玉朴说：真的。

但玉朴说完又有些后悔，他想起白书记还要王义去一趟呢，就咬着牙使劲把话口往后收了收。说：不过白书记还要你到镇里去一趟。

王义说：去干什么？

玉朴说：白书记说看看你的态度。

次日一早，王义就到镇里去了一趟，真的把项目带回来了。

灯泡厂就建在村办小学的东面，和学校那排房子紧挨着。学校的几个老师还跑到村里提意见，说厂子建成了会影响学生上课。王义也觉得有道理，但厂址是镇里白书记亲自选的，王义觉得调了不好，就没调。施工那天镇里的大干部都来了，县报县电视台还来了好几个女记者，场面搞得很大，很热闹。

玉朴没去，他本来要去的，可是王义非要他在开工仪式上讲几句话，那是什么场面，他害怕出这种风头。但整个过场他都从电视里看到了，村里人都在电视里笑，一个个笑得花似的。

玉朴说：人一到电视里就变得好看了。

月香说：那当然，要不电视里的人都那么俊呢。

停了一会儿月香又说：灯泡厂建成了咱也到工厂里去当工人吧。

玉朴说：没老死你，村里的年轻人怕还装不下呢，还能轮得上你。

月香理直气壮地说：这厂子没有你就建不成，进一个人也得优先咱。

玉朴听不下去了，他生气地说：这种话只能藏在家里关起门讲，传出去人家要笑话的。

厂房建得很快，只用了一个月的时间就建成了。先前村里人以为工厂的厂房一定是很高很大的，但是建好之后都有些失望，两排房子大小样式和学校里的教室没有什么两样，而且最主要的是连一根烟囱也没有，村里不少人都到王义家问王义有没有搞错。王义说这是一个不冒烟的工厂，无烟企业你们懂不懂？

玉朴也有些不懂，他曾专门到厂房来看过几次，但怎么看也没有看出这房子有什么特别来。有一天听说儿子文远带着一帮镇里的干部到皮条村检查积肥造肥，就早早地坐在路口等。文远十点多钟的时候真的来了，玉朴就拦住他问：这厂房建得怎么和学校里的一样?

文远笑着说:白书记想得长远呢,如果厂子办不成,直接就把厂房改成学校,也省了再二次施工了。

玉朴说:你尽说些狂话,好好的事情怎么能办不成。

文远说:才刚刚开始呢,花钱的事都在后面呢。

玉朴说:白书记说了,买机器的钱他帮着贷款呢。

文远说:银行里就是有再多的钱他也不会给这个灯泡厂贷的。

玉朴说:为什么?

文远说:官场复杂,有些事我不能明说。

玉朴听儿子提官场两个字就头疼,说:别提官场上的事,官场上的事我不懂。可是我知道你对人家白书记有意见就不会说人家的好话,人家白书记哪一点没对住你,嗯?

文远被老爹问得说不出话来。

但事情的发展确实如文远说的那样,灯泡厂的厂房建起来之后,白书记那边就没有多大的动作了。皮条村的村长王义连着到白书记那里去了四趟,每一次白书记都很热情,但每一次都说:最近银行的贷款好像紧一些,等过一段时间再说吧。可是过一段时间再去,白书记还是那样的话。王义就有些发急。

王义每一次去镇里回来都要到玉朴家里坐一会儿。王义每一次来玉朴的心里就会乱一些,刚开始的时候他还安慰王义说:别着急,别着急,领导有领导的考虑。可是后来也跟着王义叹起气来。

王义说:玉朴叔,我真是太没有本事了,你好不容易要来的项目我竟然建不成。

玉朴说:这是白书记的事,哪能怨你,不怨你,不怨你。

王义说:怨我,怨我这个村长没有本事,我占着这个位子干吗,我还不如不干了呢。

王义还说了许多类似的话,刚开始玉朴不明白,等到后来就明白了。王义是想让他再到镇里去一趟呢,玉朴有点心跳过速,有些害怕。他实在不想去,这可是钱的事,钱是纸做的,但钱又是硬物,不是一句话就能成的事。玉朴想我还是装糊涂吧。显然王义不让他装,王义悲伤地说:玉朴叔,不是我不想干事业,不是我败家,是我无能。过两天我再到镇上去一趟,问白书记一句准话,如果最近能把贷款贷来,机器拉来,这个灯泡厂咱还办,如果弄不来这个厂子就算了。

这么一激玉朴果然装不下去了,玉朴说:王义你不能这么干,到手的好事情你这么一折腾不就完了吗,再说镇里以后什么好事再也不会给咱皮条村了。

王义可怜巴巴地说:可是不这么做我实在没有什么好办法呀。

玉朴想了想说:王义,你抽个时间再到镇里去一趟看看,如果实在不行,我去白书记那里试试。

王义听了这话笑了，说：玉朴叔一句话比我跑十趟腿还强呢。

玉朴苦笑着说：你别把我的话说得这么贵，说不定办不成呢。

王义走了之后，女人月香一个劲地埋怨玉朴：你怎么撑不住他三句好话又答应了他呢。

玉朴说：我要不答应，厂子他要真不办怎么办。

月香说：办不成就办不成。

玉朴说：你说得好听，不管怎么说这个厂子是我从中牵的线，弄砸了我不跟着丢人吗，还有文远，也没有多少面子。

月香说：我看你这回是被牵进去了。

玉朴说：我一点也不想被牵进去，怎么一不小心就进去了呢。

他愣了一会儿又幻想说：说不定王义再到镇里去时白书记已经把所有的事情都做了呢。

王义从镇里回来时并没有带来玉朴幻想的那种好消息，但是却给玉朴带回来一箱子苹果。王义说：是白书记让我捎给你的。

玉朴有些激动，说，感谢白书记，感谢白书记。

又说：白书记还说了什么？

王义说：白书记没说什么，他听说你要去看他就让我捎回了这一箱苹果。

玉朴吃惊地说：王义，我什么时候说过要去看他了？

王义说：你不是说过两天到镇上去一趟吗？

玉朴明白过来，他忽然意识到王义已经把他推上路了，再想回头已是很难。他想数落王义几句，又张不开口，只好说：是的，我是说过去一趟的。

王义说：白书记对你真好呢，你去了准能行，这次去就别空手了，带点东西吧，带点什么，我去帮你准备。

玉朴说：不要了吧。

王义说：哪能不要，再说，白书记到银行贷款说不定也不空手呢。

村长王义回去以后就和几个村干部商量了一回，觉得野鸡野兔的怕是不行，稀罕点的东西想来想去只剩下獾狗子了。

支书德厚说：獾狗子这东西比人还能，一般白天不出来，怪难抓的。

王义说：再难抓总还有个抓，比让咱去银行贷款多少容易点吧。

就给村委会的几个干部排了一下班，轮换着到村北坟地里去等，等到第四天终于等到了一个，只是在捉的时候出了一点问题，王义一不小心胳膊被獾狗子撕掉一大块肉去。

王义是缠着绷带去见玉朴的，王义说：这回可有见白书记的东西了。

但玉朴却病了，玉朴躺在床上，头上还覆了一块湿毛巾。玉朴看见王义想坐起来，王义没让。王义说：怎么了。

玉朴说:可能昨天晚上洗澡时感冒了,不过也没什么,不行我明天就到镇上去吧。王义说:不急不急,等病好了再说。

玉朴又问起王义的胳膊,知道后摇摇头说:王义,真难为你了。又说,没想到办个厂子这么难。

王义说:咱这还是容易的呢,你到镇里去了一趟就把项目给弄来了。

玉朴又摇摇头,不再说话。

玉朴的病是装出来的。玉朴说:这回我不能再去找白书记了。

月香说:怎么不能去。

玉朴说:去了也办不成,白书记在这事上一定为难了,我倒不如不去。

月香说:你怎么知道办不成。

玉朴说:那箱苹果你还看不出来,白书记如果想叫我去,还不等着我去拿,还能让王义捎回来,再说白书记也没有说让我去看他。白书记什么样的人物,他一定猜出我找他是为了贷款,才送了这箱苹果,我不能不知趣去自找这个难看。

月香说:你已经答应王义了。

玉朴说:答应了也不能去。

后来月香就给他想出了在家装病这个主意。

月香说:王义的胳膊被獾狗子咬得不轻。

玉朴说:王义还不是想快一点把事情办成,可是——,拖一拖再说吧。

可是事情显然是拖不下去了。先是几个村干部来家里探望,接着村民们也来了,一帮接着一帮,玉朴家像赶集一样热闹,买鸡的有,买鸡蛋的有,买肉买鱼的也有,只两三天工夫就把玉朴家里堆得满满的。

玉朴从前也病过,但是从来没有过这样的场面,玉朴知道大家都是为灯泡厂来的,这使玉朴更加不安起来。

儿子文远也坐着车来了,一进门就问怎么回事。月香想把真相说出来,但玉朴一个劲拿眼睛瞪他,弄到最后文远非要拉玉朴到县医院去治疗。玉朴觉得实在瞒不下了,就说了出来。文远听完哭笑不得。

文远说:爹,你费这么大劲干什么。

玉朴说:我也不想费这劲,又有什么办法,你帮帮我吧。

文远说:养羊的事就够我忙的了,再说,这是白书记的事,我就是能帮上也不会去帮。

玉朴说:可现在这事成了我的事了。

文远说:跟你有什么关系,是你自己硬往手上沾呢。

月香说:他沾也罢,不沾也罢,现在弄成这样,你这个当儿子的总不能看着不管吧。

文远说:白书记是八沟镇的党委书记,他要弄十万二十万贷款还不容易,他这么做有他的打算,我说不上话。官场也不像你们想得那么简单,只要有机会伸嘴就说上一句,我这个镇长也干得不容易,你们也别再给我添乱了。

玉朴说:听你的话白书记好像是故意不做的。

文远说:差不多。

文远走后玉朴的心事更重了一些,再加上王义德厚他们三天两头逼他一回,一着急冲了一嘴火泡,竟然真的得起病来,连床也不能下了。

王义看着玉朴这边没了指望,又去找镇里的白书记。白书记仍然说还要等一段时间,王义说:书记,村里人都等急了。

白书记说:钱实在有点不太好弄。

王义就说了硬话,说:村里人有的是力气,您给找点活干吧,多少也能挣一些。

白书记想了想说:镇里倒有一个运河河道的清淤工程,本来是想花十几万块雇机器干的,你们皮条村如果有兴趣的话就给你们。

王义说:干完就能给现钱吗?

白书记说:能。又说,怕是要干一两个月呢。

王义说:反正现在是农闲,闲着也是闲着,干上一个冬天能把买机器设备的钱挣回来也算值了。

王义回村和村民们一说,村民们都很踊跃,打着行李包裹就去了运河工地,男女老少差不多去了三百多口子。但是没干三天就出了一次大事故,一辆载重的平板车上坡的时候没有爬上去,一下子俯冲下去,撞断了两个人的大腿。这可不是小事情,传到村里村里都炸锅了。玉朴的病虽然没好,他也硬撑着到了工地,不看不知道,一看吓一跳,工段太危险了,要从二三十米深的河底下把淤泥一点点地清上来,河岸陡得站不住人。人在上面几乎都要爬着走,明明是机器干的活,却要用人拼不是闹着玩吗,他说:王义,快回吧,弄不好要出人命的。

王义拿着劲说:没事,干几天就习惯了,就好了。

玉朴说:还没事呢,已经伤了两个了。

王义眼泪都下来了,说:我也知道危险,可不干怎么办,还要建厂子呢,这不是被逼的吗,你看村里人的劲头,——干吧,等厂子建起来,谁伤了我用厂子挣的钱养他的老。

王义说完就扑哧扑哧地踏着湿泥下到河底去了。玉朴看着河道里又是泥又是水的乡亲,忽然觉得身上的血热了起来,咬咬牙一声没吭转身就走了。

玉朴找到了儿子文远。文远说:爹,你是哪里来的,一身泥。

玉朴说:从工地上。

文远说:拿点钱就是还往工地上跑嘛?

玉朴叹了一口气,说:文远,其他的话咱也别讲了,我今天是来求你办事的。

文远说:爹,你又来了,是不是灯泡厂的事?你别再提这个,要提你找白书记提去,他还不当回事呢,看把你忙的。

玉朴说:我今天是专门来给你说的,工地上伤了人你知道不知道。

文远说:听说了,王义胡捣鼓,非要让村民去挣那钱,那钱是好挣的吗?

玉朴说:他们要是不为了建灯泡厂拉着他们他们也不会去。

文远没说话。

玉朴说:你是镇长呢,哎,就算你不是镇长你还是皮条村的人呢,皮条村人要是都死在伤在运河清淤工地上,你文远的脸上有光吗?我今天是从工地上跑来求你的,我要不是有你这么一个当镇长的儿子我也不会操这份闲心,也操不上。可是我玉朴倒霉,我摊上了这么一个有用有出息的儿子,我不操这份闲心庄上人要嘀咕我,骂我。我只问你到底有没有帮村里老少爷们的办法,你要是没有我这就回工地去挣那夺命的钱,你要是有办法那你立马就给我办。

文远从来没见过老爹发这么大火,热汗一股股地往外面出,不一会儿就把衣服湿透了,他说:爹——

玉朴说:你别先喊我爹,你先答我的话。

文远在屋里转了半天,脸色沉沉的,终于迸出一句话:爹,我帮你就是。

玉朴依然没有露出笑脸,说:文远呢,你怎么帮我?

文远说:你不要多问了,我保证两三天之内白书记会主动到工地上找王义谈灯泡厂的事。文远又说:官场上的事复杂,这件事情你就装作不知道,谁也不要讲。

玉朴半信半疑地说:你可不要哄我。

文远没有哄他老爹,三日之后八沟镇的党委书记白朝生真的赶到了运河清淤工地,他看了这么艰苦的劳动场面显得很激动,甚至可以说激动得有些忘我。他穿着锃亮的皮鞋就跑到了河道里,在一堆劳作的泥人中找到了皮条村的村长王义,几乎声泪俱下地说:王义,这么危险的工程我当初不太清楚,不要说给咱十五万,就是给咱五十万也不能干呀,听说伤了好几个。王义说:四个,好在没有死人。

白书记悲痛地说:算了,不能再干了。

王义说:不,不把这十五万块钱挣回来我们就不回去,众人也跟着高声附和着。

白书记点点头,说:好,皮条村人有志气,有劲头,靠这种精神我们就没有克服不了的困难,不过咱们还是回去吧,把力气用在建灯泡厂上。

王义疑惑地说:那买设备的钱呢?

白书记拍拍王义的肩膀说:虽然挺费事的,总算差不多解决了。

工地上顿时欢呼起来。有人甚至还喊起了白书记万岁。白书记大度地笑着,说:王义,回去休息休息就到镇上去找我,我们一起商量一下买设备、运设备和安装设备的事。

王义说:歇不歇的无所谓,我马上就去找你。

白书记临上车的时候放眼看了一下工地,说:怎么没有看见老李,李玉朴。

王义说:他身体这段时间不太好,没到工地来。

白书记说:是吗,好长时间没见他了,你明天到镇里去的时候把他也叫着,我想和他说说话。

王义答应着,回到皮条村就把这事和厂子的事一起给玉朴说了。玉朴笑了,说:文远这孩子还是能办事的,他的话到底比我们的话强多了。

王义听了个一知半解,他说:你是说文远镇长为厂子的事找过白书记了?

玉朴说:文远找没找白书记我不知道,反正那天我从工地上回来就去找文远了,文远答应了,没想到事情这么快就有结果了。

王义说:怪不得呢。

所以第二天到镇政府的时候王义提出先感谢一下文远。

玉朴说:文远是村里人,还是先见白书记吧。

王义说:不行,先见文远镇长。

两个人正在争执,文远从办公室出来了。文远不高兴地说:你们两个怎么来了?

王义说:是白书记叫我们来的,说是商量灯泡厂买设备的事。

文远又问玉朴:你呢?

玉朴说:白书记让我跟王义来的,说好长时间没见我了,要给我说说话。我也觉得这灯泡厂的设备快要买成了,怪感激人家的,顺便也来说一句感谢话。

文远皱着眉头生气地说:你这是哪扯哪呀,你到我屋里来。

王义也想跟进来,被文远挡住了,说:你先到白书记屋去吧,我给爹说点事。

文远的脸色不太好看,他咚的一声关上门,说:你整天就知道买设备买设备,你知道不知道这买设备用的是什么钱?

玉朴说:不是从银行贷的款吗?

文远说:不是的,是想用我办养羊繁殖基地的钱,这一笔钱是我从县里区里市里跑了大半年求来的,腿都快跑断了,真用它买了设备我这半年的心血就白费了。

玉朴大吃一惊,说:这钱不是你心甘情愿让出去的?

文远说:白朝生办白朝生的灯泡厂,我搞我的养羊基地,他出了成绩是他的,我出了成绩是我的,我干吗让他。

玉朴也觉得白书记有些不对头,就说:他干吗要挪这个钱,他为什么不贷款,他贷不来吗?

文远说:他怎么贷不来,他是故意算计我的,爹,你今天不该来。

玉朴说:为什么?

文远说:我今天要吵架,你在跟前不好。

玉朴说:文远呢,你千万别吵,吵了影响不好。

文远说:事到如今我还顾什么影响不影响,今天非和白朝生争个上下高低不可。

玉朴还要劝几句,这时有人喊文远去开会。文远深深地吸了一口气说:好,我这就去。说着从桌上拿起笔记本就出去了,走到门口又叮嘱玉朴外面无论发生什么事都不要出来,这样也少难看些。

玉朴点点头,然后心就悬了起来。他长这么大还真没见过书记和镇长吵架的场面,但他想那场面一定很大的,他不知道到时候他到底是出去拉架好,还是躲在屋里装聋作哑好,他拿不定主意,这件事情显然使玉朴为难了。他像老驴推磨似的在文远镇长的办公室里转着圈子。后来他好像拿定主意了,但文远办公桌的电话却突然响起来,一下子把他好不容易拿定的主意又给吓跑了,他一动不动地立在那里,瞪着电话铃,直到铃声消失。那一刻他的脑子里一片空白。

后来,玉朴开始想文远和白书记在这件事上的是是非非。他觉得儿子生气是有道理的,又觉得白书记不管怎么说也没把钱装在口袋里,是为了他们皮条村的灯泡厂,看不出错处来。就这样儿子白书记、白书记儿子两个人在他的脑子里反反复复出现几次之后,玉朴一下子失去了判断是非的标准,他感到困惑,感到心力交瘁,他有一种要跌倒的感觉,只好在一张椅子上坐下来。

文远无声无息地回来了。他在办公室里站了许久也没有说话,也没有看玉朴。玉朴觉得奇怪,玉朴说:你怎么了?

文远转过脸来。玉朴竟发现文远脸上挂着两条泪水。

玉朴又说:你怎么了,吵架了?

文远说:没有。

但是文远说完牙齿就咯咯地响起来。玉朴知道文远受的委屈大了,就说:别这样,你这样还不如出去打一架呢。

文远说:我本来是想和白朝生吵一场的,可是王义今天也坐在会上呢,我能吵嘛,我能当着王义的面说这笔钱不给皮条村吗,我要真说了以后还能回皮条村见人吗?我只能哑巴吃黄连,认了。

玉朴听到这里似乎明白过来一些什么,说:白书记让我和王义来是不是想堵你的嘴?

文远说:不是这个又是什么,我早就说过,官场的事情复杂,叫你少掺和,这不,把我的事情也给掺和砸了。

玉朴忽然有点内疚,觉得对不住儿子,至于什么地方对不住的,他也弄不清,只好在那里低着头默默地坐着。

王义兴高采烈地进来了,王义进了门就给文远鞠了个躬,说:多谢李镇长,要不是你那笔钱灯泡厂就办不成了。

文远说:你也别谢我,说句心里话,要不是看在我是皮条村人的份上,这钱无论如何我也不会让的。

王义说:那是那是,皮条村的老少爷们永远记着您的大恩大德。

文远的心里正不好受呢,眉头又皱起来了。玉朴怕文远一恼说出骂人的话来,就拦住王义说:王义,事情办完了,咱也该回了。

王义说:中午不走了,白书记说要请你的客呢,也让我跟着沾沾光。

玉朴想一想前前后后的事,有点生白书记的气,就说:你去告诉白书记,别请了。我这就回去,家里还有事做。

文远却说:书记请吃,哪能不去,去吧,我也去。

文远喝醉了,文远的爱人又在县城,身边没有人,玉朴只好留下来陪他。文远醉得太厉害,直到第二天中午才醒过来,看到老爹在床前坐着他有些不好意思,叫了声:爹。

玉朴说:心里不好受也不要喝这么多,伤了身子是自己的。

文远说:没什么了,你放心回吧。

玉朴说:好。

临走时又想起一件事,说:文远,我问你一句话。

文远说:爹,你问吧。

玉朴说:那天你是用了什么法子让白书记到工地上去的?

文远没有回答他,停了一会儿也没有回答他。

玉朴说:我估计不是什么好法子,要是什么好法子他也不会这么快就变着法子挤对你。

文远说:你猜对了,真不是什么好法子。

玉朴听到这里瞪大了眼睛,说:既然不是什么好法子你要不想说就别说了吧。

文远说:其实,说出来也没什么。我写了他一封举报信。

玉朴说:你举报他什么?

文远说:这件事也和灯泡厂有关。前段时间白朝生到南方转了一圈,说是考察,其实是旅游,一个项目也没带回来。我和他吵了一架,镇里其他领导也有意见。他为了堵众人的口,不知临时从哪里弄来了这个灯泡厂项目。厂房建起来之后他见镇里没有什么风声,就想把灯泡厂的事搁下来。你那天来央求我,我又把这件事反映了上去,逼了他一下,他就着急了,可是没有想到他打起了我那笔养羊款的主意,并且打得我猝不及防。

玉朴听到这里又想笑了,他说:没想到你们两个斗来斗去的倒让皮条村捡了个大便宜。

又说:文远啊,你当了回镇长,受了点委屈,不过呢,能给村里老少爷们办了这件大事也算值得了。

文远说:可是我不是皮条村的村长,我是八沟镇的镇长,这样的好事一年要是办上一个我这个镇长也算干到头了,这口气我是不会轻易咽下去的。

玉朴说:你还要干什么?

文远说:你别问了,现在灯泡厂差不多建成了,你千万不要再问什么了,你要再问我就没法工作了,你要再问,你,你干脆来替我当这个镇长吧。

文远说着眼泪都下来了。玉朴知道文远心里烦他烦得重了,就闭了嘴,打定主意以后再也不到镇上来了。文远看着玉朴一副诚惶诚恐的样子,忍不住笑了,说:爹,你老人家要真不来烦我,我就给你生个孙子。

玉朴笑着说:好好好。

玉朴真的很长时间没有到镇上去,这期间皮条村的变化很大,几乎每天都有几条新闻。村长王义忙得像一只汽车轮子,他要给工厂架电,安排安装工人的生活,督促村民们干一些体力活,和几个村干部轮流着值夜看守机器。喷着油漆的机器一件件地运来了,它们对于皮条村是新得不能再新的新鲜事物,它们身上的每一个螺丝,每一块铁片都吸引着村民们的神经。那几间不大的厂房里每天都挤满了村里人,赶都赶不走,尽管村长王义和支书德厚骂的话很难听。安装师傅说:给我拿一下扳手,就有十几个人争着给拿。大家都以能够伸一下手为荣。

月香也去了几次,并且每一次回来都兴奋得要命,用各种各样的手势向玉朴描述着她看到的一些莫名其妙的物件。有一次她甚至还描述出了一个像男人生殖器一样的东西,她说那个东西是玻璃的,放在一个铁架子上,可是被安装工人碰了一下,掉在地上摔碎了。

月香说完以为玉朴会笑几声,但是玉朴没笑,相反还露出些哭相。

月香说:你怎么了。

玉朴说:不怎么。

玉朴笑不起来,尽管村里人都笑他不笑,他总觉得村人的笑声中有他儿子文远的哭声,这是一件没有办法的事。

村长王义一早一晚只要有时间还是到玉朴家来的,只是王义一来就说机器、灯泡厂,很少再说文远了。有一次王义还悄悄地说:白书记说了,灯泡厂办得好了就把我提拔到镇里去。

王义的情绪好极了,他问玉朴:你说到时候我去不去镇里?

玉朴听了这句话就像听了一堆狗屎,一点兴趣也没有,就说:你自己随便吧。

王义说:其实到镇里也有好处,咱文远当着镇长呢也不会让我吃亏。

玉朴有些起鸡皮疙瘩,他实在怕再给文远沾惹上什么,就打起了哈哈。他忽然想离王义远一点,并且这种愿望十分强烈,但他又不能驱赶他,只好躲出去。

天气渐渐凉了起来,玉朴每天都不在家里待了,他到田野里去了。玉米已经收获完了,麦苗才刚刚出齐,绿茸茸的显得很新鲜,很柔软,天空很高远,很辽阔,也很静。玉朴在某一块田头上歪躺着,半醒半睡,什么也不去想。阳光暖暖的,一点一点地从他身上滚过,有时滚动得重些,有时滚动得轻些,但速度是一样的,不紧不慢,玉朴觉得他的感觉越来越好了,他对自己也越来越满意。他甚至都不想回家了。

但不幸的是有一天几乎全村的人都行动起来寻找他了。玉朴躺在一堆干草上看见许多村民惊慌失措地走出村庄,四散开去。他以为村里发生了地震,他站起来的时候却听到村人是在喊他。

村长王义气喘吁吁地说:白书记坐着车从镇上专门来找你了。

玉朴吓了一跳,说:他找我干什么?

王义说:我也不知道,不过,看上去他挺着急的。

玉朴心里一惊一跳的,他觉得一定不是什么好事情,就说:我不去,你们告诉他没有看见我。

王义有点生气地说:玉朴叔,他是镇里的书记呢,你还摆什么架子。

然后就让两个年轻人连拉带拽地把玉朴弄回去了。

白书记正在家里等着他呢,白书记还给他带来了许多东西。白书记说:老李啊,我来看你来了。

在挪用文远的养羊款这件事情上,玉朴对白书记的看法一直很重,到现在也没好起来。于是他没有给白书记再客套,就说:白书记你还有事吧?

白书记笑了,笑得有点不太好意思,说:不瞒你说,我还有事请你帮忙。

玉朴说:我一个老百姓能帮上你什么。

白书记说:事情到了这地步再绕弯子也没意思,文远镇长和我顶上了,还是因为养羊专款的事。他倒没有告我挪用养羊款办灯泡厂,而是说养羊资金落实到了皮条村,上面要来检查皮条村养了多少只羊呢。

玉朴原来以为那养羊的钱花完就花完了,怎么现在又拾掇起来了,他有点生文远的气,但嘴上仍然说:这是你和文远之间的事,你和他解决吧,我问不上。

白书记说:本来我也不想来麻烦您,我一直很尊重您,所以才来找您商量这事。

玉朴被“尊重”两个字弄得有点脸热,他说:我一个老头子你找我商量个嘛。

白书记说:当初为了办灯泡厂心急了点,把文远争取来的养羊款挪用了是有些不对,我最近又从邻县弄来二十万元贷款,想把这个空子补上,可是文远不同意。

玉朴说:你手里既然有了钱,买羊就是,他不同意就罢了,你别理他。

白书记苦笑着说:老李啊,你不明白,养羊的事一直都是文远镇长抓的,我找不清头绪,就是拿着钱我也找不到买羊的地方。再说县里最近两天可能就要检查了,让我重新跑也来不及,还得靠文远。文远一直很听你的话,我求你劝劝他。

玉朴心里想“活该你倒霉”，但嘴上却说：我当着文远的面说过的，以后再也不掺和这类事，白书记你别怪我，你还是回去吧。玉朴说着就让女人月香收拾白书记带来的东西，然后帮着一件件地往白书记车上拿。

白书记见状也没有阻拦，而是笑眯眯地说：老李啊，我先跑来给你打这么一个招呼也是替你和文远考虑，我倒不会有什么大不了的事，挪用那些钱是为了办灯泡厂，上面查出来最多给我一个处分，不过村里人要知道这事，你们家在村里的日子会好过吗？

玉朴听了这句话，像被谁迎头打了一棒，好一会儿才醒过神来，不过他刚才已经把弓拉满了，再想收回来也难，只好顺势说：我们好过不好过你就别问了，实在过不下去我们就搬走。

硬话显然是可以这样说的，但这事要真落在身上也真够吓人。玉朴心里慌作一团，六神无主，表面上看着还镇定一些，月香早就沉不住气了。白书记那一双大脚还没有收进轿车里呢，她就大喊大叫起来：这事要真让村里人知道了咱这人就得罪大了，我可丢不起这个人，你快点到镇上找文远去商量商量吧。

玉朴说：文远已经够烦的了，再去找他不是给他添乱吗？

月香说：不给他添乱你有什么好法，你说，你说，你说？

月香像个泼妇，几个“你说”也把玉朴弄得心乱如麻，一点退路也没有，只好硬着头皮去找文远。

文远在家里待着呢，对玉朴的到来异常敏感。文远说：爹，你该不是掺和什么事的吧？

玉朴说：你的那些事我听着就够了，实在不想掺和——

文远说：爹，这事你就是掺和我也不能听你的，给你说吧，白朝生被我咬住了，他就是再狡猾再有办法，这一回也逃不脱了，他栽定了。

文远说着还指着墙角的一箱酒说：白朝生早晨送来的，想让我高抬贵手，哪有这么好的好事。

玉朴最看不得文远这股得意忘形的劲头，他说，杀人不过头点地，他栽了对你有什么好处。

文远说：好处大了。

玉朴说：别净看着好处，他真栽了村里人会怎么看你你想过吗？

文远说：怎么看？

玉朴咕哝了一会嘴说：不把你当人看。

文远说：村里人怎么看我无所谓，村里人说我好我也好不了，村里人说我坏也未必坏，村里人——，爹，你今天是为白朝生来讲话的吧？

玉朴说：我这回不是为白朝生，也不是为村里人，是为你为我自己。你和白书记之间有什么恩怨,你们吵也罢,打也罢我不多嘴。不过爹求你不要在养羊钱上掰他茬,养羊钱连着咱村里的灯泡厂呢,你掰倒了他,咱李家的人在村里也倒了。

文远说:你以为找个机会就这么容易嘛,机不可失,失不再来,你别多说了,我上次信了你一次,吃了白朝生一顿闷棍,差一点没能爬起来。这一次你就是说得天花乱坠我也不会听你的。

玉朴说:这么说你不打算改变主意了?

文远说:爹,我没法改变。

玉朴看出文远这次是铁了心了,再说也无益,只好绝望地说:好,那你就在这里当你的镇长吧,永远也别到皮条村去了。

玉朴说完就走。外面已经下起雨来,雨声哗哗地响,地上积水奔流。

文远说:爹,等雨停了再走。

玉朴没有理他。

玉朴回到家时女人月香正俯在床上嘤嘤地哭。月香说:村里人已经知道文远举报白书记的事,他们对文远恨得深了,我刚才到外面挑水,有几个人在后面戳我的脊梁骨。

玉朴叹了口气说:文远做下了这种事也难怪人家指戳咱呀。愣了半晌又长叹一声说,家里还有多少钱?

月香说:要钱干什么?

玉朴说:文远这个狗日的不顾我们,我们还得顾自己吧,我想拿点钱到王义家去说叨说叨,解释解释。

月香哭哭啼啼地说:看看,看看,儿子当了镇长,我们都跟着沾了些什么光呀——

玉朴烦躁地说:行了,行了,都到这时候了你说那些话还有什么用,真是的。

玉朴拿了钱去王义家。月香说:你也不换换湿衣服。

玉朴说:雨还在下着呢,换不换无所谓的。

村长王义和支书德厚正在家里喝闷酒,看见玉朴都站起来给玉朴打招呼;玉朴显得很难为情,说:你们两个都在呢,我生了这么一个不仁不孝的儿子实在对不起大家,对不起村里,大家骂我我听着。不是说上面要来检查养羊的事吗,我这里有三千块钱,是我多年积攒下来的,就交给村里能买几只羊算几只羊吧。

王义和德厚都有些受不了了,王义说:玉朴叔,你怎么能这样说呢,村里的厂子要不是你和文远镇长出力根本办不成,感激还来不及呢,你别听外面人瞎说,他们是小人见识,你别往心里去。

支书德厚接过来说:这事也让大家怪为难的,你说白书记好心好意地给咱们村办了这么一个灯泡厂,要是这么栽了咱不是误了人家的前途吗?

玉朴说:是的,是的。我也觉得怪对不住人家的。可是,我刚才到镇上去找了文远了,他不听我的。

王义说:别说了。文远镇长可能也有他的难处,咱们还是看看有什么补救的办法吧。

但酒喝了两瓶,办法却没有想出一个。三个人一个接着一个叹了一回气,玉朴觉得再干坐下去也没有什么意思,就先走了出来。

天雾蒙蒙的,雨已经很小了,但还在下,一些积水像蚯蚓一样在地上爬来爬去,踩在上面叽叽叽叽地响。正是傍晚,暮色有些浓。

玉朴老远就看见一只绵羊在啃食自家的柴草垛。玉朴想:这样的天谁家的羊会跑出来。但是他走到跟前时却发现是女人月香在拽些做饭的柴草。月香披了一个化肥袋。

玉朴说:我刚才还以为你是一只羊呢。

月香白了他一眼说:我看你是被养羊的事给弄糊涂了。

玉朴听了这句话一下子就把这事和养羊事情联系起来了。他灵机一动,想了想忽然笑了。

月香说:你真糊涂了,你笑什么。

玉朴说:随便你怎么说吧,我还要到王义家去一趟。

月香说:你不是刚从他家来吗?

玉朴说:这回去和刚才不一样了。

玉朴向王义和德厚说出了一个装羊的主意,他说,等县里来检查那天,让村里人一人披一块化肥布袋趴在地上装羊。一定能把这事糊弄过去。

王义和德厚都觉得这个主意不错,又担心装出来的不像。玉朴就把他刚才把月香当成羊的事说了一遍。王义半信半疑,就找了一个化肥布袋让德厚披着趴在村道上试试看。王义仔细看了几眼,立时信了,说:真像呢,比真的还像。

玉朴说:这还是少呢,如果一村人都上了山,山上到处白乎乎的,看着就更像了。

德厚让王义披着化肥袋自己也看了看。他说:像是像。这是离远看,要是走近了还不露馅。

玉朴不由地又泄了气,说:我光想着装羊了,这个却没想到。

王义想了想说:不怕,我们想个办法不让他们走近就行了,不行把往山上去的那座桥拆了吧,现在的检查验收也就那么回事,车过不去,在远处又能看见,他们也犯不上步行往山上跑。

德厚说:那座桥是去年才修的,花了七八百块呢,拆了怪可惜的。

王义说:就是七八千块,只要能让白书记把这一关过去,该拆总也得拆。检查团后天来,你明天就带人把桥拆了。

为了保险起见，村长王义还专门到镇里去了一趟，把这个计划向白书记做了汇报。白书记很高兴。王义想了想说：在这件事上村里是尽最大努力去做的，也担着风险。

白书记叹了一口气说：事到如今就是冒风险也要试一试，总比坐着等死强，不过要注意一点，要保密。

王义说：村里的密保不保的无所谓，村里人都盼着你不出事呢，我担心镇里。

白书记说：你担心镇里什么。

王义说：李镇长检查那天如果去了怕不好说，他知道底细，到时候他非要领着人上山去看不就麻烦了。

白书记唔了一声说：这件事你别管了，明天我找个理由不让他去就是。

白书记说完又问：这么好的主意是谁想出来的，是你还是德厚？

王义说：都不是，是玉朴。

白书记怔了一下，没有说出话来。

县里来检查验收皮条村养羊资金落实情况的一共有二十多人，是分乘七八辆汽车来的。他们是上午到达镇里的，但是被白书记留到中午吃了饭喝了酒后才下到皮条村。他们没到皮条村时，天是阴的，到了皮条村后却下起雨来。

皮条村的村长王义已经立在村头等了许久，衣服已经淋湿了，他说：好雨。

一个大官模样的人问：羊呢？

王义说：都到山上去了。

然后就带着检查团往山上赶，却赶不到山上去。

大官模样的人问：桥怎么回事？

王义说：正在修桥呢，我带着大家走过去吧。

检查团的人纷纷下车。路还没有干，现在又落了雨，有些滑，几个人下车的时候都低下头看自己的皮鞋。

白书记也来了。白书记说：王义，羊在哪里，远吧？

王义说：在前面的山上，还有三四里地呢。

王义说着用手向前一指，检查团的人就顺着王义那根手指头，向前看去。一个戴眼镜的年轻人忽然高呼：山上那一片片白乎乎的东西是什么？

王义说：那就是我们村发展的绵羊。

众人举目一看，果然见山上大片连着小片，小片连着大片，片片相接相连，若棉絮白云一般，煞是壮观好看。大官模样的人嘘唏一番，抹了一把脸上的雨水说：好大一片羊群，不少，不少，有一千多只吧。

王义说：还要多，我今天早晨统计了一下差不多快到两千了，不信你们到山上数一数。

说着假惺惺地劝众人到山上去看一看，但众人面有难色。大官模样的人说：算了吧，反正上山看也是这么回事，发展的数目一定够了，达标。

众人也附和着说：达标。

唯有一年轻人说：到山上看看吧，在羊群里走一走挺有意思的。

一个上了年纪的官员说：你年纪轻轻的跑一跑没什么，想把我们累死。

大官模样的人终于表了态，说：天气也不好，山上有什么看头，又不是没见过羊，回去吧。

就回了。

当车队缓缓离去的时候，山上却突然响起了一片哭声。王义不知发生了什么事情，他连忙往山上跑。到上面一看立时惊得目瞪口呆：玉朴的二大爷，七十岁的方有老汉，一不小心，踩滑了一块石头，掉到山沟里摔死了。

本来村里不让方有上山的，玉朴也去劝他。但方有虎着脸说：这是给我们李家的人赔罪的事，别人不去没事，我不去心里不安。

就去了。就死了。

方有老汉一个女儿出嫁在外，老伴早没了，最近的人数来数去也就是玉朴。玉朴就把本族的人招呼过来料理方有的丧事。有人说：不管怎么说方有是文远的二老爷，要不要给文远说一声？

玉朴说：如果不是因为他，二大爷还不会死呢，不给他说。

但是傍晚的时候文远却不请自到了。那时候他还不知道他的二老爷已经摔死。他是为检查验收的事来的。验收工作的成功与顺利，使他感到震惊，他无论如何也弄不明白皮条村怎么会在一夜之间弄来一两千只绵羊，这简直是神话。他刚进皮条村就下了车，一共询问了七八个人，他们的名字分别是刘大山、王高兴、王开、李坤和、李道友、张明水，有两个还是他儿时的好朋友，没有一个人骂他，但是也没有一个人告诉他事情的真相。他有点颓唐，他就带着这种颓唐的心情进了家门。

刚开始玉朴不让他进来，在众人的一再劝说下玉朴才勉强做出让步，但是不准他进屋。在潮湿的院子里他们爷俩面对面地站着，玉朴狠狠瞪了他一眼说：你怎么还有脸进皮条村？

文远显得很难堪，他避开这个话说：爹，二老爷是怎么死的？

玉朴说：是你害死的。

文远说：我什么时候害得他？

玉朴说：你不举报白书记，村里人就不会上山装羊，你二老爷不上山装羊就不会掉到山沟里，不是你害的，是谁害的。

文远听到这里眨了一会眼，说：这么说那些羊都是装的？

玉朴说：哼！

文远又说：二老爷是为了装羊摔死的？

玉朴说:是又怎么样?

文远忽然冷笑起来,他咬牙切齿地说:白朝生,你弄虚作假都弄出人命来了,我这回非让你负法律责任不可。

玉朴火了,说,你敢,你要再在这件事上打白书记的主意,我就死给你看!

玉朴说着跑进锅屋拿出一把杀羊用的小刀子,做了一个自杀的姿势。

文远吓坏了,说:爹,你千万别这样。

玉朴说:不想让我死,你就别找白书记的麻烦。

文远惶恐地说:好,我答应你。

玉朴收了刀,并且把刀子揣进了怀里,说:这把刀子我装着,只要你做了违背良心的事我就把命交给你,你走吧。

天气越来越冷了,当人们差不多把所有的棉衣都加在身上的时候,忽然传来白书记要调进县里做副县长的消息。皮条村人都很兴奋,他们说这样的好书记早就该升。有的还对政府有意见,说:副县长有点小了,当个正的还差不多。大家不知道白书记什么时候走,就叫王义到镇里打听一下,到时候大家也好去送他。

村长王义说,送不送的无所谓,咱这个灯泡厂不是白书记一手办起来的吗,咱抓紧调试生产,送他一把灯泡,让白书记的前程光芒四射不比送什么东西都好?

但是天不遂人愿,白书记却在皮条村灯泡厂生产出第一批灯泡之前调走了,并且走的时候也没给皮条村人打招呼,这让皮条村人很感意外,说:原以为白书记临走之前会来村里和大家告别呢。

村长王义说:可能是怕大家心情不好受才没来的。

大家觉得有道理,心情就真的不太好受起来。好在不久这种不好受便被灯泡厂带来的喜悦给冲淡了。只是这种喜悦没有保持三天,又迅速被一股愁云笼罩,因为几乎所有的皮条村人都出动了,也没卖出一个灯泡。王义和德厚甚至跑到了邻省,一个批发商说:你们生产的这种产品销量极少,市场在五年前就饱和了,我们仓库里这种灯泡积压得多了,也没有发展前途,快转产吧。

王义说:我们才刚刚生产呢,怎么能转?

那人吃惊地说:这是个早就面临淘汰的项目,你们为什么还上?

这回轮到王义吃惊了。王义说:这个项目是我们从镇里争取来的还能有错。

那人笑了,说:你们镇里给你们开了个玩笑,听我的,快转产吧。

王义带着哭腔说:转产要多少钱?

那人说:现在彩珠热销,加上你们现在的基础,转产的话也要一百来万。

王义一下子被吓晕了。德厚连掐带捏,最后还踹了两脚才把王义弄醒过来。王义醒过来就说:就这么一个项目,白书记为什么还让我们拼死拼活地干,他是不知道呢还是故意要我们?

德厚瓮声瓮气地说:不管他是不知道还是要咱们,都要去告他,为了这个厂子村里可是伤了四个人,死了一条命呢,咱不能平白无故地完了。

王义说:这种事情复杂着呢,怎么个告法,况且他现在又是副县长。

德厚想了想说:当初这个项目是玉朴牵头要来的,咱这官司还是让他牵头告吧,他毕竟有一个当镇长的儿子。

王义说:玉朴和文远可是弄崩了。

德厚说:再崩也是爷俩。

玉朴又到镇上去了一趟。

王义和德厚把事情一说,玉朴就决定去一趟,一点也没有推辞,并且他还骂了好几句白朝生。但是月香不让他去,月香说:你说不再掺和的,怎么还去。

玉朴生气地说:村里老少爷们被白朝生这个狗日的折腾成这样,我要不掺和还是人吗?

他从皮条村往八沟镇走的时候步子迈得很大,也很坚决,但是一接近文远的家门就变得犹豫不决起来。人要脸,树要皮,和儿子闹成那样,现在又来求他,虽是父子爷们,脸面上也有些磨不开。他举了七八次手,最后才落在门上。文远仍然很热情,还叫了一声爹,不知怎么回事,玉朴觉得文远那声"爹"叫得有点虚假。他应了一声。之后便有些局促不安,他在路上已经想好怎样开头,现在却不知讲什么好了。慌乱中他又叫了一声:文远。

文远说:爹,有什么事就说吧。

玉朴说:白朝生调走了。

文远对玉朴嘴里吐出"白朝生"几个字有些吃惊,他说:你是说白县长吗?

玉朴说:是的,他不是人。

文远更吃惊了,说:爹,你怎么这样说他?

玉朴说:村里人可被他坑苦了,那个灯泡厂是什么淘汰的项目,产品根本卖不出去。

文远说:真的?

玉朴说:王义、德厚在外面销灯泡,碰到行家了,人家说的。

文远说:我原来一直以为他为了堵众人之口,不得不上一个项目,没想到他这么不负责任,拿着皮条村人的生命财产做儿戏。

文远说着说着脸有些变色。玉朴觉得时候差不多了,他从怀里把那把刀子掏出来,扔在文远的茶几子上,文远吓了一跳,说:爹,你这是干什么?

玉朴说:我那天把刀子揣进怀里是不想让你告白朝生,我现在把它拿出来了,你去告他吧,告他挪用养羊专款,告他弄虚作假害了你二老爷的性命,再告他丧尽天良让皮条村上了这么一个项目。你去告他吧,告得越重越好,叫上面用枪毙了他。

文远听完表现得很平静，说：白县长已经不在八沟镇了，事情也已经这样了，别告了，算了吧。

玉朴简直不敢相信自己的耳朵，玉朴说：你说什么？

文远说：别告了。

玉朴这回听清了，他说：文远，你，你再说一遍——

文远没有再说一遍，而是说：爹，官场上的事情复杂，别告了。

玉朴说：怎么个复杂法？

文远说：他以前是镇里的书记时我还能告得，现在是县长了，我就告不得了，他管着我呢，他现在说一句算一句，镇里的书记现在空位，我现在和他搞关系还来不及呢，怎么再去告他？

玉朴火了，说：你不去告他是怕你当不上书记，你是人吗？

文远说：你是爹，随你怎么骂我也不能去告他。

玉朴说：你不去我去！

文远说：你也不能去，你是我爹，你去和我去有什么两样？

玉朴伤心地说：你是怕我连累你，那你把姓改了，你改了就不是我的儿子了，你改吧，赵钱孙李随便你姓，你要怕麻烦我改，我不姓李了，我姓王行吧，我叫王玉朴，这回连累不着你了吧？

玉朴疯了一般，丢下这几句话，拉开门就走。文远扑过来一把拉住了他，说：爹，你不能去告他，看在儿子的面上你也不能告他，我一步步爬到镇长这个位子不容易，我的路还长呢，你难道不想让你亲生的儿子好好活人吗？

玉朴听到这里心头一颤，他再看文远时，文远已经泪流满面。

文远说：爹，我求你了，你别去告他，我给你生个孙子。

玉朴定睛看了文远许久许久，忽然有一股泪流从他的眼睛里汹涌而出，他声嘶力竭地喊：天哪，我怎么生出了这么一个儿子，让我去死吧！

然后拉开门冲了出去。

玉朴死了。他是突发心脏病倒在马路上，送到医院，抢救无效，死了。

玉朴的丧事搞得很隆重，白副县长也来了。当参加丧礼的人纷纷散去，墓地上只剩下文远和白副县长的时候。他们都相互注视着好像都有什么话说，但很长时间过去了谁都没有先开口，风把白副县长的围巾飘了起来，扯得紧紧的，勒得他的脖子生疼。他看了一眼玉朴坟头湿润的泥土，说：文远，咱们离老人家远一点再说吧。

于是他们两个就走开去，在山坡上一个背风的地方站住脚。

文远说：其实，你不该那么做。

白朝生说:其实我也不想那么做,刚开始我也只想拉一个办厂的架势给众人看看。后来,你要不逼我我也不会下那么大本钱了。

文远不再说什么,他觉得这件事情再说下去谁也没有意思。他叹了口气,说:我爹去县城本来是告你的,后来,我跪着求了他,他终于没去。

白朝生说:我知道,我已经推荐你做八沟镇的党委书记了。

文远有些感伤,说:我还有个要求,你给我调个地方吧,八沟镇我不能待了。这两天夜里我总是做梦,梦里到处都是羊,每天夜里我总是觉得是在羊群里睡觉。

白朝生惊异地说:这就怪了,这两天我也做这样的梦。

文远说:是吗?

两个人都有些悚然。他们不由地去看玉朴的新坟。一阵狂风贴着地面卷过来,把玉朴坟上的几个花圈撕得粉碎,无数纸片被狂风夹裹着飞落,飞落,在漫山遍野闪闪烁烁,远远看去像一片片羊群。

白朝生说:我们该走了吧。

文远说:我也想快一点走开。

两个人就上了车。他们上车的时候都有些慌,不知谁的衣角挤在车门上了,也没来得及拿下来。

(选自《钟山》1997年第6期)

张　继

1967年出生于山东省枣庄市峄城区。1996年进入北京鲁迅文学院作家班学习。1997年加入中国作家协会。1999年调枣庄市文联创作室工作。现为济南市文联专业作家。

1991年开始发表小说作品。已出版小说集《玉米、玉米地》《人样》《村长的耳朵》,长篇小说《去城市受苦吧》,影视作品《惹事生非》《男妇女主任》《村长李四平》《乡村爱情》《石榴花开》等。